SOCIOLOGIE ET SOCIÉTÉS

VOL. XLII, N° 1, PRINTEMPS 2010

Les passeurs de frontières
Border Crossers

Numéro réalisé par
BARBARA THÉRIAULT
ET SIRMA BILGE
Issue edited by
BARBARA THÉRIAULT
AND SIRMA BILGE

D1413642

Sommaire

Collaborateurs et collaboratrices

Maxime ALLARD
Faculté de philosophie
Collège universitaire dominicain

Caroline ANDREW
École d'études politiques
Université d'Ottawa

Schirin AMIR-MOAZAMI
Institut d'études islamiques
Université libre de Berlin

Sirma BILGE
Département de sociologie
Université de Montréal

Claudine BURTON-JEANGROS
Département de sociologie
Université de Genève

Rosalie DION
Département de sociologie
Université de Montréal

Emmanuel GOUABAULT
Haute école de travail social (HETS)
Genève

Kavin HÉBERT
Cégep de Sherbrooke
Sherbrooke

Thierry HOQUET
Département de philosophie
Université Paris Ouest Nanterre
La Défense

Nicole LAURIN
Département de sociologie
Université de Montréal

Lorenzo MIGLIORATI
Département d'art, archéologie,
histoire et société
Université de Vérone

Géraldine MOSSIÈRE
Département d'anthropologie
Université de Montréal

Frank PETER
Institut d'études islamiques et
de nouvelle philologie orientale
Université de Berne

Anaïs SÉKINÉ
Département de sociologie
Université de Montréal

Barbara THÉRIAULT
Département de sociologie et Centre
canadien d'études allemandes et
européennes
Université de Montréal

Miroslav TÍŽIK
Département de sociologie
Université Comenius de Bratislava

In memorian

Brigitte DUMAS

NICOLE LAURIN

Département de sociologie
Université de Montréal
C.P. 6128, succ. Centre-ville
Montréal (Québec) H3C 3J7
Courriel : laurinn@socio.umontreal.ca

NOTRE COLLÈGUE BRIGITTE DUMAS EST DÉCÉDÉE LE 6 DÉCEMBRE 2009, à l'âge de 57 ans. En 2002, une maladie incurable l'obligeait à prendre sa retraite. Son départ a créé un vide immense ; l'annonce de son décès nous envahit de tristesse.

Les plus anciens parmi nous se rappellent du concours « épique » pour un poste de théorie sociologique pour lequel deux candidats des plus intéressants se trouvaient en concurrence, devant une assemblée départementale incapable de faire un choix. Une lettre de recommandation du professeur Fernand Dumont de l'Université Laval, affirmant que Mme Dumas était de loin la plus brillante étudiante qu'il avait dirigée à la maîtrise, décide du résultat. Son mémoire porte sur la sociologie des classes sociales au Québec. Le dossier de la candidate comporte en outre une appréciation du directeur de la London School of Economics, l'institution très prestigieuse où elle a fait ses études de troisième cycle et obtenu son doctorat. La thèse s'intitule *Scientific Practise and Ideology : Philosophy and Sociology in Quebec : 1945-1980.*

Dès son arrivée au Département de sociologie, en 1985, Brigitte Dumas assume une très lourde tâche d'enseignement dans ses champs de spécialisation : la théorie sociologique, l'épistémologie, la sociologie de la connaissance et de la culture. S'y ajoute la sociologie critique, inspirée de l'École de Francfort. Sa présence au Département consolide entre autres le domaine de l'épistémologie. Nos regrettés collègues Gilles Houle,

Luc Racine et Mohammed Sfia y œuvrent depuis plusieurs années. Ils sont ravis d'accueillir leur nouvelle collègue. En 1988, elle organise le colloque de l'ACSALF sur le thème « Construction/ Destruction sociale des idées » et dirige la publication des communications qui y sont présentées. En 1990, l'agrégation lui est accordée unanimement. À partir de 1997, elle assume la très lourde charge du « grand cours » d'introduction à la sociologie. Il exige un travail considérable et une parfaite maîtrise de l'enseignement. D'autre part, la jeune professeure dirige déjà plusieurs étudiant(es) à la maîtrise et au doctorat, dans ses champs de spécialisation. Les ateliers de recherche lui sont confiés. Elle doit initier les participants au processus de recherche en sociologie. Elle supervise aussi les « travaux approfondis » et les stages des étudiant (e)s : recherches préalables au mémoire ou à la thèse. Des recueils de textes pour chacun de ses cours sont mis à la disposition des participants. Excellente pédagogue, Brigitte Dumas se passionne pour l'enseignement. Aussi est-elle très appréciée de ceux et celles qui affluent dans ses cours. Tous veulent travailler sous sa direction. En contrepartie, elle est débordée de travail. Les cours de baccalauréat exigent un effort pédagogique important. Elle note d'ailleurs avec un brin d'ironie, dans une lettre au directeur du Département, au sujet de sa charge de travail pour l'année 1996-1997, que « l'enseignement de bas niveau est assuré par les femmes ». D'autre part, elle s'occupe de mettre en chantier des projets de recherche subventionnés, qu'elle réalise seule ou en collaboration avec des collègues. Ces travaux portent sur « la production de la culture : des représentations scientifiques aux représentations symboliques » et sur le rapport entre « la rationalité scientifique et la rationalisation de la culture ». L'objectif est clairement épistémologique, il vise à formuler une problématique renouvelée des représentations collectives. À son avis, celles-ci s'appuient sur le sens commun mais aussi sur les rationalisations scientifiques. Elle s'intéresse vivement à l'écologie comme savoir et à sa vulgarisation par les médias. Sa participation au projet d'une équipe de recherche du Département des sciences religieuses de l'UQAM lui permet de formuler et d'étayer l'hypothèse fascinante selon laquelle le discours écologique québécois est traversé par des convictions éthiques prônant de nouvelles formes de solidarité. Elle collabore aussi à un groupe de recherche de l'Université de Montréal sur des questions touchant l'écologie. Pour sa part, elle produit une bibliographie exhaustive informatisée sur ce sujet. Plusieurs subventions lui sont attribuées, notamment celles du CRSH, pour mener à bonne fin ses travaux de recherche. Leur originalité et leur pertinence sociale sont remarquables, dans le contexte de l'époque. Les résultats de ses recherches sont publiés dans plusieurs revues, au Canada et à l'étranger. Deux numéros de la revue *Sociologie et sociétés* sont réalisés sous sa direction. Malgré cet énorme travail d'enseignement et de recherche, elle siège au comité des études supérieures du Département. De 1985 à 1990, elle assume la direction des études supérieures.

Au cours de l'année suivante, un congé sabbatique lui permet de se rendre à Paris, où elle participe d'abord à un colloque international sur la culture. Elle est invitée à suivre le séminaire de Michel Serres à la Sorbonne et celui de Denise Jodelet à l'École pratique des hautes études. Elle donne des séminaires et des conférences à Nantes et

Aix-en-Provence où elle noue des liens avec plusieurs collègues. Par la suite, elle fait un long séjour à Londres pour y reprendre et élargir ses contacts au London School, comme elle le souligne dans son « Rapport d'année sabbatique ». Elle écrit, en conclusion : « Tout au long de l'année, j'ai travaillé aux avatars de la pensée critique, en tentant de démontrer la solidarité de la sociologie de la connaissance et de l'épistémologie des sciences humaines. » Au cours de son congé, elle encadre ses étudiants à distance. Trois d'entre eux, souligne-t-elle, ont déposé des thèses qui corroborent son hypothèse de la proximité de la rationalité et de la normativité en sciences humaines et ce, dans des domaines divers.

À son retour au Département, elle reprend son enseignement. Un grand nombre d'étudiants à la maîtrise ou au doctorat travaillent sous sa direction. Tous sont fascinés par son érudition, sa maîtrise de la théorie, la pertinence et le caractère novateur de ses recherches. D'autre part, la jeune professeure publie plusieurs textes sur des questions relatives à la théorie sociologique et à l'épistémologie. Elle entreprend la préparation d'un livre qui présenterait la synthèse de son travail. Malheureusement, son état de santé ne lui permet pas de réaliser ce projet. Deux brefs congés de maladie en 2000-2001 et en 2001-2002 annoncent une retraite qu'elle devra prendre en 2002 pour des raisons de santé. Elle a gardé jusqu'à la fin l'espoir de revenir à son travail et de compléter son œuvre. On ne peut s'empêcher de rêver aux contributions à la sociologie qu'elle aurait pu produire. L'œuvre réalisée au cours de sa trop brève carrière nous en donne un brillant aperçu.

BIBLIOGRAPHIE NON EXHAUSTIVE DE BRIGITTE DUMAS

DUMAS, B. (1999), « Les savoirs nomades », *Sociologie et sociétés*, vol. 31, n° 1, p. 51-62.

DUMAS, B. (1997), « À la mémoire de Fernand Dumont, un pari, un destin (24 juin 1927-1er mai 1997) », *Sociologie et sociétés*, vol. 29, n° 2, p. 1-2.

DUMAS, B. (1995), « À propos de la genèse de la société québécoise » *in* Actes du Forum « Genèse de la société québécoise », J. BEAUCHEMIN, A.-G. GAGNON, G. M. NIELSEN, G. BOURQUE, J.-J. SIMARD, G. PAQUET et F. DUMONT. *Recherches sociographiques*, vol. 36, n° 1, p. 78-117.

DUMAS, B(1991), « Yvan Lamonde, L'histoire des idées au Québec, 1760-1960 : bibliographie des études », *Recherches sociographiques*, vol. 32, n° 1, p. 107-109.

DUMAS, B. et GAULIN, B. (1991), « Preliminaries for a Sociology of the Reception of Art », *Communication Information*, vol. 12, n° 1, p. 49-73.

DUMAS, B et GENDRON, C. (1991), « Culture écologique : étude exploratoire de la participation de médias québécois à la construction de représentations sociales de problèmes écologiques », *Sociologie et sociétés*, vol. 23, n° 1, p. 63-180.

DUMAS, B. et TOUPIN, L. (1989), « Le statut de la normativité dans la modernité, lecture diagonale de Habermas », *Revue de l'Institut de Sociologie*, n° 3-4, p. 201-219.

DUMAS, B. (1987), « Dans les traces d'une métamorphose de la connaissance du vivant », *Sociologie et sociétés*, vol. 19, n° 2, p. 5-14.

DUMAS, B. (1987), « Philosophy and Sociology in Quebec : a Socio-Epistemic Inversion », *Canadian Journal of Sociology/Cahiers canadiens de sociologie*, vol. 12, n° 1-2, p. 111-133.

Présentation

Des passeurs aux frontières

BARBARA THÉRIAULT

Département de sociologie et Centre canadien
d'études allemandes et européennes
Université de Montréal
C.P. 6128, succursale Centre-ville
Montréal (Québec) H3C 3J7
Courriel : barbara.theriault@umontreal.ca

SIRMA BILGE

Département de sociologie
Université de Montréal
C.P. 6128, succursale Centre-ville
Montréal (Québec) H3C 3J7
Courriel : sirma.bilge@umontreal.ca

Sans max brod, nous n'aurions probablement jamais connu Franz Kafka. Il publie ses manuscrits, les présente, les préface. Infatigable, il orchestre la réception de son œuvre par l'intermédiaire de livres d'interprétation et d'un roman à clé, il veille à la mise en scène de l'œuvre au cinéma et au théâtre. Ami et exécuteur littéraire, il parle et agit au nom de Kafka. Figure dans l'ombre de l'auteur, Brod ne nous laisse pas pour autant indifférents, il nous agace : quel droit avait-il de publier les manuscrits de Kafka — d'autant plus que ce dernier les voulait détruits ? Quels pouvaient donc être ses motifs ? La volonté d'intercéder pour un auteur mort trop jeune ou pas assez sûr de lui ? Une mission dont il se sentait investi ? L'envie de sortir de l'ombre ? Si nous, lecteurs de Kafka, reconnaissons que Brod nous a fait connaître l'auteur, plusieurs d'entre nous ont critiqué ce qui est jugé une perversion de son esthétisme et de ses intentions. Que nous soyons d'accord ou non avec l'interprétation, et le geste, de Brod, nous reconnaissons qu'il a tracé les limites de l'espace à l'intérieur duquel nous lisons aujourd'hui Kafka. Brod a contribué à l'intromission des livres de l'auteur dans le canon de la littérature du xxᵉ siècle ; à ce titre, il est un passeur.

L'exemple de Brod ne manquera pas de faire remarquer au lecteur-sociologue que le passeur renvoie aux relations sociales intermédiaires. Les acteurs qui intercèdent, parlent, agissent au nom d'autrui, et qui le font connaître, mettent en lumière des problèmes

d'ordre structurel (Weiß, 1998 : 16). À cet effet, le passeur fait écho à une question fondamentale de la sociologie : celle de la coordination de l'action, mais aussi des filets du
pouvoir dans lesquels celle-ci est tissée. Parce que le passeur conjugue d'une façon
unique des questions au cœur de la sociologie classique et des considérations épistémologiques chères aux théories contemporaines, nous proposons de penser le social et
ses frontières sous l'angle de cette figure, une entreprise à laquelle les auteurs ont bien
voulu se soumettre. En guise de présentation au présent numéro de *Sociologie et sociétés*, il nous importe dans un premier temps de souligner deux traits caractéristiques
du passeur : la coordination de l'action et la représentation. Ces caractéristiques nous
mèneront, dans un deuxième temps, aux frontières et à leur contrôle. Des passeurs aux
frontières, nous accentuerons dans les quelques pages qui suivent les tensions auxquelles renvoie l'objet d'étude.

I

En français, le mot « passeur » prête à confusion : il désigne tant celui qui passe que
celui qui fait passer. Il convient de mettre à profit ce caractère polysémique. Au-delà du
caractère relationnel du social mis en relief par la figure de l'étranger, de Simmel à Hill
Collins, le passeur place la fonction de coordination au centre de l'analyse du travail
d'acteurs précis et renvoie ainsi à une sociologie empirique. Le passeur met en lumière
l'action d'individus et les conséquences, anticipées ou non, de celle-ci. Vu sous cet
angle, un individu peut être passeur malgré lui ; le passeur prend alors forme à travers
le regard du sociologue qui observe et interprète les conséquences de l'action — et non
uniquement à partir de la parole des individus qui font d'un passage le motif de leur
action. Si, chez Brod, motifs et conséquences coïncident, la médiation du personnage
marque le début d'une chaîne de conséquences auxquelles il ne peut échapper — et auxquelles nous, lecteurs de Kafka, ne pouvons d'ailleurs non plus échapper.

Brod nous fait connaître Kafka en participant à l'inscription de son œuvre dans le
canon littéraire mais, en même temps, il se l'approprie et la transforme, voire — selon
le point de vue que l'on adopte — la déforme. Du fait même de sa fonction de médiation, la figure du passeur et son rôle peuvent ainsi être sujets à contestation. Il n'est
pas rare, après tout, que les protagonistes de mouvements de contestation revendiquent un retour aux paroles, aux textes originaux : ceux de la Bible, de Marx... ou de
Kafka. Contre Brod et la *kafkologie* qui en est l'héritière, Milan Kundera plaide pour un
retour à Kafka, au texte et à la révolution esthétique qu'il aurait mis en branle[1]. On
peut donc souhaiter abolir la médiation — voire la figure même du passeur —, et plusieurs textes du présent numéro font écho à une telle volonté.

---

1.   Le romancier évoque de façon cinglante « L'ombre castratrice de Saint Garta ». C'est ainsi qu'il intitule un chapitre de *Testaments trahis* (Kundera, 1993 : 49-69) et qu'il qualifie la médiation de Brod des écrits
de Kafka, une médiation qui a la prétention d'une science, la *kafkologie*. Parce qu'elle est toute concentrée sur
le personnage de Kafka qu'elle érige en saint martyr, cette dernière nous détourne — Kundera le déplore
amèrement — de ses écrits.

L'oblitération du passeur renvoie plus précisément à un idéal d'autonomie. On pense notamment au respect de l'autonomie de l'auteur et de ses intentions, mais aussi de la capacité d'interprétation du lecteur qui peut refuser de laisser son imaginaire être ainsi « castré » par une quelconque orthodoxie. Cette autonomie de l'auteur autant que du lecteur s'inscrit directement dans l'idée du sujet autonome à partir de laquelle on définit l'ère moderne (voir les textes de Maxime Allard et de Rosalie Dion dans ce numéro) et, par ricochet, la portée du regard du sociologue. Cet idéal teinte à la fois le regard des acteurs et celui des observateurs ; il détermine les questions que les seconds posent aux premiers.

Le passeur renvoie ainsi à une première tension : celle ressentie entre la nécessité d'un travail de coordination (sans Brod, pas de Kafka) et la remise en question de la médiation qui en découle nécessairement (la *kafkologie*). Cette tension fait écho à la transformation, ou à la déformation, découlant de la médiation ; elle est exacerbée par l'atteinte portée à l'idéal d'autonomie largement partagé. À défaut d'oblitérer le passeur, on peut néanmoins vouloir limiter son action ou son monopole[2]. Dans le rôle de *représentant* qu'il peut assumer, le passeur a précisément pour objectif de résoudre cette tension. En effet, le souci d'autonomie de l'individu coïncide avec l'émergence de cette figure qui prend en charge la fonction de coordination, mais dont le travail est soumis à des contrôles et des sanctions. Le représentant est mandaté, il doit se montrer responsable dans ses fonctions et rendre des comptes. La tension qui est propre à cette fonction s'est lénifiée dans le rôle du représentant politique. La question de la légitimité de la prise de parole au nom d'autrui, de la représentation et de ses conditions de possibilité, constitue toujours une tension forte au cœur de l'activité des intellectuels ; même si toujours contestée, elle est constitutive de la façon dont ces derniers se définissent (voir à ce sujet le texte de Kavin Hébert dans ce numéro).

II

De quel droit le passeur peut-il parler, et agir, au nom d'autrui ? S'il ne revient pas au sociologue de trancher ces questions, il peut néanmoins étudier comment elles interpellent les acteurs et rendre compte de la manière par laquelle elles l'interpellent. Outre sa fonction de coordination et la tension qui lui est inhérente, ces questions nous amènent ainsi à un deuxième aspect du passeur : celui de la représentation.

Dans le contexte qui est le nôtre, celui de la sociologie, l'exemple de Max Brod n'est pas aussi arbitraire qu'il pourrait le paraître au premier regard. Il nous permet de réfléchir, avec un certain détachement, à la figure du passeur et aux types de relations qu'il incarne et met en œuvre. Il nous permet de préciser, et peut-être aussi de transgresser, l'espace dans lequel le passeur est pensé. Plus que dans le cas de l'agent littéraire, du politicien ou de l'intellectuel, on associe souvent aujourd'hui le passeur à une frontière socio-symbolique, à une métaphore renvoyant aux principales divisions et hiérarchies

---

2.   Comme nous le rappelle Anaïs Sékiné dans ce numéro, une des caractéristiques des totalitarismes a été de vouloir supprimer les passeurs ou les intermédiaires, ou d'en monopoliser l'influence.

constitutives de l'ordre social d'une société donnée. C'est en relation au «nous», à la frontière de la citoyenneté entendue au sens large que nous avons l'habitude de penser le passeur. Parce qu'il renvoie à l'identité et à l'autonomie d'individus ou de groupes, questions qui ne nous laissent pas indifférents, nous sommes aux prises avec une deuxième tension entre parler «de» l'autre, «au nom de» ou «à la place de» (voir Alcoff, 1995). Elle se manifeste souvent par un brouillage des frontières, un brouillage entre la recherche et l'action au nom du changement social (*advocacy*).

Si, parce qu'il parle et agit au nom d'autrui, le travail du passeur a toujours quelque chose d'agaçant, il ne suscite pas toujours — selon la position qu'il occupe par rapport à une frontière — ni le même intérêt ni la même indignation. Le passeur s'avère aujourd'hui sympathique, et légitime en tant qu'objet de recherche dans les sciences sociales, s'il est à la fois à l'intérieur et à l'extérieur, dans le groupe majoritaire, mais néanmoins à sa marge. Si sa fonction de passeur entre minoritaires et majoritaires n'implique pas la défense des intérêts des premiers face aux seconds, il risque cependant de ne plus nous être aussi agréable[3]. S'il est un passeur majoritaire porte-voix des minoritaires, il est particulièrement susceptible de nous agacer; sa légitimité sera la plus contestée. Pourquoi? Parce qu'il contrarie une sensibilité exacerbée par les mouvements sociaux des années 1960 et dont nous sommes les héritiers, bien que parfois récalcitrants[4]; une sensibilité qui repose sur un idéal de démocratie participative selon lequel le principe de relai ou de représentation — parler au nom des x, sans être soi-même un x — n'est acceptable que comme solution intérimaire, ou dans le cas des mineurs ou de personnes qui ne peuvent, pour des raisons diverses, parler pour elles-mêmes (Weiß, 1992, 1998).

Tel qu'il s'est historiquement constitué, l'idéal d'autonomie et d'émancipation est assorti d'une hypothèse qui lui est implicite: on se représente mieux soi-même. On peut faire découler une seconde hypothèse de la première: une fois la frontière franchie, le passeur — dont le caractère se doit d'être provisoire — s'effacera. En d'autres mots, le passeur devra, dans sa fonction de représentant, se servir du porte-voix aussi longtemps — mais pas plus longtemps — que le représenté ne pourra le faire lui-même.

Considérer le passeur tant comme celui qui passe que celui qui fait passer nous incite à ne pas négliger la présence d'acteurs qui ne pourraient pas être décrits comme des étrangers au sens simmelien (par exemple parce qu'ils sont issus du groupe majoritaire, parce qu'ils ne se revendiquent pas comme passeurs ou encore parce qu'ils ne correspondent pas à l'image que l'on s'en fait spontanément). Renoncer à une telle

---

3.   Les théories postcoloniales ont récemment redirigé notre attention sur les rapports de domination à l'intérieur même des groupes minoritaires. En effet, la fonction du passeur comme instrument du pouvoir est notamment visible dans le contexte colonial où la pérennité de la domination dépendait largement de la formation d'une classe de passeurs qui allait faire office de courroie entre colonisateurs et colonisés.

4.   Nous sommes récalcitrants parce que les limites de la représentation — et le caractère construit de l'authenticité si souvent évoqué lorsqu'il est question de représentation — ne nous sont pas inconnus. Par le biais des subalternes, ceux dont la voix est impossible à recouvrer tant elle est appropriée par le majoritaire comme par le minoritaire, Spivak (1988: 307-308) a mis en lumière cet aspect de la représentation.

conception du passeur le réduirait à un échantillon restreint de relations intermédiaires et limiterait la portée de l'interprétation sociologique. Portant leur regard sur les discussions actuelles sur la citoyenneté et les passeurs sans toutefois s'y limiter, les auteurs de ce numéro, grâce aux portraits qu'ils esquissent, attirent notre attention sur des relations intermédiaires, sur l'activité d'acteurs concrets, qu'ils soient minoritaires ou majoritaires, et leurs conséquences. C'est ce à quoi le politicien, l'intellectuel, et l'agent littéraire, nous convient.

III

Lorsque le sociologue identifie et construit un passeur par l'étude de l'action, c'est-à-dire par le biais des motifs qui la sous-tendent et de ses conséquences, une frontière apparaît. La frontière correspond à ce que l'on défend, à ce que l'on patrouille. Elle renvoie, encore une fois, au caractère équivoque du passeur.

Comme le passeur, la frontière a surtout été pensée au cours des dernières décennies autour d'un intérêt renouvelé pour l'identité et les modes d'exclusion et d'incorporation de la différence. L'utilisation du terme frontière pour signifier tant la ligne de marquage entre identité et altérité, avec ses mécanismes d'ouverture et de fermeture, que pour évoquer l'idée d'un espace-tiers, hybride, qui ne serait ni l'un, ni l'autre, et les habitants de ces espaces inclassables et interstitiels (Lugones, 1992) s'est répandue en sciences sociales à partir des années 1970. Elle s'observe aujourd'hui dans plusieurs disciplines, de l'anthropologie à la psychologie, en passant par l'histoire, la sociologie et la science politique, et ce dans des travaux portant sur des sujets aussi variés que l'identité sociale et collective, les professions et les cultures organisationnelles, les théories de la connaissance et la science, les inégalités sociales liées à la classe, à l'ethnicité/race et au genre/sexe, les communautés et les identités nationales, mais aussi les frontières spatiales (Lamont et Molnár, 2002).

Comme le font valoir les auteurs du présent numéro, les frontières sont aussi multiples que les passeurs. Ils abordent en effet les frontières du « nous » national, mais aussi celles du religieux, de la réalité et de l'imaginaire, du canon littéraire et, aussi, celles de la sociologie et de la politique. Qu'elles soient réelles ou supposées, les frontières sont dotées d'une ambivalence, entre ce qui est inclus et ce qui est exclu ; entre une face symbolique et une face matérielle qui ne se superposent pas forcément. Entre ouverture sans barrière et fermeture absolue, les frontières signifient une ouverture contrôlée ou un passage sous surveillance, sujet à négociation. Les passages ont leurs patrouilleurs. Et il n'est pas rare que le patrouilleur ait été un passeur. L'exemple de Max Brod illustre à cet effet le double rôle du passeur : après avoir facilité un passage, il mit grand soin à patrouiller les frontières de l'espace qu'il avait contribué à tracer. En déterminant les critères de lecture, d'interprétation et de réception de l'œuvre de Kafka, il a inclus et exclu. L'article de Sirma Bilge dans ce numéro, en relatant l'expérience de passeurs devenus patrouilleurs, renvoie également à un tel processus. Ce faisant, il nous confronte à des configurations ou des alliances d'acteurs qui nous paraissent parfois insolites et qui sont à la source d'irritations fréquentes.

Si nous avons ici insisté sur les tensions analytiques propres à la figure abstraite du passeur, il ne faudrait pas omettre que celles-ci ont également une dimension hautement personnelle. Elles se manifestent chez les individus qui se prêtent à l'étude et qui, pour reprendre le langage un peu pathétique de Max Weber, doivent les affronter sur le plan intérieur. La tension entre les effets de l'action (l'exclusion) et les intentions initiales (le passage, l'inclusion) des passeurs est à la source de critiques, de contestations, de reproches. Elle est aussi à la source de dilemmes pour les individus réels derrière la figure abstraite du passeur pour qui la question de parler, d'agir ou de s'effacer s'impose. Cette tension soulève, pour les individus concernés, la question de la responsabilité de leurs actions ; elle sera d'autant plus fortement ressentie s'ils se perçoivent comme « agents doubles » — particulièrement dans le cas des passeurs minoritaires majoritaires évoqués plus haut, ceux qui défendent les normes majoritaires. Partout où des tensions se manifestent, l'individu et ses valeurs — mais aussi celles du chercheur — deviennent palpables, manifestes. Le texte de Caroline Andrew sur une organisation de femmes immigrantes et de « femmes blanches » constitue à cet effet un témoignage des dilemmes propres au chercheur, en l'occurrence une femme blanche consciente des enjeux de son action et sensible aux relations de pouvoir, et de son rôle équivoque de patrouilleur. On le voit, dans la mesure où les questions que nous traitons dans nos travaux nous préoccupent en tant que sociologues et en tant que personnes en chair et en os, où nous y entretenons un rapport aux valeurs, nous sommes aussi des acteurs, plus ou moins discrets, de l'enquête sociologique. Parce que nous sommes souvent — certes à des degrés différents — soucieux du sort de l'individu minoritaire et que nous avons à l'œil les conséquences de nos travaux, il n'est pas rare que nous soyons des passeurs inquiets.

IV

Reprenant les grandes lignes de cette présentation, le numéro thématique est divisé en trois sections. Avec les articles de Maxime Allard et de Rosalie Dion qui se penchent sur la tension, la fissure, d'où naît un nouveau type de passeur au seuil de la modernité, il s'ouvre sur les passages historiques. Il se poursuit ensuite avec des portraits qui mettent en lumière des aspects de la figure du passeur pour conclure avec la question du contrôle des passages et de la patrouille des frontières.

Les auteurs des deux premières sections du numéro mettent à l'avant-scène des passeurs de frontières. Certaines de ces figures sont typiques : le médiateur et le ministre (Maxime Allard), les autres sont réelles : Érasme de Rotterdam (Rosalie Dion), Alain Deneault, un intellectuel aux croisées de la justice et de la société civile (Kavin Hébert), Sofiane Meziani, un activiste musulman (Frank Peter), Miroslav Švický alias Žiarislav, un chef spirituel d'un mouvement de retour aux racines (Miroslav Tížik), Haraway, historienne des sciences, féministe au parcours « insaisissable », perturbatrice des frontières (Thierry Hoquet). Les cas présentés comprennent tout aussi bien des acteurs qui font d'un passage leur métier ou leur vocation — à l'instar de Max Brod — que ceux qui deviennent, parfois malgré eux, des passeurs. Ils renvoient ainsi au rapport paradoxal entre la volonté et les effets qu'elle produit. Aux côtés des passages désirés et réussis, les auteurs de ce numéro relateront des passages ratés et des passages non anticipés par les acteurs.

Les auteurs de la troisième section se penchent quant à elles sur le contrôle et la contestation des frontières, celles de la nation au tout premier plan. Alors que Caroline Andrew expose les frontières que les femmes immigrantes actives auprès de la Ville d'Ottawa ont à franchir dans le contexte canadien, Schirin Amir-Moazami et Sirma Bilge observent comment des acteurs issus d'une majorité veillent à la frontière du « nous », et contribuent à la production de discours hégémoniques de la nation. Cette entreprise est toutefois contestée par des acteurs qui affrontent ce discours sur les principes mêmes qui le sous-tendent. Chacune à leur manière, Géraldine Mossière et Anaïs Sékiné présentent des discours d'acteurs qui occupent une position minoritaire, qui « passent et retravaillent une frontière » ; se penchant sur la volonté de reconnaissance de converties à l'islam et d'intellectuels, elles réfléchissent avec eux à la question de l'authenticité et de la représentation.

La figure du passeur agace et soulève des questions normatives, comme en témoigne la question de la patrouille des frontières si souvent discutées aujourd'hui, particulièrement autour du sort des musulmans dans les pays européens et au Canada. À partir de questions liées aux musulmans, les auteurs du numéro pensent la question du passeur, de la frontière et de son contrôle. La sphère religieuse occupe d'ailleurs une place non négligeable dans ce numéro. La raison est simple, c'est là que s'est jouée, en interaction avec le politique au seuil de la modernité, la grande tension entre la nécessité de coordination et une volonté d'abolir le passeur ; et c'est au seuil de la modernité que nous voyons poindre la figure du représentant, une réponse à cette tension. Bien sûr, les dimensions propres au passeur ne sont pas épuisées par les discussions autour de la religion, et la figure de l'intellectuel occupe à ce titre une place importante (voir l'article de Kavin Hébert). Si de leur poste d'observation, les auteurs du numéro ont à l'œil les frontières de la citoyenneté dans ses imbrications avec le religieux, ils abordent aussi la frontière entre réel et fantaisie (Miroslav Tížik) et celle entre humains et animaux (Thierry Hoquet et, dans la section hors thème, Emmanuel Gouabault et Claudine Burton-Jeangros).

BIBLIOGRAPHIE

ALCOFF, L. (1995), « The Problem of Speaking for Others », *in* J. ROOF et R. WIEGMAN (dir.), *Who can speak? Authority and Critical Identity*, Urbana, University of Illinois Press, p. 96-119.

KUNDERA, M. (1993), *Les testaments trahis : essai*, Paris, Gallimard.

LAMONT, M. et V. MOLNÁR (2002), « The Study of Boundaries in the Social Sciences », *Annual Review of Sociology*, 28, p. 167-195.

LUGONES, M. (1992), « On Borderlands/la Frontera : An Interpretative Essay », *Hypatia*, 7, p. 31-37.

SPIVAK, G. C. (1988), « Can the Subaltern Speak ? », *in* C. NELSON et L. GROSSBERG (dir.), *Marxism and the Interpretation of Culture*. Urbana, University of Illinois Press, p. 271-313.

WEISS, J. (1998), *Handeln und handeln lassen : Über Stellvertretung*, Opladen, Westdeutscher Verlag.

WEISS, J. (1992), « Representative Culture and Cultural Representation », *in* R. MÜNCH et N. J. SMELSER (dir.), *Theory of Culture*, Berkeley/Los Angeles/Oxford, University of California Press, p. 121-144.

I. PASSAGES HISTORIQUES

© *Jan Lenica*
Museumsstiftung Post und Telekommunikation Archiv für Philatelie

Passeurs de frontières
(du) théologico-politique(s)

MAXIME ALLARD, o.p.

Faculté de philosophie
Collège universitaire dominicain
96, avenue Empress
Ottawa (Ontario) K1R 7G3
Courriel : allardma@magma.ca

PARCOURS

Être en société, que celle-ci soit abordée sous l'angle politique ou religieux, implique des passages et des passeurs qui excèdent les médiations policées et les médiateurs institués. À ces occasions, de la peur et d'autres passions sont générées. Cet article, avant tout philosophique, s'attèle, de manière programmatique, à la mise en place de certains protocoles pour comprendre ces passages et la transformation de certaines figures des passeurs.

Après une introduction signalant certaines prises de positions théoriques, une première section met en place, de manière heuristique, des figures-types de passeurs. Par la suite, quelques coups de sonde dans les concepts utilisés pour comprendre des déplacements politiques et religieux du début de la modernité (XVIIᵉ et XVIIIᵉ siècles) invitent à compliquer la situation théorique habituellement reçue. Une brève transition opère le passage vers l'appréhension de modalités ecclésiales et politiques de l'être-en-commun. Cela constitue une caisse de résonance pour exposer les modèles de « médiateurs » disponibles, à l'époque, et leur mise en cause au profit de la figure du « ministre » dans son rapport au souverain. Une attention est alors portée aux tentatives théoriques pour proposer l'éradication du « médiateur » religieux à cause des passions en jeu. Ceci permet de faire apparaître certains processus passionnels comme « passeurs » fantomatiques, clandestins.

INTRODUCTION

Une plainte symptomatique

Le XIXe siècle fut traversé par une plainte réitérée dans plusieurs milieux sociaux, politiques et ecclésiastiques : les liens qui font la société auraient été mis à mal, se seraient défaits, auraient violemment été sectionnés. Les discours sur la solidarité s'en nourrissent et la sociologie naissante, par une part d'elle-même, tente de formaliser cette plainte, de l'expliquer, de signaler l'importance de ces liens (Blais, 2007). L'explication, souvent, tourne autour des transformations de la place de la religion et de son institution dans la société, dans ses rapports à l'État et à l'économie politique. Est-ce un écho distordu d'une maxime juridique — « *Religio vinculumm societatis* » — encore présente au XVIIe siècle (Schilling, 1995 ; Kaplan, 2007) ? La plainte est alors située dans et constituée par une crise du théologico-politique, de ses frontières, réelles, supposées ou imaginaires. Qui dit plainte, dit mal, perte, manque, tristesse. La plainte est alors autant porteuse de passions qu'interprétation d'une réalité sociale, religieuse et politique. L'économie des passions n'est pas à négliger sur ces frontières théologico-politiques ; nous allons le suggérer au cours de cet article.

Objectifs de recherche

Deux objectifs de recherche sont lentement construits en guise d'article : faire remarquer l'instabilité des frontières conceptuelles du « théologico-politique » construites à l'orée de la modernité afin de permettre d'entrevoir la constitution moderne de ce concept et ce qu'il donne à penser. Ceci permet d'exposer, en lien avec cette frontière, l'oblitération au moins partielle d'un certain type de passeur au profit d'un nouveau, cette oblitération ayant trait à la nature du rapport interpersonnel du croire, de la crédibilité et de la plausibilité qui font l'être-en-commun. Il s'agit donc de donner à penser le passage de passeurs-« médiateurs » à des passeurs-« ministres » (administrateurs — managers [Legendre, 2005]), tant dans le domaine ecclésial que politique. Le second objectif est de signaler qu'à travers même l'érection de frontières entre le « politique » (État) et le « théologique » — différencié ici, de plus, en « religieux » et en « ecclésial » —, le caractère essentiellement « religieux » des passeurs s'affiche toujours, qu'ils soient « ministres » ou « médiateurs ». Car le passeur permet de relire tout à la fois des liens proposés, des choix réitérés de liens et du lien à refaire pour avoir été négligé dans un complexe jeu d'exposition et d'immunisation[1], le tout arrimé aux représentations imaginaires de soi, du monde et de « Dieu ».

---

1.   Cette déclinaison du « religieux » s'appuie sur la construction thomasienne de la *religio* négociée par Thomas d'Aquin dans *Summa theologiæ*, IIa et IIae, q. 81, a. 1. À ce sujet, voir Allard, 2004 ; sur un autre registre, Derrida, 1996a.

Une affaire de frontières hantées par du théologique

La modernité socio-politique et religieuse s'est constituée à partir d'une attention renouvelée aux frontières, à leurs constitutions, passages et négociations : celles de la propriété privée, celles des pouvoirs publics, celle des communautés urbaines, celles des États, celles entre les États et les diverses organisations religieuses chrétiennes ; celles entre des corps de plus en plus privatisés et la vie en tant qu'ils peuvent en être privés ; celles aussi des « Églises » et communautés chrétiennes, souvent oubliées mais dont l'impact social a pu être considérable ; celles, enfin, entre divers rapports et liens passionnels en jeu dans le rapport au croire constitutif de l'être-ensemble politique, ecclésial et religieux.

Dans ces débats, divers spectres « théologiques » semblent circuler et faire des apparitions régulières : la souveraineté, l'autorité, l'économie. Autant de thèmes mis de l'avant par Schmitt (1988 et 2001), débattus par Peterson (1996) ou Strauss (2005), repris encore autrement par G. Agamben (2008a). Même la thématique de la tradition, de la transmission, présente dans les débats sur la « transitologie » (Perrot, 2007) n'est pas sans effleurer des débats théologiques sur la transmission et la tradition, débats très modernes, s'il en est, à l'intérieur de l'Église catholique, et entre elle et les Églises et communautés protestantes (Congar, 1960-1963 ; 1984). Pour ne rien dire de l'importance de la performativité du langage et des actes de langage en régime moderne dont des racines théologiques ne sont pas peu apparentes (Agamben, 2008b ; Rosier-Catach, 2004).

Il y aurait donc rapport entre théologique et politique, voire même, clairement constituable et reconfigurable, un « statut contemporain du théologico-politique » (Capelle, 2008 ; Galli, 1996 ; Cattin, Jefro et Petit, 1999), statut imbriqué dans une lecture historiale de l'Occident où la catégorie de « sécularisation » règne de diverses manières (Monod, 2002 ; Willaime, 2006 ; Weiler, 1969 ; Sironneau, 1982). Or, avec les théories en cours sur ce rapport, la tendance est à la simplification des frontières, à leur mise en transparence, à leur spectralisation ou, au contraire, à leur érection en murs séparateurs, isolants. Soit plus de frontières : trop ou pas du tout ! Et, aux frontières, il y a toujours des passeurs.

Or, il importe peut-être de revenir sur des lieux de l'invention moderne de ce rapport pour en signaler la complexité. Nous faisons ici l'hypothèse que le *Traité théologico-politique* de Spinoza et l'essai de Hume sur la superstition et l'enthousiasme (Le Jalle, 2008) offrent des exemples intéressants tant de cette complexité que de la transformation des types de passeurs. Nous serons attentifs à la mise en discours des « passions » et « affects » qui y jouent, empêchent ou rendent possible des passages de frontières. Nous faisons l'hypothèse qu'elles signalent à la fois les dangers, les stratégies de défense et d'immunisation dont témoignent les « passeurs » ainsi que, au passage, les « crises » des institutions (Margel, 2005 ; 2006). Là, nous semble surgir plus clairement la transformation de la nature et du statut de « passeurs » en début de modernité.

Au passage, quelques oblitérations

Pour aboutir à la catégorie «théologico-politique», il a fallu une longue histoire de passages, de constructions de passerelles, d'activités de passeurs, mandatés ou subreptices. Pas question, ici, de livrer une telle histoire, ni de remonter les «ambiguïtés historiographiques» du concept (de Franceschi, 2007). Il s'agira plutôt d'explorer les traces conceptuelles de ce travail sur la base d'une hypothèse : celle de l'effacement et/ou, à tout le moins, de l'oblitération de la prise en compte théorique — dans le domaine politique et théologique, religieux et ecclésial — de la multiplicité des passeurs et des types de passeurs. Un complexe travail a lieu concomitamment. À ce registre, le passeur personnalisé permettait les approches, les abords, les «entours» les uns des autres, comme comptant (socialité) ou ne comptant pas (politique). Le passeur était alors avant tout un médiateur, intermédiaire local et possiblement provisoire pour permettre que, dans et par sa personne, il soit possible de rapprocher qui était, par ailleurs, éloigné, mais tenait tout de même ensemble par divers liens déjà. Cela relève du religieux au sens de liens et des forces du croire où il s'agit de «faire croire» et de rendre plausible. Le processus de dépersonnalisation aboutit à inventer une nouvelle figure du passeur que nous nommons «ministre». Cette nouvelle figure tend à prendre la place de cette diversité personnalisée des médiateurs. Désormais sur le devant de la scène sociale, politique et ecclésiastique, les ministres — qui ne sont plus pensés comme des médiateurs — ont pour fonction d'appliquer des principes légaux à valeur universelle pour l'État ou l'Église aux individus. Le but de cette opération : gérer la distance respectueuse entre chacun et entre leurs propriétés. Il s'agit alors de désempêtrer les rapports intersubjectifs des non-dits ou des mi-dits, voire des mensonges, liés à la compréhension, la mécompréhension ou l'incompréhension de comment chacun se trouve déjà investi passionnément dans un espace d'exposition commun, dans une temporalité du comparaître avec et auprès d'autrui. Cette gestion ministérielle vise à simplifier les rapports afin de les contrôler plus efficacement pour éviter des troubles engendrés par la multiplication des passeurs-médiateurs. Les liens horizontaux sont alors dévalorisés au profit d'un croire désormais pensé avant tout comme obéissance à l'autorité souveraine (politique ou ecclésiale, peu importe) et à ce qu'elle édicte comme conditions d'un vivre en commun . Ces ministres sont accompagnés de passeurs, qu'on peut désigner comme administrateurs et managers, comme les travaux de Foucault sur les micro-pouvoirs et la gouvernance en ont bien signalé l'existence (Foucault, 1976 ; 1997). Côté ecclésial, les débats sur les ministères et la «transmission de la foi» sont aussi un symptôme intéressant de cette diffraction du ministre (Schillebeeckx, 1987 ; Grelot, 1983 ; Congar, 1971 ; Lynch, 1988).

Avant la reconnaissance de toute distinction de régimes théologico-religieux et politiques, une option anthropologique sous-tend notre propos : il existe déjà toujours, d'une part, des passages dans l'exposition mutuelle, relevant, partiellement au moins, de «processus libidinaux» (Lyotard, 1980) et, d'autre part, des modes de partages symboliques tant de cette exposition que des conditions de ces passages. Ces modes de partages symboliques rendent possibles des performances de «passeurs» patentés, improvisés, intempestifs ou inspirés. Ils font jouer ces passages libidinaux en vue d'une « fin » qui n'est ultimement pas autre que l'exposition ou la comparution « bonne », agréée. Celle-ci relève, en Occident, du moins, d'une récitation dédoublée de l'origine de la communauté et du partage de la tâche de la faire advenir et d'y tenir : des récitations religieuses, des récitations politiques. La première anticipe la communauté dans son récit même ; la seconde, dans son dissensus et la mésentente réelle, rappelle que la communauté déjà-là n'a pas encore pris complètement en compte la tâche originaire de faire advenir l'être-en-commun.

Ceci posé, construisons abstraitement les figures de ces passeurs que nous avons nommés « médiateur » et « ministre ». Par la suite, quelques sondages dans l'histoire de la modernité permettront, au passage, de mettre en question certaines opinions reçues sur le théologico-politique et la médiation en début de modernité.

AU PASSAGE, LA PEUR... OU DES ARTS DE FAIRE PASSER LA PEUR

Dans les passages, étroits ou non, la peur peut s'installer. Souvent, elle s'y installe, tristesse inconstante provenant de l'idée d'un événement passé ou futur sur lequel plane encore quelque doute (Spinoza, 1999 : 313). Elle s'y installe en tant que peur faisant désirer un mal moindre, pour en éviter un plus grand qui est craint, car la médiation et le ministère relèvent, à l'orée de la modernité, de l'économie du « moindre mal », plus que du « bien » (*ibid.* : 327). Elle peut aussi s'installer sous la figure de l'épouvante ou la consternation, affect de celui dont le désir d'éviter un mal est contrarié, contraint presque, par l'admiration sidérante d'un mal qui fait peur (*idem*). La peur fait ainsi son apparition avant l'entrée dans le passage, dès ses abords.

Alors, pour passer, il faut aussi faire passer la peur : la liquider plus ou moins grâce à un *pharmakon* ou la juguler. Il y a là deux stratégies pour passer, pour faire passer la peur, pour y passer... comme si on ne pouvait se passer d'elle. À moins qu'il ne faille croire que rien ne (se) passe sans peur ! Le registre de l'imaginaire tient alors une place importante.

Deux figures du passeur

Ces deux stratégies donnent lieu à l'émergence de deux types de passeurs, dont la fonction entraîne l'émergence d'autres passions s'étendant du courage à la lâcheté, de la sécurité au désespoir. Elles entraînent, selon la logique de l'axiome poétique de Hölderlin « c'est quand le danger est le plus grand que le salut est le plus proche », à penser deux figures du salut. Un spectre théologique n'est alors plus loin.

Pour l'illustrer, rivées sur les plis et replis du début de la modernité, deux figures de passeur : le médiateur et le ministre. Ces deux mots renvoient à deux postures, à deux rapports à la souveraineté, à la force, au passage en force de la justice ou à des passes entre la force et la justice. Pour construire ces « types », nous forcerons les traits car, d'une part, dans la langue latine, certains recoupements sont possibles (Du Gange, 1733) et, d'autre part, au moins pour la France, les figures de Richelieu et de Mazarin signalent bien la difficulté de l'émergence de la figure moderne du ministre et son enra-cinement dans ce que nous appelons le passeur-médiateur.

Le ministre est avant tout lieu(-)tenant, représentant, présence de l'absent qui pos-sède le pouvoir et édicte la loi, présence auprès de ceux qui n'ont pas pouvoir sur la loi sinon celui de s'y soumettre, de la mettre en pratique, voire, possiblement, d'y résister, au risque de leur vie. Le médiateur, pour sa part, est le lieu même de la rencontre, de la mise en présence, sans représentation. Le médiateur ne représente ni la loi (du) sou-verain(e) ni les sujets à qui la loi est adressée. Il est le lieu permettant de parcourir les possibilités d'arrimages, de renouer des liens qui avaient pu exister et sont tombés ou dissous par négligence ou absence de rencontre. En ce sens, là où le ministre semble per-sonnaliser la présence du souverain, il le dépersonnalise par le fait que sa « fonction » gouvernante et législatrice prend le dessus. C'est elle qui est rencontrée par les admi-nistrés qui ne sont « personne » mais n'importe quel administré en tant que tel. Pour sa part, le médiateur personnalise le rapport à autrui en ce que c'est dans sa personne que se tramant les accommodements raisonnés à trois, dans le partage même qu'expose et que permet le médiateur.

Là où le ministre présent est le rappel d'un choix fait, d'un contrat défini, défini-tif, d'un passé troublé dont le souverain, dans sa souveraineté même, représente la solution, la pacification, la sécurisation partiellement apaisante, le médiateur est plu-tôt appel vers un avenir dans la rencontre même qu'il permet, à nouveau, à nouveaux frais, pour sortir d'impasses et de rapports conflictuels.

En ce sens, le ministre, relevant d'emblée et uniquement du choix du « prince », ins-trument de son bon plaisir et de sa « Loi », de sa domesticité, de sa cour, de son officialité et, du coup, du principe hiérarchique lui-même, a pour fonction d'administrer au nom du souverain, à son profit. Le médiateur, par contre, peut s'interposer de l'extérieur ou avec l'agrément des partis en présence, et ne peut, par définition, être l'instrument d'un parti.

Là où le ministre administre selon un cadre légal et avec des organes où s'inscrit le pouvoir du souverain afin que la « Loi » soit sentie jusque dans le quotidien (Foucault, 1997), le médiateur négocie, se porte garant, devient, en sa personne même, « caution ». En ce sens, là où le ministre jouit d'immunité, le médiateur immunise sans nécessai-rement l'être lui-même (Esposito, 2002).

(Se) passer de la peur

Il est temps d'intégrer les passions — surtout la peur — dans ces figures heuristiques de passeurs. En modernité, et particulièrement depuis Hobbes, le souverain et son ministre public se présentent comme des protecteurs et garants de la sécurité de, qui s'est soumis, contractuellement, celui au souverain. Ils jouent ce rôle surtout, d'après le chapitre XXIII de la seconde partie du *Léviathan*, dans les domaines de l'économie, de l'éducation du peuple et de la justice, tant pour rendre un jugement que pour exé-cuter les sentences. Pourtant, ils le font sur fond de peur et de crainte. Les ministres per-mettent la présence quotidienne auprès de chacun du « Souverain », qui demeure celui dont chacun et tous ensemble ont encore « peur ». Les ministres, en ce sens, sont le signe pacifique du fait que désormais la crainte de tous envers tous a été remplacée par la crainte de tous envers un seul (Derrida, 2008 : 66-92). Dans cette condition, la « loi » passe jusqu'au peuple grâce au ministre. Elle ne passe pas sans peur : elle est considérée comme un mal moins effrayant que son absence. Le ministre fait passer la peur : il l'affuble au service du souverain qu'il sert. La peur ainsi réorientée permet la soumission et le sentiment de sécurité. Ce n'est que plus tard, que la figure même du ministre pourra se voir grevée de peur : responsabilité devant le parlement, devant l'opinion publique mettront cette figure en tension.

Le médiateur, quel que soit le domaine où il s'avère interposé, négocie la fin de la crainte, la liquidation des peurs. Il s'agit d'immuniser chacun des partis contre les peurs de l'autre, contre les effets pervers des peurs propres à chaque parti. Mais là encore, le passage de chacun des partis vers l'autre ne se passe pas des peurs. Autrement dit, ce passage n'a lieu qu'à partir des désirs lovés dans les peurs, exprimées ou non.

Jusqu'ici nous avons construit ces deux figures abstraitement. Pour les inscrire dans l'histoire et en éprouver la force heuristique, les débats à l'orée de la modernité s'avèrent utiles. Nous insistons sur un élément qui a été tu lors de cette construction : l'ambiguïté théologico-politique de l'oblitération du médiateur par le ministre.

COUPS DE SONDE ET PASSAGE PAR QUELQUES ÉCLAIRCIES THÉORIQUES

Il ne sera pas possible de faire apparaître tous les enjeux de ces débats ou constructions théoriques du « passeur » et de ses diverses oblitérations et transformations. En effet, ces situations semblent autant d'indices qui habitent des reprises récentes de l'idée de communauté, par delà ses modèles antiques, médiévaux (Nancy, 2004 ; Esposito, 2000). Seuls quelques déplacements sont ici suggérés comme autant de lieux pour une recherche ultérieure. Ils le sont au croisement de trois disciplines : la philosophie, la théologie et l'histoire.

Dans un premier temps, il s'agira de complexifier les passages du théologique au politique et vice versa, en y inscrivant le « religieux ». Dans un second temps, l'analyse est centrée tour à tour sur le théologico-politique, sur l'importance de l'imaginaire dans ce rapport, puis sur les rapports entre l'« ecclésial » et le politique en tant que modalités reliées de la communauté. Enfin, il devient possible une prise en compte des figures du « médiateur » et de ses avatars et oblitérations modernes.

Du théologique au politique et vice versa

Que des théories entières ou des concepts théologiques structurent ou hantent des théories politiques ne surprend guère compte tenu de ce que laissent déjà entrevoir des termes comme le « césaro-papisme », l'« ère constantinienne », les « augustinismes politiques », sans oublier l'héritage légal romain qui perdure tant dans le droit canonique que dans le droit et les institutions contemporaines de justice. Quatorze siècles de réflexions selon des régimes et des épistémès différents, mais dans les mêmes parages, et pour répondre à des questions et des situations communes, ne peuvent faire autrement.

En ce sens, des théories de la «sécularisation» du théologique n'étonnent pas. Mais elles n'épuisent pas les passes entre les deux (Monod, 2002; Poulat, 1992; Fortin-Melkevik, 1992). Les analyses récentes de G. Agamben (2008a et b) sur la notion d'«économie» ou sur le serment le suggèrent avec force. Ce qui est, par ailleurs, moins travaillé, ce sont les passages du politique vers le théologique. Mais il s'avérerait nécessaire d'entreprendre de telles recherches pour marquer des limites tant aux théories de la «sécularisation» qu'aux discours sur l'existence d'une sphère religieuse pure de toute participation, comme telle, à d'autres registres de l'expérience humaine (Foucault, 1994: 134-161)[2].

Qu'aux XVIIe et XVIIIe siècles, le politique donne lieu à des reprises de tropes, de thèmes ou de manières en provenance de certaines théologisations de régimes ecclésiaux de formes de véridictions, de procédures de gouvernance et de pragmatiques de disciplines de soi, cela est avéré historiquement et a servi heuristiquement à la compréhension d'enjeux politiques et ecclésiaux[3].

Mais aussi intéressant que cela puisse être, la logique des idées et des systèmes d'interprétation de l'histoire ne correspond guère à l'histoire et aux motivations concrètes et décisives des actants politiques, sociaux, voire à celles des théoriciens eux-mêmes (théologiens, politologues ou philosophes du politique) (Manent, 2008: 22-23). La logique des idées n'épuise pas ce qui se joue dans des systèmes finis parce que ceux-ci fonctionnent grâce à l'investissement et aux actes d'individus.

Il importe donc de déplacer non seulement la frontière entre le politique et le théologique mais aussi la perspective pour retrouver non plus simplement des passes et passages logiques mais des passeurs.

Du religieux et du politique

Si des théories entières ou des concepts ont migré dans un sens ou dans l'autre, il importe aussi de voir que des attitudes ou des postures anthropologiques «religieuses» ont pu passer dans les modalités d'«être-politique» modernes, comme cela joua déjà par ailleurs au Moyen Âge et auparavant, tant pendant qu'avant la période dite «constantinienne».

Il ne s'agit pas alors de chercher des théories ou des concepts, leur sécularisation, leur sacralisation, leur extinction, leur accomplissement ou leur clôture. Il importe

---

2.   Dans une autre ligne de pensée, on trouvera intérêt aux analyses d'Alberigo, (1964 et 1980), et de Fumaroli, 1986. On lira aussi avec profit le dossier publié par K. Walf et P. Huizing (1982).

3.   Une piste à explorer: les «miroirs des princes», textes qui constituent moins l'exposition d'une doctrine «politique» à enseigner en provenance de la théologie qu'une pragmatique de la vie chrétienne du pouvoir dans son inscription chez un individu situé dans un milieu déterminé. Ce genre littéraire, présent bien avant la modernité, connaît un essor en modernité (N. Caussin, *La cour sainte* [1624]; R. Bellarmin, *De officio principis christiani* [1625]; F. Senault, *Le monarque ou les devoirs du souverain* [1666]; P. Nicole, *Traité de l'éducation d'un prince* [1678]; L. A. Muratori, *Della publica felicita* [1700, 1749]). À ce sujet, on lira avec profit les travaux de Darricau (1980,: 1303-1312 et 1964: 78-111). Quant à l'histoire littéraire de ce type d'écrit, *cf.* (Jónsson, 2006: 153-166).

d'être attentif aux éléments thymiques de l'investissement de soi dans le politique et l'ec-clésial ainsi que dans la construction d'espaces publics d'exposition de soi. Les pro-ductions politiciennes de « religions » civiles en modernité signalent ces passages, de même que la civilité sociale et les divers renouveaux chrétiens tant du début de la modernité que de la fin du xxᵉ siècle (Taylor, 2007, Schilling, 1995 : 20-23).

Ici, il faut rappeler que le « religieux » est déjà relié au politique moins comme une sphère séparée qu'il importerait de faire passer dans une autre, distincte (la politique), que comme deux entreprises portant sur le même être-en-commun constitutif de l'être-au-monde. En ce sens, il n'y a pas de passage entre les deux ! En effet, tant dans ce qui est appelé la « religion romaine » que dans ce qu'on appelle la « religion chré-tienne », dans le même geste, on tourne des individus, individuellement et toujours selon divers groupes d'appartenance simultanée (famille, caste, corporation, ville, pays, etc.), vers du « divin » et, simultanément, les uns vers les autres. Dans les deux cas, il s'agit de faire compter, de faire s'estimer, de les faire (se) croire les uns les autres. Dans cha-cune de ces entreprises, des « passeurs » existent : tribuns, patriciens, prêtres, « reli-gieux ». Ces deux entreprises légifèrent pour marquer les limites des passages opérés par ces passeurs de l'une à l'autre[4].

Enfin, le religieux est une catégorie moderne récente. Avant qu'au xixᵉ siècle, les sciences humaines ne s'intéressent à ces phénomènes déclarés désormais « religieux » et n'en reconfigurent l'unité, la catégorie de « religieux » était déclinée de multiples manières : religion vraie, religions fausses ; vertu de religion et vices opposés à la religion (superstitions, avec en creux, l'idolâtrie, et *irreligiositas*) (Allard, 2004 ; Margel, 2005 ; Bernand et Gruzinski, 1988 ; Delumeau, 1986 ; Russo, 1982). Il importerait de voir comment ces postures irréductibles, du moins aux yeux des gens de l'époque, engen-draient des rapports diversifiés avec les institutions ecclésiales et politiques, leur mise en crise et les « remèdes » proposés à ces crises.

De la mise à la question du théologico-politique et de son « politique »

L'élaboration théologique savante a occupé le devant de la scène académique plus que la prise en compte du « religieux ». Les rapports entre les discours théologiques — éla-borations secondaires liées à des institutions religieuses ecclésiales où se jouaient croyances, confiances, espoirs, solidarités, ritualités et gestions institutionnelles — et les discours philosophiques ont été beaucoup pris en compte pour comprendre l'élabo-ration et la stabilisation des nouvelles modalités de l'être-ensemble politique, étatique. On prit peu en compte les pratiques religieuses, leurs énonciations ou les pratiques du « soi » auxquelles elles donnaient lieu, sinon en ce qu'elles exprimaient un contenu dog-matique, une vérité plausible et reçue ou, souvent encore, comme expressions de dévia-tions doctrinales ou éthiques. Du coup, ces élaborations théologiennes sont apparues

---

4.   Du côté catholique, par exemple, qu'on pense à la querelle des « investitures » au Moyen Âge et à celles, modernes, sur la « liberté religieuse », sans oublier l'ensemble, non moins vaste et complexe, du dossier canonique et théologique de la participation dite « active » des clercs dans des partis politiques, des gouver-nements.

comme le cœur, la structure et le dynamisme de l'institution ecclésiale. Cela se comprend : les théologiens (les pasteurs se nourrissant de leurs discours) et les politiciens
avaient avantage à ce que ce qui passait, à leurs yeux, dans la religion « populaire », pour
des superstitions et de l'« enthousiasme » religieux (Weber, 2008 ; Hamou, 2008 ; Le Jallé,
2008 ; Crignon-De Oliveira, 2006), soit marginalisé. Lorsque les techniques de marginalisation ou d'éradication s'avéraient impraticables ou infructueuses, il importait d'ar-
rimer ces pratiques, liées à des théories jugées jusque-là « déviantes » ou à des passions
dévoyées, à d'autres, autorisées et surveillées, histoire de régir consciences, corps et gestes.

Le religieux n'est pas réductible à un ensemble de croyances en Dieu, en tant que
posture épistémique de vérification ou en tant que posture éthique d'obéissance. Il
implique des gestes rituels (sacrifices, prières, etc.) institués, un « culte extérieur » qui
risque toujours de déborder l'institution religieuse, ecclésiale et politique, ainsi que la
morale que celle-ci travaille à instaurer et à maintenir. Surtout, le « religieux » est le
lieu de prise en compte de passions. De plus, il est divisé en vraie et en fausses religions
ou superstitions, en « religion » tolérable et en d'autres qui sont abominables, nuisibles
à la paix publique et à la véritable dévotion religieuse. Entre les deux se dresse une
frontière. Il faut porter attention à sa constitution. En effet, ici jouent des questions de
capacité de rejet, de volonté de combat comme autant de manifestations de résistances.
Y joue aussi la question du « sentiment » souvent oubliée. Or, la frontière n'est pas nécessairement affaire interne à la religion. Elle relève d'emblée du théologico-politique en
tant que dispositif qui soutient et limite cette pratique : le théologico-politique délimite
et gère des passages tolérables par opposition à d'autres qui relèvent de l'abomination
anti-communautaire.

Ainsi, le « politique » se définit comme l'occasion du marquage frontalier d'une
différence entre « la détermination d'un espace de jeu pour des intensités libidinales, des
affects, des *passions* » et la « détermination d'*institutions*, c'est-à-dire d'écarts réglés »
(Lyotard, 1980). En effet, habituellement, « politique » fait référence presque exclusivement à la constellation des institutions de pouvoir, aux divisions de celui-ci et aux
quêtes pour le prendre ou le conserver, avec ce que cela implique de systèmes de différenciation, de types d'objectifs, de modalités instrumentales, de formes d'institutionnalisation, comme autant d'éléments rivés à un réseau social en tension afin d'agir sur
l'action des autres. Dans ce sens, le politique règle des écarts, repère ou instaure des
frontières (entres groupes ou classes, entre des ayants droit ou des sans-droits, entre un
« nous » et d'« autres », amis-citoyens et ennemis, etc.) (Foucault, 1994 : 239-241). Le
politique se distingue alors d'autres institutions dont la religieuse, elle-même pensée
comme régulation d'écarts (clercs et laïcs, haut-clergé et bas-clergé, spirituels et matériels, théologiens savants et peuple ignorant, église-enseignante et église-enseignée,
orthodoxes versus hétérodoxes, schismatiques, etc.).

Nous proposons donc ici de concevoir le politique comme le travail par les institutions pour constituer les frontières, moins entre elles que par rapport aux espaces
de jeu des passions, qui, au sein de ces institutions, en menacent toujours la régula-
rité, en déstabilisant les frontières et les principes d'écarts. Cet espace passionnel est le

lieu premier de l'exposition de l'être-en-commun. Or, qui dit espace dit délimitations, frontières, lieux-moments et négociations du passage. Là, apparaissent des figures de passeur. À moins que ce ne soit l'occasion de les oblitérer pour faire croire à des liens et à des modalités « naturelles » ou déjà toujours voulues, contractuellement. Mais, du même coup, avec frontières et passages, apparaissent les craintes de contagion, d'invasion. Interviennent alors des pratiques d'immunisation, de compensation, d'appropriation de divers ordres pour garantir la communauté, pour prémunir contre la viciation de la vie communautaire. Redoublement du besoin de médiation ou d'administration ou, à tout le moins, d'attention portée aux entours et aux abords.

Le théologico-politique devient alors une reconfiguration (par démontage et défiguration) de l'espace de jeu d'intensités libidinales pour assurer une distribution codée et mouvante des gens et canaliser leurs circulations. En ce sens, le théologico-politique comme fabrique pratique (plus que théorique) de frontières et gestion de passages tient à la transformation même de l'idée d'espace religieux et politique.

En suivant Foucault, on pourrait penser que, par exemple, au Moyen Âge, l'espace était avant tout un « espace de localisation » : un ordonnancement de lieux s'entre-croisant partiellement existait ; là, des altérations (violentes ou non) déplaçaient choses, personnes et institutions, en opposition au repos leur convenant. Depuis le XVIIᵉ siècle cependant, dans les sillages des tensions internes à l'Église catholique des XVᵉ-XVIIᵉ siècles (crise conciliariste, *devotio moderna*, mouvements laïcs) puis des Réformes, de même que des recompositions urbaines, s'est constitué un espace infini, dénommé « étendue » où, remplaçant la catégorie de « lieu propre », il est question de points sur une ligne en mouvement ou de points en mouvement comme sur une ligne, d'intersections passagères et de vitesses (Foucault, 1994 : 752-753). Transposons : les passions sont ces lignes de mouvement qui donnent un espace connoté, saturé de désir et de fantasmes. Le théologico-politique devient alors, ou bien tentation de préserver, coûte que coûte, des « lieux » au sens médiéval, ou bien stratégie pour réguler des vitesses en instituant des lieux de passages qui ralentissent ou réorientent les mouvements, sans pour autant avoir renoncé au caractère « sacré » de l'espace médiéval (*ibid.* : 754).

Le théologico-politique structure et gouverne l'espace. Les passions donnent lieu à de l'enthousiasme et de la superstition qui appellent, et mettent en question et en cause cette structuration de l'espace et son gouvernement. Les passions construisent des espaces hétérotopiques de résistance tant à la « vérité » de la religion théologiquement gérée qu'à la vérité de la « citoyenneté » et de la civilité politiquement gouvernée selon la raison ou la force souveraine[5]. En ce sens, alors que des passions sont fondamentales à la constitution du religieux, le montage théologico-politique moderne de l'espace et sa gestion des déplacements envisagent les enthousiasmes religieux et/ou politiques comme autant de déviances à traiter, de crises à liquider, de manières de ne pas respecter

---

5.   On pense tour à tour aux options calviniennes pour Genève et aux manières calvinistes à Amsterdam d'allier et/ou d'enchâsser religion et gouvernement ; aux rapports fluctuants de Luther lors de la crise paysanne ; à la Fronde ; aux options théoriques et pratiques en mouvement dans le « jansénisme ».

l'ordre qui appellent à une mise à l'arrêt, tant dans l'Église que dans l'État (Foucault, 1994 : 756-757).

Pour se reconstituer au début de la modernité, le théologico-politique fut occupé à affaiblir les passions, à les représenter comme dérèglement excessif, errance, énergie sauvage menaçant la paix civile et ecclésiale. Cela eut un impact sur la constitution du « passeur ». Cela soulève des questions auxquelles nous ne répondrons pas ici mais qui mériteraient de minutieuses analyses historiques avec des concepts heuristiques adaptés : comment ce qui est déclaré hors-cadre, hors-frontière, passe-t-il tout de même, dans son processus même de liquidation, dans le théologico-politique, et demeure malgré ces processus de liquidation ou d'encadrement ? Qu'en est-il de l'intensité libidinale dans le théologico-politique même ?

De l'imaginaire et de la « réalité »

Ces options théologico-politiques pour orchestrer (moduler, modérer, réguler, régulariser) les passions à la fois religieuses et sociales sont imbriquées dans des productions de représentations de l'imaginaire. Autrement dit, elles sont fonction de présentations fantasmées de la réalité. Spinoza y voit l'empêtrement dans des idées inadéquates et tronquées de la réalité entraînant des conceptions de soi, du monde et de « Dieu » où il en irait de liberté et d'impact voulu, planifié, maîtrisé personnellement, empêtrement à cause des résistances à ces conceptions erronées (Spinoza, 2005 : 79-81). Dans ce cas, comme dans celui de Hobbes, il s'agit d'individus portés par un désir de vivre, de se protéger et d'être protégés contre les inégalités des forces en jeu ou des méfaits communautaires des regroupements d'individus à forces quasi égales, là où la réflexion ne peut pas encore avoir lieu et où l'obéissance devient la vertu première (Spinoza, 1999 : ch. XIV).

Lorsque Spinoza intitule un texte « *Tractatus theologico-politicus* », il travaille sur l'imagination, structurée et dynamisée par des idées inadéquates. Il signale les impacts — utiles ou nuisibles — du travail de ces imaginaires structurés par des passions tristes sur l'être-en-commun (Spinoza, 1999 : 59-73). Dans ce contexte, le « théologico-politique » est moins une analyse franche et rationnelle relevant de l'éthique philosophique telle que la démontre l'*Éthique*, qu'une fiction réfléchie et heuristique liée au régime particulier du judaïsme et des groupes chrétiens, tous portés et porteurs, selon des traditions diverses, d'une « Écriture » inspirée, à interpréter comme « Parole de Dieu » pour structurer tant le culte à Dieu que les rapports politiques aux « prochains » (Lagrée, 2004).

TRANSITION

Ces éléments posés, il est possible de relancer la réflexion. Nous le faisons en inscrivant celle-ci au plus près des figures du passeur comme « médiateur » parce que c'est cette catégorie qui a été oblitérée à l'orée de la modernité au profit de celle du « ministre ». De là, peuvent apparaître les figures du « médiateur » telles qu'elles occupaient théoriquement et pratiquement le devant de la scène à l'époque, et leur rejet ou, du moins, leur défiguration, pour mettre en place un régime avant tout ministériel, sans que les médiateurs ne disparaissent tout à fait. À chaque fois, nous tiendrons compte des « passions » en jeu.

DE L'ECCLÉSIAL ET DU POLITIQUE : MODES DE LA COMMUNAUTÉ

La réflexion (sur le) théologico-politique a tellement été fascinée par la question de la souveraineté politique et la séparation des instances de pouvoir décisionnel aux plus hauts niveaux de l'organisation politique et ecclésiale, qu'elle a perdu de vue ce qui rapproche l'ecclésialité et le politique du religieux, et l'impact de cela sur la réflexion sur les passeurs. Dans un cas comme dans l'autre, il existe une série d'instances ministérielles et/ou médiatrices entre le souverain (pontife, roi ou peuple) et les assemblées de personnes, définies, sous un certain rapport du moins, comme égales et libres, quel que soit, par ailleurs, le registre ecclésial ou politique où on se situe. De plus, à ces niveaux aussi l'entrée en modernité a donné lieu à des aller-retour conceptuels et organisationnels entre l'Église, le religieux et le théologique d'une part, et l'État et le politique d'autre part, tout en conservant et déplaçant des éléments médiévaux. La hiérarchie pyramidale à tentation panoptique est née. Elle simplifie les organigrammes médiévaux et assure une cohésion impensable et non désirée auparavant. Pour la France, au moment des transformations de la monarchie, les tensions et passions soulevées à l'occasion des « mazarinades » constituent un symptôme important de ce qui se joue (Jouhaud, 2009 ; Carrier, 1982 et 1989 ; Sluhovsk, 1999 ; Cocula et Garrabon, 2001 ; Parker, 1996).

Là aussi, alors que l'Église catholique contre-réformée a tendance à inscrire la parole et les gestes de ministres de plus en plus dans la vie des fidèles, les Églises et communautés réformées tendent à minimiser cela ou, mieux, à le faire selon un autre régime institutionnel. Mais dans un cas comme dans l'autre, l'individu, comme « personne » et ayant droit, s'affirme de plus en plus, en même temps, mais encore dans les marges aux XVIIe et XVIIIe siècles. Cette affirmation de soi est vue par les pouvoirs ecclésiastiques ou politiques comme une occasion de déviance, de résistance aux ordres, agencements et organisations qu'ils proposent. Le ministre et ses délégués diffractant le pouvoir souverain s'approchent plus de la figure du policier que du médiateur ; ils entourent toujours plus les individus, jusque dans leur « vie », afin d'éviter les débordements et les contestations des pouvoirs. De nouvelles pratiques du soi de cette époque théologico-politique en sont marquées.

DU MÉDIATEUR

D'elles-mêmes, les nouvelles modalités de l'affirmation individuelle et de la constitution du communautaire, dans ses aspects religieux et politiques, ne rejettent pas nécessairement les figures anciennes et médiévales du passeur présenté comme « médiateur ». Il importe pourtant de voir quelles figures théologisées circulaient au moment des émergences de ces modalités modernes. Cela permettra de mieux saisir comment a été perdu de vue le caractère essentiellement « religieux » du passeur, au sens remis de l'avant par Derrida, réactivant ainsi une dimension romaine du « religieux » dans les failles mêmes de l'inflation du lien entre « religion » et « foi » théologale puis de croyances (Derrida, 1996b).

Quelles figures de passeurs existent au début de la modernité ? Trois grandes figures traditionnelles occupent le devant de la scène, mais pour être contestées et retravaillées par la mise en place des nouvelles figures théologico-politiques de contrôle. Il y a le médiateur comme instance de force, de pouvoir et d'efficacité pour sauver du péché, de la mort éternelle. Cette instance est avant tout construite sur certaines lectures christologiques n'épuisant pas les figures bibliques et théologiques du « Christ Jésus » (Sesboüé, 1988). Il y a nécessité d'un passeur car, d'une certaine manière, la relation entre Dieu et les humains a été coupée. Ici, il ne s'agit pas seulement de faire passer, de nouveau, les humains dans le monde de Dieu, mais de payer aussi le prix de ce passage, pour ce passage. Le passeur-médiateur s'inscrit dans une économie et sur l'aire d'un certain régime de justice portant sur l'honneur. En ce sens, le passeur-médiateur permet à des humains de se retrouver devant Dieu la tête haute. Mais il opère aussi, entre les humains, un ébranlement des structures des rapports « naturels » ou sociaux pour les réorganiser en fonction non plus simplement des critères admis, mais selon des écarts qui ne s'inscrivaient pas habituellement dans le tissu social[6].

Il peut aussi être intermédiaire intercesseur : il faut faire passer les prières du monde humain au trône céleste ! Or, si la figure du Christ sert de repoussoir, dans bien des milieux, à l'idée même d'une médiation ou de médiateurs, le culte des saints, dans la place qu'il prend dans la religion populaire dans l'Église catholique d'avant et d'après la Réforme, sert de repoussoir à l'idée d'intermédiaire. La même chose joue à propos de la fonction monastique ou « religieuse » dans l'économie des communautés après la Réforme[7].

Mais le passeur-intermédiaire par excellence demeure le prêtre catholique romain. Dans le sillage du concile de Trente et de ce que G. Alberigo a appelé le « tridentinisme », le prêtre joue un rôle clé : *alter christus* au moment de la célébration de l'eucharistie où il s'agit de mettre en lien les fidèles rassemblés avec la puissance de la médiation christique. Il est l'intermédiaire entre les fidèles et l'évêque et l'institution ecclésiale pour les questions canoniques et, selon les lieux, plus ou moins souvent, aussi entre les fidèles ou la communauté dont il est chargé et les instances sociales et politiques. Il est aussi celui qui passe les directives pastorales, la morale et l'éducation de la foi, de l'institution ecclésiale vers les fidèles. Directeur de conscience, il contribue au passage vers la décision, l'orientation, le choix de vie pour les individus dirigés (Brunet, 2007). À chacun

---

6.   *Cf. Galates* 4, 26-29 ; 1 *Corinthiens* 12, 13 ; *Romains* 10, 12. Il faudrait étudier longuement comment cela a été invoqué, réinterprété ou oblitéré de nouveau dans les reconfigurations politiques, religieuses et ecclésiales aux débuts de la modernité.

7.   Dans ce contexte, il faudrait analyser, en milieux catholiques, l'importance que prend la spiritualité, la « mystique » dans la vie religieuse tant des fidèles la vivant dans des congrégations religieuses ou des ordres que dans la vie séculière. Mais aussi ce que A. Vauchez (2009 : 340-344) appelle, pour François d'Assise, la *damnatio memoriæ* dont il est l'objet, ce qui a donné lieu à des procès se rendant jusque devant le Parlement de Paris. Sur la place des « médiateurs » au Moyen Âge, voir Iogna-Prat (2003 : 69-87).

de ces niveaux d'intervention, quelque chose de la communauté (religieuse et politique), de sa constitution, entre en jeu. C'est surtout ce «passeur» dont la fonction s'oblitère et se dissémine dans la modernité (Krumenacker, 2003; Dykem et Oberman, 1993; Wanegffelen, 2007). Cette figure est au cœur du théologico-politique tout autant que celles du pape, du roi ou du peuple souverain, mais on la prend moins en compte dans la littérature scientifique.

Le «prêtre» : du passeur au *smuggler*

Une certaine lecture de l'essai de Hume «Of Superstition and Enthusiasm» semble indiquer que, pour Hume, le prêtre serait un *smuggler*. Bien que le prêtre semble viser la soumission à la transcendance (Dieu), ce rapport de soumission risque de déséquilibrer, à moyen ou à long terme, la société. En ce sens, le prêtre importe un élément clandestin et entraîne un débordement. Ce débordement serait lié à une impudence et une ruse (*impudence and cunning*) constitutive de sa personne et de sa fonction médiatrice.

Pourtant, cette lecture, très proche de ce qu'on trouve aussi dans la préface au *Traité théologico-politique* de Spinoza, doit être corrigée ou, à tout le moins, nuancée. Voici le texte qui porte sur la quête «naturelle» de la part du superstitieux pour un médiateur :

> ... naturally has recourse to any other person, whose sanctity of life, or, perhaps, impudence and cunning, have made him be supposed more favoured by the Divinity. To him the superstitious entrust their devotions : To his care they recommend their prayers, petitions, and sacrifices : And, by his means, they hope to render their addresses acceptable to their incensed Deity. (Hume, 1742-1754)

Il s'agit, foncièrement, pour le médiateur, vu par le superstitieux, d'une sainteté de vie (*sanctity of life*) — réelle ou feinte, dans certains cas — qui arrête la quête et la satisfait. Or, qu'est-ce que cette sainteté de vie ? La feinte possible n'efface pas la représentation et la mise en scène de caractéristiques reconnues de la sainteté par le superstitieux. Cette sainteté est un équivalent de l'amitié ou du service de Dieu. Le mouvement est déjà double : il y a la croyance en la possibilité et la plausibilité d'une faveur accordée par Dieu (capacité de s'adresser efficacement à lui et de jouer ce rôle d'intermédiaire) et les marqueurs reconnus, agréés, d'une vie sainte qui attire cette faveur supposée, espérée. Quels sont ces marqueurs ? Le texte semble muet à ce sujet. Pourtant, les marques suivantes sont envisageables par contraste avec ce qui se joue dans la superstition et l'enthousiasme : absence de crédulité terrifiée, attention à la raison humaine et aux critères de plausibilité, attention aussi à la moralité comme guide de vie, capacité d'expliquer les causes, d'assigner des valeurs (*accountability*). Le médiateur «saint» ne s'impose pas par la force. À ces éléments, on peut ajouter un zèle calme pour la liberté et la non-répugnance à prier pour autrui. En un mot : une personne dévouée. On retrouverait là le véritable «religieux», une fois les religions, même les plus fanatiques, délestées de l'élément superstitieux qui les accapare souvent pour une large part.

Il importe de reconnaître là une reconfiguration possible d'un élément récurrent dans le discours chrétien. Il a encore cours aujourd'hui dans les discours où est exposée la nécessité et/ou l'opportunité d'une moralisation et d'une éthique personnelle des « ministres » et autres « managers ». Cependant, dans la théologie catholique sacramentelle du médiateur, cet élément n'est pas jugé nécessaire à l'efficacité de la médiation. Lorsque les régimes médiévaux et patristiques de la croyance en la primauté de l'action divine sont repris en modernité, ils donnent lieu à des économies nouvelles. Soit le caractère hiérarchique, ministériel, est mis de l'avant, délesté ou presque de l'éthique, soit l'éthique prend le devant, quitte à secondariser l'action divine, parce que la symbolique doit déjà être l'expression d'un « vécu » réellement éthique pour être crédible et « efficace ». Il y aurait là un élément à creuser : alors que les institutions tendent à dépersonnaliser les figures des « passeurs » au profit de la « Loi » du souverain, la demande qui requiert un passeur ou un passage est autre : il y a demande de signes de « personnalisation » éthique très forte, avec insistance sur la valence « religieuse » de cette éthique. Cette requête forte doit être honorée... malgré les réitérations théologiques, ecclésiales, religieuses et politiques de l'efficacité du passeur *ex opere operato*...

Les superstitions travaillent ces figures du médiateur et les mettent en crise. La nouveauté théologico-politique moderne montre que cette mise en crise a lieu depuis l'intérieur même des institutions et ne constitue pas un élément adventice, accidentel de celles-ci : l'aspect thymique de l'inscription institutionnelle elle-même est en jeu.

Se passer du passeur et des passions

Des médiateurs existent dans le *Tractatus theologico-politicus* de Spinoza et dans le texte de Hume déjà évoqués. Tour à tour, nous allons nous servir de ces textes pour signaler le travail d'oblitération d'une figure médiévale du « médiateur » à l'orée de la modernité.

Oblitérations spinoziennes

Les médiateurs religieux regorgent dans le prologue du *Tractatus theologico-politicus* de Spinoza. Ce prologue démonte et remonte les mécanismes de leur génération. Mais leur multiplication est occasion rhétorique de les oblitérer, occasion philosophique de signaler une stratégie pacificatrice pour s'en passer tout en laissant subsister leur signature prophétique biblique.

Dans un monde d'individus possédant des degrés différents de puissance où chacun tend à se conserver, les plus forts en imagination parviennent à influencer les plus faibles à partir même de ce qui les rend faibles, à savoir les idées inadéquates dont ils vivent. Ces médiateurs apparaissent alors avant tout comme des médiateurs « religieux », des gens qui font la passe politique et sociale à l'occasion de la mise en place de discours et de pratiques « religieuses ». Mais il y a aussi des passeurs politiques, en ce que des membres de l'État interviennent moins dans les querelles « théologiques » pour les résoudre que pour délimiter le champ discursif et pratique de l'expression de ces querelles : ils ne sont pourtant pas immunisés contre l'efficacité des discours religieux ancrés sur les passions, leurs parcours et leurs rythmes. Enfin, parmi ces médiateurs, on trouve aussi des philosophes. Ils exposent les divers mécanismes de l'exposition mutuelle commune.

Ainsi, le *Tractatus theologico-politicus* propose une méthode de lecture de l'autorité commune signifiante (la Bible), depuis l'intérieur même du registre théologique, pour apaiser les querelles théologiques. Cette méthode devrait parvenir à unifier, à tout le moins, à coordonner ou à offrir une perspective pacifique et une coexistence harmonieuse. Il n'en demeure pas moins que seule est réellement efficace, en fin de compte, l'exposition par le philosophe des impacts politiques et religieux de ces querelles passionnées. En ce sens, le *Tractatus* produit une déflation du rôle des passeurs, en offrant d'une part un mode de gestion de la diversité religieuse par le politique et en exposant d'autre part, non seulement aux politiques mais aussi à tout lecteur attentif et troublé par la situation religieuse et politique d'Amsterdam en la seconde moitié du XVIIe siècle, la possibilité de se passer des passeurs des doctrines religieuses et de leurs confessionnalisations arbitraires, parce que liées à des idées inadéquates, vécues comme passions. Finalement, chaque individu est invité à devenir « éthique » : dans la « foi » pour les ignorants (Spinoza, 2005 : 464-481) ; en « raison » pour une minorité de sages. Et ni les uns ni les autres ne doivent rien aux passeurs théologiques. Aux passeurs politiques, ils doivent la reconnaissance pour le maintien de conditions sociales permettant l'expression de ce souci de soi et des gestes pédagogiques le soutenant.

Mais, en deçà même de cette invitation « éthique » dont la difficulté n'échappe pas à Spinoza, la liberté d'expression de chaque individu, dans les limites de sa puissance et dans celles des groupes dans lesquels chacun est déjà inscrit, est ce qui est offert, possible et requis de chacun. Cela marque les limites de toutes les « souverainetés » revendiquées, qu'elles soient politiques ou religieuses (Laux, 2002 : 145-155, et 2008). En un sens, il s'agit de déjouer tout médiateur ou souverain afin d'éviter les coups de force et l'exploitation des passions tristes dont témoigne la phénoménologie religieuse qui ouvre le prologue au *Traité théologico-politique*. À ce jeu, seul échappe le philosophe qui conserve la tâche thérapeutique de faire passer les gens vers la vérité théorique et son expression socio-politique.

Hume et les passages de la passion

Un travail déflationniste et oblitérateur du passeur-médiateur se retrouve aussi explicitement dans le travail de David Hume, dans un autre contexte social, politique et religieux, quelques années plus tard. Là aussi, les passions importent. Et, parmi les configurations religieuses problématiques pour une pensée de l'État moderne au sens de Hume, seulement une, la pire, met en scène des passeurs. L'autre, néfaste, mais à court terme seulement, car elle peut s'avérer, en fin de compte, politiquement positive, en bannit complètement la nécessité. La première de ces configurations est la posture superstitieuse ; la seconde, l'enthousiasme.

Chez Hume et chez Spinoza, la superstition et l'enthousiasme religieux sont le lieu, l'occasion et la raison de la constitution énoncée d'une frontière théologico-politique et de sa gestion. La frontière passe alors dans le religieux comme dans le politique, tout comme pour Kant elle passe au cœur de l'histoire même (Lyotard, 1986 ; D'Aviau Ternay, 2005 ; Fenves, 1997 ; Klein et La Vopa, 1998), puis plus tard dans le romantisme (Mee, 2002 et 2003 ; Frank, 2005). D'un côté, elle met ensemble le religieux et le politique connotés positivement, tandis que de l'autre, elle rejette violemment l'enthousiasme et les superstitions qui défont et le religieux et le politique, en rendant l'obéissance impossible, ce qui empêche et la soumission à Dieu et la soumission au Souverain. Resterait du religieux politiquement et théologiquement correct et tolérable, c'est-à-dire délesté de tendances sectaires et irrationnelles.

Mais cet « enthousiasme » est lui-même instable, de l'instabilité même de la passion et de sa construction comme mouvement populaire. En effet, chez ces auteurs, l'enthousiasme qualifie toujours une partie du « peuple ». L'élite tant religieuse que politique s'en distancie et répugne à s'y associer. Du coup, cela incite à poser la question de la constitution du théologico-politique autrement que dans les termes habituels. L'érection de cette frontière et les mouvements qui y sont associés et légitimes, comme ceux qui sont défendus ou oblitérés, demanderaient une longue étude historique. Il s'agit de la place de la passion dans les limites du politique et de l'ecclésiastique reconnu et des *parerga* croissant à leurs frontières, communes ou non[8].

Dans le texte de Hume, les oppositions sont construites de telle sorte qu'il ne reste pas véritablement de « vraie religion ». Entre la superstition et l'enthousiasme, à la place attendue pour de la « vraie religion » se trouve la philosophie. En effet, malgré les oppositions quant à l'estime et l'image de soi du superstitieux et de l'enthousiaste, une racine leur est commune : l'ignorance. De plus, toutes les religions y sont présentées comme toujours plus ou moins déjà contaminées par la superstition. Donc, elles sont engagées, inclinées dans une logique inflationniste des cérémonies et de la place accordée au « prêtre ». Cela mène à deux résultats : a) l'émergence d'enthousiastes rejetant toutes les cérémonies et b) le besoin de recours à la médiation. Dans les deux cas, cela engendre une méfiance, ouverte ou non, envers le pouvoir politique. Devant la difficulté et le retard à instaurer, philosophiquement, les transformations des mentalités sociales telles que puisse advenir une estime de soi ajustée à la réalité, il devra y avoir : a) reconnaissance politique des religions et « sectes » les moins superstitieuses et b) encadrement ministériel/policier des esprits forts afin que, n'explosant pas en enthousiasme, il soit possible, à tous, de jouir de leur zèle à défendre les libertés civiques. L'équivalent a lieu ecclésialement.

D'autres aspects du passeur presbytéral problématique se retrouvent aussi dans ce texte de Hume. Ils relèvent moins de la médiation, de la mitigation, de la thérapeutique. Le prêtre, par exemple, n'est pas seulement celui qui permet à des superstitieux,

---

8.   Les études sur la « magie » s'avéreraient ici un bon laboratoire. La réactivation de cette catégorie à la fin du XIXᵉ siècle a été faite surtout à partir de « religions primitives » sans vraiment tenir compte de la configuration de celles-ci aux XVIᵉ et XVIIᵉ siècles, comme frontière entre, certes, les croyances et pratiques chrétiennes « reçues » et celles qui s'avéraient irrecevables, mais aussi entre une manière d'être moderne et ce qui relevait de superstitions incompatibles avec l'état des sciences mais aussi du politique (Thomas, 1997 ; Ginzburg et Tedeschi, 1992 ; Gregory, 1991 ; Ben-Yehuda, 1980).

malgré la barrière ontologique entre la transcendance et l'immanence/le monde, de satisfaire de manière imaginaire leur désir. Il est aussi, parfois, celui qui travaille à déplacer la frontière entre l'ecclésial et le politique : il tente alors d'occuper tout le champ de l'expérience humaine, tant ecclésial que politique, en tant qu'il produit soumission et docilité dans la masse et la majorité de la population. Les politiciens et les ministres peuvent se réjouir de cette « collaboration » cléricale. Mais ils doivent aussi veiller à ne pas se laisser dépouiller : ils doivent éviter que le passeur vers la transcendance n'entre en fraude dans le territoire politique et dans ses dispositifs, et occupe tout l'espace du communautaire.

Ainsi, l'unité du pouvoir civil — nonobstant la tentation du pouvoir des « prêtres » à se l'approprier ou à désirer le gouverner — est la seule garantie de la tolérance et de la gouvernabilité. Du coup, la machine théologico-politique est déjà toujours une machine à exclure deux types de personnalités de l'aire publique et de la véritable citoyenneté : les faibles et mélancoliques, d'une part, et les trop fortes personnalités, d'autre part. C'est ainsi qu'est clôturé et fermé le passage à certains types de personnalité afin de maintenir la liberté citoyenne à l'abri des sectes. Ce sera la tâche des ministres. Mais est-ce que cela équivaut à dépassionner, à éradiquer les passions de l'aire publique, civique ? Non. Bien que la philosophie puisse guérir l'ignorance et, du coup, empêcher les fausses religions d'occuper beaucoup de place, toute la population n'est pas philosophe ! Loin de là. Il s'agit donc de désamorcer, d'auto-immuniser la communauté politique et religieuse en utilisant le poison : l'anglicanisme ou un christianisme géré par le roi, ou une lecture rationalisée de la Bible même dont l'interprétation est prêchée sans ajout inexplicable et sur laquelle on ne peut compter, de manière responsable, pour faire communauté. En ce sens, la pastorale politique et ecclésiale ne peut s'exempter du régime de la publicité responsable (*unaccountable*). C'est ainsi que s'explique la fonction des livres III et IV du *Leviathan* de Hobbes (Herla, 2006).

Responsabilité ecclésiale et politique

En ce sens, le théologico-politique fait passer la frontière entre ce qui est explicable/responsable/communautaire (*accountable*) et ce qui ne l'est pas. La passe d'armes a lieu entre le raisonnable et l'imaginaire. Mieux, le théologico-politique est ce qui constitue cette frontière, l'invente à nouveau frais dans un nouveau régime commun où l'ecclésialité et le politique se structurent comme ils ne l'avaient pas été jusque-là, tant l'un par rapport à l'autre que compte tenu de facteurs purement internes à chaque pôle.

Or *accountable* provient du vocabulaire et des pratiques de la sphère économique. Le mot signale la trace reflétant et déployant les passages d'argent à l'occasion d'un échange. Mais le mot dit plus. Il déborde cette sphère. Il implique alors d'expliquer, de rendre compte d'un événement, de le mettre en récit en mettant à plat ses causes, ses raisons et en indiquant la valeur de cet événement. Il s'agit de l'inscrire dans un réseau où seules des successions connues, ne relevant pas de l'imaginaire, sont indiquées. Et par « connu », Hume entend dans son essai qu'il est question de causes dont l'expérience peut être avérée de manière responsable et publique par chacun, individuellement, ou par un représentant choisi qui n'est ni ministre ni médiateur. Une nouvelle figure du passeur se prépare qui occupera plus tard le devant de la scène.

Reliée à l'exigence du *accountable* se trouve donc la question de la plausibilité. Or si, désormais, le terme renvoie avant tout à ce qui peut être admis rationnellement comme possible et non grevé d'erreur, cela n'a pas toujours été le cas. Et en début de modernité, le terme demeure encore lié à une valence thymique qui côtoie la valence épistémique et cognitive désormais première. Car le plausible est ce qui peut être approuvé, applaudi, ce qui est agréé, qui plaît et, du coup, peut être l'occasion d'un assentiment. La plausibilité, comme l'*accountable* est donc un terme qui, d'emblée, renvoie à une expérience de l'être avec autrui et de l'être grâce et par autrui: on n'applaudit guère seul, on y est entraîné et porté par d'autres ou on y porte autrui. Alors que de plus en plus, on insiste sur les capacités cognitives de chacun pour juger par soi-même de la vérité et pour énoncer de manière responsable et argumentée cette vérité admise. Dans ces textes, il s'agit du caractère commun, de la tâche proprement communautaire, du rendre plausible, crédible. Ce terme trahit donc un reste d'un type de passeur qui est oblitéré à l'époque pour laisser place à la construction solitaire de la vérité de ce qui peut être cru. On doit le comprendre en lien avec l'inflation de la place du ministre et de ses « managers » et administrateurs qui déclarent, de manière autorisée, ce qui désormais est socialement plausible et peut être tenu afin d'assurer la cohésion sociale. On note que le caractère thymique communautaire a été préalablement évacué ou, à tout le moins, minimisé afin de ne pas nuire à la soumission de l'esprit des individus. À terme, est ici visée la transformation de chacun en « passeur » de ce qui lui est propre, privé, intérieur en valeur commune, responsable, avéré publiquement. Entre ces zones privées, le passeur-ministre veille à ce que ces intérieurs correspondent aux vues du « souverain », en tant qu'ils désirent et doivent apparaître sur la scène publique (Hobbes, 1998: ch. XXIII).

CONCLUSION

Qui dit oblitération ne dit, purement et simplement, ni disparition ni simple survivance épisodique. L'oblitération est un procédé par lequel il y a surimpression d'un nouvel élément qui affaiblit la présence de l'élément sur lequel elle a lieu, au point où le support peut en venir à être oublié. C'est ce procédé dont nous avons ici suivi quelques occurrences au début de la modernité. Les reconfigurations des frontières donnèrent lieu à des transformations des passeurs. Nous avons proposé d'illustrer ceci en décrivant le passage du « médiateur » vers le ministre administrateur (« manager »).

Dans les marges et traversant ces deux types, tant dans la sphère religieuse et ecclésiale que politique et sociale, nous avons mis en lumière différents processus de ce déplacement. Nous avons signalé la tendance à la dépersonnalisation de la fonction « passeur » sans que disparaisse toute valeur thymique et éthique de celle-ci, à cause de l'importance de ces éléments pour le « faire croire » ou le « faire admettre comme plausible et agréable » communautairement. Nous avons insisté sur la tendance à requérir des principes généraux ou universels du type de la «loi» avec la monopolisation de la violence légitime sans pour autant que disparaisse, là non plus, tout investissement personnel, individuel, sur le registre de la passion (et de sa violence). Nous avons aussi exposé la tendance concomitante des «passions» à devenir aussi facteur de passage. Il aurait également fallu signaler l'émergence de nouveaux types de «passeurs»[9].

Le passeur-médiateur devient quasiment le lieu même du passage entre deux individus ou groupes en dissensus qu'il travaille à la fois à immuniser les uns des autres pour permettre une rencontre féconde, quitte à ce que dans ce jeu, il soit contaminé et doive, par la suite, à son tour, requérir à un passeur-médiateur pour être relié, de nouveau, à la communauté qu'il a contribué à constituer, à être aperçu et reconnu comme tel. Le passeur-ministre, par contre, est toujours déjà considéré, afin de permettre l'advenue de la communauté ou sa durée, comme immunisé et séparé de la communauté : sa responsabilité n'est pas avant tout devant la communauté en tant que telle, surtout pas à cette époque, marquée par le dissensus, mais devant celui dont il est le délégué, l'administrateur, voire la police (Rancière, 2004). Pourtant, dans les deux cas, que cela se passe au niveau politique ou ecclésial et religieux, nous l'avons vu, ces négociations ne peuvent se passer de prendre en compte les passions antécédentes, celles générées par le passage même à négocier, selon la figure du médiateur en jeu. Et, c'est avec elles et souvent contre elles, que s'articulent en modernité la force des croyances et les volontés liant les individus entre eux et à divers régimes usant tant de l'imaginaire (religieux aussi bien que politique) que de «principes» unificateurs universels ou supposément universalisables (le sang, la famille, la Patrie ou la Nation, le Parti, la «Cause», etc.).

De plus, dans les passages conceptuels entre le théologique et le politique, une mésentente fondamentale s'immisce et s'installe. Dans un cas comme dans l'autre, on tente de s'assurer d'un fondement, d'une légitimité qui dépasse et les passions en jeu, et les violences et les injustices inévitables. Or, cela masque la crise qui est au cœur de l'institutionnalisation même de l'ecclésialité, de ses représentations théologiques, et du politique qui se réinvente dans ces parages : ou bien on en demande trop tour à tour à «Dieu», aux pactes des «commencements», à une loi de nature, à des valeurs anthropologiques de sociabilité, à la violence de l'instauration instituant de l'un ou de l'autre (Église ou État), ou bien on tente de s'en passer pour arriver à un face à face «religieux» avec transcendance politique ou divine. Dans tous les cas, il y a instabilité, crise,

---

9.   Certains passeurs ne se laissent pas reconduire au type du passeur-ministre, sans être non plus des passeurs-médiateurs. Les options historiennes de Christian Jouhaud sur la littérarisation se révèleraient ici très instructives et utiles pour creuser ce sillon : (Jouhaud, 2000 et 2009 ; Jouhaud et Viala, 2002). Les querelles théologiques sur la casuistique offrent ici un bon exemple. Certes, elles se déroulent encore «en Sorbonne», par des passeurs autorisés, patentés, mandatés par l'institution universitaire, ecclésiale, voire parfois aussi politique, pour trancher. Mais, de plus en plus, d'autres théologiens et des individus non patentés et reconnus par l'institution produisent des écrits, les mettent en circulation dans des réseaux parallèles à ceux de l'institution universitaire. Un nouvel espace public commence alors à être dessiné. De nouveaux réseaux de lecteurs (les «salons», par exemple) se constituent, de sorte que les idées se passent désormais aussi selon des logiques différentes, marquées autrement par l'investissement individuel. À ce sujet, on lira avec profit : Gay, 2003 et 2005 ; Grès-Gayer, 1991.

visibilité d'un manque de liant, de lien et de passage, visualisation de l'oblitération des passeurs multiples, de la multiplicité de leurs types.

Cela aboutit à la plainte du xixᵉ siècle dont nous sommes partis. Ou bien on demande trop, en l'absence de ces passeurs, au supposé sujet autonome déjà constitué. Alors là, il s'agit d'avoir tenté d'oublié les liens, les ligatures, les «allégeances» multiples qui passent par d'autres pour rendre sujet, qui requièrent de passer par d'autres pour permettre le devenir par assujettissement assenti et consenti de plusieurs autres — mais jamais de tous ou d'un seul, contrairement aux pactes sociaux du début de la modernité (Hobbes, Spinoza, Locke, Rousseau). Mieux, en ayant cru pouvoir les remplacer, purement et simplement, par ce que Foucault appelait des «techniques de pouvoir tournées vers les individus et destinées à les diriger de manière continue et permanente» (pouvoir pastoral) et qui équilibrait le pouvoir ministériel policier centralisateur, on a abouti, tant en Église que dans les États-nations aux apories politiques et ecclésiastiques du xixᵉ siècle[10].

Dernier élément de prospective. Il serait intéressant de creuser les déplacements complexes de la figure médiévale de Dieu au début de la modernité. Entre le «Dieu» confessé ecclésialement comme créateur, rédempteur et fin béatifiante de l'humanité, le «Dieu» des théistes et des déistes et celui qui, en creux, se dessine chez les divers types de sceptique et d'«athées» du xviiᵉ siècle, se rejouent les tensions internes au théologico-politique dessinées ci-dessus. La question de la «toute-puissance» divine, qui a hanté le Moyen Âge refait surface autrement, au cœur même de la question de la souveraineté et de l'organisation de la société et de l'Église. Il faudrait ici analyser les analogies entre l'obéissance civile et les systèmes de «foi» et de discipline ecclésiastiques et ecclésiales mises en place tant dans la constellation protestante que dans les Églises catholiques issues du Concile de Trente, en étant attentif aux différences entre celles-ci.

Mais plus encore, peut-être, il serait intéressant de consacrer des analyses aux analogies entre l'inflation christologique dans les Églises et la fonction de gouvernement du Christ dans l'Église (et son rapport à ses vicaires-ministres et à son peuple) et celle des discours et pratiques des souverains par rapport à leurs ministres. Car, dans les deux cas, il y a inflation discursive quant à la présence du Christ dans la vie personnelle de l'individu et à l'amour qui lui est dû (l'histoire des spiritualités et de la diffusion dans un public de plus en plus large de ce discours et des pratiques l'entretenant le montrerait) et, par ailleurs, dans les rapports entre le souverain et son «peuple». Il serait alors intéressant d'explorer les différences avec ce que le Moyen Âge proposait comme type de soumission pour voir l'impact sur la notion de passeur mais aussi de «sujet» en jeu qui passe.

Enfin, toujours en lien avec la figure de «Dieu», il faudrait suivre précisément, dans les discours des ministres des Églises et dans ceux des souverains (et de leurs

---

10. À propos des éléments de cette différence qui se mettent en place déjà à la Renaissance et chez les premiers réformateurs, on lira avec profit : Schilling, 1994 et 1995.

ministres) les figures de celui-ci en ce qui a trait à l'obéissance aux directives et directions données par l'autre régime : pour les discours ecclésiaux, ceux portant sur l'obéissance civile ; pour les discours politiques, ceux portant sur l'obéissance religieuse. Ces analyses entraîneraient certainement des changements dans la manière d'envisager les passages entre le théologique et le politique et, dans le sillage, dans la façon d'interpréter les figures des « passeurs » impliqués encore et toujours dans la liaison communautaire.

Finalement, cela permettrait de porter un jugement sur la « plainte » du xixe siècle et les options et/ou distorsions idéologiques la soutenant puisque là, déjà, se joue une part importante de la mise en place du discours pour aborder, aujourd'hui, les figures du passeur.

RÉSUMÉ

Le début de la modernité est marqué par l'érection de nouvelles frontières théologico-politiques et, du coup, par l'émergence d'une nouvelle figure du passeur (le « ministre ») qui en oblitère une plus ancienne (le « médiateur »). La mise en place de ces frontières est l'occasion de la prise en compte de « passions » qui interviennent aussi dans les transformations des figures du passeur. Pour présenter ces divers déplacements, constructions et émergences, l'article met en cause certaines catégories habituelles autour du « théologico-politique », configure heuristiquement des types de passeurs, et propose de déployer autrement ce qui se joue là. Des textes de Hobbes, Hume et Spinoza servent à ancrer historiquement la réflexion ; des catégories de Lyotard, Foucault, d'Agamben et de Margel contribuent à l'établir théoriquement.

ABSTRACT

The advent of modernity is marked by the erection of new theologico-political borders and thereby, the emergence of a new figure of the "border runner" (the "minister") who supplants a still older figure (the "mediator"). Setting these borders in place is the occasion for an account-taking of the passions that present themselves in the transformations of the "runner". In order to present these various displacements, constructions and emergences, this article calls into question certain customary categories in the region of the "theologico-political", suggests a heuristic configuration of the types of "runners" and proposes a different deployment of what is there at stake. This reflection, anchored historically in the texts of Hobbes, Hume and Spinoza, is given its theoretical grounding in the categories of Lyotard, Foucault, Agamben and Margel.

RESUMEN

El inicio de la modernidad está marcado por la delimitación de nuevas fronteras teológico-políticas y, a la vez, por el surgimiento de la nueva figura del pasador (el "ministro"), que elimina una más antigua (el "mediador"). El establecimiento de estas fronteras es la ocasión para tomar en cuenta las "pasiones" que intervienen también en las transformaciones de las figuras del pasador. A fin de presentar estos diversos desplazamientos, construcciones y surgimientos, el artículo cuestiona ciertas categorías habituales alrededor de lo "teológico-político", configura heurísticamente dos tipos de pasadores y propone desplegar de otra manera lo que allí está en juego. Los textos de Hobbes, Hume y Spinoza sirven para anclar históricamente la reflexión, y las categorías de Lyotard, Foucault, Agamben y Margel contribuyen a establecerla teóricamente.

BIBLIOGRAPHIE

AGAMBEN, G. (2008), *Le règne et la gloire. Pour une généalogie théologique de l'économie et du gouvernement. Homo sacer, II, 2*, Paris, Seuil.

AGAMBEN, G. (2008), *Il sacramento des linguaggio. Archeologia del giuramento (Homo sacer II, 3)*, Roma-Bari, Editori Laterza GLF.

ALBERIGO, G. (1964), *Lo sviluppo della dottrina sui poteri della Chiesa universale. Momenti essenziali tra il XVI e il XIX secolo*, Rome, Freiburg, Bâle, Barcelone, Vienne, Herder.

ALBERIGO, G. (dir.) (1980), *Chiese nelle societa : verso un superamento della cristianita*, Torino, Marietti.

ALLARD, M. (2004), *Que rendrai-je au Seigneur. Aborder la religion par l'éthique*, Paris, Cerf.

BERNAND C. et S. GRUZINSKI (1988), *De l'idôlatrie. Une archéologie des sciences religieuses*, Paris, Seuil.

BLAIS, M.-C. (2007), *La solidarité. Histoire d'une idée*, Paris, Gallimard.

BRUNET, S. (2007), « Les prêtres des campagnes de la France du XVIIᵉ siècle : la grande mutation », *Dix-septième siècle*, n° 234, vol. 1, p. 49-82.

CAPELLE, Ph. (dir.) (2008), *Dieu et la cité. Le statut contemporain du théologico-politique*, Paris, Cerf.

CARRIER, H. (1982), *La Fronde : Contestation démocratique et misère paysanne : 52 mazarinades*, Paris, Éditions d'histoire sociale.

CARRIER, H. (1989), *La presse de la Fronde (1648-1653) : Les mazarinades*, Genève, Droz.

CATTIN, E., L. JAFFRO et A. PETIT (dir.) (1999), *Figures du théologico-politique*, Paris, Librairie philosophique J. Vrin.

COCULA, A.-M et M. GARRABON (dir.) (2001), *Adhésion et résistances à l'État en France et en Espagne, 1620-1660*, Bordeaux, Presses universitaires de Bordeaux.

CONGAR, Y. (1971), *Ministères et communion ecclésiale*, Paris, Cerf.

CONGAR, Y. (1984), *La tradition et la vie de l'Église*, Paris, Cerf.

CONGAR, Y. (1960 et 1963), *La tradition et les traditions*, 2 volumes, Paris, Fayard.

CRIGNON-DE OLIVEIRA, C. (2006), *De la mélancolie à l'enthousiasme. Robert Burton et Anthony Ashley Cooper, comte de Shaftesbury*, Paris, Honoré Champion.

D'AVIAU TERNAY, H. (2005), « La philosophie du droit kantienne dans la mouvance de l'enthousiasme pour la Révolution de 1789 », *Revista portuguesa de filosofia*, n° 61, vol. 2, p. 609-617.

DARRICAU, R. (1980), « Miroir des princes », in VILLER, M. (dir.), *Dictionnaire de spiritualité, ascétique et mystique. Doctrine et histoire*, tome X : *Mabille Mythe*, Paris, Beauchesne, p. 1303-1312.

DARRICAU, R. (1964), « La spiritualité du prince », *Dix-septième siècle*, n°ˢ 62-63, p. 78-111.

DE FRANCESCHI, S. H. (2007), « Ambiguïtés historiographiques du "théologico-politique". Genèse et fortune d'un concept », *Revue historique*, n° 643 (3), p. 653-685.

DELUMEAU, J. (1986), « Religion officielle et religion populaire pendant la Réforme et la Contre-Réforme en France », *Concilium*, n° 206, p. 23-32.

DERRIDA, J. (2008), *Séminaire La bête et le souverain*. Tome 1 : 2001-2002, Paris, Éditions Galilée, p. 66-92.

DU CANGE (1733), *Glossarium ad scriptores mediæ et infimæ Latinitatis*, tome IV, Paris, Charles Osmont, col. 630 et 733.

DYKEMA, P. A. et H. A. OBERMAN (dir.) (1993), *Anticlericalism in Late Medieval and Early Modern Europe*, Leyde, E. J. BRILL.

ESPOSITO, R. (2000), *Communitas*, Paris, Presses Universitaires de France.

ESPOSITO, R. (2002), *Immunitas. Protezione e negazione della vita*, Torino, Einaudi.

FORTIN-MELKEVIK, A. (1992), « L'exclusion réciproque de la modernité et de la religion chez des penseurs contemporains : Jürgen Moltmann et Marcel Gauchet », *Concilium*, n° 244, p. 79-94.

FOUCAULT, M. (1976), *L'histoire de la sexualité 1 : La volonté de savoir*, Paris, Gallimard.

FOUCAULT, M. (1994), *Dits et écrits 1954-1988*, tome IV : 1980-1988, Paris, Gallimard.

FOUCAULT, M. (1997), *« Il faut défendre la société ». Cours au Collège de France (1975-1976)*, Paris, Gallimard et Seuil.

FRANK, J. (2005), « "Besides Our Selves": An Essay on Enthusiastic Politics and Civil Subjectivity », *Public Culture*, vol. 17, n° 3, p. 371-392.

FUMAROLI, M. (1986), « Sacerdoce et office civil: La monarchie selon Louis XIV », *in* E. LEROY LADURIE (dir.), *Les monarchies*, Paris, Presses universitaires de France, p. 101-114.

GRELOT, P. (1983), *Église et ministères. Pour un dialogue critique avec Edward Schillebeeckx*, Paris, Cerf.

GALLI, C. (1996). *Genealogia della politica. Carl Schmitt e la crisi del pensiero politico moderno*, Bologna, Il Mulino.

FENVES, P. (1997), « The Scale of Enthusiasm », *The Huntington Library Quarterly*, n° 60, vol. 1-2, p. 117-152.

GAY, J.-P. (2003), « Laxisme et rigorisme: théologies ou cultures? Deux controverses au tournant du XVIIe siècle », *Revue des sciences philosophiques et théologiques*, n° 87, p. 525-547.

GAY, J.-P. (2005), *Morale sévère / morale relâchée. La crise de la casuistique classique en France au XVIIe siècle*, thèse de doctorat, Strasbourg, Université de Strasbourg II-Marc Bloch.

GINZBURG, C. et A. TEDESCHI (1992), *The Night Battles: Witchraft and Agrarian Cults In the Sixteenth and Seventeenth Centuries*, Baltimore, John Hopkins University Press.

GREGORY, A. (1991), « Witchcraft, Politics and "Good Neighbourhood" in Early Seventeenth-Century Rye », *Past and Present*, n° 133, vol. 1, p. 31-66.

GRÈS-GAYER, J.-M. (1991), *Théologie et pouvoir en Sorbonne. La Faculté de Théologie de Paris et la Bulle Unigenitus, 1714-1721*, Paris, Klincksieck.

HAMOU, P. (2008), « Enthousiasme et nature humaine. À propos d'une lettre de Locke à Damaris Cudworth », *Revue de métaphysique et de morale*, n° 59, vol. 3, p. 337-350.

HERLA, A. (2006), *Hobbes ou le déclin du Royaume des ténèbres. Politique et théologie dans le Léviathan*, Paris, Kimé.

HUME, D. (1742-1754), « Essay X: Of Superstition and Enthusiasm », *in Essays Moral, Political, and Literary*, http://www.english.upenn.edu/~mgamer/Etexts/hume.superstition.html.

IOGNA-PRAT, D. (2003), « L'omnipotence des médiateurs dans l'Église latine aux XIe-XIIe siècles », *in* D. IOGNA-PRAT et G. VEINSTEIN (dir.), *Histoires des hommes de Dieu dans l'islam et le christianisme*, Paris, Flammarion, p. 69-87.

JÓNSSON, E. M. (2006), « Les "miroirs aux princes" sont-ils un genre littéraire? », *Médiévales*, n° 51, p. 153-166.

JOUHAUD C. et A. VIALA (dir.) (2002), *La publication de la Renaissance aux Lumières*, Paris, Fayard.

JOUHAUD, C. (2009), *Mazarinades: La fronde des mots*, Paris, Aubier.

KAPLAN, B. J. (2007), *Divided by Faith: Religious Conflict and the Practice of Toleration*, Cambridge (Mass.), Belknap Press.

KLEIN, L. E. et A. J. LA VOPA (dir.) (1998), *Enthusiasm and Enlightenment in Europe, 1650-1850*, San Marino (CA), Huntington Library Press.

KRUMENACKER, Y. (2003), *L'anticléricalisme intra-protestant en Europe continentale, XVIIe-XVIIIe siècles*: Actes de la Journée d'études de l'Institut d'Histoire du Christianisme, tenu à l'Université Jean Moulin-Lyon III, le 12 janvier 2002, Lyon, Institut d'Histoire du Christianisme.

LAGRÉE, J. (2004), *Spinoza et le débat religieux*, Rennes, Presses universitaires de Rennes.

LAUX, H. (2002), *Le philosophe, le sage et le politique. De Machiavel aux Lumières*, Saint-Étienne, Publications de l'Université.

LE JALLÉ, E. (2008), « Enthousiasme et superstition à partir de l'*Histoire d'Angleterre* de Hume », *Revue de Métaphysique et de Morale*, n° 59, vol. 3, p. 351-363.

LEGENDRE, P. (2005), *Le désir politique de Dieu. Leçon 7: études sur le montage de l'État et du droit*, Paris, Fayard.

LYNCH, J. (1988), « L'exercice du pouvoir dans l'Église. Un inventaire historico-critique », *Concilium*, n° 217, p. 25-35.

LYOTARD, J.-F. (1980 [1973]), *Des dispositifs pulsionnels*, Paris, Christian Bourgois Éditeur.

LYOTARD, J.-F. (1986), *L'enthousiasme. La critique kantienne de l'histoire*, Paris, Éditions Galilée.

MARGEL, S. (2005), *Superstition. L'anthropologie du religieux en terre de chrétienté*, Paris, Éditions Galilée.

MARGEL, S. (2006), *Le silence des prophètes: la falsification des Écritures et le destin de la modernité*, Paris, Éditions Galilée.

MEE, J. (2002), « Mopping Up Spilt Religion : The Problem of Enthusiasm », *in Romanticism On the Net* 25 », http://users.ox.ac.uk/~scat0385/25mee.html.

MEE, J. (2003), *Romanticism, Enthusiasm, and Regulation, Poetics and the Policing of Culture in the Romantic Period*, Oxford, Oxford University Press.

MONOD, J.-C. (2002), *La querelle de la sécularisation de Hegel à Blumenberg*, Paris, Librairie philosophique J. Vrin.

NANCY, J.-L. (2004), *La communauté désœuvrée*, Paris, Christian Bourgois Éditeur.

PARKER, D. (1996), *Class and State in Ancien Regime France : The Road to Modernity ?*, Londres, Routledge.

RANCIÈRE, J. (1995), *La mésentente. Politique et philosophie*, Paris, Galilée.

RANCIÈRE, J. (2004), *Aux bords du politique*, Paris, Gallimard.

ROSIER-CATACH, I. (2004), *La parole efficace, signes, pratiques sacrés, institutions*, Paris, Seuil.

RUSSO, C. (1982), « La religiosité populaire à l'époque moderne. Problèmes et perspectives », *in* coll. *Problemi di storia della chiesa nei secoli XVII-XVIII*, Naples, Edizioni Dehoniane, p. 137-190.

SCHILLEBEECKX, E. (1987), *Plaidoyer pour le peuple de Dieu. Histoire et théologie des ministères*, Paris, Cerf.

SCHILLING, H. (1994), « Luther, Loyola, Calvin und die europäische Neuzeit », *Archiv für Reformationsgeschichte*, n° 85, p. 5-31.

SCHILLING, H. (1995), « Confession religieuse et identité politique en Europe. Vers les temps modernes (XVᵉ-XVIIᵉ siècles) », *Concilium*, n° 262, p. 13-23.

SCHILLING, H. (1995), « Confessional Europe : Bureaucrats, La Bonne Police, Civilizations », *in* Th. A BRADY, H.A. OBERMAN et J. TRACY (dir.), *Handbook of European History 1400-1600 : Late Middle Ages, Renaissance and Reformation*, tome 2, Leyde, Brill, p. 641-681.

SCHMITT, C. (1988), *Théologie politique*, Paris, Gallimard.

SCHMITT, C. (2001), *Le Nomos de la terre dans les droits des gens du jus publicum europeanum*, Paris, Presses universitaires de France.

SESBOÜÉ, B. (1988), *Jésus-Christ, l'unique médiateur. Essai sur la rédemption et le salut*, Paris, Desclée.

SIRONNEAU, J.-P. (1982), *Sécularisation et religion politique*, Paris et La Haye, Mouton.

SLUHOVSK, M. (1999), « La mobilisation des saints dans la fronde parisienne d'après les mazarinades », *Annales, Histoire et Sciences sociales*, n° 54, vol. 2, p. 353-374.

SPINOZA, B. (1999), *Éthique*, Paris, Seuil.

STRAUSS, L. (2005), *La critique de la religion chez Hobbes : Une contribution à la compréhension des Lumières (1933-1934)*, Paris, Presses universitaires de France.

PERROT, O. (2007), *Les équivoques de la démocratisation sous contrôle international. Le cas du Kosovo (1999-2007)*, Paris, LGDJ/Fondation Varenne.

PETERSON, E. (2007), *Le monothéisme : un problème politique et autres traités*, Paris, Bayard.

PETERSON, E. (1996), *Le livre des anges*, Genève, Ad Solem.

POULAT, E. (1992), « Catholicisme et modernité. Un procès d'exclusion mutuelle », *Concilium*, n° 244, p. 25-32.

TAYLOR, C. (2007), *A Secular Age*, Cambridge (Mass.), Belknap Press.

THOMAS, K. (1997), *Religion and the Decline of Magic : Studies in Popular Beliefs in Sixteenth and Seventeenth Century England*, Oxford, Oxford University Press.

VATTIMO G. et J. DERRIDA (dir.) (1997), *La religion*, Paris, Seuil.

VAUCHEZ, A. (2009), *François d'Assise : Entre histoire et mémoire*, Paris, Fayard.

WALF K. et P. HUIZING (dir.) (1982), « Les ministres de l'Église peuvent-ils être politiciens ? », *Concilium*, n° 177.

WANEGFFELEN, T. (2007), « L'anticléricalisme croyant : de l'oxymore à l'anthropologie du vivre religieux », *Annales de l'Est*, n° 57, p. 59-80.

WEBER, D. (2008), « Hobbes, l'inspiration enthousiaste et la vocation prophétique », *Revue de métaphysique et de morale*, n° 59, vol. 3, p. 295-308.

WEILER, A. (dir.) (1969), « Sacralisation et sécularisation dans l'histoire de l'Église », *Concilium*, n° 47.

WILLAIME, J.-P. (2006), « La sécularisation : une exception européenne ? Retour sur un concept et sa discussion en sociologie des religions », *Revue française de sociologie*, vol. 47, n° 4, p. 755-783.

Effacer les frontières :
le pari perdu d'Érasme de Rotterdam

ROSALIE DION

Département de sociologie
Université de Montréal
C.P. 6128, succursale Centre-ville
Montréal (Qc) H3C 3J7
Courriel : rosalie.dion@umontreal.ca

Introduire une perspective historique dans l'étude de la religion présente des avantages non négligeables pour le sociologue, tout particulièrement dans le contexte théorique et empirique actuel. Alors que la modernité s'est clairement avérée destructrice de certaines formes traditionnelles de la vie religieuse, les besoins liés à une quête personnelle de sens sont encore bien présents et donnent naissance à une multiplicité de phénomènes religioïdes qui ne sont pas sans poser d'importants problèmes typologiques, conceptuels et analytiques (Hervieu-Léger, 1986). Le sociologue de la religion se trouve régulièrement confronté au problème fondamental que pose cette condition d'une étude sans objet, et se doit de prendre acte des difficultés insurmontables auxquelles semblent systématiquement se heurter les entreprises contemporaines de définition de la « religion » (Berger, 1974 ; Hervieu-Léger, 1987 ; Patrick, 2003). L'une des hypothèses à l'origine du présent article est qu'une définition substantive universelle de la religion ne peut mener qu'à l'impasse méthodologique, dans la mesure où les manifestations et les effets de la pensée religieuse s'inscrivent nécessairement dans un processus historique contingent et en constante transformation (Asad, 1983 : 238) ; en d'autres mots, la religion est un objet historiquement situé dont les manifestations (sa forme comme son contenu) sont indissociables du contexte social au sein duquel il se déploie.

Ce sont ces constats d'échec successifs qui nous incitent aujourd'hui à réexaminer l'apport incontournable que représente l'approche wébérienne de la sociologie des religions[1] ; la force et l'intérêt des outils théoriques que Max Weber a développés au fil de son œuvre tiennent précisément dans leur solide ancrage empirique. Si les écrits de Weber manquent rarement de paraître sinueux et que leur lecture est souvent pour le moins fastidieuse, c'est justement en raison de son souci constant d'équilibre entre le développement d'un système conceptuel cohérent d'une part et, d'autre part, une reconnaissance de la spécificité de chacun des contextes socioculturels dans lesquels s'inscrit son impressionnant corpus empirique. Les idées de singularité et de contingence historiques sont à notre avis indissociables de l'œuvre de Weber, et les concepts qu'il a développés au fil de son analyse des grandes religions mondiales semblent enracinés dans un refus à réifier des *processus* fondamentalement dynamiques et situés.

Dit simplement, les outils conceptuels et théoriques wébériens permettent donc de baliser et de conceptualiser l'étude sans étouffer pour autant la singularité du cas qui nous intéresse. Les difficultés contemporaines d'analyse du phénomène religieux, de ses propriétés et de son impact, pourraient à notre avis être relativisées en empruntant la souplesse théorique d'une approche plus empirique, qui permette d'aborder cet objet fuyant qu'est la religion dans tout son caractère dynamique et protéiforme. Il est certes difficile de se détacher d'un contexte culturel qui a gravé une certaine conception de la religion comme sphère d'action sociale obéissant à ses propres règles, à sa propre légitimité et à son propre univers de sens — un univers qui serait somme toute désamarré des autres sphères d'activité avec lesquelles, pourtant, il entretient en fait un rapport réflexif fort étroit. Et si une telle conception semble répondre directement aux forces rationalisantes à l'œuvre desquelles s'intéresse tout particulièrement Weber, il serait lui-même le premier à nous rappeler la trajectoire discontinue qu'elles ont suivie et le caractère idéal-typique qu'il faut leur reconnaître.

L'histoire qui suit est celle d'une pensée religieuse située à l'intersection historique entre une importante force de rationalisation de la religion d'un côté et, de l'autre, un effort pour surmonter les contradictions que ce mouvement entraîne nécessairement avec un nouvel idéal d'autonomie de l'homme. La période est celle de la Renaissance et notre protagoniste, Érasme de Rotterdam, a été choisi du fait de son caractère emblé-

---

1.   La sociologie des religions de Weber comprend les trois tomes de la *Gesammelte Aufsätze zur Religionssoziologie* (GARS) qui regroupent entre autres les différentes études parues entre 1915 et 1919 dans les *Archiv für Sozialwissenschaft und Sozialpolitik*. On y trouve dans le premier tome l'Avant-propos, l'*Éthique protestante et l'esprit du capitalisme* et l'étude de Weber sur les sectes protestantes, l'Introduction à l'*Éthique économique des religions mondiales,* elle-même composée de « Confucianisme et Taoïsme » et des « Considérations intermédiaires » (toujours dans le tome 1), de « Hindouisme et Bouddhisme » (dans le tome 2) et du « Judaïsme antique » (dans le tome 3). Parmi cette Éthique économique et jusqu'en 1992, seule la dernière partie était disponible au public francophone ; mais les efforts de traductions se sont multipliés dans les dix dernières années et, depuis 2003, la totalité des GARS sont disponibles en version française (dans des ouvrages toutefois dispersés) grâce aux efforts d'Isabelle Kalinowski, de Catherine Colliot-Thélène et de Jean-Pierre Grossein. Le corpus wébérien de la sociologie des religions se complète du chapitre sur la sociologie de la religion d'*Économie et société* (*Wirtschaft und Gesellschaft*), remanié à de nombreuses reprises et récemment traduit dans un ouvrage séparé par Isabelle Kalinowski.

matique de la pensée humaniste de son époque et des tensions dont elle est traversée. Bien qu'il se concentre sur un personnage disparu depuis plusieurs siècles, le présent article ne prétend aucunement s'inscrire dans une démarche de recherche historique. La figure d'Érasme n'a ici qu'une fonction d'exemplification du phénomène de rationalisation et de transition qui nous intéresse. Son intérêt est celui d'un paradoxe : celui d'une pensée indéniablement imprégnée de piété mais qui, par son ambition même de conciliation, offre les signes avant-coureurs d'un mécanisme de dissolution de la religion qui n'est certes pas sans écho aujourd'hui. Le panorama historique sera large, et nous présenterons d'abord les conditions d'émergence de l'humanisme pour ensuite nous concentrer plus spécifiquement sur les grandes caractéristiques de la pensée religieuse d'Érasme et de sa force rationalisante. Mais il s'agit ici de l'histoire d'un échec annoncé : en insistant sur son statut de passeur et ses efforts de conciliation, nous tenterons d'illustrer en quoi les demi-mesures dont se caractérise l'irénisme érasmien se confrontaient à des forces historiques insurmontables qui devaient culminer dans l'émergence de cette forme particulière de religiosité que nous associons encore aujourd'hui étroitement à l'essence même de la religion : celle du confessionnalisme.

L'approche quelque peu contrefactuelle de cet article puise son inspiration directement dans une perspective wébérienne soucieuse de cerner ainsi singularités historiques et contingence, et d'insister sur des conditions historiques particulières d'émergence d'une pensée religieuse qui pourrait être qualifiée de moderne mais qui, précisément en raison de son contexte social, ne s'est jamais pleinement développée comme telle. Bien que les contraintes de cet article ne permettent pas ici d'aborder la question avec toute la profondeur qu'elle mériterait selon nous, il s'agira tout de même de soulever suffisamment de pistes de réflexion pour contribuer à un réexamen des frontières entre les attitudes religieuses et les autres sphères d'action sociale dont elles sont inextricables. Les formes qui sont aujourd'hui et pour beaucoup d'entre nous indissociables de l'objet « religion » devraient être comprises pour ce qu'elles sont : culturellement situées, et fortement contingentes.

RENAISSANCE ET HUMANISME

Dans le cadre d'un numéro sur les « passeurs », le fait de situer notre étude à la Renaissance prend toute sa portée. Les repères exacts que s'efforce d'établir l'historiographie traditionnelle ne sont que de peu d'intérêt dans une perspective sociologique qui récuse l'idée de « rupture » historique ; nous proposerons donc la périodisation plus large de Delumeau (1984 [1967]) qui situe la Renaissance plus simplement entre les XIVe et XVIe siècles. Mais au-delà des détails chronologiques, nous intéresse plus particulièrement le statut de passerelle qu'il faut reconnaître à cette période, le pont établi entre le monde traditionnel du Moyen Âge et l'entrée dans la modernité.

La clé de voûte des transformations que connaît l'Europe à la Renaissance est sans conteste le courant de l'humanisme qui voit le jour en Italie dès la fin du XIIIe siècle ; Renaissance et humanisme sont indissolublement liés, comme c'est toujours le cas lorsqu'il est question du va-et-vient entre la pensée et les structures qui favorisent son émergence. Ce sont en effet les grandes transformations sociales de l'époque qui ont donné naissance à cette nouvelle couche — que l'on peut, pour l'une des premières fois de l'histoire, caractériser d' «intellectuelle» —, qui viendra à son tour étendre une influence fondamentale sur les transformations subséquentes. C'est en réponse aux défis entraînés par la nouvelle situation sociopolitique — monopolisation d'un pouvoir qui doit désormais gérer des populations de plus en plus nombreuses et de plus en plus concentrées — qu'émerge un corps; ceux qu'on appellerait aujourd'hui des *fonctionnaires*, au service des cités, des princes, des empereurs ou du pape. Pour faire face à ces nouveaux défis, ils feront appel aux savoirs des Anciens: connaissance parfaite du latin et de son écriture, mais surtout art de la rhétorique et de l'éloquence — dans un monde où, comme dans l'Antiquité, l'essentiel des communications tant politiques que religieuses se fait à l'oral (Dassy, Gili et Massiet, 2003: 102-103). À l'instar de Pétrarque, les premiers humanistes sont donc principalement des secrétaires recrutés pour leur plume et leur verve et qui, plutôt que d'évoluer dans l'ombre de leurs maîtres, se démarquent rapidement par une culture qui fait éclat dans les cours et les cénacles.

Dans le langage d'aujourd'hui, on pourrait avancer que l'humanisme découle avant tout d'une mode: celle de la revalorisation de l'héritage grec et romain. Dès le milieu du XIVe siècle, entre autres sous l'impulsion des travaux de Pétrarque (1304-1374), une véritable course au trésor se met en branle pour mettre au jour différents manuscrits oubliés qui, depuis plus d'un millénaire, accumulent la poussière dans différentes bibliothèques (principalement monastiques) aux quatre coins de l'Europe. Longtemps confiné à l'Italie, l'humanisme prendra de l'ampleur et s'étendra bientôt dans toutes les grandes villes d'Europe; à Paris comme à Lisbonne, à Londres comme à Utrecht, la fièvre des manuscrits antiques que l'on redécouvre, copie, traduit et analyse, se diffuse avec célérité. Mais l'humanisme ne se limite pas à ces redécouvertes ou à cet intérêt pour le passé; la valorisation de l'Antiquité peut être tout aussi palpable dans certains cercles lettrés du Moyen Âge. Si l'on parle de «Renaissance», c'est bel et bien parce que cet intérêt ne se limite alors pas à une simple curiosité ou au gage d'élégance qu'il représente; les humanistes cherchaient bel et bien à faire *renaître* et à *revitaliser* l'esprit antique, et ce dans tous les champs de la connaissance et des activités humaines. Il ne s'agissait plus d'«imiter servilement» la culture antique, mais bien de la «comprendre de l'intérieur pour faire aussi bien» (Dassy, Gilli et Massiet, 2003: 104). C'est d'ailleurs pourquoi les humanistes mettront une emphase particulière sur l'éducation d'une élite, imprégnée de ce parangon de sagesse et de vérité qu'est pour eux l'esprit de l'Antiquité, moyen unique d'atteindre ce monde «civilisé» dont ils rêvent. L'homme, reflet de Dieu, est fait pour de grandes choses; il s'agit simplement de trouver les moyens pour faire éclore ses facultés.

L'humaniste se présente avant tout comme un pédagogue: il veut élever l'homme au moyen de la sagesse. Cette emphase qui se transpose soudainement de Dieu à l'homme est une nouveauté, dans la mesure où la scolastique médiévale cherchait avant tout à subordonner le savoir humain à la révélation divine (Perreiah, 1982). Au fil des siècles, les efforts pour combiner la philosophie antique (principalement aristotélicienne) aux Saintes Écritures s'étaient transformés en une forme d'étude particulièrement coupée du réel, au sein de laquelle les textes anciens étaient devenus tout-puissants et indiscutables ; l'esprit critique devant les connaissances et les savoirs acquis était tout sauf encouragé. Il ne fallait pas *comprendre*, mais bien *défendre*. Le langage lui-même se retrouvait inféodé aux fins de la *disputatio*[2] : les scolastiques avaient construit au fil du temps une langue latine considérablement pervertie, obscure et irrationnelle, maîtrisée par une petite élite universitaire rivalisant de démagogie absconse[3] — du moins si l'on en croit la lecture qu'en faisaient les humanistes et qu'en font encore aujourd'hui de nombreux historiens.

Les humanistes s'opposaient ainsi aux scolastiques sur de multiples plans. D'abord, ils cherchaient à instaurer la clarté là où, à leurs yeux, régnait le chaos ; cela passait avant tout par l'épuration d'un latin qu'ils souhaitaient originel ainsi que par un retour direct à des textes qui n'auraient pas été alourdis par les nombreux commentaires qui jusque-là en étaient partie intégrante[4]. Ensuite, comme il a déjà été mentionné, ils visaient à s'imprégner de l'esprit de l'Antiquité afin de réussir à le dépasser, plutôt que de sarcler inlassablement les mêmes terres. Enfin — et c'était là leur plus grande impudence — ils souhaitaient replacer l'épanouissement de l'homme au centre des visées du savoir.

Un « porteur[5] » de l'humanisme : Érasme de Rotterdam

L'aspect représentatif de sa pensée, d'une part, mais aussi la diffusion massive de ses écrits — surtout grâce à une utilisation novatrice de l'imprimerie —, nous poussent à considérer Érasme comme un incontournable agent de diffusion de l'esprit du mouvement humaniste, et l'on pourrait le considérer dans des termes wébériens comme un

---

2.   Avec la *lectio* (la lecture des textes), la *disputatio* (la discussion et le débat) représentaient la base de la méthode scolastique.

3.   À cet égard, Perreiah (1982 : 4) nous offre une divertissante citation de Juan Luis Vives, un des plus ardents pourfendeurs de la méthode scolastique : « [Scholastic dialecticians] have invented for themselves certain meanings of words contrary to all civilized custom and usage, so that they may seem to have won their argument when they are not understood. For when they are understood, it is apparent to everyone that nothing could be more pointless, nothing more irrational. So, when their opponent has been confused by strange and unusual meanings and word-order, by wondrous suppositions, wondrous ampliations, restrictions, appellations, they then decree for themselves, with no public decision or [verdict] a triumph over an adversary not conquered but confused by new feats of verbal legerdemain. »

4.   Une des particularités des scolastiques était qu'ils ne lisaient plus les livres d'une couverture à l'autre, mais se fiaient davantage à des « sommes », des recueils utilisés comme ouvrages de référence, consultés pour trouver la réponse précise à un problème précis et remplaçant la lecture directe. « Le contenu [d'un livre] n'est plus utilisé pour lui-même et dans le but d'acquérir une certaine sagesse [...] Le savoir est désormais premier et passe avant tout, même s'il est fragmentaire. La méditation cède le pas à l'utilité, modification profonde qui change complètement l'impact même de la lecture. » (Cavallo et Chartier, 2001 [1995] :140)

5.   L'idée de « porteur » (*Träger*) est centrale dans la sociologie de la religion de Weber puisqu'elle lui permet d'identifier, au sein des différentes religions et organisations sociales, une couche ou une classe spécifique dont les affinités électives avec une religiosité particulière en font les « agents idéologiques de telle éthique ou de telle doctrine de salut » qu'ils propagent (*É&S* : 275). En l'appliquant à un individu concret, le terme est utilisé ici de façon quelque peu apocryphe mais permet de rendre l'idée d'un « agent de diffusion » d'une certaine pensée religieuse.

« porteur ». Emblème des transformations intellectuelles de la Renaissance, « prince des humanistes » comme il a été surnommé par ses contemporains, Érasme de Rotterdam réunit dans sa pensée les nombreuses strates d'un humanisme protéiforme. Ce courant revêtait en effet tour à tour un aspect anthropocentrique, sociocentrique, ou théocentrique (Spitz, 1963 ; Le Trocquer, 1958) ; ses porteurs étaient des latinistes, des philologues, des philosophes autant que des théologiens. L'œuvre d'Érasme recèle elle-même chacun de ces aspects, et c'est bien ce qui fait tout son intérêt pour l'histoire de la pensée.

Si la notion d'irénisme est devenue avec le temps pratiquement indissociable de son nom, il faut préciser que l'intérêt que manifeste Érasme pour la religion est étonnamment tardif. Lorsqu'il entre au couvent de Steyn et y prononce ses vœux en 1488, il semble même le faire à contrecœur : il clamera souvent qu'il ne s'est retrouvé moine qu'à la suite des pressions de tuteurs à la moralité douteuse[6]. La vie monastique ne lui convient d'ailleurs pas : de nature fragile, les jeûnes et les privations l'affaiblissent et l'incommodent, il n'en saisira jamais l'utilité et ne ratera pas une occasion, dans ses futurs écrits, d'en railler la pratique. Plutôt que par Dieu et ses saints, Érasme occupe ses pensées avec Virgile, Horace et Claudien ; plutôt que de chanter la Vierge, il se voue aux muses. Son intérêt se porte exclusivement sur les *bonæ litteræ* et vers la restauration d'une latinité épurée et empreinte de l'esprit des Anciens. Aux yeux du jeune Érasme, tout ce qui ne relève pas de la pensée classique tient de la barbarie.

Ironiquement, ce n'est qu'une fois sorti du couvent, à l'occasion d'un séjour en Angleterre où il fait la connaissance de John Colet et de Thomas More, que s'éveille l'intérêt d'Érasme pour les Écritures et la théologie. Ce qui est important à noter, c'est que cet intérêt se manifeste d'abord sous un angle philologique : il fait paraître en 1516 une nouvelle traduction du Nouveau Testament qu'il a produite en s'appuyant sur le texte grec et sur d'anciennes éditions des traductions de saint Jérôme. En plus d'éditer la version grecque originale, en concordance avec cet esprit de « retours aux sources » qui traverse toute son œuvre, et d'offrir sa nouvelle traduction latine, Érasme présente tout un appareil de notes critiques dans lequel il développe sa propre lecture de la Bible.

Lorsque Érasme entreprend sa traduction du Nouveau Testament, il le fait autant dans un esprit de théologie que de philologie. Il est clair qu'il n'attache pas vraiment d'autorité *per se* aux « Divines Écritures » ; dans sa perspective humaniste imprégnée de la culture des Anciens, les Évangiles sont pour lui d'abord et avant tout un *intermédiaire* qui permet de saisir et de comprendre la parole du Christ. C'est précisément cette idée qui, bien qu'elle ne fût jamais vraiment explicitée, le distinguera de la majorité des théologiens de son temps et lui attirera les foudres de ses « collègues » théologiens. La théologie d'Érasme est christocentrique, dans le plein sens du terme : « [...] place devant

6.   Les deux parents d'Érasme meurent vers 1584, soit alors qu'il est âgé d'entre 15 et 18 ans (les historiens ne s'entendent pas sur son année de naissance qui varie, selon les cas, entre 1466 et 1469). Dans sa correspondance, il laisse entendre que les trois tuteurs auxquels son frère et lui avaient été confiés les ont voués à une vie monacale pour n'avoir aucun compte à leur rendre quant à leur héritage (Huizinga, 1955 [1924] ; Faludy, 1970 ; Halkin, 1987).

toi le Christ comme l'unique but de toute ta vie, auquel tu rapportes toute ton application, tous tes efforts, tout ton temps de repos et d'activité » (*Enc.* : 561[7]). Tout le reste est, à ses yeux, sinon sans importance, du moins secondaire et c'est cette particularité, en parfaite résonnance avec les idéaux d'une époque orientée vers la dignité et l'intériorité de l'homme, qui retient notre attention.

RATIONALISATION ÉTHIQUE

Avant d'aller plus loin dans notre exploration de la pensée religieuse d'Érasme, il importe d'abord de clarifier cette notion de « rationalisation de la religion » dont il est ici question. Il est en effet indispensable de dépasser la première impression de contradiction que pourrait provoquer une telle expression. Dans la perspective wébérienne, le développement rationnel ou irrationnel d'un champ d'activité particulier ne revêt pas un caractère absolu, mais doit plutôt être mesuré à l'aune des exigences propres à ce champ et à son développement spécifique ; la rationalité fait donc ici référence au degré de cohérence interne de ce champ. C'est ainsi que, comme tout autre domaine d'activité sociale, la religion recèle une logique qui lui est intrinsèque et qui se développe en fonction de valeurs qui lui sont propres. Elle sera d'autant plus « rationnelle » qu'elle sera logiquement cohérente, c'est-à-dire qu'elle offrira des présupposés clairement établis desquels pourra être déduit un comportement pratique (*ÉÉ* : 412[8]).

Le rôle de la religion est principalement de répondre à la question du « sens » du monde et de donner ainsi un « sens » à sa façon de vivre (*É&S* : 268)[9]. Une religion rationalisée sera en mesure d'offrir à ses adeptes une réponse cohérente à ses questions,

---

7.   Les citations directes d'Érasme sont tirées de l'édition de Blum, Godin, Margolin et Ménager (2004). Les textes d'Érasme sont donc utilisées avec un système d'abréviation : « *Enc.* » renvoie au *Manuel du soldat chrétien*, (*Enchiridion militis christiani* [1504]), plus communément surnommé l'*Enchiridion* ; « *Par.* » renvoie à l'*Exhortation au pieux lecteur* (*Paraclesis* [1516]) ; « *Mor.* » renvoie quant à lui à l'*Éloge de la Folie* (*Encomium Moriæ* [1511]) ; « *Epis.* » renvoie au traité intitulé *Sur l'interdiction de manger de la viande* (*Epistolæ apologetica de interdico esu carnium* [1522]). « *Let.* » renvoie à la lettre d'Érasme à Paul Volz (1515), qui a un statut particulier dans le corpus érasmien et qui ne se retrouve pas dans le classement de la correspondance d'Érasme qu'a établi P. S. Allen (*Opus epistolarum Desidarii Erasmi Roterodami*, 12 volumes, Oxford, Clarendon, 1906-1958) ; le système d'Allen, par ailleurs, sert ici de système de référence pour la correspondance.

8.   Comme pour les références à Érasme, celles relatives à Weber utilisent un système d'abréviation afin d'alléger le texte. « *ÉÉ* » renvoie aux extraits de l'*Éthique économique des religions mondiales* (1915-1920) tirés du recueil de *Sociologie des religions* édité par Jean-Pierre Grossein (1996 : 329-486). Le chapitre V du tome 2 d'*Économie et société* consacré à la sociologie de la religion (1995 (1910-1913(: 145-409) renvoie à l'abréviation « *É&S* » — en-dehors du texte « L'État et la hiérocratie » tiré pour sa part du recueil de Grossein et noté « *É&H* ». Enfin, « *PVS* » renvoie à la conférence « La profession et la vocation de savant » éditée dans *Le savant et le politique* (2003 [1917] : 67-110).

9.   Il s'agit d'une spécificité que Weber oppose plus particulièrement au champ de la science au sein duquel la force de rationalisation a au contraire dissout cette question du « sens » du monde et de la vie. On sait que cette perte de sens est l'un des leitmotivs importants de l'œuvre de Weber, principalement parce qu'il s'agit d'un aspect essentiel de sa célèbre théorie du « désenchantement du monde ». L'attention que porte Weber à cette thématique, et au caractère quelque peu absurde qu'en revêt dès lors la notion de « progrès scientifique », illustre bien l'idée que nous développons ici : ce qui est rationnel pour un champ d'activité ne l'est pas nécessairement pour un autre... (*PVS* : 81-85).

plus particulièrement sur le problème de la théodicée dont elle se doit de dépasser les contradictions. Pour Weber, seules les religions orientées vers une méthode de salut sont en mesure de porter une force de rationalisation ; elles seules sont confrontées à l'importance de développer une éthique rationalisée de laquelle découlera une conduite de vie *méthodiquement* orientée vers l'obtention du salut. Dans une certaine mesure, ce processus de rationalisation n'est pas si éloigné du sens premier que devrait prendre la « rationalité » dans le sens commun : des moyens spécifiquement adaptés à des fins déterminées.

Si la notion de rationalisation de la religion qui traverse les écrits de Weber peut facilement porter à confusion, il est cependant possible d'en identifier certaines caractéristiques stables — et Weber lui-même finit par les subsumer en deux indicateurs principaux : « D'abord, le degré auquel cette religion a évacué la magie. Ensuite, le degré d'unité systématique auquel le rapport entre Dieu et le monde, et donc la relation éthique au monde propre à cette religion, a été porté » (*ÉÉ*: 379). Ce sont les deux indicateurs qui retiendront ici plus particulièrement notre attention ; des indicateurs qui sont d'ailleurs très fortement liés entre eux : la rationalité éthique d'une religion est en effet indissociable de l'évacuation de la magie.

De la magie à religion

Érasme associait aisément la magie et les rituels aux superstitions dangereuses ; dans ses écrits, il met tout en œuvre pour détruire l'idée selon laquelle la religion se réduirait à une perpétuelle observance de rites — idée qu'il associe systématiquement à une religiosité de type « judaïque » : « J'appelle judaïsme, dit-il, non pas l'impiété des juifs en leur temps, mais l'anxieuse obéissance des chrétiens à l'égard de leurs observances propres » (cité par Halkin, 1987 : 211). Pour lui, ce type « judaïque » est intrinsèquement lié à une religion attachée à l'Ancien Testament — qui pourrait disparaître sans que la chrétienté ne s'en porte plus mal. L'important doit être le sens du message du Christ ; l'Ancien Testament, avec ses sacrifices, ses violences, ses lois, ses observances et son Dieu vengeur, ne l'intéresse nullement. Les marques extérieures de piété ne sont à ses yeux que de peu d'importance, et c'est pourquoi, d'ailleurs, il tient par exemple en si grande horreur les moines qui brandissent leur bure et leur pauvreté comme des gages de salut.

Le rituel occupait pourtant une place fondamentale dans le christianisme populaire, l'accomplissement automatique de certains gestes et incantations éclipsant très souvent la signification qu'ils pouvaient receler. Ce type de religiosité est d'ailleurs caractéristique de sociétés encore fortement agraires ; Weber, comme beaucoup d'autres, souligne de façon récurrente combien les paysans (*paganus*, d'où dérive le terme « païen » [*É&H*: 274]) sont réfractaires aux développements monothéistes, un état de fait qu'il explique par leur intérêt religieux « pour un objet religieux tangible et familier pouvant être mis en relation avec les situations concrètes de la vie [...] et surtout leur intérêt pour un objet religieux accessible à l'influence de la *magie* » (*É&S*: 169).

Deux caractéristiques idéal-typiques doivent être retenues de ces comportements religieux populaires. D'abord, le fait que la religion se trouvait principalement orientée vers des fins séculières et pratiques : les différents objets consacrés (l'hostie, l'eau bénite, les crucifix) étaient considérés comme étant *en eux-mêmes* dépositaires de pouvoirs magiques permettant de guérir les malades ou le bétail, préserver de la noyade ou des éclairs, assurer un mariage fécond, rendre la terre fertile, etc. (Thomas, 1971). C'est ce même type de pouvoir magique qui était prêté aux reliques ou aux amulettes dont le commerce était si florissant au Moyen Âge et à la Renaissance, et qui continue encore de nos jours. Le second point essentiel est la prégnance de l'idée selon laquelle il était possible, à l'aide de rituels et d'incantation, d'influencer les forces suprasensibles — voire de les *contraindre* à agir selon les désirs des hommes. C'est ici que se brouille la frontière entre rituels et magie : les prières étaient ainsi considérées comme ayant un pouvoir au même titre qu'une incantation de type chamanique dans laquelle les mots exercent en eux-mêmes une action concrète sur la réalité — pour guérir des malades ou obtenir une pluie, par exemple.

Si les principaux sacrements chrétiens s'étaient bien implantés dans la plupart des communautés, leur aspect proprement religieux, le véritable rôle du prêtre et, plus largement, de l'Église, revêtait avant tout ce caractère magique : la présence d'un prêtre à un mariage, par exemple, servait principalement à conjurer les éventuels mauvais sorts qui pouvaient être jetés sur l'union des deux époux ; tout comme le baptême qui, avant de représenter l'entrée du nouveau-né dans l'Église, servait littéralement à exorciser l'enfant du démon. La politique officielle des autorités cléricales était pourtant que les prières, ou toute demande d'intercession adressée à Dieu, ne devaient revêtir qu'un caractère de supplique et qu'en aucun cas elles ne pouvaient être considérées comme infaillibles ou, en d'autres termes, comme agissant d'elles-mêmes à la manière d'une incantation magique. Il s'agit là d'une conséquence directe de l'influence de la ratio et de la conception d'un dieu tout-puissant qui en découle : un tel dieu ne saurait aucunement être soumis à la volonté des hommes (*É&S* : 169-172). Or, la reconnaissance d'un dieu unique et tout-puissant est une condition indispensable à l'élaboration d'un « cosmos » unitaire et cohérent — en opposition avec l'univers naturel chaotique des conceptions magiques, au sein duquel s'affrontent sans relâche des puissances opposées et irrationnelles. Nous verrons pourtant que l'Église romaine encourageait du même souffle quantité de rituels plus ou moins justifiés d'un point de vue théologique.

Aux yeux d'Érasme, les marques d'une orientation magico-rituelles dont il était entouré ne pouvaient qu'être vaines. À l'instar de Luther, il ne s'attaquait pas seulement aux traditions clairement païennes qui subsistaient dans les campagnes, mais également (et, en fait, surtout) aux différents observances et rites proprement chrétiens, prescrits le plus souvent par les autorités ecclésiastiques elles-mêmes et dont il remettait fortement en cause la pertinence. « [Bien] que les prophètes eux-mêmes, écrit-il, eussent prédit que l'éclatante lumière de l'Évangile ferait s'évanouir les jeûnes, les abstinences, les sabbats, les nouvelles lunes et autres ombres de la Loi, l'Église du Christ [...] n'eut néanmoins rien de plus pressé, sitôt l'Époux élevé aux cieux, que d'opter pour le jeûne et la prière » (*Epis*: 645). Si Érasme s'en prend ainsi aux exigences ritualistes de l'Église catholique, c'est principalement parce qu'elles témoignent d'un mode particulier d'accession à la grâce qui entre en contradiction directe avec les exigences d'une véritable éthique religieuse rationalisée.

Le monopole de l'Église

Magie et religion ritualiste ne sont pour Érasme que les deux revers d'une seule et même médaille : la dépréciation d'une véritable imprégnation par le croyant d'une éthique propre aux exigences de la chrétienté. Mais en s'élevant contre une telle attitude religieuse, il remet du même coup en question ce qui fait la particularité (et la force) de l'Église romaine : sa monopolisation des biens de salut, corollaire de ses visées universalistes (voir *ÉÉ*: 358-359). Dans l'organisation cléricale fortement hiérarchisée du catholicisme, le mode d'administration des sacrements, tout comme l'institution de la confession, ont en effet pour résultat (sinon pour but) de faire en sorte que la grâce ne puisse être atteinte qu'au sein de l'Église et de l'Église seule — d'où la célèbre formule : « Hors de l'Église, point de salut » ; seul devant Dieu, l'individu n'est rien. La forte hiérarchisation de l'Église chrétienne établit ainsi une rupture fondamentale avec les structures du paganisme en s'arrogeant l'exclusivité du contact avec le divin selon des modalités qui, par définition, échappent au simple laïc. Pour revenir à ce qui a déjà été mentionné plus haut, c'est principalement ce monopole qui a pour effet d'éloigner Dieu des croyants, qui ont désormais besoin d'un intermédiaire pour accéder à la grâce — un intermédiaire, qui plus est, qui n'a quant à lui besoin d'aucune qualification éthique ou charismatique particulière.

L'Église dispense en effet ce que Weber appelle une « grâce sacramentelle » (*É&S*: 328) : le salut y est assuré par un sacrement, c'est-à-dire par un rituel purement *extérieur* à l'individu, administré par un homme d'Église lui-même qualifié pour cette tâche par sa seule appartenance à l'institution. Ce type d'organisation — et, surtout, ce mode d'accession à la grâce — est ce qui assure à l'Église son aspect « démocratique », et surtout son potentiel d'universalité. La grâce institutionnelle, tout comme la grâce sacramentelle, est indifférente en ce qui concerne la « qualification religieuse des individus », et peut faire abstraction de leur inégale qualité éthique qui fait plus spécifiquement référence, dans la chrétienté, aux dispositions *intérieures* des individus à l'égard de la religion, de leur capacité à comprendre et à mettre en œuvre une *méthode systématique de salut*.

De ce point de vue, l'aspect purement extérieur de la piété populaire n'était donc pas en contradiction directe avec les modes d'accession au salut préconisé par l'Église, et c'est sans doute ce qui explique en partie la forte subsistance de résidus païens dans les campagnes : du moment que le lien qui rattache les fidèles à l'Église est assuré (tant que l'administration des sacrements est respectée, pour la plus grande part) les orientations magico-rituelles de la religiosité populaire n'ont pas à être perçues comme une menace. La « grâce institutionnelle » tire sa légitimité de l'accréditation divine qui est prêtée à l'institution elle-même. Bien que les paroissiens s'attendent généralement à un minimum de conduite éthique de la part du prêtre (ou de tout homme d'Église qui la sert), cette disposition intérieure n'est pas — en théorie du moins — pertinente : à elle seule, l'appartenance du prêtre à l'institution de l'Église lui procure la légitimité, l'autorité morale dont il a besoin.

Pour Weber comme pour Érasme, ce mode d'accession à la grâce entretient une affinité élective avec le ritualisme, dans la mesure où la qualification éthique de l'individu qui reçoit ces sacrements n'est que de peu, voire d'aucune importance pour leur efficacité ; en d'autres mots, la grâce institutionnelle « évite [à celui qui a besoin du salut-délivrance] d'avoir à développer une méthode de vie personnelle et systématisée d'un point de vue éthique » (*É&S* : 329). En fait, il s'agit exactement du danger qu'identifie Érasme aux observances religieuses, aux prières mécaniques et, règle générale, à l'ensemble des lois et des rites imposés par le clergé et suivis aveuglément par une grande majorité de la population. En vérité, il a toujours considéré que les marques de piété purement extérieures et ritualistes donnaient l'illusion de se rapprocher de Dieu, d'exonérer le chrétien de ses véritables devoirs — et c'était précisément pour lui en cela qu'elles l'en éloignaient. De plus, un tel monopole de la grâce institutionnelle prend racine dans l'idée qu'une véritable qualification éthique ne peut être atteinte que par une poignée de « virtuoses religieux », ce qui entre en contradiction directe avec l'idéal érasmien d'une religiosité accessible à tous grâce à l'éducation. « Voici en effet qui est illogique, nous dit-il : alors que le baptême [...] est également commun à tous les chrétiens, alors que les autres sacrements, et pour finir la récompense de l'immortalité, s'appliquent également à chacun, seules les doctrines devraient-elle être réservées à cette poignée qu'on appelle généralement aujourd'hui théologiens ou moines ? » (*Par.* : 598) C'est en réaction à l'exclusion massive des laïcs de l'enseignement évangélique qu'il cherchera à développer une méthode de salut qui soit simple, claire et cohérente : ce qu'il appellera la « Philosophie du Christ ».

PHILOSOPHIE DU CHRIST

Le Christ d'Érasme est avant tout un idéal : « la charité, la simplicité, la patience, la pureté » (*Enc.* : 561) et toutes les autres vertus qu'il a enseignées doivent être suivies par ses disciples. Le premier et le véritable devoir de tout chrétien est de tendre vers l'*imitation* du Christ, vers ses vertus : l'Homme ne peut véritablement s'épanouir en tant que tel — en tant qu'idéal de l'*humanisme* — que par et dans la vérité chrétienne, puisque c'est elle qui lui confère toute sa dignité. C'est dans cette perspective qu'Érasme ancre tout son travail d'interprétation des textes ; il s'agit de s'éloigner des apparences, du visible, pour comprendre, s'imprégner et atteindre l'idéal chrétien[10]. La *compréhension* de l'essence des vertus chrétiennes est ainsi un aspect crucial de la démarche religieuse, puisque c'est elle qui permet à l'homme de se comprendre, de travailler sur lui-même

---

10. L'*Enchiridion* est tout particulièrement pénétré de cette idée tout à fait platonicienne : « Au surplus, sois si bien convaincu de l'existence des réalités invisibles, que les visibles, en comparaison, soient à peine des sortes d'ombres qui ne représentent aux yeux qu'une certaine image des invisibles » (*Enc.* : 568). On reconnaît sans peine ici l'allégorie de la caverne, dans laquelle le Christ occupe le rôle du soleil de la sagesse.

et de déployer ses vertus. C'est ce que rend bien l'expression de « Philosophie du Christ » qui deviendra indissociable de la théologie érasmienne : « The term *Philosophia Christi* is actually of patristic origin and its critical root is *Sophia* — wisdom which is lived, and is of Christ. In that love there is the transforming power which Erasmus wishes to see affect the lives of men and women of all conditions, everywhere » (McConica, 1993 : 52).

Pour Érasme, la Philosophie du Christ est présente de tout temps, en tous lieux et en chacun : « Où que tu rencontres la vérité, écrit-il, tiens-la pour chrétienne » (cité dans Zweig, 1935 : 91). L'image évoquée par l'épithète de « saint » qu'accolaient régulièrement les humanistes aux grands penseurs de l'Antiquité (Coppens, 1961 : 365-366) est très parlante à cet égard : avant même l'avènement de Jésus, avant même la diffusion de la parole de Dieu, la vérité chrétienne traversait les âmes empreintes de sagesse. Une conception directement liée au théisme universaliste, cette « conviction que la divinité a exercé la même action et agit encore aujourd'hui sur les différentes religions et philosophies et qu'elle s'exprime dans la conscience morale et religieuse de tout homme » (Dilthey, 1999 [1891-1904] : 55). Cette « connaissance transformante » (Chantraine, 1971 : 166) qu'est le mystère du Christ s'est toujours fait sentir, et il est de la nature même de l'homme de tendre vers elle.

Les humanistes dans leur ensemble prennent la mesure « d'une culture occidentale prenant racine à la fois dans l'Antiquité classique et dans celle chrétienne » (Spitz, 1963 : 5, je traduis) ; le théisme universaliste dont fait preuve Érasme est l'expression directe de cette dualité. Pour reprendre les mots de Lucien Febvre (1957 : 90), il n'y avait pas pour eux de choix à faire entre l'esprit des Anciens et celui du Christ : les humanistes les mettent bout à bout et c'est ce qui fait l'unicité de leur pensée. Si les belles-lettres prennent une telle importance dans la réflexion religieuse d'Érasme, c'est non seulement par goût personnel, mais aussi parce qu'elles lui offrent les outils nécessaires à la compréhension du véritable sens originel des Écritures. L'importance de la culture antique pour la pensée religieuse de l'humaniste prend ici toute sa mesure : au-delà d'une importante dimension philologique (cf. Rummel, 1986 : 42-52), elle peut selon Érasme nous former à l'interprétation du Nouveau Testament.

> Il te faut suivre la même règle dans tous les écrits, qui sont constitués, comme d'un corps et d'une âme, d'un sens immédiat et de mystère, en sorte que, méprisée la lettre, tu regardes de préférence au mystère. De ce genre sont tous les poètes et, parmi les philosophes, des platoniciens : mais surtout les Écritures saintes, qui, quasi semblables à ces Silènes dont parle Alcibiade, cachent sous une enveloppe sordide et presque ridicule, une puissance divine sans mélange. [...] Ainsi donc, une fois méprisée partout la substance charnelle de l'Écriture, surtout de l'Ancien Testament, il conviendra de sonder le sens spirituel caché. (*Enc.* : 570-571)

Lire les Écritures saintes comme on lirait le mythe de Prométhée ou celui de Sisyphe, loin d'être une hérésie, permet d'accéder au véritable sens de la parole de Dieu ; ce qu'il appelle les « allégories théologiques » sont littéralement une méthode qu'il présente aux théologiens pour orienter leurs lectures et analyses de l'Écriture (Chantraine, 1971 : 317-360). Et cette méthode particulière est précisément ce qui permet à Érasme de surmonter les contradictions apparentes de l'Évangile, en se concentrant sur l'essence d'un message simplifié presque à l'extrême (Coppens, 1961 : 350).

Les Écritures doivent selon lui d'abord servir à tirer des enseignements personnels qui soient compris et intériorisés : mieux vaut lire attentivement un seul Psaume et en élever son âme, plutôt que de lire à voix haute et de façon distraite tout le Psautier. Une fois véritablement compris le sens de l'Évangile — ou de l'histoire de la vie des saints, par exemple — il faut s'en pénétrer et accorder sa vie aux préceptes qui en émanent.

> Ton âme entière ne respire encore que le monde : à l'extérieur tu es chrétien, au-dedans, plus païen qu'un païen. Pourquoi cela ? Parce que tu n'as en main que le corps du sacrement, l'esprit est absent. Ton corps a été lavé : quelle importance, aussi longtemps que l'âme reste souillée ? On a mis sur ta langue des grains de sels : à quoi bon, si l'âme est non salée ? On a fait sur ton corps une onction, mais l'âme n'est pas ointe. [...] tu vénères les saints, tu te réjouis de toucher leurs reliques : mais tu méprises ce qu'ils t'ont laissé de meilleur comme relique, l'exemple d'une vie pure. Nul acte de culte n'est plus agréable à Marie que si tu imites l'humilité de Marie. Nulle marque d'honneur n'est mieux reçue des saints et plus appropriée que si tu travailles à reproduire leurs vertus. Tu veux t'attirer la faveur de Pierre ou Paul ? Imite la foi de l'un, la charité de l'autre, et tu auras plus fait que si tu courais dix fois d'église en église à travers Rome. (*Enc.* : 575)

Ici se résume l'essentiel de la position d'Érasme, plaidant pour une religion simplifiée et intériorisée ne s'embarrassant pas d'un appareil dogmatique trop complexe qui détourne le chrétien de son véritable but ; le véritable homme pieux est celui qui *vit* réellement en conformité avec l'esprit du Christ. Comme le dit Stefan Zweig en paraphrasant Érasme (1935 : 91) : « Ce n'est pas l'adoration des saints, les pèlerinages ni les prières que l'on psalmodie, ce n'est pas la scolastique avec son "judaïsme stérile" qui font d'un homme un chrétien, mais les preuves qu'il donne de ses sentiments, sa manière de vivre, humaine et chrétienne. » Pour Érasme, la religion est d'abord et avant tout un état d'esprit et une conduite de vie. Si Érasme veut épurer le Nouveau Testament, s'il encourage sa traduction en langues vernaculaires[11], c'est bien entendu pour encourager le contact direct avec les Écritures et pour permettre à chacun de s'en imprégner : « Pas besoin pour y accéder de se barder de savoirs compliqués. C'est un viatique simple, à la disposition de n'importe qui ; il suffit d'apporter une âme pieuse et résolue, mais surtout dotée d'une foi simple et pure », écrit-il à propos de son *Novum Instrumentum* (*Par.* : 597). De toute façon, ce qui ne se puise pas directement dans les écrits apostoliques a été inventé ou déduit par l'homme, et est donc sujet à erreur.

11.　« Je suis en effet passionnément en désaccord avec ceux qui refusent aux ignorants la lecture des Lettres divines après leur traduction en langue vulgaire [...]. Puissent ces livres être traduits en toutes les langues, pour pouvoir être lus et connus non seulement des Écossais et des Irlandais, mais aussi des Turcs et des Sarrasins. Le premier stade, assurément, c'est de les faire connaître d'une façon ou d'une autre » (*Par.* : 597). C'est d'ailleurs sur son *Novum Instrumentum* que seront basées, dans les années à venir, la grande majorité des traductions du Nouveau Testament en langues vernaculaires.

Dogmes, observances et religion

Les quelques contacts qu'il a eus avec des théologiens — principalement lors de son séjour à Paris, reconnue d'ailleurs à l'époque pour abriter les scolastiques parmi les plus conservateurs d'Europe — les lui ont fait prendre en horreur ; scolastiques et théologiens sont pour lui des quasi synonymes, et à travers les années, il ne manquera de bile ni contre les uns, ni contre les autres.

> [Vous] imaginez leur bonheur quand [les théologiens] façonnent et refaçonnent à leur guise les Saintes Écritures, comme si c'était de la cire molle, quand ils exigent qu'on regarde leurs conclusions, déjà approuvées par quelques scolastiques, comme supérieures aux lois de Solon et même préférables aux décrets pontificaux, quand ils s'érigent en censeurs de l'univers et amènent à la rétraction tout ce qui ne se conforme pas rigoureusement à leurs conclusions explicites et implicites et qu'ils prononcent sur un ton d'oracle : « Cette proposition est scandaleuse » ; « celle-ci est irrévérencieuse » ; « celle-ci sent l'hérésie » ; « celle-ci est malsonnante », si bien que désormais ni le baptême, ni l'Évangile, ni Paul ou Pierre, ni saint Jérôme ou Augustin ni même Thomas *le maître aristotélicien* ne font un chrétien s'il n'y a eu l'approbation des bacheliers, tant est grande leur subtilité de jugement. (*Mor.*: 69 ; c'est lui qui souligne)

Les querelles des scolastiques sur des points de détail des questions religieuses[12] l'irritaient au plus point. Érasme affirme de son côté les limites arrêtées de l'esprit humain devant les « réalités suprêmes » (Renaudet, 1981 [1939] : 125), et il avançait sans ambages que la Bible contient des passages obscurs qu'il est impossible d'interpréter : « Nous avons défini, dit-il, trop de choses que nous eussions pu, sans danger pour notre salut, ou ignorer ou passer sous silence » (cité dans Huizinga, 1955 [1924] : 194). La Philosophie du Christ est l'outil pour donner l'unité nécessaire au message des Évangiles, puisque du moment où l'esprit des Écritures est compris et que la conduite de vie du chrétien s'y accorde, les questions de dogmes et de rituels deviennent secondaires.

« Le dogme, essentiellement inapte à l'expression d'une vérité qui dépasse l'intelligence humaine, ne conserve pour Érasme qu'une valeur historique et provisoire », nous dit Renaudet (1981 [1939] : 169). Si on en retrouve l'idée délayée un peu partout dans ses écrits, c'est dans « Sur l'interdiction de manger de la viande » qu'Érasme synthétise et expose le plus clairement ses vues sur les observances religieuses dans la vie quotidienne. Il y explique que des réglementations comme le jeûne ou les fêtes religieuses ne devraient pas avoir le caractère obligatoire qu'elles ont à l'époque : d'une part, parce qu'elles ne sont pas nécessaires à la véritable piété, et d'autre part, parce qu'elles introduisent dans la société des inégalités flagrantes — du fait, dans le cas du

---

12.   En addendum à la présentation que j'ai faite, plus haut, des scolastiques, je me dois de citer ici un passage savoureux de Faludy (1970 : 60), qui les présente ainsi (parlant des débats qui secouaient les universitaires à l'époque où Érasme fait son entrée à Paris) : « One if these debates was on the following crucial issue : Do four five-minute prayers said on consecutive days stand a better chance of being heard by the Almighty than one twenty-minute prayer ? Is a prayer of ten minutes, said on behalf of ten people, as efficacious as ten one-minute prayers ? The issue was settled after eight weeks of speeches — slightly longer than it had taken Columbus to sail to America the previous year. »

jeûne, des dispenses qui peuvent être achetées à l'Église par les plus riches et, dans le cas des fêtes, des conséquences très néfastes qu'elles ont sur les plus pauvres qui se voient ainsi privés du revenu de précieuses journées de travail[13]. Il souligne de plus que ces exigences — prises d'une lecture littérale de la Bible et même, parfois, inventées de toutes pièces (comme dans le cas de nombreuses fêtes) — sont susceptibles d'être adaptées au cours du temps si elles ne sont plus nécessaires.

> La piété a jadis inspiré l'établissement de certaines institutions, et c'est peut-être le même esprit de piété qui, dans des circonstances ultérieures, imposera leur abolition pour tenir compte de l'évolution des mœurs. [...] Jadis l'Église abolit la pratique des veilles nocturnes aux tombeaux des martyrs, même si la coutume générale des chrétiens les avait admises, et ce, depuis plusieurs siècles. Quant au jeûne, qu'on prolongeait habituellement jusqu'au soir, l'Église en a ramené la limite à midi. Elle modifia beaucoup d'autres coutumes encore au fur et à mesure que les circonstances l'exigeaient. Pourquoi nous attacher ici avec une telle obstination à une institution humaine, surtout quand il y a tant de raisons pour nous convaincre de la nécessité d'un changement ? (*Epis* : 652-653)

Mais là où le « progressisme » d'Érasme est le plus surprenant, c'est dans son argumentation au sujet du célibat des prêtres. Il y tient le même raisonnement qu'au sujet des réglementations sur le jeûne et les fêtes : si une ordonnance n'est plus en adéquation avec les exigences d'une époque donnée, il n'en tient qu'à l'Église de la révoquer. Aux yeux d'Érasme, l'obligation du vœu d'abstinence n'aboutit souvent qu'à mettre en état de péché les prêtres qui sont incapables de le respecter. Dans sa perspective toute pragmatique, mieux vaut permettre aux prêtres incontinents de se marier, et ainsi non seulement leur éviter de se compromettre, mais aussi sauvegarder la respectabilité de l'Église. Et c'est exactement dans le même esprit qu'Érasme se fait l'avocat d'un assouplissement des lois sur le divorce : toujours, le but est de restreindre davantage les situations risquant d'acculer au péché. En fait, les choix personnels d'un mode de vie particulier importent peu en regard de l'engagement personnel envers le Christ : « [la] perfection du Christ consiste dans les dispositions d'âme, non dans le genre de vie » écrit-il (*Let.* : 632)[14].

Le peu de cas que fait Érasme des observances est consistant avec l'esprit de toute son œuvre : briser le poids des traditions. Ce n'est pas uniquement son amour de l'Antiquité qui lui fait tenir à cœur son projet de retour aux sources ; c'est aussi et surtout le fait qu'un retour aux Écritures, une méditation sur les textes, un contact direct avec la parole du Christ permettent de prendre une distance nécessaire avec les traditions religieuses instituées. Les connaissances historiques d'Érasme lui permettent de comprendre pourquoi tel ou tel rite a été institué ; et c'est là le premier pas pour un

---

13.   Il s'agit d'ailleurs là d'un argument que l'on retrouve tout particulièrement chez les réformateurs, et qui n'est pas sans nous rappeler les affinités établies par Weber entre le protestantisme et les développements du capitalisme.

14.   Bien qu'une telle transposition du « genre de vie » extérieur vers les « dispositions » intérieures serve pour Érasme de base à ses velléités réformatrices, elle s'inscrit pourtant dans la continuité directe d'un processus de subjectivisation qu'avaient amorcés, dès le xiiᵉ siècle, les scolastiques eux-mêmes — notamment en déplaçant la culpabilité du péché de l'acte aux motifs (cf. Hahn, 1986).

regard critique sur ces rites, pour une démystification propice à une réforme. À la question « pourquoi faites-vous cela ? », la réponse « parce que nous avons toujours fait ainsi » n'est plus suffisante. C'est sans doute là un des sens qu'il faut donner au « modernisme » que Febvre (1957 : 122-136) et Renaudet (1981 [1939] : 122-189) prêtent promptement à la pensée religieuse d'Érasme.

NUANCES, DEMI-MESURES ET HÉSITATIONS

La piété d'Érasme est difficile à remettre en question. Sans même connaître le personnage, la somme de ses écrits théologiques et pratiques (sur la manière de prier, sur celle de se confesser, sur le mariage chrétien, etc.) serait là pour nous convaincre. Mais il demeure qu'Érasme — et c'est là son contraste le plus frappant avec Luther, et la raison pour laquelle les deux personnages ne pouvaient tout simplement pas s'entendre — n'était, comme le souligne Huizinga (1955 [1924]), ni un mystique, ni un réaliste. Pour lui, l'atteinte de la véritable piété et même celle de l'âge d'or de l'homme passe par une recette très simple : la diffusion des belles-lettres et la compréhension de l'esprit du Christ. Mais alors que les idées incendiaires de Luther commençaient tout juste à enflammer l'Europe, les réformes pour le moins timides que propose Érasme semblent soudainement manquer cruellement de la force rassembleuse que déploie justement le bouillant moine allemand.

Il n'est pas besoin de rappeler l'importance que revêt la figure historique de Luther dans l'analyse de l'avènement de la modernité et, tout particulièrement, dans des analyses cherchant à mettre en relief la transformation radicale du statut de la religion à la Renaissance. Bien plus qu'Érasme, c'est Luther qui se présente généralement comme la figure par excellence du « porteur » d'une rationalisation de la religion. Or, comme Luther, Érasme préconise un retour au texte. Comme Luther — mais sans toutefois le mettre directement en application — Érasme est activement en faveur d'une diffusion populaire de la Bible, surtout par sa traduction en langues vernaculaires. Comme Luther, Érasme se fait le défenseur d'une religion intériorisée et détachée des rituels à caractère magique[15]...

On ne peut mettre en doute qu'Érasme participe, au même titre que celui qui deviendra son rival[16], à une certaine intellectualisation, voire à une rationalisation

---

15.   Les différents points d'affinités et de tensions entre la pensée religieuse d'Érasme et celle de Luther sont abordés dans la grande majorité des études sur Érasme, l'attitude de ce dernier devant les événements de la Réforme étant, comme nous le verrons plus loin, un indicateur pertinent de la spécificité de son « humanisme chrétien ». Comme le présent article n'a pas la prétention d'être historique, nous renvoyons le lecteur désireux d'approfondir cette question à l'ouvrage de Georges Chantraine, *Érasme et Luther : libre et serf arbitre. Étude historique et théologique* (Paris, Lethielleux, 1981).

16.   Érasme s'était tout d'abord montré sensible aux revendications de Luther ; il était allé jusqu'à écrire, à la demande du protecteur de Luther, Frédéric de Saxe, un pamphlet : « Vingt-deux axiomes pour la cause de Martin Luther ». Cet écrit s'adressait exclusivement au prince électeur, mais le secrétaire de ce dernier, Georg Spalatin (de son vrai nom Georg Burkhardt), un ardent luthérien, s'était empressé de le faire publier. Cet écrit valût à Érasme de nombreux ennuis auprès des théologiens conservateurs, et il tenta par la suite le plus possible de se dissocier du réformateur — ce que ce dernier ne lui pardonnera pas.

éthique de la religion. Mais une différence fondamentale vient de la tension insur-montable qu'identifiait Luther entre une religiosité qu'on pourrait traduire comme étant *éthiquement rationnelle* et les exigences de la vie quotidienne ; en cela, Luther se rapproche davantage de l'idée de *virtuosité* religieuse que nous avons mentionnée, plus haut et que récuse farouchement Érasme, convaincu qu'une religiosité vraie et, en quelque sorte, « efficace », doit se trouver à la portée de chacun. La rationalité que Weber identifie par exemple chez le *Berufsmensch* — celui qui « a vécu d'une manière spéci-fiquement "méthodique", avec un "emploi du temps" et un contrôle de soi permanent, refusant toute "jouissance" ingénue et tout accaparement par des devoirs "humains" qui ne serviraient pas les objectifs de sa vocation » (*É&H* : 266) — semble inversée dans la perspective érasmienne qui commande plutôt un assouplissement (voire une subor-dination) des devoirs religieux en regard des devoirs humains. Alors que, pour un homme comme Luther, l'activité religieuse dans le monde se fait à la gloire de Dieu (et ce bien qu'il n'en développe pas lui-même le caractère « méthodique »), elle se lit davantage chez Érasme comme une fin en soi ; c'est d'ailleurs ce qui fera dire à Luther que « les choses humaines ont plus de prix à ses yeux que les divines » (Huizinga, 1955 [1924]). En cela, le réformiste avait sans doute raison. S'il est difficile de nier qu'Érasme soit un homme pieux (comme l'a fait Luther dans une de ses mémorables colères), il demeure patent que ses plaidoyers en faveur d'une religiosité « quotidianisée » semblent davantage viser l'élévation de l'Homme que son service à la gloire de Dieu.

Si Érasme présente certaines velléités à réformer les pratiques religieuses popu-laires, elles ne sont pas très prononcées : ses « réformes » à lui, il les veut graduelles, et c'est ce qui le distingue le plus fondamentalement de Luther. Il reproche souvent à ce dernier d'écrire en allemand : pour Érasme, les véritables discussions théologiques ne sont pas affaire du peuple. Elles doivent être réglées entre lettrés, et seules leurs conclu-sions devront par la suite être diffusées puis appliquées auprès des autres, afin d'éviter les désordres et traumatismes qu'engendrerait nécessairement à ses yeux une réforme radicale (Renaudet, 1981 [1939] : 315-316 ; McConica, 1993 : 81). Durant toute la que-relle qui l'opposera à Luther, Érasme ne pourra jamais réellement comprendre la rai-son pour laquelle son adversaire s'acharnait tant sur des questions comme le culte des saints et des images, ou celle des indulgences ; certes, Érasme ne voulait pas défendre ces « superstitions », mais ces questions étaient secondaires à ses yeux : si l'âme s'élève vers le Christ, si la démarche se fait pour lui, qu'importe si elle passe par la contemplation d'une image ? « [Il] n'est pas tant répréhensible d'agir de cette façon qu'il n'est perni-cieux de s'arrêter à ces pratiques et de se fonder sur elles. Je tolère la faiblesse, mais avec Paul, je montre une voie plus excellente » (*Enc.* : 566). En vérité, Érasme a toujours considéré que les marques de piété purement extérieures et ritualistes pouvaient s'avé-rer dangereuses pour le salut : elles donnent l'illusion de se rapprocher de Dieu, d'exo-nérer le chrétien de ses véritables devoirs, et en cela elles l'en éloignent. Mais il a également toujours considéré que d'abolir ces pratiques pouvait être également néfaste ; en véri-table apôtre de la nuance, Érasme craint d'arracher le bon grain avec l'ivraie. Toujours dans le plus pur esprit humaniste, son idéal est d'enseigner au peuple le chemin le plus court et le plus sûr pour se rendre au Christ, et de le laisser par la suite délaisser de lui-même, et graduellement, les pratiques inutiles et potentiellement nuisibles : « Car la piété aussi a son enfance, a ses progrès dans l'âge, a son point de perfection et de force dans la maturité » (*Let.* : 632). Tout comme l'enfant a besoin d'un tuteur, l'homme qui n'a pas encore reçu le « soleil de la sagesse » qu'est le véritable esprit du Christ a besoin d'un guide.

Dans cette optique, il ne faut pas s'étonner qu'Érasme ne se soit jamais véritable-ment élevé contre l'Église à laquelle il reconnaît, malgré les errances de certains de ses représentants, la fonction indispensable de berger ; il croit, comme il l'écrit d'ailleurs à Luther, qu'« il serait plus utile d'élever la voix contre ceux qui abusent de l'autorité des évêques que contre les évêques eux-mêmes » (lettre n° 980 : 1049). Bouleverser et même détruire les institutions n'avait à ses yeux aucune utilité, tant et aussi longtemps que l'homme lui-même n'était pas réformé. Bien que sa Philosophie du Christ semble le détacher de l'Église — dans laquelle il ne verrait selon certains qu'un « abri tout pro-visoire pour sa foi » (Coppens, 1961 : 362) —, Érasme accorde trop d'importance à la paix sociale pour ne pas voir l'importance du symbole qu'est l'Église pour les chré-tiens. Il croit en la valeur sociale de l'Église, principalement comme garante de l'unité chrétienne, de la *concorde* des croyants à laquelle il accorde une importance primordiale et qu'il souhaite (lui qui se disait « citoyen du monde ») transposer à une échelle uni-verselle ; « j'appelle "Église", dit-il, le consensus de l'ensemble des chrétiens » (cité dans McConica, 1993 : 85 ; je traduis). Si la Philosophie du Christ se vit intérieurement et sub-jectivement, et si elle doit contribuer à l'épanouissement de l'homme et à une meilleure connaissance de lui-même, l'Église est quant à elle garante de l'unité du christianisme. L'église « invisible » pour laquelle plaide Luther laisse les individus atomisés et heurte de front l'idéal érasmien d'une véritable communauté chrétienne universelle (*ibid.* : 83-87).

Toutes ces raisons nous empêchent d'affirmer qu'Érasme aurait activement parti-cipé à une véritable *diffusion* d'une intellectualisation de la foi. La religion, pour lui, était somme toute fort simple : la véritable piété se manifeste à travers la mise en application de quelques vertus clés, prises à l'image du Christ, de la Vierge ou des saints. Les mys-tères de la Trinité ou de la transsubstantiation n'ont que très peu d'intérêt à ses yeux ; malgré toute sa piété, le travail qu'il effectue sur les textes saints demeure avant tout un travail philologique — voire, à l'occasion, une analyse de texte comme il aurait pu en faire de ceux de Platon ou d'Origène. Puisqu'il n'y a pas, selon lui, de révélation inté-rieure susceptible de nous dicter la voie à suivre, les querelles dogmatiques sont au mieux inutiles, et au pire susceptibles de fissurer la communauté des croyants. C'est en étudiant lui-même les Écritures, en se questionnant sur leur sens et en saisissant leur esprit, que l'homme est en mesure de mettre sa foi en œuvre dans sa vie quotidienne, à travers une conduite de vie qui soit cohérente avec sa piété. Tout comme un enfant apprend les règles de la vie en société, le chrétien peut apprendre les règles d'une vie chrétienne pieuse ; des règles qui sont avant tout d'ordre moral. Somme toute, sa Philosophie du Christ peut se voir comme « une éthique humaniste, revue et corrigée selon l'Évangile » (Renaudet, 1981 [1939] : 147).

L'effacement des frontières

La piété à laquelle exhorte Luther est toute entière tournée vers Dieu ; celle qu'appelle Érasme de ses vœux est bien davantage dirigée vers l'homme. Pour ce dernier, nous l'avons vu, diriger son action religieuse vers l'ici-bas est non seulement une forme *possible* de piété, elle en est pratiquement une condition. Les vertus qu'associe Érasme à la piété se rapprochent et peuvent même se confondre avec des règles de vie sociale ; Érasme ne rêve pas d'une union contemplative avec Dieu. Il rêve à une cité chrétienne universelle, traversée de part en part par les vertus demandées par le Christ, et c'est ce qui explique que, malgré ses critiques, il reste très attaché à l'Église en tant que symbole social, comme mère de tous les chrétiens et comme garante de leur unité. On comprend encore mieux ici combien Érasme a pu être attristé par la Réforme de Luther. L'importance fondamentale qu'il accorde à la paix et à la liberté est un des éléments qui fondent l'unicité de sa pensée toute humaniste ; son grand attachement à l'homme lui faisait dire qu'il était impossible que les devoirs religieux entrent en contradiction avec les exigences du quotidien. Le salut devait être accessible à tous ; s'il ne l'était pas, c'était sans nul doute la faute des théologiens. Et l'Église devait y remédier.

La pensée religieuse d'Érasme se caractérise ainsi par un plaidoyer en faveur d'une identification étroite des différentes sphères de la vie sociale, en faveur d'une vie sociale qui, en fin de compte, tirerait sa légitimité du sentiment religieux, et d'un sentiment religieux qui s'exprimerait d'abord et avant tout à travers la vie sociale. Si Érasme tient les moines en horreur — pourtant l'archétype wébérien du porteur de rationalité éthique —, c'est justement du fait de leur caractère de « virtuose » religieux, de leur refus du monde qui implique de mettre ce type de piété hors de portée des autres hommes. Le charisme religieux des moines n'est pas, dans la pensée d'Érasme, nécessairement en adéquation avec une véritable piété ; principalement parce que la véritable piété n'a selon lui nul besoin de ce charisme.

La vision érasmienne de la religion, du « monastère dans le monde » (Halkin, 1987 : 214), en vient à identifier et confondre foi et règle de vie : comme nous l'avons vu, « le catéchisme d'Érasme consiste principalement dans la morale » (Chantraine, 1971 : 263). Mais nous pourrions aller plus loin : en insistant sur la piété purement intérieure, et sur une foi basée sur une conduite de vie, Érasme en vient presque — paradoxalement, eu égard à son attachement au Christ — à retirer à la communauté chrétienne tout ce qui l'identifie extérieurement, tous ses « marqueurs » en quelque sorte. Ne va-t-il pas jusqu'à déclarer : « Je préfère un musulman sincère à un chrétien hypocrite » (cité dans Halkin, 1987 : 163) ? Comme le souligne bien Huizinga (1955 [1924]), Érasme n'a jamais compris l'utilité d'avoir des fondements religieux immuables comme certains dogmes ou rituels. Lorsqu'il traduit le Nouveau Testament, il est le premier à s'étonner des résistances qu'il rencontre ; il ne comprend pas la nature de l'attachement des théologiens et du clergé — et même des laïcs — à l'idée d'avoir des bases scripturales fixes et indiscutables. À travers ses efforts constants pour établir une religiosité la plus conséquente possible et, surtout, pour la projeter dans le monde en cherchant à la « quotidianiser » toujours davantage, Érasme retire à la religion la spécificité qui la légitime et, dans une certaine mesure, lui permet de perdurer dans un univers social de plus en plus différencié.

En cherchant à intellectualiser la religion, il la soustrait paradoxalement à toute la dimension affective et sensible qui la caractérise et qui explique par ailleurs la violence des convictions qu'il constate et déplore autour de lui[17]. « [Sur] le plan religieux, il manquait à Érasme ce qui fait les grands conducteurs d'hommes, une foi vive et passionnée en un idéal passionnant, inlassablement poursuivi, non seulement au niveau de la recherche personnelle, dans l'enclos d'une chambre d'étude, mais sur le forum, au niveau d'une masse avide de renouveau » (Coppens, 1961 : 370). Comme le puritain de l'Éthique protestante, Érasme développe un idéal de conduite de vie qui est éthique, certes, mais qui semble voué à se détacher progressivement de la « sanctification par Dieu » sur laquelle elle reposait à l'origine (ÉÉ : 380).

Au fil des années suivantes, la religion, certes, se rationalisera ; mais dans un sens diamétralement opposé à ce qu'Érasme appelait de ses vœux. La Réforme amorcée par Luther finit rapidement par se décliner au pluriel ; le protestantisme n'est pas une entité unitaire, mais regroupe une multitude de tendances différentes : luthériens, certes, mais également calvinistes, anabaptistes et anglicans, pour ne nommer que les plus importants des XVIe et XVIIe siècles. Au surplus, ces différentes dénominations ne sont pas territorialisées, mais strient de façon irrégulière la carte de l'Europe ; pour la première fois de l'histoire, un individu peut avoir comme voisin un *chrétien* qui n'est pas *catholique*[18]. En réponse à la Réforme, l'Église catholique romaine amorce sa propre Contre-Réforme. La flexibilité pratique dont fit d'abord preuve l'Église à l'égard de l'hétérodoxie était la conséquence directe d'une identité encore mal établie ; avec la nouvelle réalité que sont ces hérésies qui croissent en importance, la communauté catholique doit être resserrée. C'est à la suite du Concile de Trente que seront redéfinis les principaux articles de foi du catholicisme, en réponse indirecte à la Confession d'Augsbourg qui posait les principes de la foi luthérienne. C'est le début d'un « âge du confessionnalisme » qui touche chacune des dénominations religieuses et qui dessine les contours d'une religion fortement rationalisée qui transformera radicalement le visage du christianisme dans son ensemble. En tant qu'effort de consolidation des différentes lignes religieuses, le confessionnalisme implique trois points fondamentaux : une *intériorisation* par les individus des enseignements de l'Église, la définition de *dichotomies* pointues, et la quête d'*uniformité* au sein des différentes communautés religieuses (Kaplan, 2007). La religion « confessionnelle » est la conséquence directe de la nouvelle diversité (et donc

---

17.   Sur l'antagonisme entre l'expérience dite « sensible » et le contexte de « sens » des représentations symboliques religieuses, voir Asad, 1983 : 256 (note 25).

18.   La différence est importante à noter, car l'Europe n'a jamais été uniformément chrétienne : des Européens ont souvent pu être conduits à côtoyer des juifs, et même des musulmans. Les « infidèles » n'ont certes jamais vraiment été les bienvenus au sein de la société européenne ; les persécutions et les Croisades sont là pour en témoigner. Mais un « infidèle » n'est pas un « hérétique » : le premier est privé de la Vérité ; on peut donc, dans une certaine mesure, l'ignorer et même le plaindre ; le second, par contre, s'en est sciemment détourné — ou en a sciemment transformé le sens. Voilà qui est impardonnable, et beaucoup plus menaçant pour la communauté de foi (Thierry, 1997 : 12).

concurrence) religieuse, et l'un des principaux obstacles à la tolérance. Les différentes confessions se définissent les unes contre les autres, dans un registre du Bien contre le Mal ; dans ce contexte, intolérance et piété vont de pair : tolérer l'œuvre du mal est certainement un grave péché.

CONCLUSION

Le confessionnalisme représente précisément les peurs profondes qu'exprimait Érasme peu avant sa mort, alors qu'il assistait aux ravages que la Réforme de Luther commençait à causer en Europe. En défendant jusqu'à la fin une position mitoyenne — une réforme de l'Église graduelle, concertée et inclusive — Érasme s'était vu abandonné tant par les catholiques que par les protestants, un état de fait qui présageait très bien l'intolérance qui serait désormais la norme en Europe pour les siècles à venir, et qui découlait directement du processus de rationalisation qu'il avait pourtant lui-même cherché à entamer afin d'établir une communauté de foi universelle.

Si l'on souhaite demeurer dans un lexique wébérien, nous pouvons certes penser à une « conséquence non intentionnelle de l'action ». L'expression serait appropriée si Érasme avait eu malgré lui une quelconque influence sur la pensée réformiste de Luther (et de bien d'autres de l'époque que nous devons ici passer sous silence) ; toutefois, aucun rapport de causalité ne peut être établi en toute bonne foi, tant il est flagrant aux yeux de tous les observateurs que les conditions d'une réforme de l'Église étaient, à la base, parfaitement réunies ; les pensées de Luther et d'Érasme étaient concomitantes, et non successives. Mais l'expression aurait tout autant d'à-propos si la pensée d'Érasme s'était avérée historiquement triomphante. Promoteur d'une profonde réforme des pratiques religieuses qu'il souhaitait finalement délayer le plus possible dans l'univers social, et pourtant fervent défenseur de l'institution de l'Église et de son rôle de « berger » de la chrétienté, Érasme réunit ce qui nous apparaît aujourd'hui comme contradictoire : une religion institutionnelle forte et socialement cohésive, et ce que nous appellerions aujourd'hui des « indicateurs » religieux finalement très dilués.

En regard des efforts déployés pour comprendre la diversité des phénomènes religieux que peut aujourd'hui croiser le sociologue, les théories de sécularisation ou celles d'une transformation de la religion fourmillent ; ce sont plus spécifiquement ces théories qui prennent comme point de départ ce que nous appelions en introduction les formes « traditionnelles » de la religion — formes que nous pouvons, à partir de ce qui précède, assimiler plus spécifiquement au confessionnalisme, et qui ne firent véritablement leur apparition que dans la seconde moitié du XVIᵉ siècle. En souhaitant faire passer les frontières (entre les « virtuoses » et la « masse », entre l'au-delà et l'ici-bas, entre réformistes et conservateurs), Érasme prêche pour un effacement de ces mêmes frontières ; plus spécifiquement — en regard de ce qui nous intéresse — sa vision tend à faire disparaître les notions de « religieux » et de « non-religieux », et ainsi les profondes dichotomies qui ont émergé du mouvement de confessionnalisation et favorisé une ère où la religion aura une importance, voire une résonnance sociale, jusque-là inégalée.

Comme le sous-tend bien la théorie wébérienne, ce mouvement n'était pas inévitable. Et une telle vision nous permet d'envisager que ce que nous considérons aujourd'hui comme une « rupture » historique peut également s'envisager comme une boucle ; des notions comme la « sortie de la religion » ou la « crise du religieux » s'en trouvent considérablement nuancées. Une telle perspective nous permet également de prendre la mesure d'une posture théorique qui emprunte à un bagage culturel fortement situé envers lequel — pour l'avenir, et dans des perspectives davantage comparatives — il serait intéressant de prendre du recul.

RÉSUMÉ

Un retour à l'histoire représente une piste de solution possible aux problèmes rencontrés aujourd'hui par une sociologie de la religion déroutée par les transformations continuelles d'un objet d'étude fuyant. Le présent article propose de s'inspirer de la sociologie wébérienne de la religion pour cerner empiriquement les frontières fluctuantes d'une pensée religieuse qui se déploie à l'aube de la modernité, et qui pourrait être annonciatrice des transformations actuelles. L'exercice, sans être historique, vise à dégager les caractéristiques idéal-typiques du contenu de la pensée religieuse d'Érasme de Rotterdam, pris ici comme « porteur » de la pensée humaniste du XVIᵉ siècle. En nous proposant une religion intériorisée et intellectualisée, réduite à sa plus simple expression, Érasme se fait le promoteur d'une piété accessible qui serait d'abord et avant tout un gage d'unité entre les hommes ; mais ne plaide-t-il pas, par le fait même, pour un effacement des frontières qui fondent la légitimité de la sphère religieuse ?

ABSTRACT

A return to history represents a way to a possible solution to the problems encountered today by a sociology of religion perplexed by the continual transformations of an elusive object of study. The present article proposes a borrowing from Weber's sociology of religion in order to discern empirically the fluctuating borders of a religious thought that emerged at the dawn of modernity and could be taken as a harbinger of present transformations. This exercise does not intend to be taken on historical one but aims at isolating the ideal-typical characteristics in the religious thought of Erasmus of Rotterdam, understood here as a "carrier" of the humanist thought of the 16th century. In proposing to us an interiorised and intellectualised religion reduced to its simplest expression, Erasmus proves to be the promoter of an accessible piety that would be, first and foremost, a guarantee of unity among men—but does he not, in so doing, plead for an erasing of the borders that support the very legitimacy of the religious sphere ?

RESUMEN

Una mirada a la historia representa una pista hacia la posible solución de los problemas que se presentan actualmente a una sociología de la religión desviada por las transformaciones continuas de un objeto de estudio huidizo. El presente artículo propone tomar prestada la sociología weberiana de la religión con el fin de delimitar empíricamente las fronteras fluctuantes de un pensamiento religioso diseminado en el alba de la modernidad, y que podría anunciar las actuales transformaciones. Sin ser histórico, este ejercicio busca despejar las características ideales típicas del contenido del pensamiento religioso de Erasmo de Rotterdam, visto aquí como portador del pensamiento humanista del siglo XVI. Al proponernos una religión interiorizada e intelectualizada, reducida a su más simple expresión, Erasmo se hace el promotor de una piedad accesible que sería, en primer lugar y ante todo, una prenda de unidad entre los hombres. Pero, por este mismo hecho, ¿no defiende la eliminación de las fronteras fundadoras de la legitimidad de la esfera religiosa ?

BIBLIOGRAPHIE

ASAD, T. (1983), « Anthropological Conceptions of Religion : Reflections on Geertz », *Man* (New Series), vol. 18, n° 2, p. 237-259.

BERGER, P. L. (1974), « Second Thoughts on Substantive versus Functional Definitions of Religion », *Journal for the Scientific Study of Religion*, vol. 13, n° 2, p. 125-133.

CAVALLO, G et R. CHARTIER 2001 [1995], *Histoire de la lecture dans le monde occidental*, Paris, Seuil.

CHANTRAINE, S. J. (1971), *« Mystère » et « Philosophie du Christ » selon Érasme*, Namur, Secrétariat des publications, Facultés universitaires.

COPPENS, J. (1961), *Les idées réformistes d'Érasme dans les préfaces aux paraphrases du Nouveau Testament*, Louvain, Publications universitaires de Louvain.

DASSY, H., P. GILLI et M. MASSIET (dir.) (2003), *La Renaissance (vers 1470 — vers 1560)*, Paris, Belin.

DE LAGARDE, G. (1956-1970), *La naissance de l'esprit laïque au déclin du Moyen Âge*, Louvain, Nauwelaerts.

DILTHEY, W. (1999 [1891-1904]), *Conception du monde et analyse de l'Homme depuis la Renaissance et la Réforme*, Paris, Éditions du Cerf.

DELUMEAU, J. (1984 [1967]), *La civilisation de la Renaissance*, Paris, Arthaud.

ELIAS, N. (2002 [1939]), *La civilisation des mœurs*, Paris, Calmann-Lévy.

ÉRASME, BLUM, C., A. GODIN, J.-C. MARGOLIN et D. MÉNAGER (2004), *Érasme : Éloge de la folie ; Adages ; Colloques ; Réflexions sur l'art, l'éducation, la religion, la guerre, la philosophie ; Correspondance*, Paris, Robert Laffont.

FALUDY, G. (1970), *Érasme*, New York, Stein and Day.

FEBVRE, L. (1957), *Au cœur religieux du XVIe siècle*, Paris, Sevpen.

HALKIN, L. E. (1987), *Érasme parmi nous*, Paris, Fayard.

HAMILTON, B. (1986), *Religion in the Medieval West*, Londres, Edward Arnold.

HERVIEU-LÉGER, D. (1986), *Vers un nouveau christianisme : Introduction à la sociologie du christianisme occidental*, Paris, Éditions du Cerf.

HERVIEU-LÉGER, D. (1987), « Faut-il définir la religion ? Questions préalables à la construction d'une sociologie de la modernité religieuse », *Archives de sciences sociales des religions*, vol. 63, n° 1, 1987, p. 11-30.

HUIZINGA, J. (1955 [1924]), *Érasme*, Paris, Gallimard.

KAPLAN, B. (2007), *Divided by Faith. Religious Conflict and the Practice of Toleration in Early Modern Europe*, Cambridge, The Belknap Press of Harvard University Press.

KIECKHEFER, R. (1990), *Magic in the Middle-Ages*, Cambridge, Cambridge University Press.

LE BRAS, G. (1964), « Déchristianisation : mot fallacieux », *Les Cahiers d'histoire*, vol. 9, p. 92-98.

LE GOFF, J. (2003), *Le Dieu du Moyen Âge*, Paris, Bayard.

LE TROCQUER, R. (1958), *Essai de réflexion sur l'humanisme chrétien*, Paris, Commission des études religieuses.

MANSELLI, R. (1975), *La religion populaire au Moyen Âge, problèmes de méthode et d'histoire*, Montréal, Institut d'études médiévales Albert-Le-Grand.

McCONICA, J. (1993), « Erasmus », *in* McCONICA, J., A.Q. BACON, A. KENNY et P. BURKE, *Renaissance Thinkers*, Oxford/New York, Oxford University Press.

PATRICK, M. (2003) « La "religion", objet sociologique pertinent ? », *Revue du Mauss*, n° 22, p. 159-170

PERREIAH, A. (1982), « Humanistic Critiques of Scholastic Dialectic », *Sixteenth Century Journal*, vol. 13, n° 2, p. 3-22.

RENAUDET, A. (1981 [1939]), *Études Érasmiennes (1521-1529)*, Genève, Slatkine Reprints.

RUMMEL, E. (1986), *Erasmus' Annotations on the New Testament*, Toronto, University of Toronto Press.

SPITZ, L. W. (1963), *The Religious Renaissance of the German Humanists*, Cambridge (MA), Harvard University Press.

THIERRY, P. (1997), *La tolérance: société démocratique, opinions, vices et vertus*, Paris, PUF.

THOMAS, K. (1971), *Religion and the Decline of Magic*, New York, Charles Scribner's Sons.

WEBER, M. (1995 [1971]), *Économie et société* (tome 2), Paris, Plon.

WEBER, M. (1996), *Sociologie des religions*, Paris, Gallimard.

WEBER, M. (2003), *Le savant et le politique*, Paris, La Découverte.

ZWEIG, S. (1935), *Érasme: grandeur et décadence d'une idée*, Paris, Bernard Grasset.

II. PORTRAITS DE PASSEURS

© *Cyprián Majerník*
Reproduit avec l'aimable autorisation de la Poste slovaque.

Intellectuels, représentation et vérité. Essai de sociologie des intellectuels

N'exagère pas le culte de la vérité; il n'y pas d'homme qui au bout de sa journée n'ait eu raison de mentir bien des fois.

J. L. Borges.

KAVIN HÉBERT

Cégep de Sherbrooke
475, rue du Cégep
Sherbrooke (Québec)
J1E 4K1
Courriel : kavin.hebert@cegepsherbrooke.qc.ca

INTRODUCTION

Depuis une centaine d'années, la question des intellectuels n'a jamais cessé de passionner les historiens et les sociologues. Dans la foulée de l'affaire Dreyfus, l'intervention d'écrivains, d'artistes et d'universitaires dans l'arène politique nous a démontré la capacité de mobilisation du milieu culturel devant les enjeux touchant la question des droits fondamentaux et de la liberté d'expression. Il est apparu cependant que les intellectuels exigeaient plus que d'incarner une force d'opposition politique efficace : il s'agissait pour plusieurs d'entre eux de repenser la nature de l'engagement politique, en rupture avec les politiciens traditionnels. Une telle ambition n'aurait pas été possible sans la maîtrise de techniques littéraires ou d'un savoir académique, conférant aux intellectuels une étonnante capacité de se mettre en scène efficacement de manière à légitimer leur influence aux yeux des élites politiques et des masses populaires. Étrangement, plutôt que d'analyser scrupuleusement les modalités de cette capacité de mise en scène, les sociologues ont plutôt aidé les intellectuels à se définir eux-mêmes comme un groupe avec une identité culturelle très forte. À cet effet, la tradition sociologique et littéraire s'est toujours montrée la principale complice de la construction de l'identité collective des intellectuels, étant donnée son appartenance implicite à ce groupe qui, en réalité, est beaucoup plus hétérogène que ce qu'elle nous laisse croire.

C'est dans cette optique que nous entendons démystifier la dimension collective du concept d'intellectuel en poursuivant en quelque sorte la discussion entreprise par Johannes Weiss sur la notion de « représentation culturelle » (Weiss, 1992). Dans son texte, l'auteur cherche à tester l'application empirique de cette notion au cas des intellectuels, tout en constatant qu'il est aujourd'hui impossible de la considérer comme une image unifiée du monde ayant une portée universelle (Weiss, 1992 : 132-133). Cela n'est pas tant dû au fait que les intellectuels aient perdu leur statut de représentants culturels qu'à l'évolution même de la société moderne ; celle-ci a en effet rendu plus difficile la définition du statut des intellectuels au sein d'un champ culturel de plus en plus éclaté, ou spécialisé en plusieurs sous-systèmes concurrents (l'université, les médias, les cercles littéraires, les milieux artistiques, l'industrie du spectacle, etc.), une situation qui implique simultanément une plus grande collusion avec les univers politique et économique. Dans ce contexte, la notion de représentation culturelle perd sa dimension collective, ce qui incite Weiss à réévaluer l'analyse du champ culturel dans l'optique d'une tension analytique entre l'individualité, la participation et la représentation (Weiss, 1992 : 136). Un tel processus d'individualisation du champ culturel complexifie le statut sociologique des intellectuels, dans la mesure où ils sont alors appelés à prendre position dans un monde où leur appartenance aux milieux culturels ne leur garantit plus d'être reconduits dans leur rôle de porteurs de la culture au nom d'une politique de représentation. Et c'est précisément cette idée de représentation culturelle qui sera remise en cause dans cet article.

En s'inspirant de cette analyse sociologique de Weiss, l'objectif de notre article est double. D'une part, nous poserons un regard critique sur les outils théoriques et méthodologiques que la sociologie des intellectuels a développés au fil des années en entretenant l'idéal d'un groupe d'intellectuels qui assumerait collectivement une fonction de représentation culturelle. D'autre part, nous réévaluerons la pertinence de cette fonction collective en procédant méthodologiquement à une individualisation du rôle de l'intellectuel, et en nous intéressant plus spécifiquement aux réflexions, aux stratégies et aux actions qui lui permettraient d'assumer consciemment cette fonction de représentation — sans pour autant retomber dans les apories de l'individualisme méthodologique. Au-delà de la réflexion weissienne sur les applications possibles de cette notion dans la perspective d'une sociologie des intellectuels, l'analyse de Michel Foucault viendra en renfort poser les jalons théoriques et méthodologiques nécessaires pour pallier les lacunes de la tradition sociologique.

Cet article est divisé en trois parties. D'abord, nous relèverons les impasses théoriques qui ont mené les sociologues à considérer les intellectuels comme un concept collectif. Nous proposerons ensuite, à la suite de Michel Foucault, des pistes de recherche pour entreprendre une sociologie « décollectivisée » des intellectuels qui aurait comme objectif de nuancer cette fonction de représentation culturelle que l'on attend trop souvent d'eux. Finalement, nous testerons l'application d'une telle sociologie à partir de l'étude exploratoire du cas de l'ouvrage intitulé *Noir Canada. Pillage, corruption et criminalité en Afrique*, par le collectif d'auteurs Ressources d'Afrique qui fait l'objet d'une poursuite judiciaire depuis 2008 au Québec. Nous serons peut-être ainsi en mesure de saisir la véritable portée de cette fonction de représentation qui, dans le cas des auteurs de *Noir Canada*, doit être analysée dans le contexte d'un rapport de force qui oppose deux conceptions de la vérité.

I. TROIS IMPASSES THÉORIQUES EN SOCIOLOGIE DES INTELLECTUELS

La fonction de représentation des intellectuels. Au-delà du déterminisme sociologique

Avant d'aborder les impasses théoriques auxquelles se confronte la sociologie des intellectuels, nous développerons un bref aperçu de la contribution de Karl Mannheim à la définition du rôle des intellectuels de son époque, une contribution, jusqu'à ce jour a été mal comprise, qui nous montre toute la difficulté de cerner le concept d'intellectuel pris sous l'angle d'un collectif. Dans l'Allemagne de la première moitié du xxe siècle, le déclin irréversible de la vieille tradition universitaire de la *Bildung* au contact de la nouvelle société de masses a fait prendre conscience à la bourgeoisie éduquée de l'importance de réaffirmer avec force la centralité culturelle de l'intelligentsia allemande (Hébert, 2006). Alors que la plupart des nostalgiques répondaient à cette perte de centralité par le vieux discours humaniste traditionnel, certains cherchaient plutôt à renouveler le rôle et la fonction des intellectuels en leur donnant un fondement sociologique plus moderne. Déjà, à l'époque de la République de Weimar, les tentatives furent nombreuses. Je m'attarderai seulement à la fameuse théorie de Karl Mannheim relative à son concept « d'intelligentsia sans attaches ».

À son époque, Mannheim était conscient que la perte de la centralité culturelle de l'intelligentsia n'était pas seulement liée à sa fonction spécifiquement culturelle, mais aussi à son rapport extrêmement ambivalent avec la politique. Il est bien connu aujourd'hui que Mannheim définit l'intelligentsia sans attaches comme étant « relativement détachée des classes », formant en soi une sorte de strate intermédiaire entre elles (Mannheim, 1929 : 123). Si une telle façon de voir atteste sur le plan historique de la fragmentation progressive de l'intelligentsia universitaire sous la République de Weimar, Mannheim explique ce phénomène par la différenciation progressive des classes et des groupes dans les sociétés modernes. Ce processus s'inscrivait de plus dans le contexte difficile dans lequel vivaient les nombreux intellectuels prolétaroïdes et déclassés sous la République de Weimar, qui provoquait une crise psychologique très importante expliquant leur embrigadement dans les idéologies extrémistes de l'époque. Témoin de cette dérive propagandiste parmi les intellectuels weimariens, Mannheim faisait le pari, dans *Ideologie und Utopie*, que la redéfinition de la centralité de l'intelligentsia dans la sphère politique allait leur inculquer une volonté commune de s'affirmer culturellement et politiquement comme des représentants culturels indépendants de la logique partisane des différentes forces politiques en présence (Mannheim, 1929 : 157).

Malgré son caractère idéaliste, le programme politique qu'ébauche Mannheim dans son grand ouvrage possède une double fonction qui est restée jusqu'à ce jour mal comprise. D'une part, dans le cadre d'une théorie de la différenciation sociale qui tendrait normalement à lier unilatéralement les individus à leur position de classe, le concept «d'intelligentsia sans attaches» permet de préserver la visibilité sociologique des intellectuels dans la société sans nécessairement les rattacher à une position de classe ou à une idéologie politique. Mannheim voyait très bien qu'une frange de l'intelligentsia de son époque se refusait à une telle objectivation sociologique, une position que Bourdieu a également présentée dans son analyse de *L'éducation sentimentale* de Flaubert, lorsqu'il réfère à «leur refus des déterminations sociales» et à leur conviction de se mouvoir dans «un lieu neutre d'où l'on peut survoler les groupes et les conflits» (Bourdieu, 1998 : 59) ; à titre d'exemple, les écrits d'Hermann Hesse reflètent bien cet état d'esprit, trahissant cependant un mal de vivre manifeste parmi les intellectuels déclassés (Hesse, 2004 : 64-102)[1]. Mais l'analyse de Mannheim permet aussi de mieux comprendre la nature et la complexité de l'action «politique» de l'intellectuel, dont l'auteur tente de rendre compte à l'aide de son concept de «synthèse dynamique» ou de «politique de la synthèse» qui définit l'activité intellectuelle comme étant multiforme, relevant à la fois de l'activité politique partisane et d'un idéal d'intervention pédagogique visant à régulariser les forces politiques en présence dans le champ politique allemand[2].

De notre point de vue, le mérite de Mannheim est d'avoir compris que la fonction de représentation culturelle de l'intelligentsia (rendue par la notion de synthèse) demeure fondamentalement extérieure à son statut sociologique, en ce sens que cette fonction ne s'inscrit plus automatiquement dans une logique de groupe qui ferait de l'intelligentsia un «porteur universel de la culture». Cet état de fait n'enlève aucunement à l'intelligentsia la possibilité d'aspirer à ce statut sur un plan collectif, mais il l'oblige cependant à prendre acte de son extrême fragmentation (Barnouw, 1988 : 31). Autrement dit, dans la mesure où les intellectuels cherchaient à l'époque de Mannheim à assurer tant bien que mal leur rôle traditionnel et apolitique de représentants culturels, ils étaient parfaitement conscients que l'évolution erratique de la société weimarienne leur laissait peu d'alternatives sinon que de bâtir leur légitimité sur de nouveaux fondements sociologiques qui, pour bien des intellectuels weimariens, impliquaient de rompre avec cette figure traditionnelle du *Bildungsbürgertum*.

Première impasse : l'apport de la théorie fonctionnaliste

Ce programme politico-culturel, en plus de ne pas résister à l'épreuve des faits, sera particulièrement malmené par la théorie sociologique contemporaine, plus spécifiquement par les fonctionnalistes. C'est précisément la désarticulation entre la fonction de représentation culturelle et le statut social de l'intelligentsia qui pose problème

---

1.   Il faut en effet relire la partie du roman intitulée «Traité sur le loup des steppes» pour comprendre la postérité littéraire du concept mannheimien de *freischwebende Intelligenz*.

2.   En ce sens, il faut se référer à l'excellente étude de D. Barnouw qui consiste en une tentative d'appliquer le concept mannheimien de «politique de la synthèse» aux œuvres des plus grands écrivains et intellectuels de la République de Weimar (Barnouw, 1988 : 13-42).

à la théorie fonctionnaliste émergente, trop soucieuse de préserver l'apport du déterminisme sociologique dans le but de mieux comprendre les effets logiques de la différenciation de la société en sous-systèmes complexes et autonomes[3]. Ce qui intéressait les fonctionnalistes sur le plan théorique se résumait à la définition de la centralité des intellectuels dans la légitimation des systèmes politiques et religieux. Après la Deuxième Guerre mondiale, on convenait qu'il ne restait que deux alternatives aux intellectuels : soit ils agissaient en tant qu'experts au sein des institutions politiques, économiques et culturelles, soit ils se condamnaient à errer dans une sorte d'extraterritorialité culturelle à la périphérie des institutions dominantes (Shils, 1971 ; Merton, 1957). Mais si l'intellectuel pouvait retrouver une certaine centralité en adhérant aux institutions dominantes, gagnerait-il pour autant une position plus importante dans la société par sa fonction de représentant culturel ? Les fonctionnalistes rejettent l'idée que les intellectuels soient en mesure d'assumer une telle fonction sur une base sociologique autonome qui serait, comme le disait Mannheim, « relativement détachée » des institutions sociales. En ce sens, l'intellectuel regagnerait sa centralité seulement s'il abandonnait l'idée qu'il constitue un corps social autonome, s'il savait sacrifier son idéal d'autonomie au profit des intérêts pratiques des institutions sociales. Centralité et médiation culturelle ne vont pas nécessairement de pair dans ce cas.

Ce n'est pas tant la connotation idéologique qu'il nous importe de relever ici que l'impasse vers laquelle mène la théorie fonctionnaliste de la différenciation sociale. En affirmant que l'activité des intellectuels n'est compréhensible que s'ils sont appelés à jouer un rôle dans la consolidation des institutions sociales dominantes, on réduit l'histoire des intellectuels de la société industrielle à celle de leur réinsertion progressive au centre de la société (Shils, 1971 : 191). Loin de vouloir se maintenir uniquement à l'extérieur des réseaux de pouvoir, les intellectuels attendraient patiemment leur tour pour occuper leur place au soleil. Avec les fonctionnalistes, la trahison des clercs, comme le dénonçait avec véhémence Julien Benda (Benda, 1975) à son époque, serait bel et bien consommée : l'intellectuel doit sacrifier son autonomie intellectuelle pour retrouver pleinement son statut sociologique et mériter les honneurs de sa position de classe. Les intellectuels constitueraient désormais une catégorie professionnelle du secteur tertiaire de l'économie de marché qui contribue à la reproduction du système social.

Seconde impasse : le normativisme des théoriciens de la gauche intellectuelle

L'évolution du statut de l'intellectuel vers celui d'expert bien installé au centre des institutions de pouvoir semble être une thèse peu contestée depuis les années 1960,

---

3.   D'ailleurs, après avoir essuyé de nombreuses critiques relatives à l'imprécision théorique de son concept d'intelligentsia sans attaches, Mannheim (1950) se rapproche du courant fonctionnaliste en faisant des intellectuels des « planificateurs » au service de la réflexivité technocratique des institutions centrales de la modernité : l'État, l'économie et la culture de masse. Dans cet angle d'analyse, son concept d'intellectuel-planificateur trouve également des similitudes étonnantes avec le concept gramscien « d'intellectuel organique » (Gramsci, 1978 : 314), attestant de la distance que prend Mannheim à l'égard de son concept d'intelligentsia sans attaches après sa fuite de l'Allemagne nazie en 1933.

notamment dans le contexte de la spécialisation croissante des systèmes politiques et de la mise en place de l'État-providence. Certes, la figure de l'intellectuel n'a jamais cessé d'exister comme en témoignent les nombreux ouvrages sur le sujet. Mais devant l'expert, l'intellectuel est désormais placé dans une position mal définie sur le plan sociologique; chez les sociologues de gauche, sa représentation survit comme une catégorie davantage normative que sociologique[4]. Pour des sociologues comme Said (1994) et même Bourdieu, en dépit de l'analyse très fine que ce dernier développe dans *Les règles de l'art* (1998), l'analyse sociologique des intellectuels ne s'attarde qu'à ces intellectuels avant-gardistes qui se définissent en marge des institutions et des normes dominantes, ces anti-conformistes désintéressés qui tentent de préserver leur autonomie devant la logique technocratique des institutions dominantes (Said, 1994; Mills, 1966).

Le normativisme politique implicite de ce type d'analyse sociologique a comme grand avantage de préserver la figure de toute impureté politique[5], de la concevoir comme un idéal qui doit guider l'action des intellectuels soucieux de préserver leur autonomie. La fonction de l'intellectuel s'accomplirait dans sa capacité de critiquer les institutions dominantes qui ont précisément comme rôle de le priver volontairement de son droit à l'autonomie. C'est ce qui fait dire à Edward Said que l'intellectuel n'a d'autres choix que de se définir en marge de la société, comme un « extra-territorial »[6]. À cet égard, n'oublions pas que les intellectuels de gauche parlent souvent en leur propre nom et se légitiment en se présentant comme des marginaux capables de faire changer les choses.

On peut toutefois se demander si, en se maintenant ainsi à la périphérie de la société, l'intellectuel peut aisément se réclamer d'une fonction de représentant culturel. Sur le plan sociologique, ce n'est qu'une petite minorité d'intellectuels qui voit dans la marginalité et l'anticonformisme une fonction culturelle positive. Mais pour d'autres, l'acquisition d'un statut extra-territorial n'est pas le fruit d'un isolement volontaire ou d'une réelle volonté d'autonomie, mais celui d'un rejet de la part de la société qui comporte bien souvent une dimension tragique, comme en témoigne par exemple le sort des intellectuels juifs émigrés de l'Allemagne nazie. De cette manière, le statut marginal de l'intellectuel confirme son incapacité d'assumer la fonction de représentant culturel que la société attend parfois de lui. En l'absence de fondements sociologiques

---

4.   D'ailleurs, le statut sociologique incertain des intellectuels socialistes par rapport à la classe ouvrière a fait l'objet de nombreuses critique dont celle de Sartre (1980) qui refusait l'idée qu'ils puissent représenter l'ensemble de la classe ouvrière. Définis comme des individus qui ne se mêlent pas de leurs affaires, les intellectuels, selon Sartre, doivent vivre leur existence en supportant le fardeau d'une contradiction schizophrénique entre leurs origines petites-bourgeoises et leur engagement au côté de la classe ouvrière. Les intellectuels de gauche se doivent de surmonter cette contradiction à la fois par une autocritique perpétuelle et en s'engageant dans la voie du radicalisme politique (Weiss, 1998: 172-173).

5.   Bourdieu parle à cet effet de « politique de la pureté qui est l'antithèse parfaite de la raison d'État » (1998: 550).

6.   « Even if one is not an actual immigrant or expatriate, it is still possible to think as one, to imagine and investigate in spite of barriers, and always to move away from the centralizing authorities toward the margins, where you see things that are usually lost on minds that have never traveled beyond the conventionnal and the confortable » (Said, 1994: 63).

solides, les sociologues de gauche se sentent contraints de justifier la marginalité des intellectuels sur une base politique et normative, comme le fait Pierre Bourdieu en appelant à la constitution «d'une véritable Internationale des intellectuels attachée à défendre l'autonomie des univers de production culturelle» (Boudieu, 1998 : 553). Étant donnée la pluralité des opinions politiques au sein de l'intelligentsia occidentale, il est peu probable qu'une telle unité soit possible — ce qui n'empêche aucunement les intellectuels de gauche d'en rêver, et c'est précisément ce qui donne sens à leur vocation. Pour bien des intellectuels, faire un choix en faveur de l'autonomie revient souvent à renier ce rôle central que la société peut attendre d'eux. Malgré cela, il reste indéniable que l'intellectuel possède une certaine faculté de mobilisation politique qui fait de lui un porte-parole efficace dans la défense de causes perdues, ce qui permet d'ailleurs à Said de le définir comme «un individu possédant une vocation pour l'art de la représentation» (1994 : 12-13). En ce sens, les intellectuels revendiquent le droit d'être considérés comme des représentants légitimes de la culture devant des institutions de pouvoir qui ne leur concèdent pas facilement ce titre. Cependant, une telle définition appelle bien des nuances que nous tenterons d'exposer plus loin dans le texte.

Troisième impasse : impuissance, décadence et déclin des intellectuels

La troisième impasse, implicite dans ce que nous avons déjà présenté, consiste en cette tentation d'étudier la trajectoire des intellectuels comme groupe sur le mode de l'histoire d'un déclin, d'une décadence ou d'une perversion de leur rôle et de leur mission ; une telle perspective confine à l'évolutionnisme historique, souvent trop linéaire et simpliste. Nous avons en tête ici toute cette littérature foisonnante que, dans les cinquante dernières années, n'a pas manqué de dénoncer les intellectuels ; comme Raymond Aron dans son *Opium des intellectuels* ou Paul Johnson dans son *Grand mensonge des intellectuels*, beaucoup n'hésitent pas à dénoncer l'embrigadement idéologique de l'intelligentsia ou son impuissance devant le pouvoir politique (Aron, 1955 ; Johnson, 1993 ; Vidal, 2008). Une trame généralement calquée de façon caricaturale sur celle de Julien Benda qui, dans les années 1920, dénonçait cette «trahison des clercs» à laquelle nous avons déjà fait référence, les accusant d'avoir délaissé le sentiment de l'universel et l'amour du spirituel pour se rattacher aux intérêts pratiques et aux passions politiques.

Mise à part cette littérature polémique, il est commun en sociologie de conclure trop hâtivement au déclin des intellectuels ou à l'affaiblissement de leur pouvoir de critique sociale[7]. Mais la géniale contribution de Zygmunt Bauman dans son ouvrage *Legislators and Interpreters* (2007)[8] nous permet de surmonter cette vision trop simpliste

---

7.   À ce titre, l'étude de C. W. Mills est un exemple éloquent de cette attitude qui ne cache pas chez lui son inquiétude devant l'absorption des professions intellectuelles par la bureaucratie et les forces du marché (1966 : 169).

8.   Notons malheureusement l'erreur de sens qui s'est glissée dans le titre de la récente traduction française : *La décadence des intellectuels. Des législateurs aux interprètes*. Ce qui constitue un non-sens par rapport au propos de l'ouvrage qui tente d'éviter à tout prix cette vision évolutionniste (Bauman, 2007).

de l'histoire des intellectuels. Le sociologue nous montre très bien que, malgré le contexte de pluralisme et de relativisme qui caractérise les sociétés postmodernes, les intellectuels sont bien loin d'avoir abandonné leurs ambitions universalistes ; aucun des développements récents de l'histoire de la pensée politique et philosophique, dit Bauman, « n'indique de désillusion vis-à-vis du cadre dans lequel, en Occident, les intellectuels exercent leur vocation » (Bauman, 2007 : 187). Il est légitime de considérer ces nouveaux modes de pensée (pensons au néopragmatisme de Rorty) comme « des formes de défense du mode de vie des intellectuels » (Bauman, 2007 : 187), en raison de la dissolution de la croyance — que l'on croyait inébranlable — en la supériorité du modèle de pensée occidentale. Par conséquent, il serait prématuré de conclure à l'impuissance généralisée de la critique des intellectuels dans un contexte postmoderne, d'autant plus qu'un retour à la pensée de l'*Aufklärung* ne saurait pas y remédier non plus.

Ce n'est pas parce qu'un intellectuel est qualifié de « relativiste » ou encore « d'incompétent[9] » que sa critique ne saurait être efficace contre les institutions de pouvoir. En ce sens, Bauman montre que, à toutes les époques, les intellectuels ont souvent été en position de faiblesse par rapport au pouvoir ; il faut se garder d'idéaliser un âge d'or à l'aune duquel on critiquerait aujourd'hui l'impuissance de la critique des intellectuels. En ce qui nous concerne, la fonction de représentation culturelle n'est pas dissociable de l'évolution du pouvoir dans les États modernes, constatation qui nous oblige à rééValuer le statut de l'intellectuel dans le cadre de son rapport ambivalent aux institutions de pouvoir et de la véritable portée de sa critique sociale.

II. UNE SOCIOLOGIE « DÉCOLLECTIVISÉE » DES INTELLECTUELS : LA TYPOLOGIE DE MICHEL FOUCAULT

Pour récapituler, les trois impasses relevées ci-dessus dans la littérature sociologique sur les intellectuels nous permettent de mieux comprendre les insuffisances théoriques qui sont souvent le fait de cadres trop simplificateurs, qui n'arrivent pas à prendre en compte les nombreuses exceptions. On conviendra que si une fonction de médiation ou de représentation culturelle est attribuée aux intellectuels en tant que corps social, celle-ci doit être davantage définie et précisée. C'est pour cette raison que nous chercherons à nuancer ce genre de concept trop holistique afin de développer des outils d'analyse qui permettraient d'étudier la spécificité des intellectuels dans l'accomplissement individuel de leur fonction de représentation culturelle. En ce sens, par « décollectivisation », on ne cherche pas ici à retirer aux intellectuels la possibilité de s'exprimer

---

9.   Dans le même ordre d'idées, la typologie de la critique intellectuelle ébauchée par Lepsius (critique compétente des experts, quasi compétente des journalistes et incompétente des écrivains) ne fait que reproduire ce schéma évolutionniste, en minimisant la légitimité (...) de ceux qui ne sont pas à l'intérieur des institutions dominantes. Que l'on soit expert ou écrivain, c'est moins la position sociale de l'individu qui importe que les conditions dans lesquelles s'énonce la critique. Que la critique soit compétente ou non, tout dépend de sa réception à travers les luttes avec les institutions dominantes (Lepsius, 1990 : 270-285).

collectivement, mais à analyser au cas par cas les modes de mise en œuvre des stratégies de véridiction dans leurs luttes contre les institutions de pouvoir.

Pour y parvenir, un texte des années 1970 de Michel Foucault nous servira de tremplin théorique pour analyser la complexité de la position des intellectuels aujourd'hui. Dans le cadre d'une entrevue reprise sous la forme d'un texte intitulé « La fonction politique de l'intellectuel », Foucault (2001 : 109-114) est parvenu à analyser de façon éclairée mais brève le rôle et la condition des intellectuels contemporains. La figure foucaldienne de l'intellectuel-spécifique nous offre une piste de recherche intéressante pour sortir de la dimension collective du concept d'intellectuel. Nous serons en mesure de mieux cerner la position spécifique que ce dernier occupe dans la société, et de quelle façon il serait appelé ou non à jouer son rôle de représentant culturel — plus particulièrement dans le cadre de sa relation complexe entre la vérité et le pouvoir.

D'entrée de jeu, Michel Foucault se montre tout à fait conscient que, depuis les années 1960, la condition des intellectuels a connu un changement significatif dans le contexte de la prolifération des nouveaux médias, certes, mais davantage encore dans celui de la « crise » que traversait alors l'université comme institution de savoir et de pouvoir. Foucault reconnaît, un peu au même titre que Bauman, la disparition d'un ancien régime d'intellectuels fondé exclusivement sur l'universel et la sacralisation de l'écrivain comme figure de « juriste-notable » (Foucault, 2001 : 109). Le nouveau régime d'intellectuels — appelé « spécifique » parce qu'associé, d'une manière idéale-typique, à la figure du « savant-expert » — est plus proche des réseaux du pouvoir, non pas sur le plan de ses valeurs universelles, mais bien à cause des connaissances spécialisées qu'il possède. Foucault ne cherche aucunement à dire par là que les intellectuels spécifiques seraient sur la voie de la perdition, bien au contraire ; s'ils ont perdu leur rapport au sacré, ils ont assurément gagné « une conscience beaucoup plus concrète des luttes » au sein des institutions politiques, économiques et culturelles, de manière à multiplier et renforcer ses effets de pouvoir (Foucault, 2001 : 109). Malgré la place grandissante qu'occupe l'expert au sein des institutions dominantes, l'intellectuel n'a jamais cessé d'exister. Il n'est pas faux de dire que l'intellectuel universel est encore présent, parfois proche des réseaux de pouvoir, parfois dans les marges de la société ; mais il est évident pour Foucault que ce n'est plus en tant que « porteur de valeurs universelles » que l'on doit définir l'intellectuel, mais bien par rapport à sa position spécifique au sein du dispositif général de la vérité des sociétés (que Foucault nomme aussi « économie politique de la vérité[10] »).

---

10.   Les connaisseurs de l'œuvre de Michel Foucault ne manqueront pas de se référer à son célèbre cours au Collège de France où il développe spécifiquement le concept de « régime de vérité » dans le contexte des nouvelles pratiques de gouvernement propres à l'idéologie du libéralisme économique qui se mettent en place au xviiie siècle. Il est défini plus précisément comme un lieu de juridiction et de véridiction qui fait du marché le mécanisme de départage entre le vrai et le faux (Foucault, 2004 : 36-38). Mais comme nous le laisse entrevoir Foucault dans son article sur les intellectuels, il apparaît que cette fonction de départage devient constitutive de l'engagement de l'intellectuel spécifique dans sa lutte dirigée contre les institutions de pouvoir en tant que productrices de vérité.

Dans ce contexte, si cette fonction de porteur de valeurs universelles perd de sa substance, c'est principalement parce que, au lieu d'y voir une absorption des intellectuels dans des systèmes experts, on assisterait plutôt, à l'instar de Gramsci, à une expansion des intellectuels et à une diversification de leurs rôles et de leurs fonctions, qui ne se réduisent plus uniquement à l'organisation de l'hégémonie sociale et du pouvoir de l'État (Gramsci, 1978: 314-315). L'avènement de l'intellectuel spécifique doit amener le sociologue à distinguer divers degrés dans l'activité intellectuelle, dont l'extrême opposition entre ces degrés donne lieu à une véritable différence qualitative entre les intellectuels dans leur rapport avec la vérité et le pouvoir.

Si Foucault nous permet de comprendre que l'intellectuel n'a jamais disparu de la scène publique au profit de l'expert, il ne faut pas ramener la position spécifique de l'intellectuel à son seul effet de pouvoir au sein de l'université. Certes, il aura fallu, dans un premier temps, que l'université se pose comme institution à partir de laquelle s'expriment les savants pour être en mesure de désarticuler le couple savoir/pouvoir et de revêtir, quand la nécessité des luttes politiques les y oblige, l'habit de l'intellectuel. Dans cette optique, le dispositif de vérité n'est plus conçu comme une instance médiatrice où s'affirmerait un corps social voué à la préservation de l'universel, mais plutôt comme un réseau diffus et multiple de rapports à la vérité et au pouvoir. Autrement dit, la capacité d'énoncer la vérité ne proviendrait plus seulement de l'institution universitaire, d'une seule classe sociale ou d'un système de pensée en particulier, mais pourrait être énoncée ici ou là, tout dépendant d'où l'intellectuel se positionne dans le champ culturel et politique.

On pourrait objecter ici que cette faculté d'énonciation de la vérité serait difficilement pensable en faisant abstraction de la légitimité sociale qu'en retirent les intellectuels en tant que groupe. Et il est vrai que, dans l'histoire, des groupes d'intellectuels ont fait de la vérité (ou de la raison) une matrice identitaire par laquelle ils ont pu assurer collectivement leur existence. Mais ce serait oublier que la légitimité sociale (ou l'illégitimité) de l'intellectuel dépend peut-être moins de son rapport à la vérité que de la fonction sociale ou professionnelle qu'il occupe dans la hiérarchie sociale[11]. Il est vrai que Foucault élude la question de savoir si la vérité aurait une fonction identitaire et légitimante importante dans le régime des intellectuels spécifiques. Mais il est certain qu'en posant cette question uniquement en référence à l'identité du groupe, on risque de retomber de nouveau dans les apories du déterminisme sociologique évoquées précédemment. Sans développer davantage, on serait porté à dire que le dispositif du savoir/pouvoir des sociétés postmodernes tendrait davantage à singulariser ou à individualiser la faculté d'énonciation de la vérité, de manière à nous faire prendre conscience que les intellectuels entretiennent, à des degrés différents selon leur position

---

11.   À cet effet, la fonction socialement légitimante de la vérité ne doit pas faire oublier non plus qu'elle enfermerait virtuellement un abus de pouvoir, dans la mesure où on pourrait la concevoir, à l'instar de Bourdieu, comme un instrument de domination et de légitimation engrangeant une source de profits matériels et symboliques pour les intellectuels (Bourdieu, 2003: 114).

et leur trajectoire, «un intérêt particulier à l'universel, à la raison, à la vertu ou à la vérité» (Bourdieu, 2003 : 178).

C'est sur cette base que Foucault propose en quelque sorte d'analyser la position de l'intellectuel et son rôle dans l'économie politique de la vérité des sociétés postmodernes en fonction d'une triple spécificité. Cette triple spécificité commande de comprendre la position de l'intellectuel en fonction de 1) sa position de classe (d'où parle l'intellectuel?), 2) sa condition de travail et son rapport aux institutions (au nom de qui parle-t-il? De quel enjeu parle-t-il?), et 3) sa manière de dire la vérité (comment départage-t-il le vrai du faux?) (Foucault, 2001 : 115). C'est dans cette seule mesure que l'analyse de Foucault parvient, par un tour de force certain, à se libérer elle-même de la triple impasse dans laquelle se trouve la sociologie des intellectuels. Peu importe où l'intellectuel se situe, au-dedans ou en-dehors de l'université, à l'intérieur ou à l'extérieur des institutions gouvernementales, en tant qu'écrivain ou scientifique, Foucault ne lui enlève jamais sa capacité ni son pouvoir de parler au nom de la vérité. Seulement, doit-on désormais se demander «de quelle façon l'intellectuel prétend-il parler au nom de la vérité»? De quelle façon s'y prend-il? Selon Foucault, ce qui permettrait à l'intellectuel de parler au nom de la vérité n'est pas lié à l'existence d'une fiction métathéorique (telle la pragmatique discursive de Habermas) qui conditionnerait le discours des intellectuels. Indépendamment de la position théorique à partir de laquelle il réfléchit et du moyen à sa disposition (manifeste, pamphlet, entrevue, débat public, essai, roman, enquête, ou étude scientifique), la tâche de l'intellectuel consisterait à définir, à préciser ou à reconstruire «l'ensemble des règles qui permettent de départager le vrai ou le faux» (Foucault, 2001 : 114).

Ainsi, l'analyse de Foucault nous permet de mieux préciser la portée de la critique de l'intellectuel qui, à notre avis, se déploie en deux temps. Tout d'abord, elle ne s'énonce que de manière localisée, circonscrite à un enjeu très spécifique et parfois de manière non intentionnelle. Dans un second temps, cette critique localisée peut faire l'objet d'une stratégie d'universalisation consciente de la part de l'intellectuel, désireux de transposer sa critique dans la logique d'une lutte politique. Tandis que l'intellectuel comme juriste-notable utilise le caractère sacré et transcendant de l'écriture (ou encore le charisme de l'écrivain) pour légitimer la portée universalisante de sa critique, l'intellectuel-spécifique choisit de s'engager dans un conflit d'opinions avec les institutions dominantes, qu'il cherche à provoquer en mobilisant une contre-expertise scientifique. Alors que le premier fait confiance au fait que sa critique, en vertu de son principe universel (Bourdieu parlerait de «fétichisme de la raison»), finira par triompher sur «l'irrationalité» des institutions de pouvoir, le second mobilise un ensemble de faits, de preuves et d'allégations visant à dévoiler les mécanismes institutionnels qui attestent de la «rationalité» du système interprété comme principe de domination. En ce sens, la critique sociale développée par l'intellectuel spécifique devient en quelque sorte une stratégie de lutte qui n'a pas pour but de faire ressurgir la vérité comme un principe que l'on aurait violé, mais bien de la faire intervenir dans le rapport de force avec les institutions de pouvoir.

Nous ne prétendons pas ici réduire de nouveau les intellectuels à un rôle d'idéologue de mauvaise foi. Tout sociologue qui étudie les intellectuels se doit de considérer qu'ils sont toujours sérieux dans leur prétention de parler au nom de la vérité. On se défend ici de tenir un discours purement relativiste en affirmant, à la suite de Léo Strauss, que «si une doctrine (ou une idéologie) doit être étudiée de façon relative à une situation historique (ou un régime de vérité) dans lequel l'intellectuel se situe, cela ne veut pas dire à ses yeux que cette vérité doit être tenue comme étant nécessairement fausse» (Strauss, 1992: 66). On connaît peu d'intellectuels qui, en dehors d'un système totalitaire, aient souhaité répandre des propos délibérément mensongers[12]. La prétention qu'ont les intellectuels d'être les représentants de la vérité n'aurait pas empêché, selon un rapport de la police communiste tchécoslovaque récemment découvert par un historien, Milan Kundera de dénoncer dans les années 1950 un jeune déserteur (Vernet, 2008). Bien que l'auteur ait formellement démenti cette allégation, elle confirme bien que la «vérité est circulairement liée à des systèmes de pouvoir et à des effets qu'elle induit et qui la reconduisent», mais qui attestent également de la possibilité réelle pour les intellectuels de dire la vérité (Foucault, 2001: 114). Somme toute, l'intellectuel n'existerait pas s'il n'avait la conviction de parler au nom de la vérité, et sans un pouvoir omnipotent qui lui confère un fondement légitime pour s'exprimer.

III. LE CAS DE *NOIR CANADA* : LES INTELLECTUELS SPÉCIFIQUES CONTRE LES ENTREPRISES MINIÈRES

L'argumentation précédemment développée sur le concept foucaldien d'intellectuel spécifique nous amène à préciser sur le plan méthodologique ce que l'on doit entendre par une sociologie «décollectivisée» des intellectuels. Il ne s'agit pas d'une profession de foi aveugle à l'endroit de l'individualisme méthodologique, ni d'un retour en faveur de l'approche biographique qui consisterait à mettre en valeur plus qu'il ne faut les motivations psychologiques des intellectuels. Notre position consiste à prendre comme témoignage un corpus de textes (essais, pamphlets, manifestes) pour tenter d'analyser la spécificité du discours de l'intellectuel dans le contexte d'un enjeu très précis, afin de décrire plus en profondeur les fondements de la politique de la vérité des sociétés postmodernes. Il est nécessaire, dans un premier temps, de cerner la singularité de la position des intellectuels spécifiques et d'analyser le rôle qu'ils jouent dans la redéfinition de la politique de la vérité; il sera alors possible de déterminer si, et — selon les cas analysés — comment les intellectuels mettent en œuvre des stratégies d'universalisation qui feraient d'eux les seuls représentants de la vérité contre les institutions dominantes.

Le cas de *Noir Canada* nous apparaît le plus intéressant pour tester notre position méthodologique. À la suite de la publication, en mars-avril 2008, de l'ouvrage d'un collectif de trois auteurs intéressés par la question du développement économique des pays africains, deux entreprises minières canadiennes, Barrick Gold et Banro, ont déposé

---

12.   Cf. à ce propos le fameux ouvrage de C. Milosz sur l'intelligentsia des pays totalitaires de l'Europe de l'Est dans les années 1950 (Milosz, 1953).

une mise en demeure exigeant une cessation de la vente de l'ouvrage. Ils ont poursuivi pour diffamation le collectif ainsi que la maison d'édition Écosociété, dans le cadre d'un SLAPP (Strategic Lawsuit Against Public Participation), exigeant une réparation financière totalisant 11 millions de dollars (Shields, 2008a). L'ouvrage, intitulé *Noir Canada. Pillage, corruption et criminalité en Afrique*, consiste en une collection de faits et d'allégations démontrant les conséquences néfastes des intérêts économiques canadiens engagés dans l'exploitation des ressources naturelles du sol africain. C'est dans ce contexte qu'il mentionne le nom des deux entreprises minières en question (Deneault *et al.*, 2008). Alors que les médias québécois sont restés généralement muets sur cette affaire par peur de représailles (à l'exception du quotidien *Le Devoir*), la communauté universitaire a apporté publiquement son soutien symbolique aux auteurs de *Noir Canada* au nom de la liberté d'expression et du droit d'accès à l'information. Par ailleurs, se sachant menacée par cette lutte judiciaire à armes inégales, la maison d'édition Écosociété organisa une campagne de mobilisation pour soutenir financièrement le collectif d'auteurs dans leur procès et faire pression auprès du ministère de la Justice pour faire adopter une législation anti-SLAPP[13]. Après une année de tergiversations, le gouvernement québécois a fini par faire adopter une loi contre les poursuites abusives au printemps 2009, attestant d'une victoire morale pour les auteurs de *Noir Canada*, bien que la poursuite elle-même soit encore en cours devant les tribunaux (Francœur, 2009)[14].

L'objectif de notre analyse ne consiste aucunement à apporter un éclairage nouveau sur les faits de cette saga à la fois politique et judiciaire. Il s'agit plutôt d'un essai d'interprétation sociologique — qui en est encore au stade exploratoire et n'a rien d'exhaustif — visant à mettre en lumière la particularité de l'engagement intellectuel du collectif d'auteurs en fonction des trois indicateurs foucaldiens précédemment évoqués, sa position sociale et la structure de son organisation, son rapport aux institutions dominantes et son implication dans l'économie politique de la vérité de la société canadienne. Ces trois indicateurs nous permettront de mieux comprendre la portée véritable de la fonction de représentation culturelle de l'intellectuel dans le contexte d'un rapport de force politique et juridique.

Le collectif Ressources d'Afrique : entre l'université et la société civile

Il est intéressant de voir que *Noir Canada* n'est pas le fait d'un seul auteur qui parlerait, comme le font les intellectuels universels, au nom de sa propre influence ou de son

---

13. Plusieurs lettres d'opinion sont publiées par des professeurs d'université, « Pour la liberté d'expression » (2008a) ; « Le discours orwellien de Barrick Gold » (2008b) ; Lettre ouverte au ministre Dupuis : « Québec doit protéger les auteurs de *Noir Canada* » (2008) ; « Savoir ou se taire » (Noreau, 2008) ; « Anniversaire de la Déclaration des droits de l'homme — Où en est la liberté d'expression au Québec et au Canada ? » (2009) (articles en ligne).

14. Mentionnons que depuis l'adoption de la loi, la maison Écosociété a obtenu le soutien financier de leur compagnie d'assurances, les fonds recueillis lors de la campagne de mobilisation servant à soutenir les trois auteurs.

charisme, mais plutôt d'un collectif réunissant trois principaux auteurs — William
Sacher, Delphine Abadie et Alain Deneault —, qui ont cherché avant tout à développer
une expertise sur les questions du mal développement du continent africain[15]. Il est
cependant à souligner que le collectif a été créé sous l'impulsion d'Alain Deneault qui,
tout au long du processus de rédaction de l'ouvrage puis de la saga judiciaire, est devenu
l'auteur le plus médiatisé des trois.

Alain Deneault est un philosophe de formation qui a étudié et fait des recherches
au sein d'institutions universitaires en Europe et au Québec. Deneault est un des rares
philosophes à s'être spécialisé sur des questions économiques, qu'il aborde cependant
dans une perspective très différente de celle des économistes. Dans le cadre de sa thèse
de doctorat sur Georg Simmel, il s'est intéressé aux usages conceptuels de l'économie
sur les plans philosophique, psychanalytique et sociologique. Ses préoccupations à l'endroit des économies conceptuelles l'ont amené à s'intéresser au problème de la criminalité financière et à publier ses travaux sur le thème des paradis fiscaux en 2002
(Deneault, 2004, 2006). À partir de ce moment, son travail s'est spécifiquement consacré aux activités des entreprises minières cotées en bourse en Afrique. Dans le cadre de
Noir Canada, alors que Deneault s'occupait principalement de la rédaction de l'ouvrage, Delphine Abadie et William Sacher, respectivement politologue, et ingénieur et
mathématicien, colligeaient les nombreuses données recueillies de manière à apporter
un éclairage indispensable en ce qui concerne d'une part la complexité de la géopolitique africaine, et d'autre part les conditions d'exploitation des sociétés minières en
place (Makaremi, 2008 : 126). En plus de la recherche documentaire très fouillée et de
l'analyse très serrée des nombreuses allégations recensées par les auteurs, on trouve un
style d'écriture qui a le mérite d'être clair et comporte des réflexions à portée philosophique et sociologique portant visiblement la marque d'un écrivain engagé plutôt que
celle d'un spécialiste universitaire.

La division du travail intellectuel du collectif démontre bien que *Noir Canada* est
un ouvrage qui se situe au carrefour de la monographie spécialisée, de l'enquête journalistique et de l'essai philosophique engagé[16]. Sur un plan très formel, le collectif s'apparente à un groupe de recherche universitaire engagé dans la réalisation d'un projet
de recherche qui mobilise plusieurs spécialistes provenant non seulement de l'université, mais aussi de la société civile en général au Canada et en Afrique. De plus, le collectif présente une structure de recherche qui fonctionne sans but lucratif et qui n'a pas
pour objectif de contribuer directement à l'avancement de la connaissance dans le
domaine des études africaines. Le collectif d'auteurs cherche à s'intégrer dans un
ensemble de réseaux sociaux qui veulent éduquer et informer la population, et c'est

---

15.   Les informations qui sont présentées sur le collectif ont été en partie recueillies lors d'une entrevue et de discussions informelles avec Alain Deneault pendant le printemps et l'été 2008. Pour des informations plus précises, nous renvoyons les lecteurs à une entrevue très révélatrice de C. Makaremi
(2008 : 120-128).

16.   Malheureusement, le site Internet de Ressources d'Afrique est aujourd'hui fermé, mais il nous
indiquait avec précision les objectifs du collectif et de la division du travail.

ce qui explique qu'il cherche davantage à diffuser les résultats de leur recherche dans les médias et auprès des organisations de la société civile qui s'intéressent à la question africaine. D'ailleurs, le choix de publier le livre à la maison d'édition Écosociété, qui se spécialise dans la publication « d'essais critiques porteurs de débats publics et de changement social [17] », démontre que les auteurs ne font pas œuvre de spécialistes, mais s'inscrivent plutôt dans une démarche citoyenne sans pour autant se dissocier complètement des réseaux de publication universitaire[18].

Malgré son caractère engagé, le collectif Ressources d'Afrique ne pouvait être décrit, du moins avant la poursuite judiciaire, comme une organisation de mouvement social. Le collectif ne possède aucune ressource matérielle pour organiser des manifestations. Ce sont des « chercheurs » et des « auteurs », et non des « entrepreneurs en mobilisation collective », ce qui témoigne du fait que la rédaction de *Noir Canada* soit d'abord le fruit d'une démarche de recherche et de cueillette d'informations avant de s'inscrire dans une démarche militante. Même s'il est certain que la poursuite judiciaire dont le collectif fait présentement l'objet fait de *Noir Canada* un symbole politique récupérable par la mouvance politique de la gauche, il serait cependant exagéré de les considérer comme des porte-parole privilégiés du mouvement altermondialiste, même si l'orientation idéologique des auteurs se tourne résolument vers la gauche. Sans renier l'aspect politique qui structure la démarche de recherche des auteurs, il faut prendre en compte sa dimension individuelle qui atteste, dans l'optique bourdieusienne d'un refus partiel des déterminations sociales et institutionnelles, d'une volonté d'autonomie intellectuelle en se situant à la croisée des chemins entre l'université et la société civile.

D'un point de vue strictement sociologique, il ne fait pas de doute que le statut social des trois auteurs précédemment analysé fait d'eux des « représentants culturels » par la nature de leur activité intellectuelle et leur engagement politique. Mais avant de leur attribuer d'emblée les honneurs de cette fonction, une analyse plus précise nous montrera qu'elle ne leur est nullement acquise pour l'instant.

Le rapport aux institutions : les démiurges de la gouvernance

Au-delà du contexte spécifique de la rédaction de *Noir Canada*, c'est le cours des événements qui donne à l'ouvrage un caractère de plus en plus militant et engagé. S'il n'y avait pas eu de poursuite judiciaire, on peut s'imaginer que la diffusion de l'ouvrage aurait pu passer largement inaperçue et se limiter au seul milieu universitaire. Mais la poursuite dont les auteurs du collectif font l'objet les amène à préciser publiquement leur position quant à la nature des institutions politiques, économiques et culturelles qui produisent le savoir et la connaissance sur le développement économique de l'Afrique.

---

17.   Maison d'édition Écosociété : http://www.ecosociete.org/ecosociete.php. Consulté le 18 novembre 2009.

18.   Comme en témoignent les récentes publications des auteurs dans des revues universitaires québécoises et internationales (Deneault, 2006 ; Abadie, Deneault, 2007).

Dans le cadre d'une entrevue (Makaremi, 2008), Alain Deneault a très clairement exprimé son extrême méfiance devant les institutions qui se disent compétentes dans la production d'informations fiables sur la question du développement africain. Dans un premier temps, Deneault fustige l'institution universitaire qui cloisonne la recherche sur le développement en fonction des spécialités propres à chaque discipline, sans qu'il y ait une véritable tentative d'analyser sur une trame commune les enjeux et les événements concernant le développement économique des pays africains. Deneault dénonce également les faux concepts et les fausses problématiques des sciences politique et économique qui situent leur recherche dans des «zones de consensus» où la gouvernance devient la référence obligée pour attester de sa portée empirique (Makaremi, 2008: 122). Il souligne ensuite que les ONG (celles qui, du moins, reçoivent des subventions de la part des gouvernements et des fonds gérés par les entreprises privées) ne produisent pas d'informations entièrement fiables et significatives sur les enjeux du développement économique africain. En ne s'intéressant qu'à de fausses problématiques d'ordre humanitaire (comme celle des enfants-soldats ou des mines antipersonnel), elles contribuent à réduire les enjeux éthiques de la gouvernance à des cas strictement individuels, résultant du compromis institutionnel entre les intérêts publics et les intérêts privés. Enfin, la presse écrite (et télévisuelle) qui fragmente l'information en de multiples «nouvelles» ou «faits divers» sans lien entre elles, empêche, selon Deneault, qu'une véritable connaissance objective et transparente puisse bien informer le lectorat de la réalité économique africaine, et s'enlise dans la perpétuation de l'éternel cliché de l'Afrique postcoloniale pauvre et incapable de s'affranchir de l'aide internationale (Makaremi, 2008: 122). Dans cette optique, Deneault souligne que les médias ont fait peu de cas des allégations contenues dans *Noir Canada* dans leur dimension méthodologique, préférant inscrire ces allégations dans une logique de confrontation avec des intérêts privés.

Ce rapport antagoniste de Deneault devant ces trois institutions de savoir et de pouvoir, avant d'être motivé par la poursuite judiciaire, s'inscrivait déjà dans la réflexion méthodologique qui guidait originalement la rédaction de l'ouvrage. Le collectif fait lui-même usage d'une méthodologie de type journalistique: recenser et analyser des informations sur les sociétés minières canadiennes. Le but est de mettre en évidence des «allégations», c'est-à-dire des informations qui font autorité en vertu de sources jugées crédibles et qui ont fait leur preuve devant les instances nationales ou internationales (Deneault *et al.*, 2008: 14). Les auteurs ne renient pas ici le caractère juridique de ces allégations, mais ils les utilisent en tant qu'informations pertinentes dont les sources ont déjà prouvé la véracité grâce à leur nombre et au fait qu'elles n'ont pas été contestées. Le collectif cherche donc à comprendre: a) les intentions réelles et non cachées des entreprises canadiennes en Afrique et b) comment se sont construits les réseaux d'acteurs économiques en Afrique qui contribuent plus ou moins directement à piller les ressources naturelles du continent. Toutefois, le collectif ne souhaite utiliser pas le mot «allégation» dans le sens étroit d'un procès d'intention envers les individus qui sont concernés. Ou du moins, les auteurs tentent de situer ce procès d'intention dans le cadre d'un exercice « d'appel à des solutions de recherche » (Deneault *et al.*, 2008 : 15) qui est beaucoup plus politique que juridique, incriminant moins les entreprises canadiennes que le gouvernement canadien qui refuse de faire la lumière sur la nature de ces allégations. L'objectif de *Noir Canada* est de collecter différentes allégations qui sont utilisées à titre d'informations et de les comparer entre elles dans le but de faire ressortir d'éventuelles contradictions et de reconstruire une chronologie qui situe sur une trame narrative commune les investissements économiques en Afrique, les guerres civiles et les catastrophes écologiques.

Ainsi, les preuves produites ne sont pas le fruit d'une démarche de terrain, mais résultent des contradictions que recèlent la connaissance et les informations produites par les institutions de savoir et de pouvoir. Ce ne sont donc pas les faits empiriques observés sur le terrain qui attestent de la vérité du propos de *Noir Canada*, mais la confrontation des connaissances produites par les institutions avec ce qui a été observé par des acteurs institutionnels (provenant des ONG de défense des droits de la personne ou de commissions d'enquête publique) aux niveaux local, national et international. Les faits directement observés sur le terrain sont beaucoup trop embryonnaires et fragmentaires pour pouvoir révéler des preuves directement accablantes, dans des pays où bien souvent le droit d'accès à l'information est inexistant, et où les sites d'exploitation minière sont étroitement surveillés. En ce sens, les auteurs ne produisent donc pas de nouvelles allégations — si ce n'est la synthèse qu'ils font d'allégations existantes —, et ils ne prétendent pas « les fonder au-delà des travaux qui les ont avancées » (Deneault et *al.*, 2008 : 14).

Pour conclure cette section, la position méthodologique du collectif d'auteurs démontre à quel point le travail de collecte d'informations s'est réalisé en dehors de la logique des institutions, puisque les connaissances qu'elles produisent sont elles-mêmes le résultat de ce « jeu de la gouvernance » qui embrouille toute tentative d'acquérir une perspective à la fois holiste, interdisciplinaire et multidimensionnelle de l'exploitation économique du sol africain par les entreprises canadiennes. Et pour ce faire, le collectif devait nécessairement tenir comme méthodologiquement vraies des allégations qui, pour les institutions dominantes, ne sont que des présuppositions dont leur « véridiction » — pour reprendre un terme de Foucault (2004 : 38) — n'a pas obtenu leur aval faute de preuve « de terrain ». C'est précisément à cet égard qu'il devient plus difficile d'attribuer à nos trois intellectuels un statut de représentants culturels parce qu'ils sont contraints à présenter une version des faits qui n'est accréditée pour l'instant par aucune des trois institutions mentionnées par Deneault. Placés contre leur gré dans une position marginale, nos auteurs doivent attendre que le verdict du tribunal — rattaché au dispositif de vérité/pouvoir des institutions dominantes —, détermine la part de vérité attribuée à la version de l'histoire de *Noir Canada*. Ce qui nous montre que les trois démiurges de la gouvernance ont indirectement un pouvoir de légitimation des intellectuels dans leur fonction de représentants culturels. Ainsi, la marginalité dans laquelle se retrouvent les auteurs de *Noir Canada* peut servir leur cause auprès de l'opinion publique bien que, dans les faits, cela atteste qu'ils ont à porter sur leurs épaules le difficile fardeau de la preuve en attendant que le tribunal rende son verdict.

La politique de la vérité : au nom de la transparence et de l'impartialité

La contre-expertise que nous offre le collectif d'auteurs et la poursuite par deux entreprises minières canadiennes dont ils font l'objet engagent la lutte au nom de la vérité non pas sur le terrain des faits qui se sont produits en Afrique, mais bien sur celui de la faculté des institutions démocratiques à garantir un débat transparent sur les allégations recensées dans *Noir Canada*. À cet égard, les deux parties tentent de faire jouer en leur propre faveur les mécanismes de la transparence démocratique et d'avancer la légitimité de leur partage respectif entre le vrai et le faux contre les prétentions du camp adverse.

Dans une lettre publiée par le *Devoir*, les auteurs de *Noir Canada* réitèrent à nouveau le bien-fondé de leur démarche méthodologique en attestant de la légitimité des documents faisant état des malversations des entreprises minières, documents qui ont été cautionnés politiquement par des audiences publiques et des commissions d'enquête aux États-Unis, en Grande-Bretagne, en Belgique et au Congo-Kinshasa (Sacher *et al.,* 2008). Les auteurs reprochent au Canada de ne pas reconnaître la véracité des allégations évoquées dans l'ouvrage et soulignent que, pendant ce temps, ils sont les victimes d'un système judiciaire qui permet les poursuites abusives et dans lequel on leur dénie le droit de faire ouvertement état de ces allégations dans l'espace public. Dans cette optique, la politique de la vérité du système juridique est légitimement fondée sur un rapport de force inégal entre une entreprise ayant la capacité financière d'assumer un long procès, et un collectif d'auteurs et une maison d'édition délibérément acculés à la faillite. Ce que les auteurs veulent nous faire savoir, c'est que les mécanismes du système judiciaire brouillent délibérément la vérité au profit de la représentation et de la défense des intérêts privés.

Étonnamment, c'est précisément sur ce plan que *Noir Canada* fait jouer la politique de la vérité en sa faveur. Parce que les mécanismes du dispositif savoir/pouvoir des sociétés minières canadiennes — fondé sur la protection des intérêts économiques privés — ont été exposés au grand jour, l'ouvrage a forcé ses adversaires à se positionner publiquement et à confronter le collectif de *Noir Canada* sur le terrain de la vérité, comme en témoigne la lettre du vice-président de Barrick Gold publiée dans *Le Devoir* quelques semaines plus tard. Il y affirme que :

> [...] le débat ne porte pas sur le rapport de force entre Barrick et l'éditeur ou les auteurs du livre. La poursuite vise à rétablir les faits et la réputation de Barrick [...]. Notre action en justice ne s'oppose pas à l'examen public de ces questions, contrairement à ce que les auteurs prétendent. Elle garantit au contraire qu'il y ait un débat public transparent afin de les résoudre et de faire éclater la vérité au grand jour, de façon impartiale. (Garver, 2008)

L'auteur de ces lignes cherche à prouver qu'il n'y a pas de contradiction entre le droit de se défendre devant les tribunaux dans un contexte de poursuite abusive, et la nécessité d'un débat public. Il croit que, dans les deux cas, la transparence de la vérité ne peut être assurée que si les faits sont traités de façon impartiale. On peut lui donner le bénéfice du doute quant à sa volonté de ne pas entraver le débat public, mais il fait alors preuve de naïveté (ou d'un machiavélisme délibéré) lorsqu'il affirme qu'il n'y a pas d'inégalité dans le rapport de forces entre l'entreprise aurifère et la maison d'édition dans un contexte judiciaire. De toute façon, s'il reconnaissait cette inégalité, il serait obligé d'admettre que le système judiciaire n'est pas le lieu où il est possible de « faire éclater la vérité au grand jour de manière impartiale » (Garver, 2008). Mais il est à tout le moins certain que le débat public ne joue pas du tout en sa faveur et que sur ce terrain, il lutte à armes inégales et a déjà perdu la bataille de l'opinion publique. D'un autre côté, l'on peut présumer qu'au tribunal, c'est Barrick Gold qui se retrouvera en position de force, même après l'adoption du projet de loi contre les poursuites abusives. En ce sens, le recours au droit demeure pour l'entreprise minière le seul moyen par lequel elle peut se protéger contre les « externalités » du débat public, c'est-à-dire défendre l'honneur de l'entreprise contre des allégations qui nuisent à sa réputation. Par le fait même, ce recours au droit ne peut qu'être avantageux pour Barrick Gold puisque l'entreprise n'aura pas à répondre publiquement de ces allégations dans le cadre d'un débat public. Ainsi, nous sommes en présence de deux visions concurrentes d'une politique de la vérité dont l'enjeu réside dans l'obtention d'un monopole de la définition des règles de la transparence et de l'impartialité et la victoire n'est, pour l'instant, acquise à aucun des deux camps.

D'un point de vue sociologique, l'idée de relever deux visions concurrentes de la politique de la vérité ne doit pas nous faire conclure que la vérité n'est relative qu'à la façon dont les acteurs se la représentent. La politique de la vérité doit nous montrer les mécanismes qui permettent à la fois de départager et d'embrouiller ce qui relève du vrai ou du faux. Ce processus, qui n'est jamais définitif ou achevé, se déploie à travers le rapport de force qui apparaît à la fois dans le débat public dans la poursuite judiciaire. D'une part, pour Barrick Gold, il s'agit de départager le vrai du faux en faisant la distinction entre la légitimité d'un procès et la nécessité de tenir un débat public transparent. Cependant, l'entreprise refuse de situer ce partage entre le vrai et le faux sur le plan d'un rapport de forces inégal puisque cela enlèverait toute légitimité au jugement du tribunal. Elle véhicule une conception du droit qui repose sur la présomption que le tribunal ne peut devenir le terrain d'une lutte politique, d'où la nécessité pour elle de promouvoir un droit fondamentalement apolitique qui est le seul lieu où la vérité devient possible contrairement au débat public, qui est celui des opinions contradictoires et des demi-vérités.

Les auteurs de *Noir Canada* départagent quant à eux le vrai du faux en arguant que les allégations provenant de sources institutionnelles ont été traitées de façon impartiale, et qu'il n'aurait pas été possible d'en faire la preuve « sur le terrain » étant donnée la mainmise des intérêts privés sur la circulation des informations dans les régions exploitées. Les nombreuses allégations sur les investissements des entreprises privées canadiennes contenues dans *Noir Canada* avaient pour objectif de départager la confusion entretenue délibérément par le jeu de la gouvernance en Afrique, de manière à redéfinir ce qui est véritablement légal de ce qu'il ne l'est pas (Deneault *et al.*, 2008: 332). Dans cette optique, la poursuite abusive qui pèse sur les auteurs de *Noir Canada* et sa maison d'édition se situe dans le prolongement de cette confusion, puisque le système judiciaire et la loi sur les entreprises cotées en bourse protègent *de facto* les intérêts privés des entreprises minières autant au Canada qu'en Afrique. En ce sens, et bien que cela ne soit pas intentionnel de leur part, l'inégalité du rapport de forces est devenue souhaitable pour les auteurs afin de montrer à l'opinion publique que les allégations sur l'exploitation minière sont la preuve que la vérité est seulement possible dans le cadre d'un débat public non contraint par les intérêts privés.

Nous ne nous aventurerons pas plus avant dans une analyse qui pourrait être beaucoup plus longue, détaillée et nuancée. Notre objectif ici était de démontrer que *Noir Canada* n'a pas encore fait la preuve qu'il est le seul représentant légitime de la vérité, dans la mesure où celle-ci est en partie produite par les effets du pouvoir dans le contexte de la poursuite judiciaire. Le cas échéant, les intellectuels spécifiques que sont les auteurs de *Noir Canada* doivent accepter que la vérité ne soit pas tout entière dans leur camp, parce qu'elle est la conséquence des effets du pouvoir résultant du rapport de forces inégal dont ils sont victimes. Pourtant, on ne peut pas dire nécessairement que le collectif de *Noir Canada* est en position de faiblesse car, en s'aidant d'une efficace campagne de mobilisation, il est parvenu à jeter le doute sur une histoire du développement économique de l'Afrique dans laquelle, jusque-là, le gouvernement et les entreprises canadiennes avaient le beau rôle. Bref, si l'intellectuel spécifique écrit sous l'impulsion « d'une vocation pour l'art de la représentation » — pour reprendre une dernière fois l'expression de Said — il convient de spécifier que l'apprentissage de cet art ne se réalise qu'à travers ce rapport inégalitaire de forces qui ne lui garantit pas assurément la victoire contre l'oppresseur.

CONCLUSION

Au terme de ce détour par l'analyse du cas de *Noir Canada*, l'objectif de notre article était de montrer combien, à la suite de l'intuition de Weiss, il est de plus en plus difficile de définir les intellectuels comme un corps social aspirant à une fonction de représentation culturelle. Dans un premier temps, il aura fallu mettre en évidence le fait que la tradition sociologique, et plus spécifiquement la sociologie des intellectuels, n'a pas toujours bien rendu compte de l'hétérogénéité de ce groupe social particulier et de sa réelle volonté d'incarner le corps social unifié que certains sociologues pouvaient espérer. C'est un des problèmes de la sociologie des intellectuels aujourd'hui que de sortir du cercle vicieux dans lequel le sociologue finit toujours par se référer à lui-même. Dans un deuxième temps, nous avons avancé qu'il fallait en quelque sorte « décollectiviser » le concept d'intellectuel afin d'augmenter son potentiel heuristique. C'est dans cette optique que la typologie de Michel Foucault et son concept d'« intellectuel spécifique », nous a aidés à réévaluer les critères permettant d'élaborer une étude objective des intellectuels afin de mieux comprendre comment ils peuvent ou non assumer un véritable rôle de représentants culturels. On aura compris que cette fonction de représentation ne saurait se dégager de la circularité de la vérité par rapport aux effets de pouvoir des institutions dominantes. À cet égard, l'analyse du collectif d'auteurs de *Noir Canada* fut pour nous une tentative de démontrer que la position de l'intellectuel spécifique et son rapport à la vérité ne se perçoivent réellement que dans le rapport de forces qui l'oppose en l'occurrence aux deux entreprises minières. Autrement dit, si l'intellectuel spécifique cherche à se doter d'un statut de représentant de la vérité contre le pouvoir des institutions dominantes, cela ne peut être possible que grâce à ce rapport de forces dont les auteurs de *Noir Canada* sont à la fois victimes et victorieux dans le contexte de la poursuite judiciaire.

C'est à partir de cette triple spécificité relevée par Foucault que nous avons pu repenser une typologie des intellectuels qui soit *wertfrei* sur le plan théorique, c'est-à-dire dégagée de son déterminisme sociologique, de son évolutionnisme historique trop linéaire et de son normativisme politique. À notre avis, Foucault a très bien vu le problème auquel Mannheim était lui-même confronté à son époque : la nécessité de mieux cerner la position de l'intellectuel dans son refus des déterminations sociales, et de libérer son cadre d'analyse sociologique d'un déterminisme sociologique beaucoup trop holistique. Autrement dit, l'intellectuel ne peut plus se comprendre comme un « concept collectif », ou comme assumant une fonction « organique » pour le dire comme Gramsci, mais doit bel et bien être appréhendé comme un concept individuel, en faisant avant tout parler les intellectuels au singulier. De par cette position singulière, nous sommes donc en mesure de mieux comprendre comment l'intellectuel assume son rôle au nom d'une mission ou d'une vocation de « médiateur culturel ». C'est précisément la tâche du sociologue de comprendre si les intellectuels sont en mesure ou non de remplir une telle fonction.

RÉSUMÉ

L'objectif de cet article consiste à réévaluer les applications possibles de la notion de représentation culturelle dans la perspective de la sociologie des intellectuels. Premièrement, on portera un regard critique sur les outils théoriques et méthodologiques que la sociologie des intellectuels a développés au fil des années, se retrouvant implicitement à faire la promotion d'un groupe d'intellectuels qui assumerait collectivement une fonction de représentant culturel. Deuxièmement, au terme d'une analyse d'un texte de Michel Foucault, on proposera de décollectiviser le rôle de l'intellectuel et sa fonction de représentant culturel afin de mieux comprendre comment il peut concrètement parvenir à l'assumer au sein du dispositif de vérité/pouvoir des sociétés postmodernes. En dernier lieu, on tentera d'appliquer ce cadre d'analyse au cas d'un collectif de trois intellectuels québécois qui fait présentement l'objet d'une poursuite judiciaire par deux entreprises minières canadiennes, pour avoir tenu responsables de crimes et de malversations en Afrique dans un ouvrage publié en 2008.

ABSTRACT

The aim of this article is to re-evaluate the possible applications of the notion of cultural representation from the perspective of the sociology of the intellectual. First, we cast a critical regard over the theoretical and methodological tools developed over the years by the sociology of the intellectual with the implicit aim of promoting a group of intellectuals who would assume the collective function as representatives of culture. Second, after an analysis of a text of Michel Foucault, we propose a decollectivisation of the role of the intellectual and the function of a cultural representative in order to better comprehend how the intellectual can come concretely to enter into the system of truth/power in postmodern societies. Last of all, we attempt to apply this analytical framework to the case of a collective of three Québécois intellectuals who are currently the object of a judicial prosecution by two Canadian mining companies for having accused them, in a work published in 2008, of crimes and embezzlement in Africa.

RESUMEN

El objetivo de este artículo consiste en reevaluar las posibles aplicaciones de la noción de representación cultural en la perspectiva de la sociología de los intelectuales. En primer lugar, damos una mirada crítica a las herramientas teóricas y metodológicas que la sociología de los intelectuales ha desarrollado a lo largo de los años, que implícitamente realiza la promoción de un grupo de intelectuales quienes, colectivamente, asumirían la función de representantes culturales. En segundo lugar, partiendo del análisis de un texto de Michel Foucault, proponemos descolectivizar el papel del intelectual y su función de representante cultural con el fin de comprender más profundamente cómo éste puede llegar a asumirlo concretamente en el seno del dispositivo verdad-poder de las sociedades posmodernas. Por último, intentamos aplicar este marco analítico al caso de un grupo de tres intelectuales quebequenses, quienes actualmente son objeto de un proceso judicial emprendido por dos compañías mineras canadienses, por el hecho de haberlas responsabilizado de crímenes y de malversación en África, en un libro publicado en 2008.

BIBLIOGRAPHIE

ABADIE, D. et A. DENEAULT (2007), «Ratages tous azimuts en développement international», *Cahiers de recherche sociologique*, n° 44, septembre 2007, p. 67-81.

ANONYME (2008), «Lettre ouverte au ministre Jacques Dupuis — Québec doit protéger les auteurs de *Noir Canada*», *Le Devoir*, 7 mai.

ARON, R. (1955), *L'opium des intellectuels*, Paris, Calmann-Levy.

BARNOUW, D. (1988), *German Intellectuals and the Threat of Modernity*, Indianapolis, Indiana University Press.

BAUMAN, Z. (2007), *La décadence des intellectuels. Des législateurs aux interprètes*, Marseille, Actes Sud/Jacqueline Chambon.

BENDA, J. (1975), *La trahison des clercs*, Paris, Bernard Grasset.

BOURDIEU, P. (1998), *Les règles de l'art. Structure et genèse du champ littéraire*, Paris, Seuil.

BOURDIEU, P. (2003), *Méditations pascaliennes*, Paris, Seuil.

BORGES, J.L. (1995), «Fragments d'un évangile apocryphe», *L'or des tigres*, Paris, Gallimard, p. 147.

COLLECTIF DE PROFESSEURS D'UNIVERSITÉ (2008a), «Libre opinion: Pour la liberté d'expression», *Le Devoir*, 17 avril.

COLLECTIF DE PROFESSEURS D'UNIVERSITÉ (2008b), «Libre opinion: Le discours orwellien de Barrick Gold», *Le Devoir*, 29 septembre.

COLLECTIF DE JURISTES DE FORMATION ET DE PROFESSION (2009), «Anniversaire de la Déclaration des droits de l'homme — Où en est la liberté d'expression au Canada?», *Le Devoir*, 10 décembre 2009.

DENEAULT, A., D. ABADIE, W. SACHER (2008), *Noir Canada. Pillage, corruption et criminalité en Afrique*, Montréal, Écosociété.

DENEAULT, A. (2004), *Paul Martin et Compagnie*, Montréal, VLB.

DENEAULT, A. (2006), « Le concept réfracté de la souveraineté et les États *offshore* », *in* Eurostudia, vol. 2, n° 2 (article en ligne).

FOUCAULT, M. (2001), « La fonction politique de l'intellectuel », *Dits et écrits*, tome 2, Paris, Gallimard, p. 109-114.

FOUCAULT, M. (2004), *Naissance de la biopolitique. Cours au Collège de France, 1978-1979*, Paris, Gallimard/Seuil.

FRANCOEUR, L.-G. (2008), « Poursuites abusives : la loi québécoise s'étendra aux causes pendantes », *Le Devoir*, 8 avril.

GARVER, P. J. (2008), « Libre opinion — Pour un débat public et transparent », *Le Devoir*, 17 septembre.

GRAMSCI, A. (1978), *Cahiers de prison 10-13*, Paris, Gallimard.

HÉBERT, K. (2006), *Karl Mannheim et la question des intellectuels sous la République de Weimar*, Thèse : Université de Montréal.

HESSE, H. (2004), *Le loup des steppes*, Paris, Calmann-Levy.

JOHNSON, P. (1993), *Le grand mensonge des intellectuels*, Paris, Robert Laffont.

LEPSIUS, M. R. (1990 [1966]), « Kritik als Beruf. Zur Soziologie der Intellektuellen », *in Interessen, Ideen und Institutionen*, Frankfurt (Main), Westdeutscher Verlag, p. 270-285.

MAKAREMI, C. (2008), « Question de méthode… À propos de : *Noir Canada. Pillage, corruption et criminalité en Afrique* », *Altérités*, vol. 5, n° 2, p. 120-128.

MANNHEIM, K. (1929), *Ideologie und Utopie*, Bonn, Cohen.

MANNHEIM, K. (1950), *Man and Society in an Age of Reconstruction*, New York/Londres, Harcourt Brace Press/Routledge & Paul.

MERTON, R. K. (1957), « The Role of Intellectuals in Public Administration », *Social Theory and Social Structure*, Glencoe, The Free Press, p. 207-224.

MILLS, C. W. (1966), *Les cols blancs*, Paris, Maspero.

MILOSZ, C. (1953), *La pensée captive. Essai sur les logocraties populaires*, Paris, Gallimard.

NOREAU, P. (2008), « Savoir ou se taire ? », *Le Devoir*, 21 août.

SACHER, W., A. DENEAULT, D. ABADIE. (2008), « *Noir Canada* : le test de la démocratie canadienne », *Le Devoir*, 23-24 août.

SAID, E. (1994), *Representation of the Intellectuals*, New York, First Vintage Books.

SARTRE, J. P. (1980 [1972]), *Plaidoyer pour les intellectuels*, Paris, Gallimard.

SHIELDS, A. (2008a), « *Noir Canada. Pillage, corruption et criminalité en Afrique*. Écosociété publiera quand même », *Le Devoir*, 15 avril.

SHIELDS, A. (2008b), « Loi contre les poursuites-bâillons — Barrick Gold règle ses compte avec Écosociété », *Le Devoir*, 24 octobre.

SHIELDS, A. (2009), « Poursuite de six millions de dollars — Écosociété remporte une petite victoire contre Barrick Gold », *Le Devoir*, 28 avril.

SHILS, E. (1971), « The Intellectuals and the Powers. Some Perspectives for Comparative Analysis », *The Constitution of Society*, University of Chicago Press, p. 179-201.

STRAUSS, L. (1992), *Qu'est-ce que la philosophie politique ?*, Paris, PUF.

VERNET, D. (2008), « Milan Kundera est accusé en 1950 d'avoir dénoncé un agent à Prague », *Le Monde*, 15 octobre.

VIDAL, J. (2008), *La fabrique de l'impuissance. 1. La gauche, les intellectuels et le libéralisme sécuritaire*, Paris, Éditions Amsterdam.

WEISS, J. (1992), « Representative Culture and Cultural Representation », R, MÜNCH & N. J. SMELSER, *Theory and Culture*, Berkeley, University of California Press, p. 121-144.

WEISS, J. (1998), *Handeln und lassen Handeln. Über Stellvertretung*, Opladen, Westdeutcher Verlag.

Les fruits de la foi et l'universalité de l'islam : une étude de cas sur l'activisme musulman en France[1]

FRANK PETER
Institut d'études islamiques et de nouvelle philologie
orientale
Université de Berne
Flakenplatz 11
CH-3012 Berne
Courriel : frank.peter@islam.unibe.ch

Traduction : Patrick Thériault

INTRODUCTION : LE SENS DE L'UNIVERSALITÉ

Cet article étudie le type de relations qui existent entre l'islam entendu comme une tradition universalisante, et l'espace social sur lequel la République française affirme sa souveraineté. Son objectif fondamental est de contribuer à reformuler le débat autour de la relation entre l'islam et la France d'une manière qui évite la dichotomie entre orientations nationale et transnationale. Je mettrai l'accent sur l'interdépendance de l'universel et du particulier, en partant du principe que quelque chose devient universel à la faveur d'un engagement dans un cadre particulier. À travers de tels types d'engagement, de nouveaux canaux de circulation et de communication se créent, qui peuvent ouvrir à des réseaux de « connections globales à travers la différence et la distance » comme celui de l'*umma* islamique. À ce titre, j'analyse ce type de processus en me penchant sur le cas de Sofiane Meziani, écrivain et militant d'une importante fédération islamique française issue du mouvement des Frères musulmans. Ce groupe constitue une

---
1.   J'aimerais remercier Sara Ludin, Samuli Schielke, Barbara Thériault et les évaluateurs anonymes de *Sociologie et sociétés* de leurs commentaires et suggestions.

étude de cas particulièrement intéressante, puisque les efforts significatifs qu'il a déployés dans la dernière décennie pour consolider sa position à l'intérieur de la France tout en maintenant d'importants liens transnationaux ont suscité beaucoup d'attention chez les universitaires ainsi que dans le débat public sur l'islam en France (voir, par exemple, Amghar, 2006 et Bowen, 2004). C'est à ce débat que cet article cherche à contribuer en présentant une conception différente de l'universalité de l'islam. Pour l'essentiel, j'analyse dans cet article les effets à la fois habilitants et contraignants qui dérivent de l'engagement discursif et pratique de l'islam dans le contexte français, de même que je me demande comment ces effets définissent la manière dont Sofiane peut se rapporter à la communauté plus générale de l'*umma* et concevoir son identité française et comment, enfin, son engagement interagit avec la narrativisation de sa biographie.

Avant d'aborder ces questions, il convient de dire quelques mots à propos du protagoniste de cette étude. Sofiane Meziani est un écrivain musulman et un militant actif dans la ville française de Lille. Âgé de 26 ans, Sofiane est membre de l'Union des organisations islamiques de France (désignée désormais «Union») (voir notamment Alaoui, 2006; Maréchal, 2008; Peter à paraître). Il intervient et prend régulièrement la parole dans les événements publics; il a fait paraître trois plaquettes (une quatrième est annoncée); il donne des cours sur le *sīra* de Muhammad à un institut islamique local et tient un site Web personnel (www.sofianemeziani.net). Sofiane vient d'une famille musulmane, mais il ne s'intéresse et participe activement aux affaires islamiques que depuis sept ans. C'est une rencontre avec un ami musulman, ainsi que la conduite et la personnalité de cet ami qui ont complètement changé son attitude — jusque-là indifférente, du moins pour ce qui touche sa vie personnelle — vis-à-vis de l'islam. Dans le récit qu'offre Sofiane, ce fut cette rencontre qui l'a mené à se situer consciemment dans la lignée de l'islam, à réordonner sa vie et à s'efforcer de vivre désormais dans le souvenir continuel de Dieu.

Dans cet article, je considère le tournant biographique du retour à l'islam, tel que Sofiane le raconte, comme un fait discursif qui constitue un élément clé de sa subjectivité et de ses efforts pour fournir un récit intelligible de son moi, qu'il le fasse à l'attention du public qu'il cherche à interpeller en formulant son invitation à se soumettre à Dieu ou à l'attention d'interlocuteurs comme moi. L'un des objectifs de cet article consiste à mieux comprendre comment le récit que Sofiane offre de lui-même se lie à la fois à sa conception de l'islam (en tant que croyance *et* pratique sociale) et à ses efforts pour rejoindre, par son message, une plus vaste audience en France. De ce point de vue, on estimera que, dans une large mesure, la valeur de vérité des événements tels que Sofiane les narre n'est pas pertinente et qu'on peut la mettre entre parenthèses. Je ne me soucie pas tant d'établir la vérité des déclarations de Sofiane — d'autant moins que rien ne me laisse d'emblée en douter — que de penser les conditions qui déterminent leur lisibilité et leur efficacité à l'intérieur, et au-delà, du contexte français. À cette fin, je me penche sur la manière dont Sofiane se rapporte à diverses dimensions de son environnement discursif, matériel et social.

En analysant ces enjeux, je pars de la supposition élémentaire qu'afin de produire un récit intelligible de l'islam et de son propre moi musulman, Sofiane doit entrer en relation avec des dimensions particulières de son environnement. Or, on peut se référer à l'action d'« entrer en relation » par une multiplicité de manières de se rapporter à son environnement et de le définir. La question centrale que soulève cet article consiste précisément à se demander selon quelles modalités Sofiane entre en relation avec la France et comment ces relations affectent ce que j'appellerais l'« universalité » de la tradition religieuse dont il fait partie. J'utilise ici le terme « universalité » en un sens précis. On considère que l'islam est universel au sens, évident, où bon nombre de ses adhérents croient explicitement qu'il est de validité universelle et qu'il constitue une communauté de croyants qui n'est pas limitée *a priori* par quelque type de frontière que ce soit. On considère aussi que cette tradition est universelle au sens où l'islam est une tradition constitutive de monde, c'est-à-dire qu'elle transmet (ou du moins implique) une conception précise de l'être humain (de la manière dont il est constitué, et des fins et de la destinée pour lesquels il est tel), de la nature (de ce qui en fait partie et de la manière dont elle est déterminée) et des modes complexes par lesquels Dieu se lie à Sa Création et y est présent[2].

J'insiste sur la dimension constitutive de monde de l'islam dans la mesure où être musulman — pour Sofiane — implique plus que l'adhésion à une foi, à une spiritualité ou à une religion. Il me semble qu'aucun de ces termes ni la distinction entre religion privée/religion publique ne désignent adéquatement ce que l'islam représente pour Sofiane. Fondamentalement, être musulman signifie pour lui vivre dans un monde et faire l'expérience d'un univers selon des modalités qui sont propres à la tradition islamique. Au niveau le plus élémentaire, on devrait concevoir la relation entre l'islam et l'espace social où vivent les musulmans comme celle d'une entreprise constitutive de monde qui devient distincte et significative à travers l'engagement dans un espace social déterminé. Dans cette perspective, l'universalité de l'islam dérive d'efforts pour réaliser la construction d'un monde islamique dans un cadre particulier — quelque limité que puisse être celui-ci sur le plan géographique — et non pas son extension (quasiment) mondiale dans l'espace géographique. Encore faut-il souligner que « réaliser » renvoie ici prioritairement et simplement au processus de construction d'un dispositif complexe constitué d'institutions, d'objets matériels, de réseaux sociaux, de systèmes herméneutiques, de pratiques corporelles, etc. Ce dispositif transfigure les humains et les rend aptes à percevoir la construction du monde islamique comme réelle. Il importe de noter que les musulmans reconnaissent le caractère construit de l'entreprise sans pour autant considérer nécessairement le monde islamique comme un artifice. Plus particulièrement, la maîtrise des pratiques corporelles islamiques est régulièrement conçue comme une partie nécessaire d'un processus de changement dirigé du moi qu'on considère, en retour, comme indispensable pour atteindre la connaissance du Réel. Ainsi, tout en soulignant l'importance de recourir à la faculté humaine innée

---

2.   Voir Bruno Latour, 1997 et 2005.

de réflexion dans la quête du vrai savoir, Sofiane rejette l'idée que les humains sont nés «parfaits» et qu'ils peuvent simplement exposer la véracité de la révélation islamique à l'aide de la «science expérimentale»; il considère plutôt que l'«humilité» est nécessaire lorsqu'il s'agit de considérer la capacité des humains de percevoir le Réel: «Il y a des choses [...] auxquelles on peut croire si on les a vraiment vécues.[...] Il y a des choses qu'on ne peut peut-être pas prouver avec la science, etc., mais qu'on ne peut prouver que si vous essayez de les vivre. Voilà. Il faut les vivre pour les croire[3].»

Cela ne signifie pas que la «réalité» de la construction du monde islamique est une affaire d'intériorité et qu'elle se trouve détachée de l'espace dans lequel elle est construite. Au contraire, non seulement cette construction du monde dépend-elle d'un dispositif qui existe dans l'espace social, comme on l'a noté, mais elle affecte même ceux qui ne croient pas en elle, puisque l'islam transforme les humains de manière particulière, et tant les croyants que les non-croyants peuvent, jusqu'à un certain degré, en observer les répercussions. Enfin, et surtout, comme cette entreprise de construction de monde reste toujours inachevée et que les musulmans ne font pas complètement et exclusivement partie d'elle, mais y sont toujours plus ou moins intégrés, la tâche de la construction va de pair avec le besoin de croiser cette construction avec d'autres constructions et leurs habitants[4]. La question générale est dès lors de savoir de quelles façons précises cette construction du monde se rapporte à d'autres et comment sa forme et sa capacité variable de réalisation sont affectées par ces relations. En d'autres mots, il y a lieu de s'interroger sur la manière dont l'universalité de l'islam, en tant que type particulier de construction de monde, est modelée par sa capacité de s'étendre dans des espaces sociaux actuels et de les transformer, c'est-à-dire de devenir universel, au sens courant du terme.

LA FRICTION ET L'UNIVERSEL

À ce sujet, mon analyse s'inspirera de la conceptualisation du terme «universalité» proposée par Anna Tsing. Cette référence me semble pertinente pour un examen de la question de l'universalité de la tradition islamique, dans la mesure où Tsing reconfigure avec profit le débat sur la relation entre l'universel et le particulier et fournit un nouveau vocabulaire pour l'analyser. Au lieu d'opposer ces deux éléments et de chercher à déterminer si les universaux sont ou ne sont pas «vraiment» universels, c'est-à-dire

---

3.   Toutes les citations sans références renvoient à l'une ou l'autre des trois entrevues et conversations que j'ai eues avec Sofiane.

4.   Les entrevues que j'ai menées avec Sofiane ne représentent qu'une occasion où cette nécessité de médiation s'est manifestée. — Il est à préciser que les constructions de monde ne sont pas exclusives les unes des autres. Par exemple, Sofiane insiste souvent sur les différences entre la conception de la nature humaine selon l'islam et celle qui domine en «Occident». Une importante différence touche, selon lui, la manière dont l'émotionalité et la raison sont liées l'une à l'autre dans ces constructions de monde ou, comme c'est le cas dans l'Occident moderne, comment elles sont dissociées l'une de l'autre. Toutefois, il reconnaît aussi qu'il y a des exceptions et que les psychologues, plus particulièrement, s'écartent de cette position «occidentale». Il croit aussi qu'il partage beaucoup d'éléments de pensée, en tant que musulman, avec les bouddhistes (au-delà des divergences de vue évidentes entre l'islam et le bouddhisme).

au-delà du particulier, et dans quelle mesure ils le sont le cas échéant, Tsing associe l'universel à la «connaissance qui se déplace — mobile et mobilisatrice — à travers les lieux et les cultures. Qu'on la considère comme sous-jacente ou transcendante, la mission des universaux est de former des ponts, des routes et des canaux de communication » (Tsing, 2005 : 7). Dans cette optique, les universaux sont conçus comme «hybrides, transitoires et sujets à de constantes reformulations» (*ibid.* : 9) ; ils se constituent en corrélation avec des particuliers et «ils ne peuvent jamais remplir leurs promesses d'universalité» (*ibid.* : 8). Pour autant, cela ne diminue pas leur universalité ni ne questionne la pertinence du concept d'universalité ; cela peut plutôt nous guider, selon Tsing, à concevoir l'universalité non pas comme un motif d'uniformité, mais comme le fait de mouvements d'interconnexion à travers la différence et la distance.

Tsing introduit le terme de friction — «la prise de la rencontre intramondaine» (*ibid.* : 1), «les qualités embarrassantes, inégales, instables et créatives de l'interconnexion à travers la différence» (*ibid.* : 4) — pour désigner ce qui permet ce type d'interconnexion. Tel qu'elle l'utilise, le terme de friction nous rend sensibles au fait que les universaux doivent nécessairement s'engager avec le particulier pour devenir efficaces : «La roue tourne à cause de sa rencontre avec la surface de la route ; tournant en l'air, elle ne va nulle part» (*ibid.* : 5). Filant la métaphore, elle souligne la nature essentiellement ambivalente de la friction et les interconnexions universalisantes qu'elle permet : «Les routes créent des voies qui facilitent le mouvement et le rendent plus efficace, mais ce faisant elles limitent nos possibilités de déplacement. L'aisance qu'elles confèrent au voyage est aussi une structure de réclusion. La friction infléchit les trajectoires historiques, en permettant, excluant et particularisant» (*ibid.* : 6).

On peut mettre à profit les observations de Tsing pour reconsidérer la manière dont nous concevons la relation entre l'islam et l'État-nation, de même que l'implication de celui-là dans les divers processus qui transcendent celui-ci. De nombreux auteurs ont insisté sur le fait qu'on ne devrait pas supposer que ce type de transcendance conduit à une séparation nette entre les espaces national et transnational, car l'État peut très bien être un acteur dans l'espace transnational. En ce qui concerne la mondialisation, Sassen a soutenu que l'État-nation et ces dynamiques mondialisantes qui le transcendent sont souvent étroitement enchevêtrés. Ce que nous appelons communément mondialisation doit être compris comme le résultat relativement contingent de processus de nationalisation et de dénationalisation enchevêtrés (Sassen, 2008). Les remarques de Tsing relativement au concept de friction dérivent semblablement du souci critique de repenser la manière dont le mondial, le national et le local se rapportent les uns aux autres et se constituent mutuellement. En ce qui concerne les études transnationales, son examen invite à reconsidérer si le statut central que nous accordons aux concepts de flux (par opposition à celui de friction) et d'entre-deux (par opposition à celui d'engagement) dans notre façon de concevoir le transnationalisme est approprié au type de questions que nous désirons poser. On peut soutenir en effet que c'est partiellement parce que le transnational est si étroitement associé aux concepts de flux et d'entre-deux que peu d'études se sont penchées sur les pratiques et les discours islamiques en reconnaissant leur double implication dans le national et le transnational, c'est-à-dire le fait qu'ils sont engagés dans des aspects du national, où ils deviennent ainsi efficaces, tout en faisant simultanément partie d'une série globalisante d'interconnexions.

LE CAS DE SOFIANE

C'est ce que j'essayerai précisément de faire en étudiant ici le cas de Sofiane, un membre de l'organisation islamique française — l'Union — qui poursuit la tradition de la construction de monde islamique telle que la pratique le mouvement (trans)national des Frères musulmans. La question que cet article soulève consiste à se demander quel type d'entreprise de construction de monde Sofiane réalise en France. Est-il censé de considérer cette entreprise comme un engagement générateur de frictions avec ce lieu local, c'est-à-dire comme un engagement qui, par sa particularité même, contribue à un type différent de construction de monde et l'affirme publiquement ? Et quelle série d'interconnexions musulmanes globalisantes — de relations avec et depuis la France — cette entreprise de construction de monde permettrait-elle, et quelles autres empêcherait-elle ?

Je commencerai en m'interrogeant sur la façon dont Sofiane en est venu à faire l'expérience de l'islam comme réel — réel au sens où l'islam transforme les humains de manière particulière et où tant les non-croyants que les croyants peuvent, jusqu'à un certain degré, en observer les répercussions. Je poursuivrai en analysant comment Sofiane cherche à communiquer et démontrer le fait fondamental que Dieu est réel, au sens ordinaire de l'adjectif : comment l'islam devient significatif et efficace pour lui, dans la mesure où il lie d'une manière particulière cette tradition à la banlieue et à la France tout en donnant forme ou participant à un nombre limité de réseaux universalisants ; comment il acquiert à travers diverses sortes d'engagements générateurs de frictions une certaine prise sur son environnement, même si ces engagements le confinent en même temps à un espace discursif particulier et entravent sa participation à d'autres modes d'action.

La base matérielle pour conduire une telle démarche critique, en l'occurrence, repose sur mes entrevues avec Sofiane et les observations que j'ai faites dans les localités et lors d'événements islamiques de la région de Lille. Évidemment, ce genre d'activité ethnographique contribue en dernière analyse à déterminer l'environnement auquel Sofiane a besoin de se lier, dans la mesure où les représentations et les analyses qu'il produit structurent l'espace social, rangent les individus selon différents types et définissent des critères de normalité. Si mon implication personnelle dans ces processus n'est pas significative, le fait que je me rapporte à des discours scientifiques de portée plus générale sur l'islam/l'immigration/la France mérite réflexion, en ce que cette appartenance détermine à différents degrés la façon dont j'entre en relation et dialogue avec Sofiane. Il est entendu que l'environnement social et culturel médiatise et détermine nos conceptions mutuelles, le type d'enjeux que je suis en train de soulever et la manière dont Sofiane comprend (ou ne comprend pas) mes questions. Notre dialogue est possible, puisque préexiste un terrain d'entente à partir duquel on peut communiquer. Si ce terrain d'entente permet la communication, il est certain qu'il le fait d'une manière particulière, et qu'il implique aussi des effets d'étouffement de voix et d'obscurcissement, au même titre qu'il est limité et s'est finalement transformé, aussi peu soit-il, à travers mes rencontres avec Sofiane. Ainsi, quand je réfléchirai à celles-ci et à mes entrevues avec lui, je serai également amené à questionner les contours de ce terrain d'entente. Le balisage de ce terrain, de ses limites et de ses failles m'aide à comprendre pourquoi et comment fonctionne cette communication, c'est-à-dire la façon dont mes questions ont été comprises, incomprises, ignorées ou rejetées.

« LA FOI ET LA VIE » : RASSEMBLER LA RÉALITÉ

Le retour de Sofiane à l'islam s'est produit durant des vacances d'été au Maroc. Il découle d'une rencontre avec un ami musulman. Sofiane a attribué les qualités qu'il percevait et prisait chez cette personne au fait qu'elle était musulmane :

> Sofiane : En fait... j'étais au Maroc quand ça m'est arrivé... et si vous voulez, si vous voulez vraiment des détails... j'étais avec un groupe de personnes, des amis à moi, c'était au Maroc, pendant les vacances. Et il y en avait un avec nous qui était assez, qui était un peu particulier... toujours le bon comportement, droit... jamais il ne voulait faire un coup, quand on voulait, lui il ne voulait pas... et ça m'a fait beaucoup réfléchir, son comportement.

> Auteur : Et il est pratiquant, il est croyant ?

> Sofiane : Il est croyant pratiquant. Il respectait les heures de prière, alors, lui, quand il allait prier, nous on... (rires). Ça m'a, ça m'a fait réfléchir... je me suis dit... en fait... quand j'ai regardé son état à lui et quand j'ai regardé notre état à nous, je me disais, en fait, la différence elle est grande, et ça m'a touché en fait son comportement. [...] Donc, là, j'ai commencé à réfléchir. Et ce jour-là, j'étais allé le voir, j'ai commencé à prier avec lui, je me suis attaché à cette personne-là, un ami. Et après, depuis ce jour-là, je suis plus retombé, dans... dans... je suis dans le bon chemin...

Cette rencontre a conduit Sofiane à se reconceptualiser en tant que musulman. Sofiane provient d'une famille musulmane et son père fut pendant quelque temps membre de l'organisation — l'Union — à laquelle il est maintenant affilié. Toutefois, jusqu'à ce jour, il n'était pas parvenu à voir ce qu'il considère maintenant comme la caractéristique fondamentale de l'islam : à savoir sa relation intime avec la pratique — au-delà des pratiques externes d'ordre culturel — et, de façon plus générale, son effet transformateur sur les humains. Par exemple, avant sa rencontre décisive, Sofiane s'adonnait à la prière comme à une activité mécanique — « pas vraiment spirituelle » — et il ne la reconnaissait pas comme la source d'énergie et le guide dont il aime aujourd'hui communiquer l'existence aux musulmans :

> Accomplie dans la sincérité du cœur, la prière permet de faire face aux épreuves de la vie, « Ô vous qui croyez, cherchez secours dans la patience et la prière » (2/153). Le croyant, durant la prière, fait part de ses fragilités et de ses faiblesses à son Seigneur, auprès de qui il va retrouver espoir, confiance et paix intérieure. Elle éloigne des mauvaises actions, « et

accomplis la prière. La prière éloigne de la turpitude et des actions blâmables » (29/45). (Meziane, 2008 : 48s.)

La prière au cœur de la nuit était le secret de tous ces grands hommes qui ont marqué l'histoire de l'islam, à la tête desquels, Muhammad, messager de Dieu. Son épouse, Aïsha, n'a eu de cesse de témoigner de cette spiritualité profonde que vivait le Prophète, en particulier durant la nuit. [...]

C'est aussi un moyen de retrouver la force et l'énergie. En effet, tous les grands réformateurs, à l'instar de Hasân Al-Bannâ, puisaient leur force, leur énergie et surtout leur amour de tous les instants, dans la prière de la nuit. (Meziani, 2009 : 87 s.)

De manière plus générale, Sofiane écrit que

« le culte a un impact particulier sur le cœur du croyant, parce qu'il est la source de son énergie et de sa lumière ». (Meziani, 2009 : 50)

Je cite ces passages — et ses écrits en comporte de nombreux autres de même nature — puisqu'ils illustrent l'objectif fondamental que Sofiane poursuit : montrer que Dieu et l'adhésion individuelle à la tradition qui transmet Son existence aux humains ont un effet sur et dans « ce monde ».

D'une façon déterminante, les activités et les écrits de Sofiane sont animés, depuis ce jour, par le désir de communiquer et de rationaliser le fait fondamental que Dieu est aussi réel que tout ce qu'on considère habituellement comme réel — ou, plutôt, que Dieu l'est plus. C'est pourquoi l'un des principaux objectifs de Sofiane est de rassembler ce qui est considéré comme réel en rendant visible la place qu'occupe la foi dans la vie et les effets qu'elle produit. De fait, *La foi et la vie* (*Al-īmān wa-l-hayā*) est le titre d'un livre de Yūsuf al-Qaradāwī (2007) qui est, après le best-seller *Emotional Intelligence* du psychologue américain Daniel Goleman, son livre préféré. Suivant les termes de Sofiane, le livre de Qaradāwī s'efforce précisément d'articuler la question : « Comment la foi elle a un impact sur la vie, qu'est-ce qu'elle lui procure comme fruit ? »

Même si les exemples cités plus haut ne suffisent pas complètement à expliquer comment Sofiane cherche à identifier les effets de la foi, c'est-à-dire comment il cherche à reconfigurer la foi sur le modèle d'une chose « réelle » perçue en un sens laïc, ils fournissent néanmoins certains éléments qui permettent d'esquisser le type de monde que l'islam médiatise et construit, tel que Sofiane le conçoit et le vit. Ainsi, ils montrent comment un humain peut entrer dans différentes sortes d'interactions avec Dieu au cours de la prière : en réponse à cette pratique, Dieu lui donnera espoir, confiance et paix intérieure. Ils montrent aussi que le fonctionnement et les effets d'une pratique telle que la prière diffèrent de ce à quoi on pourrait s'attendre : se lever au milieu de la nuit afin de prier n'est pas une corvée, mais une source de force et d'énergie, la clé du succès pour tous les grands leaders musulmans. Enfin, le caractère distinct de ce monde s'avère aussi dériver du fait que le type d'entités qui participent au cours de l'action, comme dirait Bruno Latour (2005), sont en partie propres à celui-ci. En d'autres mots, Sofiane introduit de nouveaux actants dans la réalité, c'est-à-dire des entités qui changent le cours de l'action même si ce n'est pas sous l'effet d'actes intentionnels (*ibid.*).

Peut-être les deux illustrations les plus significatives de tels actants sont-elles le *Qur'an* et la nature inanimée entendue comme partie de la Création de Dieu. À propos du *Qur'an*, Sofiane écrit par exemple :

> Ce livre est le miracle de l'islam de par l'émotion qu'il dégage par sa psalmodie, il fait battre les cœurs et frissonner les corps quand bien même les intelligences n'en comprendraient parfois pas le sens. (Meziani, 2009 : 53)

> Le livre de Dieu est parvenu à réformer des gens du tout au tout, à l'instar de Umar ibn al-Khattâb. Quelques versets avaient largement suffi à faire de cet homme qui était à deux doigts de l'enfer, un compagnon promis au paradis de son vivant. (Meziani, 2009 : 53 et suiv.)

Comme on le constate facilement, le statut — en ce qui regarde la causalité et l'origine — des actes et des effets qui sont ici associés au *Qur'an* reste pour l'essentiel indéterminé. Ce qui est néanmoins clair, c'est que le monde et la vie humaine ont radicalement changé en raison de l'existence de *Qur'an*, et qu'ils continuent toujours de changer — également en raison d'elle.

De manière plus générale, on peut formuler un énoncé similaire au sujet des actants, au sens que Latour donne à ce mot, en l'appliquant à la Création. Ici, la référence au *Qur'an* sert à présenter une reconfiguration de certaines composantes de la nature où celles-ci se trouvent dotées d'une sorte de pouvoir d'action. Citant la Sourate 55, Les étoiles et les arbres se prosternent d'adoration [devant lui], Sofiane écrit ainsi :

> Prends donc le temps de ralentir le pas pour écouter ce silence éloquent de la Création, la rhétorique de ses signes et respire la fraîcheur de la présence divine. Dieu te parle à travers Sa Création, apprends donc à L'écouter et surtout à ressentir Sa proximité. (Meziani, 2009 : 17)

Encore une fois, on constate sans difficulté que le mode de communication de la Création et la sorte de pouvoir d'action dont elle est dotée restent indéterminés. Cependant, ce qu'il importe ici de souligner, c'est que ce mode de communication apparaît distinct par rapport à celui des humains tout en étant commensurable avec eux.

L'ISLAM ET LES EFFETS DE LA FOI DANS LA BANLIEUE

Les citations ci-dessus concernent les effets de la foi en général. Si l'élucidation de ces effets constitue un aspect important de ses écrits et de ses activités, Sofiane s'est donné un but plus précis : s'adresser à une audience qui est, selon lui, « son » audience, au sens où il participe de son profil sociologique. Il associe *grosso modo* cette audience aux jeunes Français provenant de familles musulmanes dont les parents sont des immigrants. Dans les propos qu'il a tenus lors de nos entretiens, de même que dans ses écrits et ses conférences, cette identité est régulièrement spatialisée par la référence à la banlieue, c'est-à-dire aux quartiers suburbains précaires de la France.

Autrement dit, le matériel de base et l'espace discursif de l'engagement et de la friction dans lequel Sofiane donne sens à l'islam sont ceux de la banlieue. Pour Sofiane (comme pour beaucoup d'autres militants et/ou écrivains musulmans en France), la référence aux discours sur la banlieue qui circulent aujourd'hui largement est efficace et puissante parce qu'elle lui permet d'élaborer un récit facilement lisible de son moi musulman. Ainsi, lorsque je lui ai demandé comment il en était venu à écrire des livres et à donner des conférences sur l'islam, Sofiane a répondu en ces termes :

> Sofiane : D'accord, en fait, si vous voulez c'est que moi... j'ai grandi dans un quartier un peu sensible. Je ne sais pas si vous voyez les quartiers ici en France...
>
> Auteur : Oui, oui, oui...
>
> Sofiane : C'était un peu la délinquance... j'ai grandi dans ce milieu-là... j'étais touché, j'étais affecté par ce milieu, par cette période obscure-là. Et à un moment donné...
> Auteur : Cétait quand, à quel âge ?
>
> Sofiane : C'était durant ma période d'adolescence, entre 16 et 18 ans, entre 15 et 18 ans on va dire. C'était la crise d'adolescence, c'était la période un peu... la révolte, si vous voulez...et ...je pense que quand j'ai approché...quand j'avais 18, 19 ans, j'ai commencé à prendre conscience... à me dire que... en fait.... en fait la vie elle a un sens... tout ce que je faisais là ça ne m'apportait rien de bien... je voyais aussi que ma famille autour de moi était triste par rapport à ce que je faisais... et je sais pas comme ceci, j'ai eu un déclic intérieur qui m'a poussé vraiment à me reprendre en main, à changer en fait, à me changer, à me réformer, si vous voulez...

La réponse de Sofiane mérite attention, puisque l'esquisse biographique qu'il y trace s'inspire de références extrêmement fragmentaires à des récits relatifs au fait de grandir en France : un premier récit se rapporte spécifiquement à la banlieue et aux problèmes sociaux particuliers auxquels elle est habituellement associée ; un second concerne plus généralement la jeunesse en France. La réponse de Sofiane était compréhensible pour moi et il a pu s'assurer — après une rapide vérification — que les mots-clés qu'il a prononcés seraient significatifs pour moi et seraient transformés en une sorte d'histoire similaire aux récits que quasiment tout le monde en France connaît déjà. En soulignant ceci, je ne cherche pas à mettre en question la bonne foi du témoignage biographique de Sofiane ; je désire plutôt insister sur le fait que la disponibilité restreinte de types de récits biographiques socialement intelligibles limite aussi les modes par lesquels un jeune citoyen français peut articuler une subjectivité musulmane. C'est cette limitation qui incite Sofiane à se rapporter à son moi et à être honnête au sujet de lui-même d'une manière particulière. Et il accomplit ceci en cadrant sa vie antérieure sur le fond d'une représentation presque entièrement définie par la banlieue, laquelle devient ainsi la principale structure de référence pour rendre compte de sa vie.

Or, en s'inscrivant dans les discours sur la banlieue, non seulement Sofiane produit-il un compte-rendu lisible de lui-même, mais il confirme aussi, en même temps, la perception dominante de la banlieue. Cet effet se donne à lire plus manifestement dans l'autoprésentation qui figure sur son site Internet:

Sofiane Meziani a grandi dans l'un des quartiers les plus réputés du Nord: «Les biscottes». Comme la plupart des jeunes vivant dans ces zones sensibles et marginalisées, il n'a pu échapper, durant son adolescence, aux fléaux de la délinquance. Bien qu'il grandît au sein d'une famille attachée aux valeurs islamiques et où le respect des principes était alors sacré, Sofiane succomba néanmoins aux 400 coups. Cependant, il ne tarda pas à se relever de sa terrible chute qui l'a d'ailleurs poussé, de manière déterminée, à épargner et à préserver les jeunes de cette ruine qui a failli le perdre...

Son ambition est depuis claire: cultiver l'espoir et provoquer une renaissance positive chez les jeunes Français de confession musulmane. C'est en ce sens qu'il œuvre depuis quelques années pour cette résurgence à travers des conférences, des écrits et surtout des activités associatives...

Cette description de la banlieue sous les traits d'une zone de privation se conforme en grande partie aux représentations qui ont ordinairement cours aujourd'hui en France. Toutefois, elle est mobilisée ici à une autre sorte de fin. En laissant de côté la question du portrait nuancé que Sofiane offre de son éducation familiale, il apparaît clairement que la référence à la banlieue comme espace de marginalisation est destinée à présenter sous un jour encore plus avantageux le virage de la vie de Sofiane. Par extension, cela sert à souligner le pouvoir de l'islam comme solution aux problèmes et aux dangers que la jeunesse d'aujourd'hui affronte.

Ainsi, Sofiane exploite le discours sur la banlieue comme espace de dégénération — ce discours qui passe souvent aujourd'hui pour aller de soi — en s'en servant à la manière d'une toile sur le fond de laquelle il peut faire avantageusement ressortir le pouvoir de l'islam et la beauté de son retour. En ce sens, son récit autobiographique offre l'exemple d'un nouveau type de sous-genre de discours islamiques spécifiquement français qui décrivent les effets de l'islam sur la vie d'ici-bas. De fait, l'organisation à laquelle Sofiane est affilié, l'UOIF, compte un certain nombre d'autres militants nés en France qui ont popularisé de semblables représentations biographiques de déclin moral et d'ultime salut par le retour à l'islam (voir, par exemple, Abdelkrim, 2002). Les activités des Jeunes musulmans de France, l'aile jeunesse de l'UOIF dont Sofiane a mis sur pied et a dirigé quelque temps la section de Lille, contribuent aussi à faire circuler des représentations relevant de ce sous-genre. Les sections locales des Jeunes musulmans de France organisent régulièrement des événements: par exemple, la Journée de la Réussite et du Savoir où diverses personnalités de la banlieue parlent de la manière dont elles ont réussi à surmonter les circonstances de vie défavorables qui ont marqué leur adolescence. Ces rencontres — où Sofiane intervient aussi à titre de conférencier — ont pour but de changer les jeunes en personnes motivées et responsables. Aussi y a-t-on soin, entre autres moyens, de mettre en valeur les effets transformateurs positifs que la direction de l'islam peut avoir sur les vies individuelles.

Cependant, il ne suffit pas de dire, comme je viens de le faire, que ce discours utilise la banlieue à la manière d'une toile sur le fond de laquelle le pouvoir de l'islam sur le cours des destinées individuelles peut devenir manifeste. Il ne suffit pas non plus de dire que le discours dominant au sujet de la banlieue fournit le thème par référence auquel Sofiane peut raconter sa vie. Son récit de sa jeunesse recoupe et rencontre une variété d'autres discours et produit d'autres effets. Ce qui est le plus remarquable, c'est qu'il entre en relation avec le débat sur la légitimité de la position de l'islam et des pratiques islamiques en France. À ce titre, il permet plus généralement à Sofiane et aux militants de l'UOIF d'élaborer un puissant argument en faveur de l'islam où celui-ci se trouve associé à une construction efficace ayant des effets sociaux positifs étant ainsi autorisée à occuper une place légitime — et aujourd'hui nécessaire, de fait — à l'intérieur de l'ordre laïque de la République française. Si cet argument circule sous diverses formes, il présente une structure de base constituée de deux parties. La première concerne la situation générale dans les banlieues et l'identification des groupes de population problématiques. Ici, Sofiane adopte la position selon laquelle le problème est, en fait, sa « communauté », c'est-à-dire les musulmans :

> L'exemplarité en matière d'éthique est loin d'être notre point fort. La délinquance, la drogue, le vol et tous ces fléaux touchent en majorité les jeunes de notre communauté. Il faut le reconnaître, tout en sachant que la source de ces maux n'est aucunement religieuse car ils sont en totale contradiction avec les principes islamiques.

Dans la deuxième partie de l'argument, on est soucieux de trouver des solutions à ce problème. Suivant la version de Sofiane, la solution proposée est étroitement liée à la critique de la République, critique qu'il a d'ailleurs lui-même qualifiée, dans une conversation que j'ai eue avec lui, de « peut-être un peu ferme » :

> « L'État français a lâchement renié une partie de son territoire, c'est-à-dire les zones de quartiers dits sensibles, et comme jadis, elle s'est divisée en deux : on ne parlera certes plus de « la France d'en haut et de la France d'en bas », mais de celle des riches qui s'accrochent sans cesse aux avocats. Nous sommes amenés à penser désormais qu'il ne faut plus rien attendre du politique pour résoudre ces problèmes sociaux, mais aller plutôt puiser des valeurs et des principes dans la foi pour réformer les comportements et relever ce défi tant méprisé. Autrement dit, nous allons demander à la religion de réussir là où la politique a échoué ! (Meziani, 2009 : 70)

Comme je l'ai mentionné, l'argument que formule ici Sofiane est courant à l'intérieur de l'UOIF et des groupes qui y sont reliés. Concernant les effets bénéfiques de l'islam sur le plan de la discipline et de la motivation, cet argument est déterminant pour l'UOIF — la fédération islamique dont le réseau d'associations est le plus étendu et le mieux structuré — en ce qu'il alimente ses efforts pour démontrer son utilité en tant qu'instance de stabilité sociale dans la banlieue et pour s'attirer la sympathie de certains politiciens locaux et nationaux (Peter, 2008). En témoignent, par exemple, les émeutes qui ont éclaté à Lille en avril 2000 à la suite du meurtre d'un jeune de Lille-Sud par la police. Lors des émeutes, le recteur de la mosquée de l'UOIF de Lille-Sud, Amar Lasfar, est devenu un médiateur de première importance dans les efforts de la municipalité pour restaurer le calme (Bouzar, 2001). Au contraire des services de la municipalité, la mosquée de l'Union avait un réseau étendu dans le quartier et s'occupait d'un service social efficace, qui a été mis sur pied par l'un des enseignants de Sofiane, Ahmed Miktar, maintenant imam dans la localité voisine de Villeneuve-d'Ascq. Cet événement d'avril 2000 eut un retentissant écho et Lasfar reçut les remerciements du ministre de l'Intérieur pour le rôle qu'il y joua. Il figure parmi une série d'autres qui ont donné espoir à l'Union d'accéder à un rôle plus institutionnalisé dans les projets politiques de réforme de la banlieue[5]. Bien sûr, ceux qui militent dans le cadre de l'Union ne sont pas sans savoir que cet espoir n'est pas facile à réaliser. Par exemple, en 2009, on a critiqué la section lilloise des Jeunes musulmans de France après qu'elle a organisé une réunion dans un édifice public destinée à encourager les jeunes à adopter un mode de vie responsable. La raison immédiate de la réunion était une série d'accidents de la circulation où de jeunes résidants de banlieue, en partie à cause de leur conduite imprudente, avaient perdu la vie. Après qu'un journal a dévoilé qu'on avait fait référence aux principes islamiques lors de cette réunion, le centre social a exprimé publiquement ses regrets et s'est montré désolé que le cadre laïque ait été transgressé, tandis que l'organisation de jeunes essayait de calmer la situation au cours de rencontres avec des politiciens locaux. Du point de vue de Sofiane, ce n'est là qu'un exemple qui démontre la position contradictoire des autorités publiques en France en ce qui concerne l'islam et les organisations musulmanes. S'ils ont recours aux associations liées aux mosquées « quand ils sont dépassés » par les divers problèmes dans les H.L.M., ils le nient régulièrement en public. Ce fait explique l'instabilité de la position qu'occupent les groupes musulmans français dans l'espace public.

Ce qu'il importe ici de souligner, c'est que ce type d'incidents représente une sorte spécifique d'interaction entre les membres de l'Union et la société française. Il ne s'agit pas simplement de la détermination de la place légitime de l'islam et des pratiques islamiques dans la sphère publique française (comme c'est le cas dans les débats autour de la construction de mosquées, du « voile », des caricatures de Mahomet, etc.). Il s'agit aussi et avant tout de savoir si les techniques sociales islamiques seront ou non intégrées aux structures gouvernementales françaises mises en place dans les banlieues et, le cas échéant, comment elles le seront. En d'autres mots, le débat tourne autour de la mise en rapport de la construction de monde islamique avec les structures étatiques françaises. Évidemment, cela ne revient pas à dire qu'un tel acte d'intégration impliquerait que l'État reconnaisse que l'adhésion à l'islam produit tous les effets auxquels Sofiane l'associe. Cependant, dans l'optique de Sofiane, si des incidents comme les émeutes de 2000 sont significatifs, c'est notamment parce qu'ils amènent les représentants de l'État à reconnaître les effets sociaux que l'islam produit et à s'en occuper ; autrement dit, ils les conduisent à reconnaître l'islam pour autre chose qu'une simple croyance ou une spiritualité. C'est la raison pour laquelle Sofiane est moins intéressé, somme toute, à critiquer l'« islamisation » des « problèmes sociaux » affectant la banlieue qu'à montrer

---

5.   C'est précisément la question de savoir si l'État français laïciste pourrait ou non coordonner ses politiques avec des institutions musulmanes qui a provoqué des débats sur la création du Conseil français du culte musulman (2003) et rendu la formation et le rôle des imams et des aumôniers des objets de conflit politique particulièrement sensibles.

que l'islam produit des effets qui sont complètement différents de ceux auxquels le discours français dominant l'associe aujourd'hui.

Or, le fait que cet argument soit extrêmement contesté dans la sphère publique française, où beaucoup voient dans l'UOIF — en s'inquiétant notamment de ses origines islamistes — une importante menace à l'ordre laïque (par exemple, Venner 2005), détermine directement la manière dont Sofiane parle des objectifs qu'il poursuit dans le cadre de son travail d'éducation. Lors de nos conversations, Sofiane a anticipé à plusieurs reprises les objections qu'on pouvait formuler à ses propos. En tant que chercheur, je me suis trouvé complètement assimilé à la société majoritaire française dominante. Les objections que Sofiane essaie d'anticiper lorsqu'il s'entretient avec moi sont celles-là mêmes qu'on adresse habituellement aux musulmans dans les débats autour de l'Islam et de l'intégration ayant cours en France. En même temps, Sofiane cherche à insister sur la convergence de sa position avec une conception prétendument « réaliste » de la problématique de la banlieue :

> Sofiane : C'est-à-dire que je fais appel à la religion pour réformer les jeunes parce que je sais que si les jeunes s'attachent à la religion, ils vont devenir de bons citoyens. Parce que la religion, elle apporte de bonnes valeurs — de justice, de paix, de solidarité, de fraternité. Les jeunes reviennent à leur religion, ils vont être par conséquent bien pour la société. En fait, c'est comme ça que je vois les choses. C'est pas, je les appelle pas pour s'enfermer dans la communauté...
>
> Auteur : Non, non, non...
>
> Sofiane : ... au contraire, vous allez voir, à chaque fois, je parle d'être bénéfique à la société...
>
> Auteur : Oui, absolument.
>
> Sofiane : C'est...
>
> Auteur : Mais vous considérez que ça, c'est la tâche principale actuellement...
>
> Sofiane : ... c'est ma méthode...
>
> Auteur : ... dans le contexte actuel...
>
> Sofiane : ... voilà... voilà...
>
> Auteur : ... cette réforme de la jeunesse musulmane...
>
> Sofiane : Pourquoi ? Le constat que je fais, c'est que... moi je le reconnais... je suis pas quelqu'un... Pourquoi je dis ça ? Pourquoi je m'intéresse à la jeunesse musulmane ? Parce que la jeunesse musulmane, c'est elle qui est le plus touchée par la délinquance. Et si on arrive à réformer la jeunesse musulmane, je pense que le taux de délinquance va fortement diminuer. Ce sont eux qui sont le plus touchés. Donc le constat : si on veut le changer, il faut d'abord le reconnaître. C'est vrai, je suis d'accord : c'est les jeunes musulmans qui sont délinquants. Pas parce qu'ils sont musulmans... mais voilà... c'est qu'ils se sont laissés aller, on les a... voilà... Et ce n'est pas non plus les victimes, soi-disant, « c'est la société ». Eux aussi, ils sont responsables de leur délinquance. Voilà. Il faut dire les choses telles qu'elles sont.

Cet extrait d'entrevue témoigne du type d'embarras politique que produit la tentative de Sofiane d'entrer en relation avec l'espace social français et de mettre en relief les effets positifs de la foi dans la banlieue. Sa volonté de souligner le pouvoir de l'islam de manière à mettre en relief la contribution que les musulmans peuvent apporter à la société française l'amène presque à adopter une vision naturalisée des jeunes musulmans comme délinquants.

Cet extrait d'entrevue éclaire aussi la manière dont le récit autobiographique de Sofiane interagit avec les discours français dominants relatifs à la banlieue, à l'islam et aux idées politiques de l'UOIF. Cet extrait a pour contexte une discussion au sujet du réformisme islamique, ou ce qu'on appelle plus communément l'islamisme. J'étais alors désireux que Sofiane explique en quoi résidait l'importance de son affiliation avec l'UOIF et le réseau autour de Tariq Ramadan — l'un et l'autre prétendant, en un sens être, les héritiers de la pensée des Frères musulmans — pour le type de travail dans lequel il est engagé. C'est ce sujet qui l'a mené à parler des jeunes musulmans délinquants et de sa vision de réforme pour la banlieue.

En expliquant les motifs de son affiliation avec l'UOIF, Sofiane s'est référé au fait, fondamental pour lui, qu'il a reconnu et avec lequel, « je vis depuis que je suis revenu, si vous voulez, sur le bon chemin » à l'effet que l'islam « ne s'arrête pas à une croyance, à une pratique [culturelle], mais c'est de l'action et de l'engagement ». Comme il l'affirme dans son témoignage, il lui a semblé que L'UOIF est l'organisation qui incarne le plus profondément cet *ethos* militant. De fait, Sofiane résume la « pensée de l'UOIF » en trois concepts, l'un étant précisément « la globalité [de l'islam] », c'est-à-dire la complète pertinence de l'islam pour toutes les sphères de la vie (les deux autres concepts étant la « facilité » de l'islam et le « juste milieu » islamique). Citant Tariq Ramadan, dont il a suivi pendant quelque temps les séminaires, Sofiane souligne l'enchevêtrement où se trouvent indissociablement liées la relation de l'individu avec Dieu et celle qu'il partage avec les autres humains : « Être avec Dieu pour savoir être avec les hommes. On est avec Dieu pas pour nous, on est avec Dieu pour être bénéfique aux hommes. » Pour Sofiane, ces idées revêtent une force d'évidence moins sur le plan de la théorie abstraite que sur celui de son expérience personnelle, où se vérifie d'après lui l'idée selon laquelle l'individu qui s'efforce de s'améliorer et vise la perfection répond tout à fait à l'objectif d'être plus largement bénéfique à la communauté — religieuse et, en fin de compte, nationale.

Le récit autobiographique de Sofiane fusionne ainsi le privé et le public d'une manière pour le moins forte. C'est ce récit qui rend plausible, en partie, sa version d'un islam totalisant. Le fait que Sofiane, qui travaille à temps partiel dans une garderie, consacre l'essentiel de son temps à l'activité militante l'incline assurément à éprouver l'islam comme une réalité complète. En même temps, l'extrait d'entrevue précité met en lumière le fait que cette fusion est contestée, fragile, et qu'elle menace de perdre son liant, eu égard à certains aspects que Sofiane cherche à rectifier. Ainsi, Sofiane souligne, ici et ailleurs dans nos entretiens, que son travail dans la banlieue est bénéfique à l'ensemble de la société et qu'on ne devrait pas y voir un appui à quelque forme que ce soit de fermeture que les musulmans s'imposeraient eux-mêmes.

Ce type de défense de la légitimité d'un islam qui transcende la sphère privée rencontre beaucoup de résistance en France. Toutefois, en parlant avec Sofiane, je me suis aussi rendu clairement compte que la difficulté de vivre une version totalisante de l'islam en France renvoie, pour lui, à un problème partiellement d'ordre intérieur. En effet, pour lui tout autant que pour la majorité dominante en France, les banlieues ne sont pas une partie comme les autres de la France. Même s'il critique la division de la République en deux sortes de France, Sofiane a lui-même en partie assimilé la pensée selon laquelle la banlieue n'est pas vraiment aussi française que les autres parties de la République et que sa population n'est pas aussi légitimée à se réclamer de la francité que celle du reste du pays. De ce fait, il a tendance à concevoir la présence quasiment exclusive de l'UOIF dans la banlieue comme l'indice d'un détachement de l'Union par rapport à la « véritable » France et comme un phénomène qui va à l'encontre de l'aspiration universelle de l'islam. Ceci est manifeste, par exemple, lorsqu'il parle de son travail avec la jeunesse de la banlieue : Sofiane ne considère pas que ce travail soit bénéfique pour la société de manière directe, mais il l'est, selon lui, de manière indirecte : « Mon objectif, c'est quoi ? C'est d'apporter, d'être bénéfique à la société par ricochet. » Autrement dit, la banlieue constitue une partie distincte qui, sans être indépendante de la France, y est extérieure.

L'ISLAM, LA FRANCE ET LE TRANSNATIONAL

En un certain sens, en affirmant que l'espace d'engagement où l'islam devient significatif pour Sofiane est la banlieue, on reconnaît que le rapport de cette pratique de l'islam à la France est pour le moins complexe. C'est un rapport constitué de prétentions à la francité, sujettes à contestation, comme Sofiane le sent bien — et qu'il contredit lui-même, involontairement, ajouterais-je. Ce rapport est continuellement problématisé par l'acte même de l'interroger avec insistance, comme je le fais ici, au regret de Sofiane (et d'autres musulmans). De fait, fondamentalement, Sofiane croit qu'il n'y a pas matière à problématiser le rapport des musulmans à l'État français. Il écrit dans son premier livre, en présentant le chapitre sur la spiritualité :

> La question cruciale de nos jours n'est pas tant de savoir si les lois de l'islam sont compatibles avec celles de la société occidentale, cela étant dépassé, mais plutôt de savoir comment préserver et intensifier sa spiritualité au cœur de la modernité ? Comment vivre le rappel de Dieu dans une société coupée de Lui ? (Meziane, 2008 : 41)

Quand je l'ai interrogé sur le vieux débat toujours en cours au sujet de l'islam et de la laïcité (voir Caeiro, 2010), il n'en a pas nié l'importance, mais il a souligné le fait que les préoccupations des musulmans « ordinaires » avaient changé et se concentraient davantage aujourd'hui sur des enjeux relatifs à ce qu'il appelle la spiritualité. En ce qui a trait au concept de laïcité, il estime qu'il ne fait pas problème d'un point de vue islamique, en faisant valoir qu'un nombre important de valeurs musulmanes sont enchâssées dans la Constitution française. Si l'enjeu de la citoyenneté française des musulmans apparaît ici sans fondement pour lui, Sofiane s'en préoccupe néanmoins, dans la mesure où on l'interpelle et le positionne régulièrement — en France aussi bien qu'ailleurs — en faisant référence à sa citoyenneté française et à ses attaches ancestrales. La citoyenneté et l'ethnicité constituent ainsi deux champs où les modes par lesquels il peut se dire musulman et la manière dont il peut travailler à l'extension de la construction de monde islamique sont continuellement délimités et définis.

Voilà ce qui, je pense, l'a fait réagir à l'emploi que j'ai fait du mot « franco-algérien » lorsque je parlais de la Mosquée de Paris. Bien qu'il soit né de parents marocains, Sofiane a trouvé que cette expression posait problème. De fait, il a compris ce terme par analogie à celui de « franco-marocain » et a jugé que l'accolement par trait d'union de nationalités impliquait nécessairement leur affaiblissement, en l'occurrence un affaiblissement de l'identité française des citoyens ayant des ancêtres marocains. Il m'a dit qu'il insistait dans ses conférences et ses cours sur le fait qu'il serait convenable — pour ceux de « sa » génération — de chérir la « culture » et l'« héritage » de leurs parents et pays de leur pays d'origine, mais qu'on devrait rigoureusement séparer cela de leur rapport à la France en tant que citoyens de ce pays. En accord avec le discours général de l'UOIF, il est aussi extrêmement critique envers les interventions des États du Maghreb dans les affaires islamiques françaises et rejette leur « instrumentalis[ation] de la religion ». Son désir de réaffirmer sa citoyenneté française et de la distinguer clairement de ses attaches ancestrales au Maroc est aussi motivé par ses expériences personnelles dans ce pays. Les actes ordinaires de discrimination au Maroc à l'endroit de ceux qu'on qualifie de « Marocains résidant dans les pays étrangers », par exemple le fait que les marchands lui vendent des articles à un prix plus élevé que ce qu'ils demandent aux clients locaux, alors qu'il parle bien l'arabe, comme il le souligne, ajoutent aussi au sentiment qu'il éprouve de ne pas appartenir ni d'être vraiment le bienvenu au Maroc. Le rapport au Maroc qui découle de telles expériences d'aliénation s'explique en partie par les attaches familiales serrées et des liens par ailleurs très lâches avec certains aspects de la société marocaine et des politiques nationales : « Si ce n'était pas l'été, je n'irais jamais au Maroc », déclare-t-il.

Ayant grandi dans un quartier presque entièrement composé de familles immigrées du Maroc et ayant travaillé dans une mosquée desservant précisément cette région, l'expérience personnelle que Sofiane a acquise du Maroc est un facteur important modelant sa conception de l'identité française par rapport à l'*umma* islamique. La dimension mondiale de la communauté musulmane lui tient à cœur. Cependant, la réalisation de cette communauté dans sa vie est, dans le présent contexte, problématique. Dans une mesure importante, Sofiane conçoit ainsi l'*umma* comme un espace politique où les liens de la solidarité s'étendent — mais en suscitant des résistances — aux peuples opprimés et aux mouvements d'opposition aux dictatures. Il est notamment préoccupé par le sort des Palestiniens et il a participé à une mission d'aide à Gaza (dont on lui a toutefois refusé l'accès). En même temps, ces sentiments de solidarité peuvent aussi l'éloigner d'autres parties de l'*umma* et contribuer à la différentiation interne de cette dernière. Ainsi, Sofiane exprime clairement son rejet complet de l'état actuel des choses dans le monde arabe : « Moi, vraiment, j'ai une dent contre tous les dirigeants arabes..., dit-il. Ils ne vous donnent pas envie d'aller dans leurs pays. » Pour autant, il a vécu un an au Caire afin d'améliorer son arabe et d'étudier *usūl al-fiqh* (la méthodologie de la jurisprudence). Tout en étant extrêmement critique envers le régime égyptien, le prestige de Al-Azhar l'a attiré vers lui : « C'était pour moi un honneur. [...] Je voulais apprendre des profs d'Al-Azhar. »

Ce séjour en Égypte a également contribué à définir sa vision de la France par contraste avec les pays arabes. À un Égyptien qui, faisant allusion à l'interdiction d'y porter le voile dans les écoles publiques, le plaignait de vivre en France, il répliqua que les musulmans français avaient la possibilité de manifester contre cette loi. Il mettait ainsi en relief, sur un mode négatif, ce que les Égyptiens peuvent ou ne peuvent pas faire, eux qui doivent se débrouiller pour vivre sous une dictature. Pour Sofiane, le fait que beaucoup d'Égyptiens, comme son interlocuteur, supportent cette situation en se contentant de nier le caractère autoritaire de l'État égyptien est extrêmement problématique. Cela le conduit à porter un jugement ambivalent sur les Égyptiens, dont il loue le raffinement culturel tout en critiquant le type de contexte politique dans lequel ils sont inscrits. Du coup, son opinion à l'effet que la France est un espace social qui est essentiellement différent de l'Égypte acquiert un nouveau réseau de signification. Le statut spécifique qu'il accorde ainsi à la France détermine de manière fondamentale sa conception des Frères musulmans. Tout en reconnaissant que l'Union suit la conception de l'islam d'Al-BannÁ, il insiste pour dire que l'application de cette approche de l'islam dans le contexte français mène à un type de pratique qui est très différent des affaires politiques dans lesquelles se sont engagés les Frères musulmans en Égypte. S'il en est ainsi, ce n'est pas seulement parce que les musulmans constituent un groupe quantitativement minoritaire en France, mais aussi parce que l'état des libertés civiles en France diffère substantiellement de celui des pays du monde arabe.

OBSERVATIONS CONCLUANTES

Dans le cadre d'analyse que j'ai adopté ici, la question de savoir s'il existe quelque chose comme des formes d'islam nationales n'est pas pertinente. L'intérêt de cette question dépend largement du concept de nation — en tant qu'entité unitaire et distincte —, dont il n'entrait pas dans mes objectifs de faire l'analyse. Qui plus est, si nous admettons que les universaux deviennent ce qu'ils sont à la faveur d'un engagement dans le particulier, il devient dès lors difficile de dissocier la tradition islamique (ou ces tendances qui, en elle, présentent des aspirations universelles) et la nation. C'est sans aucun doute le cas en France où l'État-nation continue à jouer un rôle déterminant dans l'organisation de l'espace social. Une fois que nous admettons que le national et le transnational sont nécessairement et à plusieurs égards enchevêtrés et, à un certain degré, constitutifs l'un de l'autre, le terrain de l'enquête change. Au lieu de se demander s'il y a des formes d'islam qu'on peut qualifier, entre autres spécifications, de nationales (c'est-à-dire engagées dans l'espace national), il faut maintenant s'interroger sur les modalités, l'importance et les effets des relations entre l'islam, l'État-nation et l'*umma*. Ce sont ces questions que j'ai abordées ici à titre préliminaire.

En m'appuyant sur l'étude de cas de l'écrivain militant Sofiane Meziani, je me suis efforcé d'analyser les processus à travers lesquels l'islam devient significatif en France et à travers lesquels les musulmans français entrent en relation avec l'ensemble de l'*umma*. Cette analyse s'est concentrée sur la banlieue en tant qu'un espace où Sofiane donne visibilité à la réalité de l'islam, c'est-à-dire à l'efficacité de la construction de monde islamique. À travers cet engagement, Sofiane peut en effet offrir un aperçu évocateur des effets sociaux de la foi dans le contexte particulier de la France et contribuer à inciter le public français à reconnaître et à traiter le fait que l'islam est plus qu'une simple croyance et une spiritualité. Il peut ainsi présenter des arguments en faveur de la nature totalisante et universelle de l'islam. Toutefois, il apparaît que son engagement dans les différents discours relatifs à la francité détermine pour beaucoup sa conception des implications sociétales de l'islam et la manière dont il conjoint son islamité, la citoyenneté française et l'inclusion dans l'*umma*. Ses attaches avec les musulmans à l'extérieur de la France sont limitées. Si elles sont en partie nouées par des actes de solidarité avec ses semblables musulmans, elles lui rappellent aussi que son mode de vie est, à plusieurs égards, spécifique à la France. En somme, elles servent simultanément à constituer l'*umma* et à la différencier intérieurement comme un espace d'interconnexions limitées à travers la différence.

RÉSUMÉ

Cet article étudie le type de relations qui existent entre l'islam, entendu comme une tradition universalisante, et l'espace social sur lequel la République française affirme sa souveraineté. Comme tel, il cherche à reformuler le débat autour de la relation entre l'islam et la France d'une manière qui évite la dichotomie entre orientations nationale et transnationale. Son analyse se centre sur le cas de Sofiane Meziani, écrivain et militant associé à une importante fédération islamique française qui a déployé des efforts significatifs pour consolider sa position en France ces dix dernières années. L'étude du cas de Sofiane permet de cerner les effets politiques à la fois habilitants et contraignants qui dérivent de cet engagement discursif et pratique de l'islam dans le contexte français, plus particulièrement celui de la banlieue. Elle permet aussi d'examiner comment ces effets définissent la manière dont Sofiane peut se rapporter à la communauté plus générale de l'*umma* et concevoir son identité française, et comment, enfin, son engagement interagit avec la narration de sa biographie.

ABSTRACT

This article examines the kind of relations, which exist between Islam understood as a universalising tradition and the social space over which the French Republic asserts its sovereignty. As such, it seeks to reformulate the debate about the relation between Islam and France in a way which eschews the dichotomy between national and transnational orientations. The case of Sofiane Meziani, a writer and activist from a major French Islamic federation which has in the past decade made important attempts to position itself more firmly inside France is at the centre of the analysis. Looking at Sofiane points both to enabling and limiting political effects produced through this discursive and practical engagement of Islam with the French context, more particularly with the banlieue, how they shape the ways in which he can relate to the wider umma and conceive of his French identity and how it interacts with the narrativisation of his biography.

RESUMEN

En este artículo estudia el tipo de relaciones existente entre el Islam, entendido como una tradición universalizante, y el espacio social donde la República francesa afirma su soberanía. Así pues, se busca reformular el debate alrededor de la relación entre el Islam y Francia, de tal manera que se evita la dicotomía entre orientaciones nacional y transnacional. El análisis se centra en el caso de Sofiane Meziani, escritor y militante asociado a una importante federación islámica francesa que ha desplegado esfuerzos significativos para consolidar su posición en Francia los últimos diez años. El estudio del caso de Sofiane permite delimitar los efectos políticos, a la vez posibilitantes y limitantes, que se derivan de este compromiso discursivo y práctico del Islam en el contexto francés, más particularmente aquél de los suburbios. El estudio permite además preguntarse cómo estos efectos definen la manera por medio de la cual Sofiane puede referirse a la comunidad más general de la *umma* y concebir su identidad francesa y cómo, por último, su compromiso interactúa con la narrativización de su biografía.

BIBLIOGRAPHIE

ABDELKRIM, F. (2002), *Na'al bou la France?!*, La Courneuve, Éditions Gedis.

ALAOUI, F. (2006), *Qu'est-ce que l'UOIF?* (Collection: L'information citoyenne), Paris, L'Archipel.

AMGHAR, S. (2006), « Les Frères musulmans en Europe : vers un islamisme de minorité (France, Belgique et Suisse) », *in* AMGHAR, S. (dir.), *Islamismes d'Occident : Les voies de la renaissance*, Paris, Lignes de Repères.

BOUZAR, D. (2001), *L'islam des banlieues. Les prédicateurs musulmans : nouveaux travailleurs sociaux?*, Paris, Syros/La Découverte.

BOWEN, J. R. (2004), « Beyond Migration. Islam as a Transnational Public Space », *Journal of Ethnic and Migration Studies*, 30,5, p. 879-894.

CAEIRO, A. (2010), « Islamic Authority, Transnational 'Ulama, and European Fatwas. A Case-Study of the ECFR », *in* van BRUINESSEN, M. et ALLIEVI, S. (dir.), *Producing Islamic Knowledge : Transmission and Disseminaton in Western Europe*, Londres, Routledge.

FRÉGOSI, F. (2008), *Penser l'islam dans la laïcité. Les musulmans de France et la République*, Paris, Fayard.

LATOUR, B. (1997), *Nous n'avons jamais été modernes. Essai d'anthropologie symétrique*, Paris, La Découverte.

LATOUR, B. (2005), *Reassembling the Social. An Introduction to Actor-Network-Theory*, Oxford, Oxford University Press.

MARÉCHAL, B. (2008), *Muslim Brothers in Europe*, Leiden, Brill.

MEZIANE, S. (2008), *L'Islam entre cœur & intelligence. Un pas vers la réforme par un retour à l'essentiel*, Paris, Maison d'Ennour.

MEZIANI (*sic*), S. (2009), *Réforme ta vie*, Lourches, Éditions Iquioussen.

PETER, F. (2008), « Political Rationalities, Counter-Terrorism and Policies on Islam in the United Kingdom and France », *in* ECKERT, J. (dir.), *The Social Life of Anti-Terrorism Laws. The War on Terror and the Classifications of the "Dangerous Other"*, Bielefeld, transcript, p. 79-108.

PETER, F. (2010) « Die Union des Organisations Islamiques de France und die Tradition der Muslimbrüder im Zeitalter der Integrationspolitik », *in* PETER, F. *Islam in Europa — Religiöses Leben heute*, REETZ, D. et al., (dir.), Münster, Waxmann

QARADĀWĪ, Y. (2007), *Al-īmān wa-l-hayā*, Cairo, Maktabat Wahba. 16ᵉ édition (revisée et enrichie).

RAMADAN, T. (n.d.), *La violence urbaine, comment agir?* (cassette), Lyon, Éditions Tawhid.

SASSEN, S. (2008), *Territory, Authority, Rights. From Medieval to Global Assemblages*, Princeton, Princeton University Press.

TSING, A. L. (2005), *Friction. An Ethnography of Global Connection*, Princeton, Princeton University Press.

VENNER, F. (2005), *OPA sur l'islam de France. Les ambitions de l'UOIF*, Paris, Calman Lévy.

Où est la foi ?
Žiarislav, Don Quichotte et la frontière du religieux[1]

MIROSLAV TÍŽIK

Département de sociologie
Académie slovaque des sciences
Université Comenius de Bratislava
Safarikovo namestie 6, 81806 Bratislava 16, Slovaquie
Courriel : miroslav.tizik@savba.sk

INTRODUCTION

En sociologie, mais aussi dans la sphère politique et publique, la question du fonda-mentalisme religieux et des chefs religieux ou politiques charismatiques est un thème toujours très discuté. Ce qui est cependant moins étudié, c'est la vague culturelle du « retour aux racines » que l'on rencontre pourtant depuis plus de trente ans en Europe et dans d'autres parties du monde. Ce phénomène se manifeste notamment à travers des mouvements qui tentent de réinventer des traditions chrétiennes ou encore des tradi-tions païennes pré-chrétiennes. En Irlande, en Angleterre ou dans les pays scandinaves, des groupes se forment pour faire revivre les traditions du druidisme ; en Grèce, des traditions du paganisme hellénique apparaissent ; dans des pays d'Europe centrale, on observe depuis deux décennies la naissance de groupes faisant revivre les traditions du paganisme slave. Une des manifestations de ce retour aux racines slaves est, en Slovaquie, la figure de Žiarislav, le fondateur du Cercle natal, un mouvement du « retour aux

---

1.   Ce travail de recherche a été effectué dans le cadre des projets VEGA n° 2/7038/27 et APVV-0529-07. L'auteur du texte tient à remercier Katarína Hanzelová pour son aide précieuse.

racines slaves » ou, comme nous le verrons, du « retour au fantastique ». Žiarislav, de son véritable nom Miroslav Švický, est au centre de la présente étude[2].

Au-delà de leurs divergences, ces initiatives, mouvements ou groupes de « retour aux racines » entretiennent avec leur milieu social une relation qui est basée sur la rupture apparente et radicale à la banalité, à la quotidienneté du monde « ordinaire ». C'est précisément ce caractère extraordinaire, cette différence, ou le fait qu'ils franchissent les frontières de la réalité ordinaire qui, comme l'a souligné Simmel (1998), nous rend parfois curieux et méfiant à leur égard, qui fait en sorte qu'ils peuvent être perçus de façon négative. En raison de leur « bizarrerie », l'opinion publique considère souvent ces groupes comme des phénomènes tantôt dangereux, tantôt destructeurs ou manipulateurs. Ils perturbent le sens de la normalité de leur environnement social de la même manière que le fait « la méthode du breaching » (*breaching experiment*) éprouvée par Garfinkel (1967) dans ses expériences[3]. Le comportement des membres de ces groupes provoque dans la conscience des partenaires en interaction l'embarras, la colère ou l'énervement.

Bien qu'il existe d'importantes différences entre le style de vie, l'organisation et les croyances de ces groupes, ils se situent tous en marge de la société dominante et se rejoignent quant au refus que leur oppose l'époque contemporaine. D'un côté, ils s'inspirent d'un passé lointain ; de l'autre, ils font référence à une vision eschatologique et souvent apocalyptique. Cette conception de la temporalité soumet le présent à la vision d'un « autre » temps, soit en réinterprétant le passé soit en conférant un sens différent au présent par le futur. Les tensions nées lors des interactions de ces groupes avec leur milieu social, ainsi que celles qui sont nées de leurs confrontations avec le temps présent, nous amènent à nous interroger sur la nature des liens entretenus au sein même de ces groupes. Du fait qu'ils sont entrés dans la vie quotidienne des sociétés de façon « dérangeante », tous ces mouvements ou manifestations de la vie sociale témoignent de la nécessité, pour les analyses sociologiques, de mettre en relation leurs actions concrètes et leur monde symbolique (Berger et Luckmann, 1966), considérés par le reste de la société comme extraordinaires ou excentriques. Souvent, les discussions sur la catégorisation des nouvelles formes de vie collective posent des questions élémentaires à la sociologie, et à la sociologie des religions en particulier : à quelle phase de son développement peut-on parler d'un groupe comme religieux ? Quelles sont les frontières entre religion, spiritualité et fantasme collectif ? Quelles sont les spécificités des croyances religieuses par rapport à d'autres modalités de croyances ?

En réponse à la question de la définition de la frontière du religieux et de la foi, nous examinerons dans cet article les formes concrètes de croyance de Žiarislav et de

---

2.   Nous utiliserons dans ce texte les deux dénominations. Le nom Švický sera utilisé en référence à la littérature secondaire et à la biographie du personnage avant son changement de nom ; le nom Žiarislav sera utilisé en référence aux propos tenus par le personnage et à la période actuelle.

3.   Cette méthode consiste à perturber la routine pour rendre apparents les mécanismes par lesquels le sens se négocie. L'ethnométhodologie de Garfinkel montre l'importance de la normalité, de la prévisibilité de la compréhension de l'intersubjectivité du monde social, et comment un comportement hors des normes mène à un bouleversement des structures intersubjectives non seulement parce qu'il bloque la compréhension collective, mais aussi parce qu'il empêche cette compréhension.

sa communauté, le Cercle natal. Dans ce dessein, nous nous inspirerons de l'approche phénoménologique de Schütz et, plus particulièrement, de son texte sur Don Quichotte (2005 [1946]). Le but est d'étudier, par le biais d'analogies avec la figure littéraire de Don Quichotte et de croisements entre Žiarislav et celui-ci, le Cercle natal et le problème de la foi et du religieux, et de la frontière entre fantastique et sens commun, à partir d'une communauté sans structure stable, c'est-à-dire non institutionnalisée. Pour les besoins de l'analyse, nous utiliserons principalement l'analyse des contenus des textes présentant les activités et la doctrine de Žiarislav ou du Cercle natal (magazines de la communauté, site Internet, affiches publicitaires et documents visuels) ainsi que la description précise du fonctionnement de la communauté réalisée par Pániková (2004) et des articles publiés dans les magazines populaires en Slovaquie[4]. Avant de nous pencher sur le Cercle natal à proprement parler, il importe d'abord de distinguer foi et religion, et de préciser le type de lecture phénoménologique que nécessitent des figures emblématiques comme celles de Žiarislav.

L'ÉTUDE DE LA FOI ET DE LA RELIGION

Dès ses débuts, la sociologie s'est heurtée à la difficulté de définir les phénomènes qu'elle examine. Elle est en effet confrontée à la concurrence entre le langage scientifique et un langage commun qui dispose de ses propres définitions, souvent très différentes par leurs contenus. En examinant la religion, la sociologie n'est pas seulement en collision avec le langage commun, mais aussi avec le monde institutionnalisé des églises, organisations et groupes qui, se considérant comme religion, contribuent à nourrir les définitions de la religion. Une des stratégies souvent utilisées par les sociologues, mais aussi par les indidivus dans le langage courant et par les représentants de tels groupes, est de considérer comme religion tout ce qui proclame en être une. On considère ainsi le plus souvent comme religion les grandes religions mondiales (le christianisme, l'islam, le bouddhisme, etc.), alors que d'autres formes (nouvelles) de la vie religieuse reçoivent divers qualificatifs (civile, séculière, laïque) qui leur confèrent un statut secondaire ou dérivé par rapport à la religion « vraie » ou « réelle ».

La situation est encore plus compliquée lorsqu'on examine des faits extraordinaires, des phénomènes nouveaux ou des mouvements sociaux qui ne sont pas encore cristallisés ou institutionnalisés, et qui ne sont encore définis ni dans le langage commun, ni dans le langage scientifique. C'est précisément lorsqu'un phénomène nouveau se cristallise et provoque l'attention des sociologues qu'il faut tester l'adéquation et la pertinence de l'utilisation de certaines définitions existantes, ou créer des notions et des concepts nouveaux plus appropriés.

Le présent article tente de réviser ou d'actualiser la condition de création et d'existence de la religion : la foi. Une grande partie des études de sociologie des religions

---

4.   Les données d'« observation participante » recueillies par l'auteur lors de plusieurs manifestations publiques de Žiarislav n'ont pas apporté plus de données que celles déjà observées par les autres sources citées ci-dessus et ne seront pas utilisées explicitement dans cette étude.

n'examinent pratiquement pas la question de ce qui fait qu'un phénomène est religieux. Elles contournent cette question qui est pourtant au cœur des travaux de Weber, Durkheim et Simmel. Comme point de départ de la définition ou de l'analyse de la religion, les trois « pères fondateurs » utilisent le vécu subjectif ou l'acte de foi. La définition des conditions élémentaires de la religion permet d'observer même les religions qui apparaissent et se transforment de façon dynamique, ou les changements qui affectent les grandes religions. S'il est possible d'observer la religion dans ses manifestations institutionnalisées, on peut aussi observer ce qui constitue empiriquement la base des actions humaines et ses relations réciproques, et ce qui est en cours d'institutionnalisation, c'est-à-dire le sens de l'action subjective. On a ainsi la possibilité d'examiner certains phénomènes uniques que l'on considère, dans le langage commun mais aussi dans les analyses sociologiques, comme religieux ou, plus généralement, comme spirituels.

Dans le cas de nombreux groupes ou mouvements émergents, le chercheur a la possibilité d'observer de près le rôle des chefs, des guides ou des fondateurs de ces groupes, et les relations qu'ils entretiennent avec leurs membres ou leurs adeptes. Se pencher ainsi sur des individus exige parfois de changer le point de départ de nos études. En effet, il n'est souvent pas suffisant de partir de la religion comme système de croyances partagées ; souvent, elle est encore dans un processus de création ou de cristallisation. Réduire l'analyse à l'individu ne s'avère pas suffisant non plus : c'est l'action commune, ou l'action individuelle orientée vers autrui, et ses manifestations, que l'on peut considérer comme base de la vie sociale, et donc comme le sujet de l'analyse sociologique.

L'étude des manifestations individuelles et personnelles de la vie religieuse implique de diriger notre attention vers les sources et l'origine de la vie religieuse, et non vers son résultat, c'est-à-dire la religion établie et institutionnalisée. Axer l'étude sur les individus qui sont les producteurs ou les porteurs des définitions subjectives de la réalité dans leurs actions sociales concrètes permet de saisir les phénomènes religieux dans toute leur instabilité. En se concentrant, grâce à l'analyse phénoménologique, sur la façon dont les porteurs des croyances se représentent leur religion, sur l'étude de leur vision du monde et sur l'analyse des résultats de leurs actions, il est possible de décrire les processus d'objectivisation des ordres subjectifs en systèmes de croyances collectifs et intersubjectifs. On peut ainsi considérer la croyance comme un phénomène dynamique qui s'est toujours modifié dans la continuité entre croyances religieuses et croyances non religieuses (voir Lamine, 2008).

Approche phénoménologique et figures aux frontières de la normalité

Dans sa forme élémentaire, la religion se manifeste comme non institutionnalisée, c'est-à-dire sous forme de sentiments spécifiques, comme un certain niveau de tension émotionnelle appelée religiosité par Simmel (1955) ou foi par Weber (1995 [1921]) et Berger (1993 [1992]). Les manifestations de la foi des individus, une foi instable et non objectivée, peuvent être observées lors d'activités communes ou d'activités orientées vers autrui. Si une telle foi peut paraître absurde et non rationnelle d'un point de vue extérieur, elle ne l'est pas pour autant pour la sociologie, de la forme compréhensive qu'elle prend chez Weber jusqu'à sa variante phénoménologique chez Schütz, puis chez Berger et Luckmann (1966, et Luckmann, 1967). L'étude de «l'irraisonné», de la «folie» et de «l'excentrique» correspond, pour la sociologie d'orientation phénoménologique, à l'étude d'une action et de ses sens, sens qui ne concordent pas nécessairement avec une vision générale du monde de la normalité ou du sens commun. Parce ce qu'elle se réfère particulièrement à l'intersubjectivité, aux symboles et à la transcendance (Lamine, 2008), l'approche phénoménologique construit d'abord une définition de la religion comme système de signification et non comme institution. La religion est l'expression de la capacité humaine fondamentale à se transcender. Les formes de rapport à la transcendance existent à la fois dans la réalité quotidienne et dans des mondes extraquotidiens (Lamine, 2008: 159).

En utilisant une approche phénoménologique, il est important de tenir compte du rôle des créateurs de nouveaux systèmes de signification, des «figures charismatiques», par exemple. Dans l'étude de la création des structures sociales nouvelles, Michel Maffesoli (1997) traite du rôle de figures qu'il qualifie d'«emblématiques» du monde postmoderne pluralisé. À la suite de Durkheim — à qui il emprunte l'épithète emblématique —, il révèle les formes et les différentes matrices sémantiques dans lesquelles ces figures apparaissent. Ces figures emblématiques, dans lesquelles chacun d'entre nous peut se reconnaître ou auxquelles on peut s'identifier, ne sont pas toujours explicitement liées à la religion. Dans un monde de «polythéisme des valeurs» (comme Maffesoli, inspiré par l'expression de Weber, caractérise le présent postmoderne), les figures emblématiques se manifestent dans différentes sphères de la vie sociale. Dans *Du nomadisme* (1997), Maffesoli évoque plusieurs formes contemporaines de ces figures emblématiques: le barbare culturel, le bohème, le prophète, le rebelle ou le clochard, Dionysos et Don Quichotte. Leur trait commun est la rébellion, la rupture radicale avec les normes dominantes ainsi qu'un certain côté sauvage incalculable et imprévisible.

Alfred Schütz et Michel Maffesoli ont, tout comme beaucoup d'autres auteurs, utilisé le personnage littéraire de Don Quichotte dans le cadre d'analyses phénoménologiques. Grâce à la figure du chevalier errant, Alfred Schütz (1964, 1973, 2005 [1946]) a plusieurs fois traité — plus ou moins directement — de la problématique de la foi et de sa relation avec l'action des individus. Outre le fonctionnement des visions exotiques et extraordinaires du monde et leur relation avec le sens commun et la réalité ordinaire, Schütz (2005 [1946]) étudie, dans son essai *Don Quichotte et le problème de la réalité*, les effets de la perte de la foi sur le sens des actions dans la quotidienneté d'un individu. En effet, Schütz utilise le personnage de Don Quichotte pour décrire le problème de la création, du maintien et de la disparition d'une «réalité». Une des idées à la base du présent article est que la réflexion sur la folie en fiction littéraire peut être utilisée comme outil pour comprendre la situation de personnes réelles, personnes souvent associées à la folie, à l'excentricité, au déséquilibre et à l'anormalité.

ŽIARISLAV ET LE CERCLE NATAL[5]

À partir de l'exemple de « la communauté pour la spiritualité de la nature originelle » — le Cercle natal[6] — et de son fondateur, il est possible de mettre en œuvre les possibilités de l'analyse phénoménologique pour l'étude d'une vie religieuse en mutation et du sens de la foi dans l'action qui s'oriente hors du monde pratique et quotidien. La figure de Žiarislav et le Cercle natal constituent un bon exemple pour étudier la transformation d'une communauté sans structures institutionnalisées ou sans forme cristallisée, de même que la formation même d'un monde religieux[7]. En plus de nous aider à comprendre l'émergence et la formation d'une religion ou d'une doctrine religieuse, la comparaison entre deux figures archétypales, Don Quichotte et Žiarislav, nous permettra de définir et d'illustrer un type de foi héroïque, dans ses formes charismatiques ou prophétiques, et la position de ses détenteurs par rapport au reste de la société. Dans les deux cas, la foi héroïque ne pourrait exister sans les adeptes, sans qui les chefs n'auraient pas leur caractère emblématique. Don Quichotte a son fidèle serviteur, Sancho Panza, qui nous sert de modèle. Tous deux sont porteurs d'un différent type de foi : la foi pragmatique représentée par Sancho Panza, et la foi visionnaire, héroïque ou charismatique, représentée par Don Quichotte. Ces deux formes idéaltypiques de la foi nous permettent — grâce à une série de croisements — de mieux saisir le cas de Žiarislav et de ses disciples ainsi que leurs liens étroits avec la réalité de la vie quotidienne et leur enracinement profond dans celle-ci.

Qu'est-ce que le Cercle natal ? L'existence de la communauté est indissociable de son fondateur et chef, Miroslav Švický. Dans les médias slovaques[8], il est présenté comme un personnage ambivalent : d'un côté, comme figure romantique, vivant en harmonie avec la nature dans un style de vie simple ; de l'autre, comme personnage

---

5. La description de la création et de l'existence de la communauté du Cercle natal, sa doctrine et le rôle de son fondateur sont traités en détail et avec rigueur dans le mémoire de Katarína Pániková *La communauté pour la spiritualité de la nature originelle — le Cercle natal de Miroslav Švický* (2004).

6. Le groupe a été ainsi nommé par Katarína Pániková (2004). Elle a tenu compte du vocabulaire du Cercle natal, aussi nommé sur sa page Web : *communauté de la doctrine savoyante pour la spiritualité de la nature originelle* ou *la communauté pour la protection et le développement de la savoyance et la spiritualité de la nature originelle*. Beaucoup des mots utilisés donnent une impression d'archaïsme et peuvent parfois paraître incompréhensibles (et, il va sans dire, posent des problèmes de traduction adéquate dans d'autres langues!). Le nom du groupe peut être librement traduit par « la communauté dont le but est de développer la sagesse basée sur l'adoration de la vie slave préchrétienne en harmonie avec la nature comme source de la vie ». Le nom même du Cercle natal renvoie à la patrie (le pays natal, le sol natal) et souligne qu'il s'agit d'une communauté égalitaire semblable à une famille, ou d'un rétablissement des relations entre tous les êtres vivants.

7. Il y a à ce sujet fort à penser que l'absence de structures d'organisation est la raison pour laquelle on trouve peu de commentaires à son égard dans les écrits en sciences sociales ou dans les initiatives antisectaires en Slovaquie qui ont commenté le néopaganisme ou des mouvements similaires. En effet, nous n'avons recensé qu'une seule remarque sur le groupe *Perúnov kruh* (le Cercle du Perún) ou *Slovanský kruh* (le Cercle Slàve) (Macháčková et Dojčár, 2002) qui, d'après leurs propres propos, s'inspirent des idées de Žiarislav.

8. Nous pensons à des hebdomadaires populaires comme *Plus 7 dní* et *Slovenka*.

excentrique, sectaire et manipulateur[9]. Si on s'attarde à la définition du Cercle natal mise de l'avant dans son programme, on peut qualifier la communauté de religieuse ou spirituelle. Žiarislav est aussi généralement considéré comme un personnage religieux ou spirituel — comme en témoignent les invitations qu'il reçoit à participer à des festivals ésotériques ou spirituels. Le Cercle natal est perçu et se perçoit lui-même comme une communauté non institutionnalisée et sans adhésion claire, qui fonctionne de façon dynamique.

> Nous ne devenons pas membres du Cercle natal par une signature. Ce qui est important, ce sont les actions et le mode de vie. Nous n'avons pas besoin d'une adhésion formelle. Celui qui fait quelque chose pour le renouveau spirituel est notre ami, sans tenir compte de son appartenance à des communautés différentes tant qu'il n'opprime pas le spirituel natal et ses manifestations. Le Cercle natal n'a pas de compte en banque et n'accepte pas de subventions. Le Cercle natal ne demande pas d'argent pour les cérémonies. Nous essayons de fournir les informations fondamentales — l'éducation à tous ceux qui s'y intéressent, aussi avec l'aide de communautés alliées et de relations[10].

La communauté n'est pas sans rappeler ce que Michel Maffesoli (1991 [1988], 1997) appelle une tribu. Švický utilise d'ailleurs lui-même le mot « tribu », dans un sens large et plutôt ethnique, en rapport avec la façon dont les personnes se regroupent. L'admiration de Švický pour l'organisation sociale en tribus se manifeste notamment par l'utilisation de l'expression « notre tribu » lorsqu'il évoque la nation slovaque (Pániková, 2004 : 90).

Plusieurs textes de la communauté du Cercle natal, généralement rédigés par son fondateur, soulignent de différentes manières que le groupe se fonde sur l'amitié, le partage et la parenté. Le Cercle natal est un groupe dont les liens peuvent être, grâce à la définition de Weber, caractérisés sur la base de la « communalisation » (*Vergemeinschaftung*). Dans le cadre d'un tel type de relations (et des communautés qu'elles contribuent à créer), l'orientation de l'action sociale est basée sur l'appartenance — affective ou traditionnelle — *ressentie* subjectivement par les personnes intéressées (Weber, 1995 [1921] : 127 et suiv.). D'après Weber (1995 [1921] : 130), pour ceux qui partagent une langue commune, c'est la création d'une opposition à d'autres individus qui peut entraîner une homogénéisation et un sentiment de communauté, dont le fondement conscient d'existence est le partage de la langue. L'usage spécifique de la langue au sein du Cercle natal, qui a déjà évolué sous plusieurs noms et qui ne cesse — à l'instar de son fondateur — de les modifier[11], sera présenté plus bas. Outre la langue, le « nous » est

---

9. Malgré son image controversée, les articles qui lui confèrent une image exotique et romancée sont toutefois dominants.

10. Les citations du texte de présentation du Cercle natal et de son fondateur sont tirées de la page Web du groupe : www.ved.sk/VedKruh.htm (consultée la dernière fois le 30 novembre 2009). Tout comme son nom, les textes qui présentent le mouvement et sa doctrine contiennent aussi des mots anciens, des néologismes, ou sont écrits dans un style archaïque qui pousse à une lecture « indistincte ».

11. Précédemment, Miroslav Švický était un membre actif du groupe le Cercle des amis des cultures indiennes. Il a ensuite formé le Cercle des cultures naturelles de la Slovaquie, puis le Retour des Slaves et, finalement, il a fondé le Cercle originel (1995) dont le nom a plus tard été changé en Cercle natal.

aussi exprimé par les vêtements portés par les membres de la communauté. Sur la photo n° 1, on peut voir les vêtements du groupe qui reflètent notamment un style de vie écologique.

Photo 1 : Miro Žiarislav Švický (au milieu) avec le groupe Bytosti (Les Êtres) pendant la fête du solstice d'été 2008[12].

À la différence d'une orientation vers des privilèges pratiques, comme c'est le cas des liens d'appartenance de la communauté telle que définie par Weber, le Cercle natal se concentre sur l'offre de biens de salut : la connaissance et la sagesse. Švický appelle *vedomectvo* (savoyance, dérivé du verbe *vediet'* [savoir]) la doctrine du « comment savoir », du « comment être savant » (*vedomec*, le savoyant, est celui qui sait qu'il a la connaissance).

Ce sont les caractéristiques mêmes du monde de pensée de Žiarislav qui permettent d'établir un parallèle avec le problème de la foi évoqué plus haut, mais aussi avec ce que l'on pourrait concevoir comme l'irrationalité. La doctrine savoyante de Žiarislav souligne la spiritualité dans ses buts peu pratiques et, considérés du point de vue de la société dominante et du Cercle natal, non rationnels. D'après la doctrine du Cercle natal, l'homme peut être sauvé par la sagesse, mais pas par l'intellect. Ce trait met en relief la question de la foi et ses dimensions anti-intellectuelles, en opposition aux croyances proposées par les églises organisées. À cet effet, Žiarislav préfère parler de spiritualité plutôt que de religion.

> Le Cercle natal et le mouvement de la renaissance n'ont pas besoin et ne pratiquent pas la foi aveugle. Il n'y a pas de renaissance spirituelle sans conscience intégrale. Dans le Cercle

12.   L'auteur du texte remercie Žiarislav, qui représente les éditions DIVA, pour son accord concernant l'utilisation de toutes les photographies qui accompagnent ce texte et qui ont originellement été publiées sur la page Web du Cercle natal et sur d'autres pages Web liées à la communauté.

natal, on trouve des personnes de sphères spirituelles différentes. Le Cercle natal n'est pas une communauté religieuse[13].

Le croisement de deux figures : Don Quichotte et Žiarislav

L'histoire de Don Quichotte de Miguel Cervantès (2008 [1605-1615]) est bien connue. Le jeu de croisements entre Don Quichotte et Žiarislav nous permettra de cerner la figure du dernier et le rapport qu'il entretient au Cercle natal. Nous aborderons les changements de noms et de rôles des personnages, leurs apparences singulières, les étapes de leur biographie, leur usage du langage et leur rapport à la réalité. À la lumière de la lecture phénoménologique de Schütz, le chevalier errant attire notre regard vers une collision avec la réalité du sens commun, et vers les spécificités de l'ère postmoderne et démocratique.

Sous l'influence d'une lecture intensive d'histoires chevaleresques et fantastiques, Don Quichotte a endossé le rôle de chevalier errant dans la vie ordinaire et la réalité quotidienne. Pour confirmer et renforcer son aristocratie, il a changé son nom : d'Alonso Quijano, il s'est doté du nom plus « aristocratique » de Don Quichotte de la Mancha. Miroslav Švický, originairement géologue et journaliste pour un hebdomadaire nationaliste *Zmena* (« Changement »), collaborateur de la revue pour enfants *Ohník* (« Petit feu »), puis auteur de plusieurs livres portant sur la spiritualité, changea son prénom slave relativement répandu de Miroslav pour des noms plus extraordinaires qui évoqueraient davantage la spiritualité et la slavitude. D'abord, il se présenta comme Miro Sláv Švický (*Miro d'origine slave*), puis il modifia son nom à plusieurs reprises jusqu'à la forme présente de Žiarislav, que l'on peut traduire par *Slave qui propage* ou *qui célèbre la lumière* ou *qui illumine*. Pániková (2004) a montré que Žiarislav utilise des combinaisons différentes de ces noms dans diverses situations pour signer ses articles, ou alors il les complète avec d'autres noms qui devraient exprimer sa spiritualité, et plus particulièrement l'idée d'une purification par le feu : Miro Slav, Miro Žiarislav, Žiarislav, M. Slav, Slav, -s-, -mir-, et plusieurs signatures contiennent le même mot signifiant *Celui qui vient, Celui qui vient dans la lumière, Celui qui vient avec le feu* ou *Celui qui vient avec les cendres*. Il utilise également la signature de Slavomír Letanovský, un nom créé à partir des syllabes du nom Miroslav (de Miro-Slav à Slavo-Mir) et complété par le nom de jeune fille de sa mère. Il se réfère souvent à lui-même à la troisième personne, comme l'*Homme* (Pániková, 2004 : 45). Parfois, il s'appelle ou appelle les autres — et de nombreux disciples se désignent ainsi — « les Êtres » (*Bytosti*), appellation qui correspond également au nom du groupe musical avec lequel il joue parfois en public[14].

---

13.   Du Cercle natal, page Web : www.ved.sk/VedKruh.htm (consultée la dernière fois le 30 novembre 2009).

14.   Le groupe musical a aussi une page Web (www.bytosti.sk, consultée la dernière fois le 30 novembre 2009) qui contient des renvois aux pages Web du Cercle natal. D'après des informations publiées à la suite d'un entretien avec Žiarislav, le groupe Bytosti a cessé ses activités l'automne 2009.

Žiarislav se présente aussi, parallèlement, dans plusieurs rôles, et parfois comme le porteur de tous ces rôles à la fois. Récemment, il se présentait le plus souvent comme « un musicien, écrivain, parolier, fabricant d'instruments de musique et maître savoyant[15] ». Ainsi, Žiarislav pourrait être décrit comme une personnalité nomade post-moderne qui, si on reprend l'idée de Maffesoli (1997), n'est pas limitée à une identité simple, mais qui joue différents rôles par l'intermédiaire de nombreuses identifications. D'un côté, en adoptant un nom « spirituel », Žiarislav développe la tradition romantique du mouvement rénovateur slovaque de Štúr du milieu du XIXᵉ siècle[16] ; de l'autre, il appelle à la progression spirituelle, la modifie selon les besoins actuels et l'adapte à sa théorie spirituelle et polythéiste du cosmos. Au gré des besoins, il passe d'un rôle à l'autre. Maffesoli (1997) a à cet effet remarqué que ce nomadisme de personnalité, cette identité plurielle, surgit chaque fois que le polythéisme des valeurs prédomine.

D'autres analogies peuvent être établies avec Don Quichotte pour mieux saisir Žiarislav. Nous pensons notamment à l'apparence des deux personnages. L'arrangement de leur tenue constitue une préparation pour leur mission dans la vie quotidienne. Don Quichotte a utilisé des vêtements bon marché et des décorations pour se confectionner l'armure d'un chevalier errant, qu'il a par la suite complétée par un bol de barbier qui lui servait de casque. Pour sa nouvelle mission, il a choisi un vieux cheval qu'il a nommé Rossinante (en espagnol *Rocinante* — un jeu de mots : *fue rocín antes* signifie « avant, c'était une charogne »), et toutes les situations et les objets qu'il a redéfinis sur la base de sa fantaisie sur le chemin de l'aventure (vers les bonnes actions) ont été transformés à l'aune d'une sorte d'idéologie personnelle.

En transformant de façon improvisée des choses ordinaires et banales en pièces d'équipement de chevalier errant, Don Quichotte les a changées en choses extraordinaires ; il les a enchantées. Il les a insérées dans un nouveau système symbolique, celui de la chevalerie, dans lequel elles n'allaient pas servir de décorations, mais bien faire preuves de sa détermination à accomplir des actions héroïques et de son caractère de héros expérimenté. Sur son corps maigre et marqué par le temps, mais aussi déterminé à l'action, il leur a donné une patine du bon vieux temps. Par l'enchantement, la transformation de sens des éléments de sa façade, il a aussi accordé un autre sens aux contenus de son nouveau rôle. Il a ainsi modifié sa façade personnelle et a créé un nouveau « moi virtuel » (Goffman, 1975 [1963]).

Par la combinaison de matériaux accessibles, Žiarislav a, lui aussi, créé un nouveau type de vêtements à partir de son imagination et des motifs des costumes folkloriques de différentes régions slovaques. Les nouveaux habits devaient correspondre aux vêtements des anciens Slaves, les « Slavènes[17] », ou à la tradition folklorique

---

15.   Selon la brochure publiée en 2008 et intitulée « La Rencontre savoyante — le jeu du pipeau sans trous sous la conduite de Miro Žiarislav Švický ».

16.   L'udevít Štúr était un homme politique. Chef du renouveau national slovaque au XIXᵉ siècle, il est reconnu comme le créateur de la langue slovaque moderne.

17.   Žiarislav change le nom commun des Slaves en Slavènes et Slovènes — qu'il utilise plus souvent, mais qui n'a rien à voir avec la Slovénie contemporaine comme la traduction pourrait le laisser entendre.

« authentique[18] ». À la différence de l'image de « l'aristocratie » de Don Quichotte, Žiarislav reprend l'image d'un héros issu du peuple comme on en trouve dans les contes folkloriques slovaques. C'est l'accent qui est mis sur le caractère populaire qui fait, pourrait-on dire, de Žiarislav le représentant de valeurs démocratiques ou même de l'ère démocratique.

Photo 2 : Žiarislav dans un costume qu'il a lui-même confectionné, un de ceux qu'il utilise dans la vie de tous les jours et lors d'apparitions publiques (ici avec un des symboles circulaires des Slaves anciens sur un gâteau qu'il a appelé le *gâteau du soleil*).

Pour poursuivre notre lecture croisée, nous pouvons mentionner que Don Quichotte est passé par deux phases d'initiation à la chevalerie errante. Dans la première phase, il errait brièvement et seul alors que, pendant la deuxième phase, il erre avec un « écuyer » qu'il a recruté et qui est également devenu un fidèle serviteur : Sancho Panza. Le chemin de Žiarislav est aussi divisé en deux étapes, soit celles de la ville et de son passage au village. Après quelques années à Bratislava et à Trnava, Miro Slav Švický s'est réfugié dans un hameau des collines de la Slovaquie centrale, en conformité avec le rôle et l'image qu'il s'est donnés : vivre dans la nature et en harmonie avec elle. À la campagne, il pouvait élever des chevaux et d'autres animaux domestiques, ce qui faisait de lui un « vrai homme de la nature » ou un « homme sauvage », en conformité avec sa représentation du caractère slave. Par son union avec la nature dans un hameau des montagnes, il a renforcé la partie de sa doctrine qui souligne le caractère sauvage (*divokost'*) et miraculeux (*div*) de la nature et de la nature de l'homme.

Comme le chevalier errant Don Quichotte, qui est entré dans la vie quotidienne par l'intermédiaire d'une longue et intensive lecture de livres fantastiques et d'aventures, Žiarislav est petit à petit passé de l'influence de la littérature ethnographique, des

---

18. On peut voir les vêtements, les rituels et la symbolique de la communauté sur la plupart des images de la page Web du Cercle natal.

légendes et des contes populaires, de la littérature ésotérique et de livres sur les doctrines orientales (par exemple le yoga), à l'écriture active de livres sur la spiritualité slave ancienne et, plus tard, sur la vie dans la nature selon ce qu'il identifie comme les rites des Slaves anciens (Švický, 1997, 1998, 1999).

La lecture de Don Quichotte croisée à celle de Žiarislav attire également notre attention sur l'utilisation du langage. Don Quichotte utilise des mots et des gestes d'un style créé par les romans chevaleresques — le langage de la vertu, de l'étiquette et de l'héroïsme. Žiarislav forge quant à lui une cosmologie nouvelle lorsqu'il redéfinit le contenu des mots utilisés couramment en leur conférant, sur la base d'une ressemblance étymologique avec d'autres mots, un sens nouveau ou différent (il appelle ce sens « authentique » et « non routinisé »). Dans sa doctrine et sa relation avec le monde, il crée aussi des symboles nouveaux qu'il dérive de mots existant dans les contes, dans d'autres langues ou dans les archives, ou il crée des mots qui ressemblent phonétiquement, ou par euphonie, à une langue slave. Ainsi, il a nommé sa philosophie et le style de vie qui en est dérivé par un néologisme qui contient une sorte de paradoxe : *novodrevný* (« néobois » — ce qu'on peut librement décrire comme nouveau, mais dérivé de la tradition symbolisée par le bois, par la nature). Dans la description du Cercle natal, on retrouve très souvent l'adjectif néobois : « Les membres du groupe créent des chansons néoboises, ils portent des vêtements néobois, ils s'offrent des chansons néoboises, ils se donnent des noms néobois ; dans un article de la revue *Diva*, on célèbre même la naissance du premier enfant néobois » (Pániková, 2004 : 74). Le mot néobois a été créé pour désigner une combinaison spécifique de l'ancien et du nouveau. La manifestation concrète d'une telle création dans le groupe du Cercle natal est le mélange d'éléments traditionnels issus de la création artistique et folklorique slovaque avec des éléments nouveaux. Ainsi, lors de la création de musique ou la confection de vêtements néobois, on accorde de l'importance à la manière de conserver l'esthétique et la forme folklorique originelle.

En raison de leur attitude, de leur apparence et de leurs croyances, les deux figures extraordinaires — Don Quichotte et Žiarislav — sont souvent considérées comme des fous, ou du moins comme des personnes qui se situent hors du sens commun. Cela dit, leur réaction à la « réalité fondamentale » ([*paramount reality*] Schütz, 2005 [1946]) au cours de leurs aventures est différente. Parce qu'à la fin de l'histoire, Don Quichotte échoue dans son effort, il exemplifie la foi à partir de sa négation — c'est-à-dire par ce qui se passe quand la foi se perd. Une des caractéristiques empiriques de la foi est en effet qu'il est possible de la perdre. En revanche, l'histoire de Žiarislav est différente. Elle ressemble plutôt à la légende du Phénix qui, encore et encore, renaît de ses cendres. Žiarislav change constamment, complète et adapte sa doctrine et son identité aux conditions du temps d'une manière flexible. C'est toujours un nouvel « homme spirituel », avec un nouveau nom qui reflète le caractère de la nouvelle connaissance. À cet égard, Žiarislav est un exemple parfait de « l'enracinement dynamique » dont parle Maffesoli (1997 : 77) et qui fera l'objet de la prochaine section.

La doctrine du Cercle natal, le « retour aux racines » et son caractère dynamique

La doctrine de la communauté de Žiarislav, son appellation — *vedomectvo*, savoyance, une allusion à la science (*veda*) —, sa structure et son ambition d'expliquer l'histoire et le fonctionnement du monde, ne sont pas sans rappeler la science et l'idée d'enracinement dynamique : d'un côté, on trouve continuellement dans la doctrine de Žiarislav certains thèmes fondamentaux et principes immuables (la savoyance, le slavisme, la nature, etc.) ; de l'autre, une partie de cette doctrine et de son vocabulaire change de façon dynamique, comme on peut le constater à l'étude des publications du groupe. En septembre 2000, la revue *Diva* (photo 3) paraît pour la première fois. Elle est elle-même « dynamique » : elle portait d'abord le titre *Revue pour la libération spirituelle*, puis a emprunté celui de *Revue pour la spiritualité de nature originelle* et, à partir de 2009, celui de *Chemin natal* (*Rodná cesta*).

Photo 3 : La couverture de la revue *Diva* n° 5/2002 avec le symbole rond typique (appelé *Svarga*)[19].

L'influence de la doctrine de Miroslav Švický et le dynamisme de la communauté se manifestent aussi dans l'association et la recomposition constantes de groupes gravitant autour du Cercle natal. Les groupes qui sont toujours liés au Cercle natal, ceux qui se sont séparés du réseau des communautés alliées pour différentes raisons, et ceux qui sont les concurrents de Žiarislav s'orientent tous vers le développement de valeurs considérées comme originellement slaves. Par exemple, l'association *Karpatský pecúch*

---

19.   À part les vêtements, des membres et de Žiarislav (deuxième à partir de la droite), la couverture montre un des nombreux rituels de la communauté, les chalumeaux intentionnellement inégaux (les instruments musicaux qu'ils tiennent dans les mains) et la forme typique de réunion en forme de cercle.

(Pantouflet des Carpates)[20] s'est séparée du *Cercle natal* et a développé une ligne de la doctrine savoyante — la fabrication des arcs et le développement des industries du travail avec l'arc —, sans toutefois faire explicitement référence à la savoyance de Miroslav Švický.

Malgré la circulation intense des personnes et des événements dans l'entourage de Žiarislav, on voit plusieurs éléments et motifs stables dans sa doctrine : la savoyance, le néobois, la nature, le cercle, le slavisme, *Živa* (énergie vitale), *Div* (miracle). Récemment, il s'est appliqué au développement de trois lignes fondamentales de sa doctrine : 1) la ligne musicale (artistique), 2) la ligne savoyante (spirituelle), et 3) la ligne guérisseuse et la contemplation[21]. Dans ses publications et lors des événements qu'il organise, Žiarislav utilise un langage à première vue démocratique, ouvert à tous, accessible à tous ceux qui y sont intéressés. Son approche actuelle se concentre sur l'offre de solutions à des problèmes pratiques de l'homme d'aujourd'hui, par le développement de soi, la production artistique, la guérison, la spiritualité. Mais, d'un autre côté, la doctrine exige une initiation, elle est réservée à ceux qui épousent la pensée de Žiarislav et semble souvent incompréhensible de l'extérieur. Pour le néophyte, le premier pas consiste à comprendre le vocabulaire fondamental qui englobe aussi la base de la doctrine.

Miroslav Švický et la communauté du Cercle natal utilisent plusieurs néologismes et redéfinissent certains mots à leur manière. La langue que Švický utilise dans ses textes, mais aussi dans le langage courant, est formée par un mélange d'archaïsmes et de néologismes au service d'une rhétorique qu'on pourrait lier au *New Age*, à l'âge de l'éveil à la conscience nationale slovaque et au romantisme de Štúr du milieu du xixᵉ siècle. Les mots slovaques originels sont, d'après Švický, les clés pour trouver les rapports substantiels, subliminaux et sémantiques sous-jacents à la signification juste des mots dans le langage contemporain (Pániková, 2004 : 64). Miroslav Švický observe les développements étymologiques des mots et trouve dans la langue slovaque de nombreuses chaînes sémantiques qui représentent, pour lui, le chemin vers une spiritualité slovaque perdue. Il associe par exemple ces séries : *svet/svetlo* (monde /lumière) ; *duch/dúha* (esprit /arc-en-ciel) ; *zdravie/dar/dráha* (santé /présent /chemin) ; *mier/miera/ všehomír/vesmír* (paix /mesure /univers /cosmos) ; *vedomie/veda/vedenie/zvediet'/svedectvo/ svedomie* (connaissance /science /savoir / apprendre /témoignage /conscience), *duch/ dych/duša* (esprit /souffle /âme) » (Pániková, 2004 : 64).

Žiarislav confère un sens profond et nouveau à chaque mot. L'utilisation qu'il fait de la langue de tous les jours n'est pas sans rappeler une expérience d'ordre ethnométhodologique, selon la méthode du *breaching* évoquée plus tôt. En principe, il bouleverse l'évidence du langage courant pour ensuite offrir des sens que les mots peuvent contenir après diverses transformations créatives. Cette méthode est au centre de la savoyance (*vedomectvo*) — qu'il appelle aussi la savoiance (*vedomstvo*). La savoyance est pour lui

---

20.   Le groupe se présente comme « des êtres qui cherchent et vivent une vie pure et simple dans la nature selon les principes de modestie volontaire et qui respectent l'environnement et eux-mêmes en liaison avec les valeurs culturelles et spirituelles expressivement originelles et slaves ».

21.   Selon les brochures qui invitent à la « Rencontre savoyante » du 3 et 4 mai 2008 à Prague.

un synonyme de la spiritualité naturelle et originelle slovaque. Qu'entend-il par là ? « Le savoyant, du mot conscient, devrait être, dit-il, une personne consciente qui est capable de vivre en harmonie avec la nature et qui se rend compte des effets de ses actions. » Il ajoute : « C'est un équivalent masculin d'une voyante. Chacun peut devenir un savoyant. Le but du savoyant est de pratiquer la conscience harmonieuse » (Žiarislav cité dans Pániková, 2004 : 77).

Une autre partie de sa doctrine et du travail créatif avec le langage est l'approche néobois, mentionnée plus haut. Un exemple de l'invention néobois est la création d'un calendrier dans lequel l'ère présente commence en 2000 et le Nouvel An est le 1er mai. Les mois de l'année ont été rebaptisés par des mots dont les formes s'apparentent aux noms de mois dans les contes populaires ou dans des langues slaves comme le tchèque, le polonais ou le croate[22]. Cette nouvelle dénomination des mois de l'année se base sur une analogie avec les cycles de la nature. Par exemple, *mrazeň* — gelembre (décembre), exprime le mois pendant lequel il commence à geler, alors que *kveteň* — fleurembre (mai), est un mois de printemps où la nature commence à fleurir.

Encore une fois, un des éléments clés de la doctrine du Cercle natal est le renvoi à la tradition slave. Pour Žiarislav, la spiritualité naturelle et originelle est la spiritualité des Slovaques. Žiarislav essaie de créer une combinaison équilibrée d'éléments, qui n'est pas sans rappeler les principes du ying et du yang, dans le panthéon des dieux savoyants où l'on trouve un équilibre de dieux masculins et de déesses féminines : le dieu du tonnerre (*Perún*), le dieu du vent et des cieux (*Svarog*), le dieu de la famille ou des ancêtres (*Rod*), la déesse du printemps (*Vesna*), la déesse de l'amour (*Lada*) et la déesse de l'énergie vitale (*Živa*). En examinant le langage du Cercle natal, ses adeptes ainsi que les nombreux événements qu'ils organisent, on constate des efforts pour « féminiser le monde ». Pániková a signalé cet aspect dans la foulée de son interprétation de leur doctrine. Cet effort de mise en valeur de l'élément féminin est exprimé dans la communauté à travers leur perception de la terre comme la Mère Terre — la *Gaïa*, un être vivant de sexe féminin —, mais surtout dans leur perception du monde comme résultat de deux forces : la force indomptable et la force harmonieuse. Après avoir évalué les qualités du slavisme telles que présentées par Švický — la sensibilité, l'attention, l'hospitalité et l'amour de la paix —, Pániková a avancé que tous ces attributs étaient traditionnellement liés à la féminité. Selon Švický, en mettant en avant ces qualités, les Slaves devraient réussir à combler le vide formé par l'orientation excessive de la civilisation occidentale vers le rationalisme et le pragmatisme (Pániková, 2004 : 110). Cela dit, il est à noter que la communauté fonctionne sur la base de principes traditionnellement très « masculins », sur la domination symbolique des hommes et sur la division explicite du monde des hommes et des femmes.

---

22.   On a rebaptisé janvier (*leden* en tchèque, *styczeń* en polonais, *sečeň* dans les contes slovaques) en *styčeň*. Certains des noms des mois ont été graduellement modifiés. D'abord, il nomma septembre *žiar* (lumière), mais après 2002, il l'a changé en *jaseň* (frêne), ce qui peut être lié au type de l'arbre, mais aussi au début de l'automne (*jeseň* en slovaque). Quelques disciples, anciens adeptes et des sympathisants de Žiarislav ont développé plus avant ce procédé et, par une dérivation étymologique, ont créé d'autres versions du calendrier.

Photo 4 : Il existe des rituels spécifiques pour les filles et les femmes qui servent à la valorisation du principe féminin revitalisant la vie. Dans les médias de la communauté, les femmes sont représentées dans des rôles de jeunes filles gracieuses, joyeuses et spontanées.

Les références à la Mère Terre sont aussi utilisées comme un geste de révolte à l'endroit de la rationalité économique, et renvoient à une alternative à l'économie de marché :

> La nature, les animaux, les plantes et les autres êtres sont une partie spirituelle du pays. Mère Terre, les eaux, l'air et le feu (*živa*, l'énergie), c'est-à-dire les éléments respectés depuis toujours, ne doivent pas être des victimes du marché. Tout le pays pourrait devenir victime de l'égoïsme et du marché. Il s'agit aussi d'une menace pour les âmes humaines. Nous ne voulons pas vivre dans l'esclavage du marché. Nous ne voulons pas voir notre pays vendu[23].

Mentionnons enfin que Žiarislav considère aussi comme sources légitimes de sa doctrine les œuvres de certains poètes et artistes parce que, dit-il, l'art relève du spirituel (Pániková, 2004 : 86). Il renvoie au fait qu'on ne distinguait jadis pas le spirituel et l'artistique ; cette classification est apparue tard et elle tend, croit-il, à « s'unir ». Chaque individu peut devenir un artiste (et un savoyant), une idée qui est propagée sur les invitations aux « Rencontres savoyantes », mais aussi à l'occasion de la présentation du groupe musical Les Êtres, où l'on souligne souvent qu'aucun de ses membres n'avait d'éducation musicale préalable, et qu'ils ont appris à jouer par l'exercice progressif et la contemplation.

La doctrine, la réalité et les adeptes

Jusqu'à maintenant, nous avons présenté les éléments de la doctrine de Žiarislav comme formant une sorte de théorie qui, tout comme la théorie scientifique, n'a pas nécessairement d'effet concret sur la vie quotidienne de son auteur ou d'autres personnes. Quand Schütz décrit le monde de la théorie scientifique comme un « sous-univers » de la vie quotidienne dans sa réflexion sur « les réalités multiples » il compare son

---

23.   Du Cercle natal, page Web : www.ved.sk/VedKruh.htm (consultée la dernière fois le 30 novembre 2009).

fonctionnement à une forme de contemplation et de méditation. La constitution d'une théorie scientifique est un processus lié à l'évaluation d'idées, mais n'est cependant pas un travail orienté vers la solution d'un problème spécifique. Ce que nous constatons au sujet des théories scientifiques n'est que le résultat des modes d'évaluation et d'expérimentation mentales quant à de possibles solutions.

Le cas de Žiarislav, comme celui de Don Quichotte auquel nous revenons maintenant, nous permet d'observer le processus d'évaluation et de raisonnement qui est ici mis en œuvre, un processus orienté vers des solutions choisies et permettant le traitement — basé sur leur propre monde de pensée — de problèmes pratiques liés à leur mission dans le monde. À la différence de « fantasmes ordinaires » ou de rêves éveillés, leur pensée, comme la pensée scientifique, est fonctionnelle et s'oriente vers la solution de situations et de questions diverses. Mais à la différence de la pensée scientifique, les cadres de pensée de Don Quichotte et de Žiarislav ne restent pas en dehors de la vie quotidienne, mais en deviennent une partie intégrante. Dans leurs conséquences, ces cadres influencent la forme existante du monde ainsi que la vie d'individus. Dans les deux cas, il s'agit d'une élévation du monde de l'imagination et d'une théorie systématisée du monde à travers l'activité quotidienne ; en entraînant d'autres personnes dans l'interaction, ils créent un monde intersubjectif. Ils mettent leurs théories en pratique pour changer ou pour contrôler le monde ordinaire des activités quotidiennes et, ainsi, ils commencent à entrer et à s'adapter au monde extérieur. De cette façon, ils dépassent la position d'observateur neutre et entrent dans le monde de l'action et des conséquences.

La première entrée de Don Quichotte et de Žiarislav dans le monde quotidien est la création d'une relation avec leurs disciples. Ces relations sont les premiers pas pour la réalisation de leurs théories, mais aussi pour leur modification qui découle de leur confrontation avec les autres interprétations de la réalité. Dans l'histoire de Cervantès, le fidèle serviteur Sancho Panza a fondé une relation de confiance avec Don Quichotte à partir du moment où il a adopté son interprétation de la réalité comme réalité compréhensible et rationnelle, une acceptation motivée également par la promesse d'obtenir le poste de gouverneur pour ses fidèles services. Don Quichotte n'a intégré dans sa mission que Sancho Panza, tous les autres personnages étant seulement confrontés à l'action extraordinaire du chevalier errant sans partager sa vision du monde. Pour cette raison, le monde des idées de Don Quichotte est resté au-delà de la sphère du sens commun. Quant à Žiarislav, il a, en raison du grand nombre de personnes qui ont participé à ses actions, créé une réalité alternative, un sens commun parallèle. Son action ou l'action du Cercle natal rejoint, à divers degrés, quelques centaines de personnes[24]. Bien que basée sur une relation moins intense que celle du « face-à-face » entre Don Quichotte et Sancho Panza, la nouvelle forme de normalité est renforcée par les rituels du groupe pendant les fêtes annuelles. L'existence de rituels communs est un élément important pour comprendre les trajectoires et les destins différents de Don Quichotte et de Žiarislav.

---

24. Au moins 30 personnes (parfois jusqu'à 300 personnes) participent chaque année aux fêtes du solstice, de 20 à 30 enfants et adultes prennent part aux colonies de vacances.

C'est en effet lors d'événements collectifs qu'apparaît clairement le besoin des individus d'être en contact avec le monde de l'imagination et le monde de la différence. C'est ce besoin qui motive l'activité des individus, qui stimule leur imagination et leur goût de participer activement à de tels événements. On peut classer les participants aux manifestations collectives du Cercle natal en deux catégories : d'un côté, ceux pour qui ces événements ne sont qu'une distraction dans leur quotidien et qui conservent une frontière stricte entre ce qui fait partie de la réalité normale et ce qui relève « seulement » de l'imagination ; de l'autre, ceux parmi lesquels on retrouve les professionnels de l'imagination — au premier chef desquels se tient Žiarislav lui-même, comme source et auteur de ces visions fantastiques — et pour qui l'imagination est égale à la quotidienneté.

Dans le cadre de ces manifestations, on remarque un certain lien entre le monde quotidien et le bouleversement de la routine, un lien évident et cyclique qui diffère, selon les cas, par le degré de distance ou de mélange de ces deux éléments. Bien que les manifestations de Žiarislav et de la communauté, qui sont au premier abord « exotiques », se situent au-delà du monde quotidien, leur base est profondément ancrée dans le sens commun de la société. Au cours des rituels (notamment lors de la fête du solstice), la banalité est reproduite sous la forme de diverses références au répertoire thématique du discours public dominant en Slovaquie : le nationalisme, le patriotisme, la protection de l'environnement, un style de vie sain, la fierté des traditions, la santé et la guérison, la cohérence, la créativité, la participation, les mouvements anticonsommateurs, l'imaginaire des contes et légendes, l'esthétique rurale, l'ethnographie amateure et populaire, ainsi que des éléments du vocabulaire environnementaliste. Ces piliers de la foi, communs à la communauté et au discours populaire en Slovaquie, témoignent du « bricolage » idéologique réalisé par Žiarislav. En ce sens, sa doctrine s'ancre dans le sens commun et vient à en faire partie.

Photo 5 : Žiarislav au château de Devín lors d'un spectacle avec le groupe Les Êtres. Devín est un symbole national qui figure par exemple sur les pièces de monnaie de la République slovaque (1993-2008) et sur les centimes d'euro qui sont entrés en circulation en 2009.

La subordination de la fantaisie à la réalité quotidienne

Au sein de cette doctrine que l'on peut qualifier d'éclectique, mais aussi de spirituellement holistique (voir Heelas et Woodhead, 2005), chacun des adeptes de Žiarislav peut trouver quelque chose qui répond à ses intérêts et à ses besoins, besoins enracinés dans le monde de la vie quotidienne.

Le sens commun de la quotidienneté correspond à ce que Schütz appelle les provinces délimitées de sens (*finite provinces of meanings*) de la réalité (Schütz, 1973 : 207-245). Bien que, au premier abord, Žiarislav fasse appel à des événements fantastiques, ces derniers servent finalement à la quotidienneté et consolident son ordre. En renforçant les provinces délimitées de sens à l'aide de fantasmes et d'expériences émotionnelles fortes, Žiarislav les « normalise » et les intègre à la banalité originellement pragmatique et orientée vers des buts pratiques. Schütz (1973), qui différencie dans son concept du monde de la vie quotidienne plusieurs sous-univers, souligne qu'il existe à l'intérieur de ces sous-univers des « frontières finales de sens propre ». Chaque sous-univers fonctionne sur un mode particulier de connaissance du monde, c'est-à-dire d'après son « style cognitif » propre. Schütz présume que certains sous-univers particuliers (l'univers du rêve, de la fantaisie ou de l'expérience religieuse) sont incompatibles ; le passage de l'un à l'autre n'est possible qu'en faisant l'expérience d'un « choc ». Seule « la réalité fondamentale » du travail de la vie quotidienne est supérieure aux autres sous-univers. À la différence de la fantaisie ou des rêves purs, la réalité fondamentale n'est pas détournée de la vie de tous les jours et de son pragmatisme. Elle est à la base d'autres sous-réalités, elles-mêmes dérivées de nos stocks d'expériences et de représentations.

La perspective de Schütz sur l'incompatibilité des sous-univers est problématique, comme on peut le constater en examinant diverses doctrines spirituelles ou ésotériques. En dépassant les frontières entre le monde de la fantaisie et de l'imagination, et le monde de l'activité et de la réalité quotidienne (ceci étant l'objectif même des diverses doctrines holistes), le choc causé par la transgression des frontières de différents sous-univers est supprimé. En conséquence de cette suppression des frontières, des éléments extraordinaires viennent se fondre dans l'ordinaire. Si le changement de styles d'expérience, comme on le retrouve chez Don Quichotte et chez Žiarislav, peut signifier pour des observateurs extérieurs la transgression du sens commun, tel n'est pas nécessairement le cas pour Žiarislav. Chez lui, les frontières entre fantasmes et réalité ne sont pas aussi marquées qu'on pourrait le croire, et elles ne séparent pas les différents sous-mondes d'une manière stricte.

La réalité de Žiarislav implique une large part d'imagination. Pour renforcer leur dimension spectaculaire et extraordinaire, et pour souligner les émotions vitales dont elles se réclament, les rituels du Cercle natal ont recours à divers moyens expressifs : les feux, les flambeaux, les motifs musicaux traditionnels et les vêtements inusités, les danses endiablées et un lexique de convivialité, de l'enchantement ou de la guérison. Le déroulement des événements de la communauté rappelle la définition classique de la religion d'Émile Durkheim (1991 [1912]). En effet, on peut voir que, pendant ces

rituels, l'effervescence collective des expériences émotionnelles fortes fait naître un
« nous » et confère un sens et une légitimité à la doctrine sur laquelle se fondent ces
événements.

Penchons-nous sur une pratique précise tirée du répertoire de la « savoyance ». Les
membres actifs du Cercle natal, ceux qui en font partie depuis plusieurs années, choisissent une sphère de la doctrine de Žiarislav dans laquelle ils sont devenus spécialistes.
Après la transmission de « charismes » et la « prononciation du nom », les initiés aux
mystères des branches concrètes de la doctrine de Žiarislav peuvent obtenir une pro-
curation qui les autorise à initier de nouveaux intéressés à la doctrine savoyante. La
« prononciation du nom » est la première étape de l'initiation et n'est pas définitive.
Pániková a décrit en détail le rituel de l'adoption d'un nouveau nom, mais aussi la
méthode de création des noms « spirituels ». Dans le Cercle natal, les noms sont adop-
tés de façon rituelle. Chaque membre qui se sent suffisamment mûr peut adopter un
nom et, au cours de sa vie, un individu peut adopter des noms différents dès le moment
où il expérimente une transformation intérieure et veut confirmer extérieurement cette
nouvelle orientation. Žiarislav traduit lui-même cette idée de développement et de
croissance par les changements de son nom. Les noms dans la communauté sont généralement élogieux et majestueux ; ils portent les suffixes -slav/-slava (slave), ou -mil /-mila
(gentil, doux). Les noms doivent exprimer dans leur intégralité les qualités spécifiques
de leurs porteurs, par exemple Pravoslav (Celui qui aime tout ce qui est vrai), Dobyrad
(Celui qui tambourine sur le tambour du temps [*Doby*]) ; mais ils s'inspirent aussi des
contes : Nebojsa (Celui qui n'a pas peur). Parmi les noms féminins, on trouve par
exemple Piesňomila (Qui ne cesse de chanter ou de danser), Kvetomila ou Kvetomilka
(Qui s'intéresse aux plantes) ou Čaroslava (Qui s'intéresse à la magie « originelle »)
(Pániková, 2004 : 29).

Le programme de Žiarislav comprend la guérison (physique, psychologique et spirituelle), et les rituels communs pendant les rencontres permettent de vivre l'identification avec « les autres » — avec les ancêtres, avec les autres participants de la rencontre,
avec l'image d'un monde futur meilleur ; avec, donc, tout ce qui permet de créer un
« nous commun ». Ce « nous » est structuré autour de l'idée d'un monde ancré dans la
chaîne du passé, du présent et de la perspective du futur. Les compagnons de nos deux
figures emblématiques, qui ont souvent des buts pratiques (l'argent, la puissance et la
gloire dans le cas de Sancho Panza ; l'espoir de trouver un sens à leur vie, ou une communauté d'amis, de guérir, de se débarrasser du stress, d'apprendre à jouer un instrument de musique dans le cas des participants aux rencontres de Žiarislav) ont parfois
trouvé autre chose : une expérience transcendance. Alors que Sancho Panza a découvert
l'amitié et a vécu des aventures dramatiques, les participants aux activités organisées par
Žiarislav rencontrent des artistes et vivent au sein d'un « nous » en harmonie avec la
nature. En fait, les rencontres organisées par Žiarislav sont une sorte de performance
et de rituel — et c'est ainsi qu'on les présente dans les revues et les brochures publiées
par le groupe. Tout doit avoir son sens profond et la ritualisation participe à donner ce
sens.

Žiarislav est un professionnel de la foi — la foi héroïque ou l'imagination fonda-trice — qui crée et offre à la communauté des croyances nouvelles et alternatives. La foi des participants aux rituels communs peut être qualifiée de foi banale ou d'imagination populaire.

RETOUR SUR LE SENS DE L'ACTION

Schütz (2005) illustre le problème de la foi à partir de l'exemple de sa perte dans la fic-tion littéraire. Il nous montre comment et pourquoi Don Quichotte a perdu la foi. Dans le cas de nombreux personnages réels que l'on considère souvent comme des fanatiques religieux ou des visionnaires, on peut voir que — malgré leurs idées fantai-sistes d'un monde idéalisé, un lointain passé par exemple — ils réussissent à résister au sens commun et à la rationalité du monde quotidien sur le long terme. Don Quichotte est un exemple du désir de conserver l'idéal du bon vieux temps et, en même temps, l'idéal de la hiérarchie aristocratique, tout comme certains fondamentalistes et conser-vateurs de notre époque. Mais l'exemple de Žiarislav, à l'instar de nombreux autres visionnaires, ne correspond pas tout à fait à ce modèle, bien qu'il en remplisse certains critères (comme la protection d'un monde en voie de disparition). La différence essen-tielle est en effet leur relation avec le passé. Si les fondamentalistes et les conservateurs essaient de sauvegarder le caractère invariable et certain qui peut encore subsister du vieux monde, Žiarislav refuse le monde présent et proclame le retour aux racines ori-ginelles qui nous ont été arrachées par le christianisme monothéiste, les « modernes » ou « l'Occident ». En effet, la doctrine de Žiarislav n'est pas basée sur une rhétorique de la continuité mais se revendique plutôt d'une cassure temporelle. Elle est fondée sur le refus du passé récent au nom d'un futur meilleur — bien que légitimé par un passé plus ancien et une expérience plus intense, plus « authentique » du présent. Alors que les conservateurs font appel aux bases visibles et vécues du sens commun qui sont mena-cées par des « hérésies » et des « fantasmes modernes », Žiarislav souhaite utiliser les bases invisibles et fantaisistes de la quotidienneté pour supprimer la domination du sens commun et de la réalité vécue comme réalité vraie et unique. En tant que types, Don Quichotte et Žiarislav partagent une intensité et une ardeur avec lesquelles ils mettent en œuvre leurs visions de la réalité dans la vie quotidienne.

Ces deux figures montrent la relation étroite qui peut exister entre l'action pratique et la foi dans le sens de l'action future. Schütz (1981 [1932]) liait déjà chaque action avec son orientation dans le futur, et avec son objectif fondamental d'élargir les possibilités et les formes diverses d'enrichissement qui demeurent le motif de n'importe quelle action. Les motifs « en-vue-de » (ou « *um-zu* »-*Motive, pour* que je parvienne à quelque chose, *pour* que je fasse, *pour* que j'expérimente, *pour* que je voie et *pour* que je sente quelque chose), sont les seuls motifs imminents contenus dans l'action[25]. Ils guident l'action vers un but. La première règle qui résulte de cette catégorie est que chaque action doit, au cours d'une étude sociologique, être considérée comme compréhen-

---

25.   L'autre type évoqué par Schütz est le motif « parce-que » (*warum -Motiv*).

sible. Même si Žiarislav et des membres du Cercle natal peuvent *a priori* sembler rêveurs ou irrationnels, il est nécessaire de les considérer comme raisonnables. Leur action est, dans cette optique, pragmatiquement conditionnée, comme en témoigne le style de leurs vêtements qui n'est ni traditionnel, ni commun, ni accidentel, qui n'est donc pas basé sur l'automatisme de l'habitude. L'étude de l'éthique du groupe et des critères d'appartenance au groupe est un moyen qui renvoie à un sens clairement défini, s'exprimant dans l'idéal commun d'un « nous ». Ainsi, les actions des membres du Cercle natal, de même que les mots qu'ils utilisent, ont un but concret. Comme dans le cas des activités de la majorité des personnes qui forment la société « normale », les activités quotidiennes des membres du Cercle natal peuvent être qualifiées de rationnelles d'un point de vue instrumental ou en valeur.

La transcendance au cœur de l'action sociale

Nous avons abordé les problèmes de l'action, du sens de l'action et de la rationalité, mais le sens n'est pas le but ou la fonction de l'action. Le sens du geste ou de l'action n'est, toujours selon Schütz (1981 [1932]), rien d'autre qu'un « attachement à sa propre expérience », à ce qui est lié à l'expérience pendant l'action. C'est là que réside la différence avec l'action irrationnelle. Selon Schütz, une action est irrationnelle lorsqu'un individu n'en voit pas le résultat final, et qu'elle est dès lors sans but. Quand l'homme agit, il est motivé par le futur, par son but; il agit de façon instrumentale « pour » réaliser un but. La conscience de l'individu est orientée vers l'état des choses que son action courante produira, et c'est là que Schütz nous montre le problème fondamental de toute action : les résultats de l'action ne sont pas nécessairement déjà réfléchis, ce qui signifie qu'il ne s'agit encore que d'une « attente vide ». Cette attente vide n'est qu'une forme de potentialité, elle a le caractère d'une chance. Ultérieurement, après l'action, on peut évaluer si cette dernière a mené — ou non — à l'accomplissement d'un but visé. Le vide qui se trouve dans l'action actuelle ou imminente peut se remplir d'un sens donné par la réflexion. C'est là que le futur, qui est en somme la direction de l'action imminente, contient l'ouverture d'esprit, la liberté et la perspective du changement, ou le dépassement de soi-même. Schütz (1996) appelle ces manières de se dépasser les formes de transcendance. L'expérience de la transcendance est liée au dépassement de la connaissance pratique, mais aussi au dépassement de l'expérience elle-même. En d'autres mots, le contenu de nos expériences et connaissances pratiques (*noema*) traduit quelque chose qui dépasse les limites et l'horizon de nos expériences. En ce sens, l'expérience de la transcendance touche tout ce qui n'était pas encore vécu. Elle dépasse le contenu actuel de l'expérience et de la connaissance de l'individu.

La transcendance dans l'action et la réflexion sur l'action réalisée relèvent de l'imagination. Les choses, les personnes ou les situations qui se trouvent hors de notre portée spatiale, temporelle et physique immédiate, lorsqu'on les projette dans notre futur, participent à la transcendance de notre expérience actuelle; elles enrichissent l'horizon de nos possibilités futures. Ainsi considéré, le passé ou l'image du passé peut être un moyen d'élargir nos possibilités et de remplir l'horizon « vide » du futur. Ce passé peut être une partie intégrante de notre fantaisie et de notre imagination sans lesquelles on ne pourrait agir. Don Quichotte, Žiarislav et d'autres excentriques sont considérés au moins comme des fantaisistes, ce qui les situe au-delà de la réalité.

La condition de chaque préparation à l'action est le projet qui sous-tend l'action. Cette préparation se réalise dans un cadre imposé par la réalité, par les conditions dans lesquelles l'action devrait se dérouler. Il ne s'agit donc plus de la pensée dans un mode optionnel, mais de choix entre des solutions théoriques possibles dans un mode potentiel afin de réaliser un but personnel. Cette potentialité, la possibilité de faire ce que le projet exige, peut être incluse dans le projet par l'imagination et il n'est pas possible de changer ou de combiner librement les éléments d'une situation qui sont hors de notre contrôle. Toutes les chances et les risques sont considérés au regard de nos connaissances actuelles.

La conception de Schütz du fondement fantaisiste de l'action sociale permet de réfléchir sur la relation entre Don Quichotte et Sancho Panza, de même que sur celle entre Žiarislav et ses disciples. Elle nous permet aussi de réfléchir sur la nature de la foi et sur différents types de transcendance. Adoptant l'approche phénoménologique, Lamine distingue trois différents types de transcendances, types qui correspondent à trois différents niveaux d'expérience cognitive. Le premier type concerne la quotidienneté : « les choses se passent bien ». Le deuxième type porte sur le rapport à autrui ou à des entités comme la nature ou l'art. Le troisième type correspond à ce qui est extramondain (Dieu, l'esprit). Ces types de transcendance sont aussi une manière de conceptualiser ce qu'on a appelé l'éthicisation ou l'intramondanisation du croire — ou la continuité entre le religieux et le non-religieux —, qui concerne les croyances distanciées, tout comme les virtuoses de la religion (Lamine, 2008 : 160). Les visionnaires comme Don Quichotte ou Žiarislav, par leurs relations au monde des idéaux ou de l'esprit, sont plus proches des expériences religieuses que leurs disciples avec leurs rapports à leurs maîtres ou aux objets enchantés par leurs maîtres.

CONCLUSION

Dans les cas de Žiarislav et de Don Quichotte, il a été question de créateurs de représentations d'un ordre de fonctionnement du monde, des créateurs qui passent de la théorie à un projet d'action, et des disciples qui reçoivent cette théorie sous la forme d'un projet dont ils font partie. Dans les deux cas, ce projet favorisait une conception de la vie selon un modèle spécifique du monde, un monde du passé plus ou moins ancien. Schütz (1996) définit le monde du passé comme un domaine qui ne peut être le but ni de nos attentes, ni de nos actions. Mais une de ses caractéristiques élémentaires est que ce monde ne peut pas être pensé librement : il offre une stabilité immuable qu'on ne peut pas manipuler par notre propre effort. Si, selon Schütz, ce monde représente toujours pour nous un environnement étranger, son contenu nous permet de transcender notre expérience. En effet, le contact avec l'étranger nous permet d'élargir nos connaissances et perspectives actuelles. Il offre la possibilité de vivre de nombreuses expériences et ainsi de transcender la vie quotidienne. Ce contact avec le passé peut selon les cas offrir un sentiment de libération, de stabilité ou de certitude.

La relation entre le maître (Don Quichotte, Žiarislav) et les disciples (Sancho Panza, les membres du Cercle natal) n'est pas étrangère au problème du «remplissage» de l'horizon des expériences qui est d'abord «vide». Schütz (1996 : 234-243) présente un problème semblable à partir de l'exemple de l'éducation, c'est-à-dire de la réception et la transmission de la connaissance et des expériences : ce qui est un horizon du futur vide et ouvert pour un individu (par exemple un individu jeune) représente une expérience accomplie pour un autre (par exemple un individu plus âgé ou plus expérimenté). Au moment du contact, l'horizon vide de l'expérience potentielle du premier, de celui qui ne fait que prévoir, se remplit des expériences vécues et typées qui sont passées pour le second. Le maître, ou la personne plus expérimentée, peut offrir des enseignements socialement acceptés pour résoudre des problèmes typiques, et est au moins capable de reconnaître le caractère spécifique d'une situation — nouvelle pour l'élève, répétée pour le maître. Le fantaisiste, le paranoïaque, le visionnaire et les autres auteurs des recettes du «comment vivre», de la théorie du sens de la vie et du «bien vivre sa vie» ont de nombreux projets qui correspondent à autant de buts potentiels. Ces recettes deviennent des buts réels quand elles entrent dans l'horizon vide d'une autre personne comme des instructions finies, comme des expériences vécues et réalisées.

Dans le cas du néophyte et de l'expérimenté dans notre exemple, la relation autant que l'acte pratique représentent une action qui est orientée vers des buts futurs. Le néophyte et l'expérimenté, le maître et les disciples se distingueront par la source des buts possibles, par leurs choix ou par le choix de ceux qui seront séparés du monde de l'imagination dans le monde de la vie quotidienne des actions. La fantaisie héroïque — et professionnelle, dans le cas de Žiarislav — correspond à l'essentiel du monde de l'expérience vécue de ces figures emblématiques. Ces figures se présentent comme porteuses de valeurs universelles qui dépassent le monde des besoins et des désirs personnels et individuels pour se transcender dans leur relation aux autres. Cette imagination extraordinaire s'identifie à la foi héroïque. La fantaisie ordinaire répond quant à elle à la nécessité de résoudre des besoins personnels et individuels : des besoins et des désirs liés à notre propre vie physique, mais aussi au sens de cette vie ou au sens de l'action même.

La fantaisie, comme la foi, n'est pas — c'est ce que nous avons avancé dans cet article — en opposition avec le sens commun et la connaissance courante; au contraire, elle est profondément enracinée dans la vie ordinaire, et plus précisément dans l'action quotidienne. Cela dit, la foi va au-delà de la vie de tous les jours. Elle est précisément une émotion liée à la conviction qu'on peut franchir les frontières de la vie quotidienne. Elle est la certitude que les sentiments et les expériences d'ouverture de possibles et de perspectives que nous considérons importantes pourront exister dans le futur. C'est aussi parce que la foi est partagée qu'elle confère une force particulière à nos actions de tous les jours. La foi, tout comme la fantaisie, se réalise dans l'interaction, dans le dialogue, dans des actions réelles et observables. En ce sens, elle est un phénomène *sociologique*. En parlant de la conceptualisation de nouvelles formes de religiosité, ou de « religion invisible » telle que proposée par Luckmann (1967), Lamine (2008) conçoit la culture religieuse comme une conversation sociale portant sur les significations transcendantes. En tenant compte de la continuité entre le religieux et le non-religieux, la culture religieuse surgit de différentes manières dans les sentiments religieux ordinaires : dans le monde de la vie quotidienne, dans les réalités de la nature ou dans le monde social. On éprouve ainsi des sentiments dont il est difficile de dire s'ils sont de nature religieuse ou non (Lamine, 2008 : 164).

La tragédie de Don Quichotte est qu'il vivait au début de l'ère pluraliste. Sancho Panza fut la seule personne qu'il ait réussi à entraîner dans sa vision d'une vie reposant sur les règles et principes du monde aristocratique des vertus chevaleresques. Žiarislav utilise quant à lui la fantaisie populaire et la mythologie pour enchanter et créer un monde fantastique. Il offre à ses disciples quelque chose qui répond à leurs intérêts personnels et pratiques, des intérêts qui sont souvent épicuriens, hédonistes, et qui traduisent un désir d'expériences intenses transcendant la vie limitée à une quotidienneté oppressante. Dans ces deux histoires, celle de Cervantès et celle du Cercle natal, on peut voir à l'œuvre deux types de foi que nous pouvons toutes deux considérer — en dépit de leur différence d'intensité et de type de transcendance — comme religieuses. Elles sont religieuses parce que, en communiquant et en interagissant, elles transcendent l'instant présent, s'orientent vers un futur et sont dirigées vers autrui, vers la nature ou vers un « nous », tribal ou collectif, avec lequel l'individu se *re-lit*.

RÉSUMÉ

On rencontre dans les pays slaves plusieurs mouvements qui s'efforcent de ressusciter les traditions et les croyances de l'époque préchrétienne. Cette « renaissance païenne » pose le problème de l'identification des frontières du religieux ou du spirituel. Plus qu'une approche tournée vers le passé, ces mouvements illustrent également des formes de transgression des frontières sociales du sens commun. Afin de distinguer les formes que prend la foi individuelle, nous suggérons d'abord de nous inspirer de l'approche phénoménologique d'Alfred Schütz pour examiner un cas, celui de la figure de Žiarislav et de ses fidèles de la communauté le Cercle natal. Nous distinguerons la foi ordinaire, enracinée dans un sens commun de l'intersubjectivité collective, de la foi héroïque, nourrie du romantisme d'un monde imaginaire et fantastique.

ABSTRACT

One encounters in Slavic countries many movements that strive to resuscitate the traditions and beliefs of the pre-Christian epoch. This "pagan renaissance" poses the problem of the identification of the boundaries of the religious and the spiritual. More than an approach turned toward the past, these movements just as much illustrate certain forms of transgression of the social boundaries of common sense. In order to distinguish the forms taken by individual faith, we offer as inspiration the phenomenological approach of Alfred Schütz to examine the case of the figure of Žiarislav and the community of the Native Circle. We distinguish between ordinary faith, rooted in the common sense of collective intersubjectivity, and heroic faith, nourished in the romanticism of an imaginary and fantastic world.

RESUMEN

Varios movimientos en los países eslavos se esfuerzan por resucitar las tradiciones y creencias de la época precristiana. Este "renacimiento pagano" nos enfrenta al problema de la identificación de las fronteras de lo religioso o de lo espiritual. Más que un enfoque dirigido hacia el pasado, estos movimientos ilustran igualmente formas de transgresión de las fronteras sociales del sentido común. A fin de distinguir las diferentes formas que toma la fe individual, en un primer lugar nos inspirarnos en el enfoque fenomenológico de Alfred Schütz para examinar el caso de las figura de Žiarislav y de sus fieles de la comunidad El Círculo natal. Hacemos una distinción entre la fe ordinaria, enraizada en un sentido común de la intersubjetividad colectiva, de la fe heroica, alimentada por el romanticismo de un mundo imaginario y fantástico.

BIBLIOGRAPHIE

BERGER, P. L. (1993 [1992]), *A Far Glory: The Quest for Faith in an Age of Credibility*, New York, Doubleday.

BERGER, P. L. et LUCKMANN, T. (1966), *The Social Construction of Reality. A Treatise in the Sociology of Knowledge*, Garden City, NY, Anchor Books.

DURKHEIM, É. (1991 [1912]), *Les formes élémentaires de la vie religieuse. Le système totémique en Australie*, Paris, Librairie Générale Française.

CERVANTES Saavedra, M. de. (2008 [1605-1615]), *Don Quichotte*, Paris, Librairie Générale Française.

GARFINKEL, H. (1967), *Studies in Ethnomethodology*, New Jersey, Englewood Cliffs, Prentice Hall.

GOFFMAN, E. (1975 [1963]), *Stigmate*, Paris, Éditions de Minuit.

HEELAS, P., WOODHEAD, L. (2005), *The Spiritual Revolution. Why Religion is Giving Way to Spirituality*, Oxford, Blackwell Publishing Ltd.

LAMINE, A.-S. (2008), « Croyances et transcendances : variations en modes mineurs », *Social Compass*, vol. 55, n° 2, p. 154-167.

LUCKMANN, T. (1967), *The Invisible Religion*, New York, Macmillan Company.

MACHÁČKOVÁ, L. et DOJČÁR, M. (2002), *Duchovná scéna na Slovensku II.*, Bratislava, ÚVŠC.

MAFFESOLI, M. (1991 [1988]), *Le temps des tribus. Le déclin de l'individualisme dans les sociétés de masse*, Paris, Le Livre de Poche.

MAFFESOLI, M. (1997), *Du nomadisme. Vagabondages initiatiques*, Paris, Librairie Générale Française.

MAFFESOLI, M. (2004), *Le rythme de la vie : Variations sur les sensibilités postmodernes*. Paris, La Table ronde.

PÁNIKOVÁ, K. (2004), *Spoločenstvo pre pôvodné prírodné duchovno — Rodný kruh Miroslava Švického*, Bratislava, Univerzita Komenského v Bratislave, Filozofická fakulta, Katedra porovnávacej religionistiky — Diplomová práca.

SCHÜTZ, A. (1964), *Collected Papers. Vol. II.*, The Haag, Nijhoff.

SCHÜTZ, A. (1973), *Collected Papers I. The Problem of Social Reality*, The Haag, Martinus Nijhoff.

SCHÜTZ, A. (1981 [1932]), *Der sinnhafe Aufbau der sozialen Welt. Eine Einleitung in die verstehende Soziologie*, Francfort-sur-le-Main, Suhrkamp.

SCHÜTZ, A. (1996), *Collected Papers IV.*, Dordrecht, Kluwer Academic Publishers.

SCHÜTZ, A. (2005 [1946]), « Don Quichotte et le problème de la réalité », *Sociétés*, n° 89 — 2005/3, p. 9-27.

SIMMEL, G. (1955), « A Contribution to the Sociology of Religion », *American Journal of Sociology*, vol. 60, n° 6, p. 1-18.

SIMMEL, G. (1998), *Secret et sociétés secrètes*, Paris, Circé.

ŠVICKÝ, M. (1997), *Návrat Slovenov*, Vydané vlastným nákladom, Bratislava.

ŠVICKÝ, M. (1998), *Čaro štyroch živlov*, Vydané vlastným nákladom, Trnava.

ŠVICKÝ, M. (1999), *Čaro prírody*, Vydané vlastným nákladom, Spišská Nová Ves.

WEBER, M. (1995 [1921]), *Économie et société*, Paris, Plon.

SITES WEB :

Bytosti < www.bytosti.sk >.
Diva.sk magazín pre ženy < www.diva.sk >.
Kalendár v sieti < http://kalendar.vsieti.sk/node/4 >.
Karpatský pecúch < http://pecuch.vsieti.sk >.
Rodný kruh < www.ved.sk >.

« Insaisissable Haraway »

« Do I contradict myself?
Very well then I contradict myself,
(I am large, I contain multitudes.) »

Walt Whitman, *Songs of myself*, § 51.

À Francine Markovits,
philosophe des tropes, des échanges et des déplacements

THIERRY HOQUET

Département de philosophie
Université Paris Ouest Nanterre La Défense
200, avenue de la République
92001, Nanterre Cedex
France
Courriel : thierry.hoquet@hotmail.fr

Qui est Donna Haraway ? Dans les années 1970, c'est une féministe socialiste américaine, femme blanche, biologiste spécialiste des hominidés. Historienne des sciences, elle s'intéresse aux « récits (*accounts*) modernes occidentaux sur les singes grands et petits, et les femmes ». Elle fait alors la critique des discours pénétrés de racisme et de colonialisme, montrant comment les descriptions du comportement des primates portent la marque des sociétés de scientifiques qui les ont étudiés.

Pour Haraway, les primates ont constitué un terrain pour travailler sur nous-mêmes tout autant que pour décrire les communautés animales. Puis, selon les termes mêmes avec lesquels elle retrace son parcours en tête du recueil *Simians, cyborgs and women* (1991), elle déclare être devenue une militante fervente du « *cyborg feminism* » dont son *Cyborg manifesto* fut l'étendard international. Dans cette perspective, il ne s'agit plus pour les féministes d'être des sujets maîtres de tout et d'elles-mêmes ; il ne s'agit plus non plus d'être des sujets aliénés et victimes ; mais « des agents humains multiplement hétérogènes, inhomogènes, responsables et connectés » (Haraway, 1991 : 3). Puis, dans ce qu'on pourrait considérer une troisième phase de son parcours, Haraway abandonne les cyborgs et publie un *Manifeste des espèces compagnes* et un ouvrage, *When Species meet*, consacré à nos relations avec les animaux domestiques, et tout particulièrement avec les chien(ne)s. C'est ce parcours, des primates aux cyborgs et des cyborgs aux singes, que nous nous proposons d'étudier ici comme figure de « passeur ». Un parcours plein de sauts, en apparence incompréhensibles, d'un objet à l'autre, d'une discipline à l'autre. Le travail de Donna Haraway s'amuse à courir le long des frontières, à hybrider des domaines en apparence disjoints ; c'est ce qui lui donne un caractère propre que nous qualifions ici d'« insaisissable ».

Le mot paraîtra peut-être ridicule. Dans une chronique parue dans le journal *Le Monde* en date du 2 septembre 2009, Francis Marmande s'amusait à brocarder l'usage, qu'on se risquera à qualifier d'« intempestif », des adjectifs « improbable » et « incontournable » : « insaisissable » pourrait bien rejoindre cette mauvaise troupe. Marmande y évoquait « la délicieuse bouillie bordelaise qui nous sert de communication », ces mots « usé[s] jusqu'à la corde du phonème » : « visiblement de tels mots font jouir. Ils ont la syllabe baladeuse », ils appartiennent peut-être à ce que Gérard Genette appelle le « médialecte », la langue des médias qui joue du solécisme et du jargon pour atteindre une élégance surfaite (Genette, 2006). Et Marmande terminait ainsi, avec la gourmandise coupable de qui se vautre dans le mauvais goût :

> Surtout, ne jamais aller contre la mode. Ne jamais se fliquer. Ne pas s'écouter parler. Simplement s'entendre. Se laisser surprendre. Éventuellement, mais juste pour jouer, n'employer ces mots mana, ou ne se laisser employer par eux, qu'en ajoutant à l'adresse de l'interlocuteur :

> « Comme tu dirais » (Marmande, 2009)

Dire « Haraway insaisissable » nous place dans la confusion des paroles que nous prononçons, nous plonge dans le brouhaha des mots que nous véhiculons, des usages antérieurs auxquels nous faisons malgré nous écho en (nous) disant.

Que fait-on lorsqu'on déclare un auteur insaisissable ? Les catalogues des bibliothèques nous livrent pêle-mêle *Jésus insaisissable* (1974), *Pierre Loti l'insaisissable* (1996), *André Gide l'insaisissable Protée* (1953), ou, très approprié à propos d'un joueur de rugby, habile à marquer des essais : *Serge Blanco l'insaisissable* (documentaire de 2008)... La langue française affectionne l'adjectif insaisissable, surtout pour décrire les terroristes ou les criminels, traduisant ainsi *The Carlos complex* par « Carlos l'insaisissable » (1977), *The Osama bin Laden I know* par « Ben Laden l'insaisissable » (2006), ou encore *Murder at a Police Station* par « L'insaisissable meurtrier » (1946). C'est sans compter *Filendouce est insaisissable* (film Pathé de 1912) et autres « bandit », « fiancée » ou « héritière » insaisissables. Car la Femme est souvent insaisissable, l'Amour aussi bien sûr, tout comme le cinéma de Maurice Pialat, les paysages marocains, ou l'oiseau Beep-Beep pourchassé par le Coyote (« Insaisissable Beep Beep », traduisant *Run, run, sweet road runner*). En disant « insaisissable », on ne dirait donc pas grand chose, mais « ça » parlerait beaucoup en nous. « Haraway insaisissable » se trouve donc en bonne ou en mauvaise compagnie. Ce titre nous plaçant d'emblée dans une impureté, dans la zone obscure du lieu commun, voire de la prostitution : le dictionnaire de Furetière enregistrait déjà que le titre est le proxénète du livre, ce qui le fait vendre, et l'on est bien forcé d'intituler. Ces résonances ne sont pas sans rapport à notre objet : l'œuvre de Donna Haraway, comme figure de passeur de frontières et la manière dont elle joue la carte de l'hybridité.

Pour cela, nous allons observer quelques principes stratégiques ou rhétoriques à l'œuvre dans l'écriture de Haraway : cela fera saillir quels usages elle fait des tropes et cela nous permettra de mieux sentir comment elle apprivoise une langue et des mots qui nécessairement font défaut dans le même temps qu'on (s') en joue. Par l'analyse de quelques jeux de langage et d'expressions à double, triple ou multiple fond, il apparaîtra comment la rencontre entre éléments hétérogènes autorise et reformule la critique classique des dichotomies. Puis, ayant esquissé quelques-uns de ces procédés, nous en suivrons trois incarnations majeures : primates, cyborgs et espèces compagnes, qui fonctionnent dans ses textes comme une nouvelle mythologie. L'idée est de montrer que le parcours bio-bibliographique de Haraway, comme son style et ses interventions théoriques, opère un passage de frontières et propose de nouvelles cartographies, nous invitant à reconsidérer la nature même des frontières.

PREMIÈRE PARTIE : COMMENT SE RENDRE INSAISISSABLE

Des mains et des pattes

De *Primate visions* à *When Species Meet* : des mains, à moins que ce ne soient des pattes, se croisent sur les couvertures des livres de Donna Haraway[1]. Rencontres du troisième type entre des créatures qui s'hybrident, dans un vivre-ensemble, où leur altérité mutuelle est engagée, à la fois maintenue et déjà dissipée dans des figures de compromis. Ces mains qui se tendent et se touchent nous exposent à la sphère du mélange, de la rencontre, à la fois de l'effacement et du maintien des dualismes. Ajoutons que, lorsque mains et pattes s'attachent, on a affaire, sans qu'il y paraisse, à une caricature blasphématoire : ce qui se rejoue, sur le mode de la répétition et quasi de la parodie, c'est l'immortelle fresque peinte par Michel-Ange sur la voûte de la Chapelle Sixtine, où le doigt de Dieu et celui d'Adam se rejoignent, au moment où la vie s'insuffle. Quand Dieu et l'Homme se serrent la main, ce sont deux natures qui se trouvent soudain mises en rapport, qui sont rendues comparables, ou dans les mots d'aujourd'hui, qui « communiquent ». Le naturaliste Buffon, en son temps, avait préféré exclure le Créateur de l'histoire naturelle, déclarant qu'il était sans rapport aux créatures, et partant, inconnaissable puisque l'on ne connaît que ce qui entre en rapport ou en proportion avec nous.

Ainsi, dans ces rencontres entre entités distinctes, que se passe-t-il ? Des mains s'atteignent, mais ne se fondront et ne se confondront jamais, irrémédiablement hybrides ; des contacts se font quoiqu'ils demeurent inconcevables, entre natures hétérogènes : c'est à ce genre de philosophie de la relation que l'on pense, en parlant d'une « insaisissable Haraway ». Dans les livres de Haraway, ces mains et ces pattes qui

---

1.   L'image en couverture de *Primate visions* est reprise d'une publicité pour le *Natural History Magazine* (Haraway, 1989 : 134). La couverture de *When Species Meet* est une photo d'Henry Horenstein (Getty Images).

se prennent et s'entreprennent dans une attitude pacifique et amicale de contact entre deux mondes, contrastent avec l'idée d'une guerre des mondes : la contagion virale n'est pas toujours fatale et nos systèmes immunitaires sont l'histoire d'un long compagnonnage. « Bien des entités qui requièrent (*command*) mon attention, déclare Haraway, sont nées à travers des appareillages (*apparatuses*) reproductifs de guerre » (Haraway, 2003 : 3). Ce simple syntagme, « appareils reproductifs de guerre », parce qu'il conjugue la production et la destruction, montre assez la manière dont Haraway pense les alternatives : comme une broderie sur le classique « faites l'amour, pas la guerre », cette phrase montre l'intrication des termes, l'impossible retour à l'Éden. Elle indique la présence, dans l'œuvre même de Haraway, d'un jeu sur la contradiction qui s'apparente à l'attelage : la guerre et la reproduction se tiennent par la main, l'artifice et la procréation s'amalgament. Est-ce faire écho à la « guerre des sexes » dont parle l'évolutionniste darwinienne Patricia Gowaty ? Est-ce prendre acte de ce que la sélection naturelle a produit des organismes qui sont comme des machines reproductives « égoïstes », ignorantes du « bien de l'espèce », ne visant qu'à multiplier les copies d'elles-mêmes ? On aurait tort de faire de Haraway un simple épigone du darwinisme d'un Richard Dawkins ; mais on aurait tort également de la couper radicalement de ses racines biologiques, d'ignorer tout ce que la biologie, la science en général, fait penser à Haraway. Pour l'instant, il nous suffit de remarquer que la biologie est, pour elle, une sorte de discours dialectique, qui permet de penser des contradictions qui n'en sont pas.

Sentir les relations

La rencontre des pattes est une manière de sentir que « le monde » est un tissu de relations. Dire « sentir » plutôt que « penser », c'est lancer un fil vers les travaux d'Evelyn Fox Keller qui intitula *A feeling for organism* son livre sur la généticienne Barbara McClintock. Mais c'est aussi prendre acte du fait que, pour Descartes, le sentir est un mode de la cogitation et qu'en conséquence, lorsque je sens, je pense au sens plein. Ce qu'il faut sentir est un tissu de relations plutôt qu'une juxtaposition de substances closes sur elles-mêmes. Ainsi : « Le genre est toujours une relation, non une catégorie préformée des êtres ou une possession que l'on peut avoir » (Haraway, 2003 : 228).

Comme Pénélope, Haraway aime tisser ou observer des tissages, mettant le mot *weave*, à toutes les sauces : « inextricable trame de réalité discursive, scientifique et physique, historiquement spécifique » ; ou bien à propos des déclarations de l'UNESCO sur la race, comme lieu où « science et politique, dans le sens oppositionnel de ces deux termes glissants, forment la trame la plus étroite possible (*the tightest possible weave*) » (Haraway, 2003 : 252, 258)[2]. Bien loin de « résoudre les ambiguïtés », Haraway s'amuse à en créer en reliant (*binding*) différents ordres (Haraway, 1988 : 591 ; 1991 : 197). Désormais l'ontologie a en partage de décrire notamment des « nœuds (*nodes*) dans des champs » (Haraway, 1988 : 588 ; 1991 : 195). Parce qu'elle approche des tissus, l'écriture de Haraway est emmêlée, à un point paradoxal où les contours finissent par se

---

2.   Les occurrences du thème sont légion, notamment : *weave/thread* (Haraway, 1989 : 369) *to knit toge-ther* (*Ibid* : 370), etc. L'image de la « carte » (*map*) rejoue la métaphore du tissage ou du textuel.

perdre : « leurs frontières sont trop perméables et enchevêtrées (*webbed*) à celles des autres » (Haraway, 1989 : 375).

Le symptôme en est que son écriture est infestée et infectée de tropes, au point de communiquer nécessairement à toute proposition de traduction un tour *affecté*, au double sens d'affection et d'affectation, de prédilection et de dandysme rhétorique. La langue de Haraway est pleine d'enveloppements et de développements, parce que sa pensée elle-même use de tropes polymorphes, dont le rôle est à la fois de faire perdre forme et reprendre forme. Son écriture mobilise l'ironie, le blasphème ou la science-fiction, des « histoires » (*stories*), avec toute l'ambiguïté de ce terme : *stories*, c'est aussi bien les récits que les étages, les couches multiples superposées les unes sur les autres, le feuilletage qui constitue la texture même de la réalité, son épaisseur, ou ce qu'Haraway décrit comme les multiples « couches de l'oignon des constructions scientifiques et technologiques » (Haraway, 1988 : 578 ; 1991 : 186)[3]. Ce jeu sur les matières et les couches, sur les histoires et les niveaux, fait qu'on assigne souvent Haraway à une étiquette : le « postmodernisme ». C'est là une manière de « labelliser » Haraway, de lui octroyer une position dans le champ qui nous la rendrait familière, assimilable, négligeable. Si Haraway est postmoderne, alors il ne s'est rien passé : elle n'est qu'une instance d'un mouvement général de la pensée contemporaine, que l'on peut sans difficulté apprivoiser, écarter avec un sentiment de « déjà-vu » ou un haussement d'épaules : « *This is so last season* »[4].

Or, si Haraway se prête volontiers à de telles inscriptions, décrivant son parcours comme un identique sillon plusieurs fois recreusé — « *Je pense avoir écrit le même article vingt fois* » — elle est, dans le même temps, rétive à ce traitement (Haraway, 2003 : 2). Elle recourt à différents modes de discours, qui rendent son propos proprement insaisissable : impossible à assigner à une position. En déclarant Haraway « insaisissable », nous voulons jouer cette stratégie d'enfermement et d'étiquetage tout en en déjouant la logique identitaire. Nous voulons rendre à Haraway son pouvoir corrosif et sa liberté, rappeler la raison principale qu'il y a à la lire : être sans cesse inquiété, dérangé, bouleversé, par les escarmouches et les piques qu'elle inflige à nos manières ordinaires de sentir. Haraway insaisissable : figure nouvelle et inconfortable du taon socratique ; ou figure de la purge pyrrhonienne, qui s'emporte avec les fausses croyances qu'elle a liquidées. Tout cela et rien de cela à la fois.

Une pensée des tropes

Haraway n'hésite pas à proposer des néologismes d'un type très particulier, comme « natureculture » qui est une manière d'effacer les frontières tout en les affirmant, et

---

3.   La figure de l'oignon joue plusieurs rôles dans la pensée de Haraway, notamment dans le texte « *Modest Witness* », à travers l'allergie à l'oignon dont Susan Leigh Star a fait le cœur de son point de vue « cyborg » (Haraway, 2003 : 238).

4.   La « labellisation » et ses enjeux sont au cœur des préoccupations d'Elsa Dorlin sur les « nouvelles mythologies féministes » et les identités sous copyright/copyleft. Cf. notamment son intervention à la journée d'études organisée à la Sorbonne le 28 mars 2009, au sein du projet BIOSEX (Histoire et philosophie du concept de sexe dans les sciences biologiques et médicales). Sur les étiquettes trompeuses, voir notamment la vigoureuse mise au point de Laurence Allard à propos du « posthumain », dans Haraway, 2007 : 19-28.

d'éteindre les dichotomies tout en les assumant. Ainsi, ces mains/pattes qui se prennent à répétition sur les couvertures, sont aussi des mains/pattes qui se déprennent : « natureculturelles », de part et d'autre d'une grande faille de la pensée et unies par cette faille même qui structure leurs rapports. Si l'on veut faire parler Haraway comme les *boys*, on dira qu'elle joue ici avec une marge, *à la Derrida*. Mais que gagne-t-on à ce jeu de la reconnaissance, qui s'amuse à mettre en rapport chaque pièce d'un réseau avec d'autres pièces ? Quand on aura bien disséqué Haraway, et qu'on aura identifié une trace de Jacques (Derrida) ici, beaucoup de Bruno (Latour) là, et inévitablement un peu de Gilles (Deleuze) et surtout du Michel (Foucault) comme s'il en pleuvait, qu'aura-t-on gagné ? On peut bien sûr se livrer à ce jeu (il est si doux de reconnaître), mais que nous restera-t-il à penser, quand nous serons devant le corps dépecé de Haraway, comme devant la dépouille d'Orphée dilacéré par les Ménades ? On peut toujours refuser de voir la nouveauté en la soumettant aux anciennes manières de voir et de dire. Certains sont experts à faire ventriloquer.

Mais dans l'arsenal conceptuel de Haraway, « natureculture » résonne avec « cyborg », terme dont elle s'empara dès 1984 et qui présentait déjà la même stratégie : faire entrer l'un dans l'autre la cybernétique et l'organisme. Les néologismes de Haraway proposent aux mots une confrontation et une cohabitation, où ils se présentent comme dépouillés de toute indépendance ou de toute aspiration à la pureté. « Natureculture » ou « cyborg » nous installent dans la confusion : ils nous obligent à ne plus rechercher l'origine, ils font un pied de nez à la créature de Frankenstein.

Car la créature de Frankenstein comme le cyborg sont tous deux des tissus mal rapiécés : des entités bancales et impures, faites de pièces et de morceaux épars, réunies sur une table de travail par le miracle des fils du tailleur et de la fée électricité. Comme le cyborg, la créature est aussi, à la fois, indissociablement organique par les éléments qui la constituent et artificielle par l'opération qui la fit exister ou l'énergie qui l'anime. Mais bien loin d'assumer cette hétérogénéité primordiale, la créature veut jouer à l'organisme, elle usurpe le nom de son créateur et réclame des certificats de naturalité, exigeant qu'on lui octroie une compagne. Manière de rompre avec son statut d'exception qu'elle éprouve comme une solitude, de ne plus être « *one of a kind* », mais surtout manière d'accéder à un mode de reproduction sexuée et « naturalisée ». « Frankenstein » veut faire l'économie de la médiation humaine, supprimer l'artifice de sa généalogie. C'est une créature qui tente, par tous les moyens de laver la tâche primordiale de ses origines et aspire, plus que tout, à rejoindre un paradis de pureté perdue, sans comprendre que précisément, elle ne s'est jamais trouvée dans ce paradis. Ce paradis, c'est celui de la copulation hétérosexuelle. Les entités de Haraway, filles illégitimes de Frankenstein, ne tombent pas dans ce panneau. Elles ne renient pas leur paternité monstrueuse, mais elles portent sur elles et jusque dans leur nom tous les stigmates de l'impureté. Elles ont compris qu'il ne fallait pas vivre dans la nostalgie d'un harmonieux « cosmos » primitif. Comme l'écrivait Haraway en 1984 (Baudrillard jouant ici la figure du *boy* incontournable auquel il faut payer sa dette, verser son écot ou acquitter un droit de passage), « les versions de la nature à la fin du xxᵉ siècle portent plus sur des simulacres que sur des originaux. Ce sont des histoires (*stories*) de copies supérieures à des originaux qui n'ont jamais existé. Les formes de Platon ont ouvert la voie à l'information cyborg, la perfection à l'optimisation » (Haraway 1984 : 84).

Haraway pense par figures, ce qui veut dire qu'elle pense à l'aide de personnages, proposant de nouvelles mythologies, qu'elle s'entoure d'un « *kin group of feminist figures* », susceptibles de nous conduire « ailleurs » (Haraway, 2003 : 1) ; mais également qu'elle pense à l'aide de tropes. Selon l'ancienne définition de Dumarsais, les tropes ou figures sont des « manières de parler éloignées de celles qui sont naturelles et ordinaires ». Ils ne sont pas des tours communs et pourtant, ils sont fréquents, « rien de si naturel, de si ordinaire et de si commun », « rien de si aisé et de si naturel » : « Il se fait plus de figures en un seul jour de marché à la halle qu'il ne s'en fait en plusieurs jours d'assemblées académiques. Ainsi, bien loin que les figures s'éloignent du langage ordinaire des hommes, ce serait au contraire les façons de parler sans figures qui s'en éloigneraient, s'il était possible de faire un discours où il n'y eût que des expressions non figurées » (Dumarsais, 1757 : 7-8). La plupart des figures, structures de langage non naturelles, « se trouvent tous les jours dans le style le plus simple et dans le langage le plus commun ». Le mot même de « figure », s'il signifie « métaphore », désigne d'abord la forme extérieure du corps.

Ce sont ces figures ou ces jeux de mots, auxquels Haraway voue « un amour pervers » : elle les aime comme on aime une nourriture pétillante, qui vient chatouiller le palais quand les sens sont épuisés. Haraway accorde aux tropes un grand pouvoir, lié à ce qu'ils font : d'abord, ils nous évitent de tomber dans le piège du littéralisme et de l'esprit de sérieux ; ils ouvrent une herméneutique infinie, parce qu'ils mettent le texte étudié à distance de lui-même ; ils introduisent un jeu et brisent les statues anciennes de l'autorité. L'esprit de référence et de révérence est congédié par le trope : l'auteur s'estompe dans la multiplicité des sens que ses tropes ouvrent sous sa plume, dans ses textes. Les tropes se moquent bien de l'ancien mythe de Theuth, des lamentations sur les textes orphelins, livrés à des interprètes peu précautionneux. Les tropes sont le ver déjà, toujours-déjà, présent dans le fruit. « *Tropes swerve* », nous dit Haraway : littéralement, ils ruent dans les brancards. Les tropes sont anarchistes : « les dualismes coloniaux épistémologiques du relativisme et du réalisme requièrent une embardée tropique (*tropic swerving*), dans un esprit d'amour et de rage » (Haraway, 2003 : 3). *To swerve*, c'est faire des embardées, contourner violemment donc, mais aussi trébucher volontairement sur ce qu'on veut éviter, le heurter de plein fouet, le prendre comme objet. Ne pas chercher à fuir ou à dissoudre, mais rencontrer : « rencontourner », pourrait-on risquer.

Les tropes rendent manifeste que, « pour faire sens, nous devons toujours être prêts à trébucher (*to trip*). De « trip » à « trope », une lettre peut suffire à basculer, comme dans la logique épicurienne de l'aléatoire, où des jeux de dés et des lancers de lettres finissent par produire de belles combinaisons, et pourquoi pas, *L'Iliade*[5]. Les tropes sont « une manière de rencontourner une culture qui défie la mort et qui adore la mort » (Haraway, 2003 : 2). Mais cette pensée par figures n'est pas établie dans un dogme, dont Haraway nous donnerait le discours de la méthode : « je ne suis pas même sûre de ce

---

5.   Sur les reprises darwiniennes de ce thème, cf. Hoquet, 2006.

qu'est une métaphore et de ce qui n'en est pas une» (Haraway, 2003: 4). Autant dire que les tropes sont incontrôlables: ils pénètrent tout, impossibles à localiser. Ils dérangent le discours ordonné du sujet cartésien. Ils ont tout infesté et infecté. Haraway n'hésite pas à écrire: «Toute mon écriture est engagée à rencontourner et à trébucher sur ces pièges bipartis et dualistes, plutôt que d'essayer de les renverser ou de les résoudre dans des touts supposément plus grands» (Haraway, 2003: 2).

Ici, la conjonction de «*swerving and tripping*» renvoie à l'étymologie du trope. Haraway se moque parfois de l'étymologie, qu'elle considère comme une manière de sacrifier à l'autorité en rendant hommage à grand-papa[6]. Mais dans le même temps, elle recourt à une étymologie à sa manière: «Toutes les histoires (*stories*) trafiquent avec les tropes, avec des figures du discours, nécessaires pour dire quoi que ce soit. Trope (en grec, *tropos*) signifie rencontourner et trébucher. Tout le langage rencontourne et trébuche; il n'y a jamais de signification directe: seule la pensée dogmatique pense qu'une communication libre de tropes est notre lieu» (Haraway, 2003: 20). En suivant les tropes, Haraway se place au cœur du trafic, que les «grands récits» tentent de réguler. En explorant les tissus, en se prêtant à un travail de cartographie ou d'analyse de réseaux, Haraway a une visée transformative: ses cartes visent à changer les schèmes explicatifs en place (Haraway, 1989: 370).

Un art du métaplasme

La multiplication des tropes résout les tensions qui travaillent nos pensées par un nouvel appareil dialectique: l'art du «métaplasme» ou art de remodeler et de remodéliser (*remolding and remodeling*). Le métaplasme, et l'écriture qui le pratique et l'incorpore, dit-elle, est «une pratique orthopédique»: ironie de cette «orthopédie» qui ne sert plus à marcher droit mais permet d'«apprendre à remodeler (*remold*) les liens de parenté (*kin links*) pour contribuer à rendre le monde mieux assorti (*kinder*) et plus défamilier (*unfamiliar*)» (Haraway, 2003: 2). Les textes de Haraway, on le comprend, obligent à tordre la langue, à coller au plus près des mots. Ici, on aimerait rendre «*unfamiliar*» par «inquiétante étrangeté», car ce terme rend finalement très bien le «*Unheimlich*» de Freud: mais Haraway ne recourt pas à «*uncanny*» et on aurait tort, au moyen de glissements de traductions, de nous rendre le terme qu'elle emploie trop familier, d'accueillir ses propositions en les aplatissant sur l'horizon de nos catégories préétablies. De même, le texte joue sur les échos de *kin*, la parenté, et de *kind*, la sorte, mais aussi la bonté, la gentillesse, *kindness*. Certes, dira-t-on, Haraway ne semble pas s'aventurer très loin sur cette piste, demeurant sourde aux résonances anthropologiques de «*kin*», mais elle prend en revanche pleinement la mesure du geste darwinien, qui transforme la classification en table généalogique et réconcilie *kin* et *kind* en fondant les analogies et les classes sur des apparentements. L'écriture n'est pas étrangère à ces processus biologiques: elle est aussi une pratique de la forme. À propos d'une

---

6.   Cf. (Haraway, 1989: 364): «Quels que soient les mérites du conte [...], il est toujours satisfaisant de commencer une importante histoire d'origine avec une étymologie grecque.»

autre philosophie, on aurait pu dire que « *kinship* » y joue un rôle « fondamental » : mais comme rien n'est plus étranger à la philosophie de Haraway que l'ambition de *fonder*, il faut trouver une autre formule, dire par exemple que les apparentements y « fleurissent » ou s'y « épanouissent » — avec tout ce qu'ont d'ambigu des floraisons qui peuvent être aussi bien naturelles qu'artificielles, décoratives que sexuelles ou infectieuses[7].

Le métaplasme, dont Haraway fait son trope préféré, désigne toute forme d'altération des mots, intentionnelle ou non. Le métaplasme, quoique seulement trope littéraire, sonne comme cytoplasme ou comme le « plasma germinal » de Weismann, « *germplasm* ». Métaplasme a une dimension vitale. Il signifie « une erreur, un vacillement, un tropage (*troping*), qui fait une différence charnelle » : remodelage et remodélisation (doublet de termes qui définit/décrit peut-être ce que les biologistes entendent d'ordinaire par « évolution »), comme dans l'histoire des compagnonnages au long cours, « le remodelage de la chair humaine et canine, remodélisation des codes de vie, de l'histoire des espèces compagnes en relation » (Haraway, 2003 : 20).

Critique des dichotomies

Les dualismes constitutifs de la modernité : corps/esprit, animal/machine, idéalisme/matérialisme sont mis à jour, dans le mouvement par lequel les pratiques sociales et les formulations symboliques les accentuent ; à l'inverse, la théorie critique substitue habituellement à ces dichotomies des dispersions et connexions polymorphes presque infinies. Mais que fait Haraway par rapport à ce programme de critique des dualismes ? Elle les critique et les maintient en même temps. Exemplaire, nous l'avons vu, le cyborg : agencement de machine et d'organisme, figure hybride et impure, « rejeton illégitime » mais précisément valable par son impureté même. Certaines disciples de Haraway, se montrant, comme il se doit, plus harawayennes que Haraway, ont pu lui reprocher de maintenir les termes qu'elle confondait, c'est-à-dire de reconduire les dualismes tout en prétendant les éviter : Jennifer Gonzalez s'en est prise à la qualification du cyborg comme « hybride *illégitime* » pour rappeler que « le cyborg est aussi légitime que tout autre » et qu'il n'y a jamais eu d'état « pur » (Gonzalez, 1995 : 275) ; Nina Lykke a voulu montrer que la phrase finale du *Manifeste cyborg* (« *I would rather be a cyborg than a goddess* ») reconduisait en réalité une opposition non pertinente entre le naturel et l'artificiel, et a suggéré de dépasser l'opposition *cyborg/goddess* pour travailler plutôt sur les potentiels des *cybergoddesses* (Lykke, 2000 : 85). De telles tentatives montrent à quel point les textes de Haraway sont une formidable machinerie à engendrer des descendant(e)s illégitimes, qui contestent ce qui les engendre et prolongent ce qu'ils renient. Car, précisément, Haraway assume les deux termes de la dichotomie, elle les maintient et les conjoint, si bien que toute critique porte à faux. Sa démarche n'est pas la recherche d'un état premier, d'une pureté primordiale, d'un état d'« avant le mélange ». Nous

---

7.   « My kinships are made up of the florid machinic, organic, and textual entities with which we share the earth and our flesh » (Haraway, 2003 : 1). L'adjectif « florid » porte des significations contradictoires, désignant le plein épanouissement d'une entité (fût-elle une maladie), qu'un tempérament « chaud » ou un « style fleuri », d'une grâce précieuse et empruntée.

sommes dans la dualité : le dualisme est maintenu, mais la pureté des pôles du dualisme est décrite comme un état jamais atteint : Frankenstein congédié. Haraway épouse la critique des dichotomies et produit des concepts qui maintiennent ou reconduisent les dichotomies tout en les estompant et les hybridant : c'est cela que représentent les deux mains qui tentent de se saisir, et cela contribue à rendre Haraway elle-même insaisissable.

Une division intérieur/extérieur ne s'applique pas à Haraway : elle est toujours systématiquement à la fois dedans et dehors, dans un entre-deux impur et inassignable. C'est cette position que je qualifie d'insaisissable, parce qu'elle dérange les assignations. Ainsi, Haraway aime à la fois le féminisme et la science ; mais sa volonté d'être à l'écart des paradigmes dominants du féminisme et de la science fait qu'elle est toujours à la frontière, dedans et dehors. Son féminisme est un féminisme sans femme ; sa pratique de la biologie n'est pas celle d'une biologiste et pourtant c'est l'histoire d'une longue imprégnation. La critique féministe de la science est l'objet d'une abondante bibliographie, à laquelle les travaux de Haraway s'apparentent sans s'y réduire ou s'y résoudre. Connaître la science ne conduit pas plus à donner une critique scientiste ou biologisante du féminisme.

Les livres de D. Haraway ne laissent pas la pensée critique servir d'excuse à l'ignorance des sciences ; ils refusent le prétexte facile du « ce ne sont que des textes après tout, donc laissons cela aux garçons » (Haraway, 1988 : 578 ; 1991 : 186)[8]. Car les *boys* s'amusent, eux, ils occupent le terrain, ils manœuvrent et ils manipulent : ils sont devenus experts en étiquetages abusifs, en jeux de production guerrière et de reproduction[9]. Ceux que D. Haraway appelle ironiquement les *boys*, d'autres les ont nommés *Dead White European Males* (Haraway, 2003 : 228). Est-ce par hasard si la vallée où furent faites tant de découvertes sur les premiers hominidés fossiles fut appelée, pour calquer les cris d'émerveillement des paléoanthropologues, la gorge « Oh Boy O Boy » (Haraway, 2003 : 258) ? Ces *boys*, on les retrouvera constamment : on n'en a jamais fini avec eux, car l'Histoire est infestée de leur présence et de leurs actes (ce sont eux qui l'ont écrite, elle est leur grande Geste).

Parmi les sciences où les *boys* sévissent, la biologie occupe une place à part dans la pensée de Haraway. La biologie est en effet une science « à histoires ». D'abord, elle est « implacablement historique, de part en part »[10] : cela se comprend par rapport à la théorie de l'évolution, qui modélise ce qu'il advient des parentés au fil du temps, mais

8.   Une phrase ajoutée, juste après ce passage, dans la version de 1991, suggère que la science-fiction utopique peut être un autre point de fuite féministe, devant les terrifiants « textualized postmodern worlds » (Haraway, 1991 : 186).

9.   Autre exemple d'étiquette proposée par les *boys* : le thème de la « mort du sujet », pour désigner le doute qui assaille un sujet défini comme « point solitaire d'ordonnancement de vouloir et de conscience » (Haraway, 1988 : 585 ; 1991 : 192). Haraway joue à traduire les étiquettes des *boys*, d'un registre à l'autre. Par exemple (Haraway, 1989 : 353) : « À quoi ressemble la fameuse 'mort du sujet' dans la théorie néodarwinienne de l'évolution ? »

10.   « Biology is relentlessly historical, all the way down ». « I am in love with biology — the discourse and the beings, the way of knowing and the world known through those practices » (Haraway, 2003 : 2).

également à travers l'équivalence entre « histoires » (*stories/histories*). Le concept d'histoire est utilisé par différence avec le concept d'idéologie, jugé moins « généreux » (Haraway, 2003 : 1). Identifier des « idéologies » à l'œuvre en biologie, c'est s'élever au point de vue surplombant de la morale pour juger du Bien et du Mal et condamner ; c'est tisser des liens de Darwin à Hitler, via Galton, Haeckel ou Davenport ; c'est dessiner un réseau qui unit la génétique des lignées pures de Johannsen aux développements du néofordisme ; c'est tracer des lignes d'Auschwitz aux abattoirs. Haraway n'a rien à faire de cette « droiture » (*uprightness*) que Derrida associait à la posture humaine et à l'érection, au pouvoir masculin et à l'autorité (Derrida, 2006 : 90)[11]. Au contraire, voir dans la biologie une « matière à histoires », c'est témoigner d'une volonté d'embrasser ou « d'habiter les histoires (*to inhabit histories and stories*) au lieu de les critiquer et de les nier ». Cette habitation enregistre les solidarités et les impuretés en acte. Enfin, exemplaire de ce souci des apparentements et des histoires, la biologie éclate de symbioses multiples, Haraway confessant même son « désir érotique des fusions promises par la biologie moléculaire de la cellule » (Haraway, 2003 : 4). Une dimension qui ouvre le problème de la nature de l'individualité et dont la figure est *Mixotricha paradoxa*, qui parasite l'intestin des termites d'Australie du Sud (Haraway, 1995).

DEUXIÈME PARTIE : COLLECTION DE FIGURES POUR UNE NOUVELLE MYTHOLOGIE CRITIQUE

Si Spinoza, reprenant une ancienne formule scolastique, faisait de Dieu « l'asile de l'ignorance », Haraway est inlassable et inégalable à débusquer les refuges de la perspective divine (également appelée « perspective de *Star Wars* »), cette position d'où l'on prétend tout embrasser et qu'on pourrait décrire, après Francine Markovits, à la fois comme une place forte imprenable et comme une chaise vide où personne ne se trouve jamais en position de s'asseoir[12]. C'est sans doute son refus de se placer dans la perspective divine qui fonde Haraway à critiquer ses trois allégeances disciplinaires historiques, dans le même temps qu'elle proclame ce qu'elle leur doit : le scientisme, le marxisme et le féminisme. Que le scientisme prétende occuper la position d'un observateur neutre, universel et non situé, c'est l'une des grandes leçons de la critique féministe. De même, le marxisme s'est trouvé, selon Haraway, « pollué à la source par sa théorie structurante » : expliquant la domination de la nature par l'autoconstruction de l'homme et impuissant à historiciser tout ce que les femmes font et qui n'est pas rétribué par un salaire (Haraway, 1988 : 578 ; 1991 : 186). Haraway analyse également comment le féminisme lui-même s'est mis dans une position impossible en voulant promouvoir une science meilleure tout en prétendant échapper à la perspective divine : manier à la fois la critique de l'objectivité et la promotion d'une objectivité alternative,

---

11. Cf. le commentaire qu'en donne Kari Weil, dans son article « Liberté éhontée », dans Hoquet et Balibar, 2009 : 677.

12. « Il revient à Kant de faire la théorie incontournable de la place forte d'un sujet transcendantal, place décisivement vide » (Markovits, 1998 : 80). À la problématique kantienne de la normativité universelle, F. Markovits oppose une philosophie sceptique du déplacement, une problématique du sujet déplacé.

c'est une manière de vouloir « s'accrocher, alternativement ou même simultanément, aux deux bouts d'une dichotomie ». Haraway analyse comment le féminisme a eu du mal à soutenir à la fois un constructivisme radical et un empirisme féministe : « Bien sûr, il est difficile de grimper quand on tient les deux bouts d'un mât, simultanément ou alternativement. Il est donc temps de changer de métaphores » (Haraway, 1988 : 580 ; 1991 : 188). Nous voudrions à présent, dans la galaxie des personnages harawayens et la multiplicité de ses topiques, traverser trois lieux de passage ou de transition, où s'élabore ce caractère insaisissable : le primate, le cyborg, l'espèce compagne.

Primates

Que fait Haraway dans *Primate visions* ? Sa position est souvent assimilée à un brûlot féministe antiscience, alors qu'en réalité, Haraway se veut à la fois dedans et dehors[13]. Haraway se situe dans « la tension permanente entre la construction et la déconstruction, entre les mouvements d'identification et les mouvements de déstabilisation » — qui affectent aussi bien le féminisme que la science (Haraway, 1989 : 324).

Primate visions s'ouvre par l'énoncé d'une multiplicité d'engagements. Ce n'est pas seulement aux historiens des sciences ou aux féministes, ou au grand public, que Haraway s'adresse. Ou plutôt, c'est envers ceux-là tous ensemble et envers bien d'autres encore, que Haraway s'engage. Elle s'adresse à eux et c'est auprès d'eux qu'elle souhaite que son travail résonne : son livre doit « correspondre (*to be responsible*) » « aux primatologues, aux historiens des sciences, aux théoriciens de la culture, aux mouvements gauchistes, antiracistes, anticoloniaux, et féministes, et aux amoureux d'histoires sérieuses (Haraway, 1989 : 3).

Cette déclaration d'allégeances plurielles nous place en territoire hétérogène, où le travail scientifique est compris avec toutes ses dimensions, implications et résonances sociales ou culturelles. Ce ne sont pas deux mains qui se rencontrent, mais quantité de mains qui s'appliquent et s'apposent sur son livre, et vont « communiquer » avec lui. Cette confusion originelle, gang bang d'appétits mêlés plus que Babel corrupteur, marque l'abandon de toute position d'auteur : de toute prétention divine et panoptique, à avoir barre sur l'ensemble d'un cosmos livresque. *Exit* l'eschatologie, fut-elle celle de la guerre des étoiles. Il n'y a plus de principes d'organisation ; il n'y a que des récits enchevêtrés et superposés. Il ne s'agit pas de promouvoir une science meilleure, au moyen de l'expérience des femmes ou des outils du féminisme. Et peut-être qu'il s'agit malgré tout encore de cela.

Haraway n'a pas de privilège. Elle est comme les acteurs dont elle nous raconte l'histoire : tour à tour, allant à tâtons (*groping*), empêtrée (*enmeshed*) ou glissant comme un navire (*glided*)[14]. Ou comme Lilith, ce personnage d'Octavia Butler, qui rit avec amertume et déclare : « J'imagine que je pourrais concevoir tout cela comme du travail

---

13.   Sur les recensions contrastées de l'ouvrage, cf. Fedigan, 1997.
14.   (Haraway, 1989 : 373, 375). On pourrait ajouter à ces termes celui de *cobbled together*, « bricolé ensemble » (Haraway, 2003 : 4), qui peut faire écho au bricolage (*tinkering*) de François Jacob.

de terrain — mais comment diable puis-je sortir du terrain ? » (Haraway, 1989 : 377, 382). Elle est prise entre plusieurs contradictions qu'elle assume et porte en étendard, « quatre tentations » qui sont quatre allégeances et quatre pièges, quatre sirènes qu'elle entend, qui exercent leur séduction sur elle, et qu'elle caresse sans pourtant s'y livrer (Haraway, 1989 : 7-8). Haraway entend les sirènes latouriennes ; un auteur avec lequel sa pensée s'hybride de bien des manières. Comme Bruno Latour, elle regarde comment les opérations, les machines, les diagrammes, servent à constituer des « faits ». Mais elle ne donne pas dans le constructionnisme radical qu'elle semble placer à l'horizon des travaux du sociologue français. Haraway entend aussi les sirènes marxistes, qui lui apprennent à voir comment le régime de division sociale et sexuelle du travail, ainsi que l'hégémonie raciale, structurent le monde humain. Elle entend aussi bien les sirènes scientistes : le fait que les objets sont réels, « *out there* », ou qu'il s'agit bien de « faits ». Elle entend aussi les *sirènes des études de genre et de races*. Toutes ces lectures exercent un profond attrait analytique sur Haraway, et aucune ne peut pourtant résumer son travail. Autrement dit, il faut les tenir ensemble, toutes les entendre et ne pourtant rien leur céder. Car la force de Haraway, ce qui donne au livre son ampleur, est précisément de nous montrer comment ce que nous appelons nature est dans l'enchevêtrement de ces différentes dimensions.

C'est pourquoi elle n'hésite pas à tenter toutes les conjugaisons possibles : après avoir instillé la science-fiction dans sa lecture de la primatologie, elle n'hésite pas à lire les romans d'Octavia Butler comme des ouvrages de primatologie (Haraway, 1989 : 376). Haraway n'est pas là pour trancher. Il ne faut pas attendre d'elle qu'elle organise les anciennes dichotomies en de grands tableaux antinomiques. Elle mêle hardiment science et fiction, une espèce à l'autre : la portée polémique, le geste de provocation de tels mélanges ne vaut peut-être que parce que l'on se donne justement les entités pures avant le mélange, mais Haraway ne s'en préoccupe guère. L'hybride est son domaine, parce que rien de réel n'est jamais pur. Ce n'est pas la science-fiction qui propose des mélanges inouïs entre espèces. La primatologie elle-même n'est qu'une province de la science-fiction, « à l'intérieur de la SF — les récits de fiction spéculative et de fait scientifique », parce que la science est « une pratique d'écriture (*writing practice*) » (Haraway, 1989 : 15, 77) ou une manière de raconter des histoires. Ainsi, de la science à la science-fiction, on peut voir se croiser les différentes manières de raconter des histoires, entre lesquelles Haraway navigue ou glisse (*glide*) :

> Ça ne m'intéresse pas de policer les frontières entre la nature et la culture — c'est même le contraire, je suis édifiée par le trafic. En fait, j'ai toujours chéri la perspective d'être enceinte de l'embryon d'une autre espèce. (Haraway, 1989 : 377)

On peut juger de ces allégeances amoureuses et conflictuelles de Haraway par la manière dont elle écrit sur Sarah Blaffer Hrdy, autour du thème de l'anisogamie. L'anisogamie désigne le fait que les deux gamètes, l'ovule et le spermatozoïde impliqués dans la reproduction, soient de taille inégale et représentent donc un investissement inégal. De ce fait premier, les biologistes tirent la conclusion suivante : les femelles étant le sexe qui investit le plus dans la reproduction, elles vont, le plus souvent, constituer la ressource limitante ; elles seront plus « prudentes » (*choosy*) dans le choix de leurs partenaires sexuels ; à l'inverse, le sexe qui investit peu dans la reproduction (le plus souvent les mâles) serait porté à multiplier les copulations. On aurait là deux manières d'assurer la dissémination des gènes, deux stratégies d'optimisation pour les réplicateurs. Ce schéma fonde l'opposition établie par Darwin entre les femelles « rétives » (*coy*) et les mâles avides. Certaines féministes, dont S. B. Hrdy, ont pourtant accepté le concept biologique de l'anisogamie dans une version élargie, incluant non seulement le coût de production des gamètes mais aussi l'ensemble des soins parentaux : comme le souligne Hrdy, il est ridicule de transposer dans la nature la « mentalité américaine du supermarché », qui fait croire à un état d'opulence et d'abondance des ressources : produire des gamètes, ou soigner ses petits, représente un coût réel, qu'il serait absurde de négliger. Haraway ironise sur ces tentatives d'amender la sociobiologie : de tels efforts illustrent bien selon elle l'enchevêtrement de la biologie et du féminisme, et dans une certaine mesure, par delà les oppositions et les exclusions, les postures de « complicité [du féminisme] avec les structures mêmes qu'il cherche à déconstruire, et les langages incommensurables, aussi bien que les conversations partagées, les alliances inattendues et les convergences transformatrices » (Haraway, 1989 : 349). On aura beau faire, l'édifice de l'écologie comportementale demeure étranger au féminisme dans le même temps qu'il s'enchevêtre nécessairement à elle.

De même, les récits de la paléoanthropologie ont opposé la figure de « la Femme collectrice » face à « l'Homme chasseur » : *Woman the gatherer* avait à charge de répondre à *Man the Hunter*, dans une mythologie alternative, proposant une division du travail primitive, et des fonctions respectives pour l'un et l'autre sexe. Ces nouveaux mythes apportent de nouvelles visions, mais on ne doit les admettre qu'en soulignant tout ce qu'ils ont de limité et de contingent. Ainsi, on peut jouer avec le mythe de *Woman the Gatherer*, à condition de ne pas en faire la base d'un nouveau « naturalisme », à condition donc de le lire comme la *Seconde fondation* d'Isaac Asimov. On a mille fois raison d'opposer la position de Haraway à un naturalisme simpliste. Mais on a tort de l'assigner symétriquement à l'autre terme de l'opposition : autrement dit, de déduire de sa résistance au naturalisme une adhésion pure et simple à la position d'un « nihilisme relativiste » (Arnhart, 1992). La philosophie de Haraway prend acte du mélange des genres, toujours déjà là, inévitable et incontournable.

Cyborgs

Des primates aux cyborgs, la transition va de soi. Ici encore, nature et artifice, science et féminisme, intérieur et extérieur s'entrelacent pour donner naissance à des formes inouïes. Les cyborgs sont au cœur de ces appareillages guerriers et reproducteurs que les tropes ont pour mission de rencontourner et de bouleverser. Leur fonction propre consiste à renverser l'organicisme, ce rêve d'une communauté naturelle et non forcée. Le cyborg est nécessairement désajointé, recomposé, de guingois. Il peut donc servir à reformuler le féminisme, si celui-ci veut éviter les logiques de la domination organique et souhaite affirmer l'espoir d'autres possibles : par exemple, des hybrides de machine et d'organisme ou d'animal et d'humain. Comme Haraway l'écrit en 1984 :

> Mon espoir, c'est que les cyborgs se rapportent (*relate*) à la différence par connexion partielle plutôt que par opposition antagonique, régulation fonctionnelle ou fusion mystique. Curieusement, les primates non humains et autres objets biologiques de connaissance, ont été re-théorisés comme cyborgs au XXᵉ siècle. (Haraway 1984 : 86-87)

Haraway travaille sur les dichotomies conceptuelles, *same/different, self/other, inner/outer, recognition/misrecognition*. Il faut tenter de les refigurer et reconfigurer, comme des « cartes routières pour des Autres, impropres et inappropriés (*as guided maps for inappropriate/d others*)[15] » : cette phrase empruntée par Donna Haraway à la cinéaste et féministe vietnamienne, Trinh T. Minh-Ha, désigne quiconque refuse d'adopter l'un des masques proposés par l'alternative *soi/autre* (*self/other*), une division proposée par les « récits dominants de l'identité ». Parler d'« *inappropriate/d others* », c'est tenter de considérer la différence indépendamment des systèmes hiérarchiques de domination.

Le cyborg réagence les rapports du féminin et de la technique, sans verser dans la technophilie et sans donner dans un écoféminisme. Haraway réclame la sobriété de son travail, s'inscrivant ainsi à l'encontre des interprétations techno-hypes qui en ont été données : elle ne rejette pas ces lectures mais elle semble les considérer comme « *illegitimate offspring* », peut-être la seule progéniture que l'on puisse jamais avoir[16]. Le cyborg, on l'a dit, ne tombe pas dans l'erreur naïve de Frankenstein : il « saute l'étape de l'unité originaire, de l'identification avec la nature au sens occidental. C'est sa promesse illégitime qui peut conduire à la subversion de sa téléologie comme guerre des étoiles » ; il « ne reconnaîtrait pas le Jardin d'Éden » (Haraway, 1991 : 151).

Ainsi, le *Manifeste cyborg* est difficile à saisir : non seulement parce que l'hybridité du cyborg est irrésorbable ; mais le texte tout entier est placé sous la catégorie du blasphème — plus qu'un trope, un style qu'il ne faut jamais prendre à la lettre et qui doit faire naître le soupçon par rapport à la lettre de ce que l'on lit. Comment lire, par exemple, le tableau proposé par Haraway dans son *Manifeste* (tableau 1) ?

---

15. La troisième partie de *Simians, Cyborgs and Women* s'intitule : « *Differential politics for inappropriate/d others* ».

16. Elle décrit le *Manifeste cyborg* comme « *nearly a sober socialist-feminist statement* » (Haraway, 2003 : 3). Tout se joue ici dans le "nearly" : on est dans le sérieux sans y être, telle est la marque de l'ironie.

TABLEAU 1

Représentation	Simulation
Roman bourgeois, réalisme	Science-fiction, postmodernisme
Organisme	Composant biotique
Profondeur, intégrité	Surface/limite
Chaleur	Bruit
Biologie comme pratique clinique	Biologie comme inscription
Physiologie	Ingénierie de la communication
Petit groupe	Sous-système
Perfection	Optimisation
Eugénisme	Contrôle de population
Décadence, *La Montagne magique*	Obsolescence, *Le Choc du futur*
Hygiène	Gestion du stress
Microbiologie, tuberculose	Immunologie, SIDA
Division organique du travail	Ergonomie/cybernétique du travail
Spécialisation fonctionnelle	Construction modulaire
Reproduction	Réplication
Spécialisation organique des rôles sexuels	Stratégies d'optimisation génétique
Déterminisme biologique	Inertie évolutive, contraintes
Écologie communautaire	Écosystème
Chaîne raciale du vivant	Néo-impérialisme, humanisme des Nations-Unies
Organisation scientifique de la maison/de l'usine	Usine planétaire/Pavillon électronique
Famille/marché/usine	Femmes dans le circuit intégré
Salaire familial	Valeur comparable
Public/privé	Citoyenneté cyborg
Nature/culture	Champs de différence
Coopération	Amélioration de la communication
Freud	Lacan
Sexe	Ingénierie génétique
Travail	Robotique
Esprit	Intelligence artificielle
Seconde Guerre mondiale	Guerre des étoiles
Patriarcat capitaliste blanc	Informatique de la domination

En première approche, il semble que Haraway oppose ici simplement deux époques : l'ancien et le nouveau mondes, le moderne et le postmoderne, c'est-à-dire, à en croire Fredric Jameson, deux « logiques culturelles du capitalisme » (Jameson, 1984). Haraway rassemble donc, dans la colonne de gauche des concepts périmés, et dans la colonne de droite, les concepts nouveaux qui les ont remplacés, en mesure de nous permettre de penser le contemporain. Le but du tableau serait donc d'actualiser le lexique théorique et de doter le féminisme-socialisme-matérialisme, dont se réclame Haraway, d'outils adaptés au monde comme il va. Si l'on adopte cette lecture, on sera frappé de constater à quel point nous pensons avec des termes qui sont inadéquats. *A fortiori*, à quel point le langage des théories que Haraway veut servir est obsolète quoique ces théories en elles-mêmes ne le soient pas. Si les concepts sont modifiés, l'efficacité des « pratiques théoriques » s'en trouvera améliorée et l'on évitera de poursuivre des combats d'arrière-garde : adopter une conception périmée de la subjectivité ou de la naturalité, défendre le « travail » ou dénoncer le « patriarcat capitaliste blanc », quand l'ennemi a peut-être déjà changé de forme et de nom (informatique de la domination)[17]. La clef des pathologies contemporaines n'est plus à chercher dans le *Zauberberg* de Thomas Mann, mais dans le *Future Shock* d'Alvin Toffler. Le tableau serait donc la proposition d'un *aggiornamento* théorique.

En réalité, la situation est plus complexe et le tableau plus difficile à interpréter qu'il n'y paraît. D'abord, il ne se lit pas seulement dans l'opposition de deux paradigmes figés et cohérents, incorporés dans les deux colonnes, gauche-droite, passé-présent, bloc contre bloc. Il se lit également dans sa hauteur, présentant le déploiement multicouches de deux formes de réalité sociale. Si chaque colonne est le tableau d'un monde, il s'agit aussi de comprendre la manière dont celui-ci se raconte, dont il décrit certaines de ses caractéristiques, quelles sont les métaphores qui l'organisent. Voici comment Haraway commente son tableau :

> On constate, premièrement, que les objets de la colonne de droite ne peuvent être codés comme « naturels », une réalisation qui subvertit l'encodage naturaliste des éléments de la colonne de gauche. Nous ne pouvons revenir en arrière, idéologiquement ou matériellement. Ce n'est pas seulement que « Dieu » est mort : la « déesse » aussi. Ou bien tous deux sont revivifiés dans les mondes chargés de politique microélectronique et biotechnologique. En relation aux objets tels les composants biotiques, on ne doit pas penser en termes de propriétés essentielles, mais en termes de design, de contraintes aux frontières, de taux de flux, de logique des systèmes et de coût de réduction des contraintes. La reproduction sexuée est seulement une sorte de stratégie reproductive parmi de nombreuses autres, dont les coûts et les bénéfices sont fonction de l'environnement système. (Haraway, 1991 : 162)

Haraway explique donc que chacune des deux colonnes retentit sur l'autre et sur la manière dont on doit les lire. La colonne de gauche aimerait se faire passer pour

---

17.   À propos de l'expression « *White capitalist patriarchy* », Haraway demande en 1988 : « Comment peut-on appeler cette scandaleuse *Chose* ? » (Haraway, 1988 : 592 ; 1991 : 197). Sur l'analyse du capitalisme comme « la Chose », cf. Žižek , 1993 : 110.

naturelle, mais précisément, l'existence de la seconde colonne opère la subversion des valeurs spontanément associées à la colonne de gauche et fait entrer dans l'ère du soupçon. Finalement, ce qui s'ouvre dans la juxtaposition de la deuxième colonne à la première, c'est peut-être la multiplication des colonnes en autant de « grands récits », déployés sur l'ensemble des couches du réel.

Mais en outre, ces deux colonnes ne sont pas la seule occurrence de tables dichotomiques dans l'œuvre de Haraway. Dans une note ajoutée au texte en 1991, Haraway indique :

> Ce tableau a été publié en 1985. Mes efforts antérieurs pour comprendre la biologie comme un discours cybernétique commande-contrôle, et les organismes comme « des objets naturels-techniques de connaissance » se trouvent dans mes articles de 1979, 1983 et 1984. La version de 1979 est reprise dans le chapitre III de ce volume ; une version de 1989 dans le chapitre X. Les différences indiquent des glissements (*shifts*) dans l'argument. (Haraway, 1991 : 246, n. 13)[18]

Un premier travail consisterait à suivre patiemment, comme nous y invite Haraway, les différentes versions de ces tableaux et à en enregistrer les inflexions. Mais, plus radicalement, Haraway exprime ses réserves par rapport à ce genre de tableaux dichotomiques dans son article de 1988, « Situated knowledges ». Un tableau dichotomique donne une illusion de symétrie ; il indique des termes qui sont simplement alternatifs l'un à l'autre et paraissent mutuellement exclusifs. Un tel tableau crée une carte de tensions duelles, qui suggère une pertinence particulière des couples d'opposition conceptuelle. La « comptabilité féministe », qui est aussi sa responsabilité (*accountability*), doit être « une connaissance qui consonne aux résonances, non à la dichotomie » (Haraway, 1988 : 588 ; 1991 : 194-195). Autrement dit, le tableau de Haraway n'est pas un simple outil pratique ou une description synthétique. C'est une pièce dans un dispositif, s'écrivant selon des modes qui peuvent s'avérer trompeurs si l'on oublie les médiations qu'ils constituent : on ne doit jamais négliger le fait que les formes rhétoriques du texte (ici la présentation en un tableau à deux colonnes) sont porteuses de significations et instruisent les sens qui se dégagent du texte. On ne peut éviter ces biais : tout texte fourmille de tropes. Mais devant un texte, on ne doit pas être à la recherche d'un sens immatériel et solidifié : on doit se confronter à la multiplicité des sens possibles, qui sont portés par le dispositif textuel.

---

18.   Les articles en question sont : « The biological enterprise : sex, mind and profit from human engineering to sociobiology », *Radical History review*, 20 (1979), p. 206-237 (repris dans Haraway, 1991, ch. III) ; « Signs of Dominance : from a physiology to a cybernetic system of primate society, C.R. Carpenter, 1930-1970 », *Studies in the history of biology*, 6 (1983), p. 129-219 ; « Class, race, sex, scientific objects of knowledge : a socialist-feminist perspective on the social construction of productive knowledge and some political consequences », *in* Violet Haas et Carolyn Perucci (dir.), *Women in scientific and engineering professions*, Ann Arbor, U. of Michigan Press, 1984, p. 212-229. L'article de 1989 est : « The biopolitics of postmodern bodies : constitutions of self in immune system discourse » (repris dans Haraway, 1991, ch. X).

Espèces compagnes

Le monde est infesté de tropes. Comme aucune présentation ne peut être définitive, Haraway est condamnée à sans cesse changer de lieu. Jamais elle n'est chez elle. L'immédiateté n'est pas de son monde. En 2003, son *Manifeste des espèces compagnes* (*Companion Species Manifesto*) rejoue le coup du *Manifeste cyborg*, vingt ans plus tard, en le déplaçant. D'un texte à l'autre, le style demeure celui du manifeste, mais le ton n'est plus le même. Comme l'écrit Haraway elle-même,

> Dans le *Manifeste cyborg*, j'essayais d'écrire un accord de substitution [*surrogacy*], un trope, une figure pour vivre à l'intérieur des talents et des pratiques de la technoculture contemporaine, et de les honorer, sans perdre contact avec l'appareil de guerre permanente, dans un monde nonoptionnel, postnucléaire, avec ses mensonges transcendants très matériels. Les cyborgs peuvent être des figures pour vivre à l'intérieur des contradictions, attentives aux naturecultures des pratiques banales, opposées aux mythes extrêmes d'auto-engendrement, embrassant la mortalité comme la condition de la vie, et éveillées aux hybridités historiques émergentes qui peuplent en fait le monde dans toutes ses gammes contingentes. (Haraway, 2003 : 11)[19]

Mais les reconfigurations cyborg paraissent s'être épuisées : elles sont devenues incapables du « travail tropique » qu'exigent les « chorégraphies ontologiques de la technoscience ». Ce terme est essentiel : les êtres qu'il s'agit de capter, de caresser au moyen des tropes, forment une insaisissable et infinie « chorégraphie ontologique[20] ». La danse devient la figure de cette ontologie nouvelle, pleine d'entités fluentes impossibles à fixer. Finalement il est apparu que les cyborgs, bien loin d'être des figures incontournables pour penser le contemporain, n'étaient que des « petits frères/sœurs » (*junior siblings*), au sein d'une « famille biaisée d'espèces compagnes (*queer family of companion species*) »[21]. Autrement dit, si la mythologie du cyborg a perdu son pouvoir caustique, si le cyborg lui-même n'a rien d'exceptionnel mais appartient à une troupe plus large de figures concurrentes, s'imposait le passage à/par ces autres figures, rendues possibles par le fait que l'incorporation féministe ne concerne plus « une localisation fixée dans un corps réifié, femelle ou autre » (Haraway, 1988 : 588). Haraway passe donc aux chien(ne)s, qui ouvrent des possibilités de scandale bien plus fortes que le cyborg :

> J'ai acclimaté les cyborgs au travail féministe à l'époque de la Guerre des étoiles de Reagan, au milieu des années 1980. À la fin du millénaire, les cyborgs ne pouvaient plus faire le même travail qu'un(e) simple chien(ne) de berger, pour rassembler les fils requis pour l'enquête critique. C'est pourquoi je me tourne joyeusement vers les chien(ne)s pour explorer la naissance du chenil, pour m'aider à forger des outils pour les *science studies* et pour la théorie féministe contemporaine [...] (Haraway, 2003 : 4-5)

---

19.   La figure de la substitution (*surrogacy*) est un terme dont Haraway souligne à plusieurs reprises l'ambiguïté. Par exemple : « l'achat de fœtus et d'enfant au moyen d'un contrat avec des femmes enceintes (ce pour quoi *surrogacy* est un mot désespérément inadéquat) ». (Haraway, 1989 : 351)

20.   On retrouve l'expression plus bas (Haraway, 2003 : 51).

21.   Je propose de traduire *queer* par « biaisé », pour faire résonner le *quer* étymologique, biais ou torsion.

Devant l'urgence écologique, Haraway se propose de changer d'outil et d'exposer de nouvelles «naturecultures». Elle tourne ironiquement le dos à la «naissance de la clinique» de Foucault, pour explorer «la naissance du chenil». «Ayant porté suffisamment longtemps les lettres écarlates, "Des cyborgs pour survivre sur terre!"», Haraway propose un nouveau slogan: «Courez vite, mordez fort!» (Haraway, 2003: 5).

Le *Companion Species Manifesto* marque donc un changement d'écurie ou de «label». De même que les singes poursuivaient la critique de l'orientalisme et se miraient dans la science-fiction d'Octavia Butler, les chien(ne)s incarnent d'«autres mondes» (Haraway, 2003: 34). Dans le même temps, il ne s'agit pas de prendre les chien(ne)s pour autre chose qu'eux-mêmes. S'amusant à hybrider un titre de Virginia Woolf (*A Room of one's own*), Haraway parle d'une «*Category of one's own*» (Haraway, 2003: 88). Elle occupe le terrain des mémères à chien(ne)s, se décrit volontiers comme l'une d'entre elles, mais, une fois placée dans cette catégorie, elle subvertit complètement la donne. Si elle parle bien d'«histoires d'amour», elle s'oppose frontalement à ceux qui aiment les chien(ne)s comme «leurs enfants» ou qui font des chien(ne)s la forme ultime de «l'amour inconditionnel». Il faut reconnaître que le chien(ne) n'est pas «nous», qu'il est bien «autre», mais un autre auquel nous sommes intimement mêlés, un autre avec lequel nous sommes de longue date en relation ou en situation d'impureté. Pas plus que le cyborg n'est le sauveur, le chien/ne n'a pas le pouvoir de nous sauver, en restaurant la pureté perdue des humains corrompus. Haraway indique ainsi que, pour sa part, elle refuse d'être appelée «la maman» de ses chien(ne)s, d'abord parce qu'elle redoute qu'on infantilise des chien(ne)s adultes, et ensuite parce qu'il y a totalement méprise sur la nature de son propre désir de chien(ne)s: «Je voulais des chien(ne)s et non des bébés. Ma famille multi-espèces n'est pas une histoire de mères porteuses et de substituts: nous tentons de vivre d'autres tropes, d'autres métaplasmes» (Haraway, 2003: 95-96).

Il ne s'agit pas d'angéliser le chien(ne), pas plus qu'il ne s'agissait de purifier le cyborg: Haraway rappelle (après l'éleveur John Cargill) qu'«avant les cyborgs, les chien(ne)s ont constitué des armes de guerre intelligentes absolument terribles» (Haraway, 2003: 13; Haraway, 2008: 152) — terrorisant des esclaves ou des prisonniers, au même titre qu'ils sauvaient des enfants perdus ou retrouvaient les victimes d'un tremblement de terre. De même, Haraway rappelle que l'amour des chien(ne)s ne doit pas verser dans la condamnation néocoloniale de ceux qui mangent les animaux compagnons (Haraway, 2003: 14).

Quoi qu'il en soit, le coup de force du *Companion Species Manifesto* est de faire redescendre des fantasies tecnho-hypes du cyborg au spectacle d'une vieille dame californienne (Haraway *herself*) qui raconte comment elle ramasse la merde de sa chienne et joue avec elle au jeu de «l'agilité» (*the sport of agility*), à faire des parcours d'obstacles. Ainsi, malgré l'abondante postérité de la pensée cyborg, cyberpunk ou autres cybercultures, malgré l'incroyable succès du *Cyborg Manifesto* dans la pensée mondiale, aussi bien à l'intérieur qu'à l'extérieur de l'université, ou peut-être bien, en raison de cette postérité et de ce succès, Haraway s'est déplacée. Quittant la pensée de la technologie contemporaine et ses enjeux informatiques et militaires, désertant l'approche des dispositifs et des institutions qui la plaçait dans un dialogue avec la biopolitique de Michel Foucault, l'analyse marxiste des rapports de production, ou la critique féministe de la technoscience, Haraway s'est repliée dans le giron domestique pour se concentrer sur les chien(ne)s. Comment les « espèces compagnes » (terme qui rassemble sous un même label les animaux domestiques et leurs soigneurs humains) peuvent-elles jouer le même rôle théorique que le cyborg ? Comment la figure de la modernité la plus « hype » peut-elle être remplacée par la figure du « chien-chien à sa mémère » ? Une telle substitution s'opère exactement de la même manière que les cyborgs ont pu jouer le rôle des primates : les espèces compagnes nous font rencontrer et sentir les « naturecultures émergentes ». Dans ces glissements s'illustre le refus de Haraway de coller à une étiquette ou à une stratégie générale qui ne soit pas celle du déplacement.

Le *Manifeste Cyborg* accueillait les technosciences tout en étant informé des critiques marxistes et féministes : « J'ai tenté d'habiter les cyborgs de manière critique, c'est-à-dire ni dans la célébration ni dans la condamnation, mais dans un esprit d'appropriation ironique, en vue de buts jamais envisagés par les guerriers de l'espace » (Haraway, 2003 : 4). Le *Companion Species Manifesto* poursuit le *Cyborg Manifesto*, dans le même temps qu'il le déplace :

> Racontant une histoire de cohabitation, coévolution et de socialité incarnée interespèces, le présent manifeste demande comment deux figures bricolées ensemble — cyborgs et espèces compagnes — peuvent de manière plus féconde, informer les politiques vivables et les ontologies dans les mondes où nous vivons. (Haraway, 2003 :4)

Cyborgs et espèces compagnes appartiennent à la même famille dans la mesure où les uns comme les autres dérangent les couples d'opposition polaire :

> L'un et l'autre assemblent l'humain et le non-humain, l'organique et le technologique, le carbone et le silicone, la liberté et la structure, l'histoire et le mythe, le riche et le pauvre, l'État et le sujet, la diversité et la déplétion, la modernité et la postmodernité, et la nature et la culture, en des modes inattendus. En outre, ni un cyborg ni un animal compagnon n'agréent aux cœurs purs, qui aspirent à des barrières spécifiques mieux protégées et à la stérilisation des déviants de catégorie. Néanmoins, les différences entre le plus politiquement correct des cyborgs et un chien ordinaire importent (*matter*). (Haraway, 2003 : 4)

Cyborgs et espèces compagnes sont soumis au jeu du politiquement correct : qui a le potentiel subversif le plus fort ? Est-ce le cyborg et son hybridation de machine et d'organisme ? Est-ce le chien ordinaire, si proche de nous et pourtant si radicalement animal ? On risque fort, comme le petit Marco que décrit Haraway, de confondre la chienne et le cyborg. Marco traite la chienne Cayenne comme « un camion implanté d'une puce, dont il détiendrait la télécommande » — ce contre quoi Haraway le met en garde : « Marco, dis-je, Cayenne n'est pas un camion cyborg. Elle est ta partenaire dans un art martial nommé l'obéissance. Tu es le partenaire le plus âgé et le maître en ce sens » (Haraway, 2003 : 40-1). Mais les animaux compagnons (et ici, « animaux » est le terme qui nous rassemble, *eux et nous*) et leur cohabitation mutuelle ouvrent à des opérations nouvelles, où la pensée de Haraway s'hybride à deux pensées-sœurs : celles de Vicki Hearne (1946-2001) et de Lynn Margulis (née en 1938).

Hearne importe pour sa vie en compagnie des animaux, par ses écrits de caractère philosophique, mais aussi par ses recueils de poésie ou son travail de « coach canin » (*dog trainer*, que rend si mal le français « dresseuse de chiens »). Ce « coaching canin », que Haraway pratique sous la forme du « jeu de l'agilité », est très bien rendu en français par le terme d'« entraînement » (nonobstant le fait que le terme français « entraîneuse » renvoie à d'autres connotations). Le coaching canin n'est pas un dressage, où la volonté du maître humain s'impose à des animaux soumis et aliénés. C'est une épreuve où « un chien et son dresseur (*handler*) découvrent ensemble le bonheur dans le travail de l'entraînement ». Haraway y voit un cas typique de « naturecultures émergentes » (Haraway, 2003 : 52). Après l'entraînement, il n'y a plus ni nature ni culture, mais un mélange indémêlable de l'un et de l'autre. Autrement dit, le « bonheur » d'un animal ne consiste pas à le préserver de toute éducation, à le maintenir dans un état de nature ou dans une supposée « pureté » animale : toute la vie de Hearne montre, *in actu*, que le bonheur animal revient à tirer de lui le maximum de ses capacités, par un effort commun. Hearne, nous dit Haraway, « aimait la beauté de la chorégraphie ontologique, lorsque les chiens et les humains conversent avec talent, face à face » (Haraway, 2003 : 51).

Haraway n'est pas étrangère au long compagnonnage dont elle décrit les formes et les implications. Dès 1988, elle évoquait « les leçons apprises en partie en marchant avec ses chien(ne)s » : Qu'est-ce que voir le monde sans fovéa et avec peu de cellules rétiniennes pour la vision des couleurs ? Qu'est-ce que voir le monde avec une immense aire de réception neurale pour les odeurs (Haraway, 1988 : 583 ; 1991 : 190) ? Le *Companion Species Manifesto* s'ouvre, quant à lui, par une scène destinée à rejoindre le bestiaire philosophique, au même titre que les masturbations des philosophes cyniques sur l'agora : le long récit des baisers échangés par Haraway avec sa chienne, Mrs Cayenne Pepper, baisers qui ont abouti à des échanges génétiques.

> Sa langue rapide et souple de Red Merle Australian Shepherd a imprégné les tissus de mes amygdales de ses avides récepteurs immunitaires. [...] Nous avons eu des conversations interdites ; nous avons eu des rapports buccaux. (Haraway, 2003 : 2) [22]

Ce qui est décrit ici est proprement ce que la biologiste Lynn Margulis appelle du sexe : des contacts entre deux organismes qui conduisent à des échanges génétiques. Haraway ouvre donc ses livres avec une scène de zoophilie ou de sexe, sous la forme d'un baiser qui conduit à des échanges génétiques. Toutes ces histoires d'espèces compagnes s'hybrident, en un flirt ambigu, avec la biologie évolutionnaire. Haraway se décrit comme une « obéissante fifille à Darwin » (*dutiful daughter of Darwin*), pour entreprendre de raconter « l'histoire de la biologie évolutionnaire », en jouant sur la gamme des concepts de « populations, taux de flux génique, variation, sélection et espèce biologique ». À la question classique de la définition de l'espèce, Haraway ajoute

---

22.   Le passage est repris au début de (Haraway, 2008). Sur ces baisers et cette reprise, cf. Vinciane Desprez, « Rencontrer un animal avec Donna Haraway », dans Hoquet et Balibar, 2009 : 745-757.

une perspective «postcyborg» : «Dans l'après-cyborg, ce qui compte comme sorte bio-logique trouble les catégories antérieures de l'organisme. Le machinique et le textuel sont internes à l'organique et vice-versa, selon des modes irréversibles» (Haraway, 2003 : 15).

Il s'agit d'histoires étagées (*stories*) où se conjuguent dans la plus complète impu-reté théorique, la biologie de la symbiose et la conceptualité darwinienne. Ces histoires sont la grande geste de la coévolution, entendue en un sens beaucoup plus large que celui qu'accordent en général les biologistes. Darwin a mis en scène la coévolution sous la forme de l'adaptation morphologique mutuelle de la structure des fleurs et des organes des insectes. Mais pour Haraway, la coévolution se marque aussi dans la modi-fication des corps et des esprits canins et humains : par exemple, dans le développe-ment de la vie pastorale ou de l'agriculture, dans le même temps que les espèces compagnes se transformaient corps et âme, développant des défenses immunitaires ou des pathogènes communs. Il n'est pas jusqu'aux virus ou aux microbes avec les-quels nous ne vivions une longue histoire de coévolution[23].

> Comme toute bonne darwinienne, je raconte une histoire d'évolution. Dans une sorte de millénarisme parfumé à l'acide (nucléique), je raconte un conte de différences moléculaires : une histoire moins fondée dans l'Ève mitochondriale d'un *Out of Africa* néocolonial, mais plus enracinée dans ces premières chiennes mitochondriales, qui croisèrent la route de l'homme se faisant lui-même dans ce qui reste toutefois la Plus Grande Histoire Jamais Racontée. (Haraway, 2003 : 5)

Haraway recourt aux histoires biologiques, qu'elle enchevêtre aux histoires fémi-nistes ou marxistes, pour en faire «un bestiaire dialectique» (*bestiary of agencies*), jouant sur toutes «sortes d'apparentements» (*kinds of relatings*) : un monde qui «sur-enchérit sur les imaginations des cosmologues les plus baroques». Il s'agit de prendre acte du fait que «le monde est fait chair dans des naturecultures mortelles» (Haraway, 2003 : 100).

Voilà tout ce que signifient les «espèces compagnes». Et pour ceux que cette défi-nition laisserait sans voix, elle ajoute :

> Dans des termes vieillots, on dira que le *Companion Species Manifesto* est une déclaration de parenté (*kinship claim*), rendue possible par la concrétion des préhensions de nombreuses occasions actuelles. Les espèces compagnes reposent sur des fondations contingentes. (Haraway, 2003 : 8-9)

Sous l'expression «terminologie vieillotte» (*old-fashioned terms*), Haraway n'hésite pas à mobiliser la philosophie de Whitehead, pleine de processus et de préhensions, ou bien ce que Judith Butler appelle «des fondations contingentes» ou des «corps qui pèsent» (*bodies that matter*). Ces différents lexiques disent chacun à leur manière que nos histoires ne doivent pas partir de sujets bien constitués : ce sont des histoires de constitutions. Le concept de «fondations contingentes» déjoue la logique du tout ou

---

23.   Sur ces nouveaux partages du monde, dans le sillage de Bruno Latour, voir par exemple l'article de Frédéric Keck, «Les hommes malades des animaux», dans Hoquet et Balibar, 2009 : 796-808.

rien[24]. Il ne s'agit pas tant de s'opposer aux fondations, en devenant antifondationna-
liste, que d'éviter la question de la fondation, et de contourner l'opposition entre la
présence ou l'absence de fondation, entre la recherche cartésienne du sol et l'effroi
sceptique de l'absence de fond. Jouant sur l'image ancienne de l'éléphant qui soutient
une tortue dont Locke avait fait ironiquement la définition métaphysique de la substance, Haraway réaffirme : « Il n'y a pas de fondation : il n'y a que des éléphants qui soutiennent d'autres éléphants, et ainsi de suite jusqu'en bas » (Haraway, 2003 : 12).

*

Parler de Haraway insaisissable ce n'est pas reprocher à Haraway une prose absconse ou
qui déroge aux normes du discours scientifique. C'est plutôt inscrire Haraway dans
une position sceptique — une tradition dont on trouverait également la défense et
l'illustration dans les recherches de Francine Markovits sur le xviiie siècle anticarté-
sien (Markovits, 1986). Markovits et Haraway partagent une écriture qui déroge au
cogito, qui déjoue les pièges de la linéarité, et qui, du fait de ses multiples allégeances,
n'est pas assignable à une quelconque école (déconstructionnisme, féminisme critique
des sciences, etc.). Elles pratiquent ainsi un type de discours en marge de la critique
féministe classique ainsi que des *race-*, *gender-* ou *science-studies*. « En marge » : c'est-à-
dire nécessairement pollué et fécondé par ces discours, tout en étant distinct d'eux.

Par rapport à ces courants, Haraway prend la tangente. Elle déjoue, elle n'est jamais
là où on l'attend. Ainsi, bien loin de faire du regard un lieu d'implantation perverse, ou
la source de l'appropriation des femmes par les hommes, Haraway propose une défense
relative de la vision, « ce système sensoriel souvent calomnié dans le discours féministe », en qui elle place, quant à elle, une « confiance » ou un « abandon métaphorique »
(*metaphorical reliance*) (Haraway, 1988 : 581 ; 1991 : 188). Mais cela n'exprime en rien
l'espoir d'atteindre un regard neutre ou épuré, le regard qu'elle appelle « *god trick* » :
« On ne peut se resituer dans un quelconque point de vue (*vantage point*) sans être
redevable/responsable (*accountable*) de ce mouvement » (Haraway, 1988 : 585 ; 1991 :
192). Le sujet est « divisé et contradictoire » et c'est cela seul qui lui permet « d'interroger les positions et d'être redevable/responsable » (Haraway, 1988 : 586 ; 1991 : 193). Il
s'agit d'avoir « *simultanément* une explication (*account*) de la contingence historique
radicale de toutes prétentions de connaissance et des sujets connaissants, une pratique
critique pour reconnaître nos propres "technologies sémiotiques" pour produire des
significations, *et* un engagement percutant/pertinent (*no-nonsense*) aux explications
fidèles d'un monde "réel", qui pourra être partiellement/partialement partagé (*par-
tially shared*) [...] » (Haraway, 1988 : 579 ; 1991 : 187, souligné dans le texte).

C'est pourquoi le caractère « insaisissable », dont cet article s'est proposé d'épou-
ser (sans épuiser) les contours, ne revient pas à dire qu'on ne comprend rien à Haraway
et qu'il n'y a peut-être rien à comprendre. Au contraire, affirmer l'insaisissabilité de
Haraway revient à rappeler combien les outils et les résultats qu'elle produit proposent une conduite alternative devant les sciences et une autre manière de mettre en

---

24.   Haraway affectionne ces oxymores dont ses textes font collection et étalage : par exemple, « *passionate detachment* » qu'elle emprunte à Annette Kuhn (Haraway, 1988 : 585 ; 1991 : 192).

œuvre le féminisme, le marxisme ou la critique dans le monde (*worldly*). Toute science, tout féminisme, toute pratique politique sont nécessairement engagés dans des configurations et des situations, condamnés à l'impureté.

RÉSUMÉ

Qui est Donna Haraway ? Historienne des sciences spécialiste des hominidés, théoricienne du féminisme cyborg, elle s'est récemment tournée vers les animaux domestiques. Nous analysons les dispositifs rhétoriques (tropes) et biologiques (métaplasmes, symbiose) par lesquels Haraway hybride les disciplines et trouble les frontières théoriques, sans tomber pour autant sous l'étiquette « postmoderne ». Haraway opère une critique des dichotomies conceptuelles qu'elle reconduit pourtant en partie en multipliant les mots-valises (naturecultures, cyborgs). Puis nous analysons la conception harawayenne du sujet, à partir de trois lieux typiques de sa galaxie de personnages : primates, cyborgs, chiens. Chaque fois, Haraway s'ingénie à multiplier les dispositifs et les allégeances, de manière à échapper à toute étiquette définitive. Ces changements d'objets et de méthode contribuent à la rendre insaisissable et à renouveler la puissance corrosive de son équipement conceptuel.

ABSTRACT

Who is Donna Haraway ? An historian of science specializing in hominids, theoretician of cyborg feminism, she has recently turned her attention to domestic animals. We analyze both the rhetorical and biological tropes (such as metaplasms, symbiosis) with which Haraway hybridizes the disciplines and troubles their theoretical boundaries without on that account falling under the label "postmodern". Haraway employs a critique of conceptual dichotomies, which she partly extends, however, in her multiplication of portmanteau words (naturecultures, cyborgs, etc.). Then we analyze Haraway's conception of the subject as starting from three typical locations on the galaxy of personae : primates, cyborgs, and dogs. In each case, Haraway ingeniously multiples structures and allegiances in such a way as to elude any definite label. These changes of object and method succeed in rendering her elusive and renewing the corrosive power of her conceptual apparatus.

RESUMEN

¿Quién es Donna Haraway ? Historiadora de las ciencias, especialista de los homínidos, teórica del feminismo ciborg, últimamente interesada en los animales domésticos. Aquí analizamos los dispositivos retóricos (tropos) y biológicos (metaplasmos, simbiosis) por medio de los cuales Haraway hibrida las disciplinas y trastorna las fronteras teóricas, sin caer por ello en la etiqueta de "posmoderna". Haraway realiza una crítica de las dicotomías conceptuales que, sin embargo, renueva en parte al multiplicar las palabras híbridas (naturacultura, ciborg). Luego analizamos la concepción harawayana del sujeto a partir de tres lugares típicos de su galaxia de personajes : primates, ciborgs y perros. Haraway se las ingenia en toda ocasión para multiplicar los dispositivos y las pertenencias de manera a poder escapar a toda etiqueta definitiva. Estos cambios de objetos y método contribuyen a hacerla inasible y a renovar el poder corrosivo de su utillaje conceptual.

BIBLIOGRAPHIE

ARNHART L. (1992), «Feminism, primatology, and ethical naturalism», *Politics and the life sciences*, vol. 11, n° 2, p. 157-170.

DERRIDA, J. (2006), *L'animal que donc je suis*, préface de M.-L. Mallet, Paris, Galilée.

DUMARSAIS, C. C. (1757), *Traité des tropes*, postface de C. MOUCHARD, suivi de PAULHAN, J., *Traité des figures ou la rhétorique décryptée*, Paris, Le Nouveau Commerce, 1977.

FEDIGAN, L. M. (1997), «Is primatology a feminist science?», *in* HAGER, L. D. (dir.), *Women in human evolution*, Londres et New York, Routledge, p. 56-75.

GENETTE, G. (2006), *Bardadrac*, Paris, Seuil.

GONZALEZ, J. (1995), «Envisioning cyborg bodies. Notes from current research», *in* GRAY C. H. *et al.* (dir.), *The Cyborg handbook*, New York, Routledge, p. 267-279.

HARAWAY, D. J. (1984), «Primatology is politics by other means», *in* BLEIER R. (dir.), *Feminist approaches to science*, New York, Pergamon Press, p. 77-118.

HARAWAY, D. J. (1988), «Situated Knowledges: The Science Question in Feminism and the Privilege of Partial Perspective», *Feminist Studies*, vol. 14, n° 3, p. 575-599.

HARAWAY, D. J. (1989), *Primate visions. Gender, race and nature in the world of modern science*, New York, Routledge.

HARAWAY, D. J. (1991), *Simians, cyborgs and women. The reinvention of nature*, Londres, Free Association Books.

HARAWAY, D. J. (1995), «Cyborgs and Symbionts. Living together in the New World Order», *in* GRAY C. H. *et al.*, (dir.), *The Cyborg handbook*, New York, Routledge, p. 191-208.

HARAWAY, D. J. (2003), *The Companion Species Manifesto*, New York, Prickly Paradigm Press.

HARAWAY, D. J. (2004), *The Haraway reader*, New York/Londres, Routledge.

HARAWAY, D. J. (2007), *Manifeste cyborg et autres essais: sciences, fictions, féminismes*, anthologie établie par ALLARD, L., D. GARDEY et N. MAGNAN, Paris, Exils.

HARAWAY, D. J. (2008), *When species meet*, Minneapolis/Londres, University of Minnesota Press, coll. «Posthumanities».

HOQUET, T. (2006), «Bricolages. Les biotechnologies ou l'espérance de la mutation», *Critique*, n° 709-710, p. 516-528.

HOQUET, T. et BALIBAR, F. (2009), *Libérer les animaux?*, *Critique*, n° 747-748.

JAMESON, F. (1984), «Postmodernism or the cultural logic of late capitalism», *New left review*, 146, p. 53-92.

LYKKE, N. (2000), «Between monsters, goddesses and cyborgs: feminist confrontations with science», *in* KIRKUP, G. *et al.*, (dir.), *The Gendered Cyborg: A Reader*, Londres, Routledge.

MARKOVITS, F. (1986), *L'Ordre des échanges. Philosophie de l'économie et économie du discours au XVIIIe siècle en France*, Paris, PUF.

MARKOVITS, F. (1998), «Les critiques de l'universalisme au XVIIIe siècle: arguments sceptiques pour une connaissance du singulier», *Le Temps philosophique*, n° 3, p. 75-90.

MARMANDE, F. (2009), «Improbable et incontournable», *Le Monde*, 2 septembre 2009, p. 2.

ŽIŽEK, S. (1993), *L'intraitable: psychanalyse, politique et culture de masse*, tr. fr. Élisabeth Doisneau, Paris, Anthropos.

III. CONTRÔLER LES PASSAGES, PATROUILLER AUX FRONTIÈRES

© *Hilmar Zill*
Museumsstiftung Post und Telekommunikation Archiv für Philatelie

D'égal à égal ?

Herméneutique critique du dialogue initié par l'État avec les musulmans d'Allemagne

SCHIRIN AMIR-MOAZAMI

Institut d'études islamiques
Université libre de Berlin
Altensteinstr. 40 — Raum 212
14195 Berlin
Courriel : schirin.amir-moazami@fu-berlin.de

Traduction : Rosalie Dion

INTRODUCTION

Si on s'attarde aux différents moyens employés pour gérer la diversité culturelle dans les politiques globales, le dialogue interculturel apparaît comme un outil de prédilection, découvert et conceptualisé afin de prévenir les conflits pouvant potentiellement résulter des différences culturelles. Ce dialogue fonctionne également, et de façon récurrente, comme contrepoids à la fameuse formule du choc des civilisations[1]. À l'intérieur même des frontières européennes, la gestion des minorités s'est de plus en plus formulée en termes de dialogue interculturel. Cette expression est devenue un outil complémentaire au processus de sécurisation, particulièrement en ce qui concerne les

---

* J'aimerais remercier Barbara Thériault et Mika Hannula pour leurs commentaires judicieux.

1. Pour un effort nuancé de conceptualiser le dialogue interculturel comme réaction à l'idée du caractère incommensurable d'unités culturelles menant nécessairement au conflit, voir par exemple Beck, 2004. Pour une critique, voir Latour, 2004, dans le même numéro.

musulmans[2]. Il est difficile de nier que le « dialogue » soit un outil adéquat dans les dynamiques interculturelles, voire le seul à travers lequel composer avec le pluralisme — et ce, tout particulièrement si on comprend le terme en son sens littéral : « par la parole ». Le dialogue est de plus quelque chose qui se déroule de façon constante, indépendamment des fins, des stratégies ou des motifs de ceux qui y prennent part. En d'autres mots, il est difficile de s'élever contre le dialogue en lui-même, qu'il ait été initié ou qu'il apparaisse spontanément. Toutefois, lorsqu'on aborde le dialogue interculturel comme un phénomène organisé et régulé, il est moins facile d'évaluer les questions reliées à la structure, au fonctionnement et, plus important encore, aux prémisses ou « motifs » à partir desquels le dialogue se conceptualise et se met en pratique. Je ne soulève pas ici la question de la notion de « culture » sur laquelle repose l'idée que des « représentants » de différentes cultures — pourtant complexes et dynamiques — devraient se rencontrer pour négocier les modalités d'un vivre-ensemble (cf. Dallmayr, 2008 : 24). Je me préoccupe surtout des prémisses à partir desquelles le dialogue se déploie, et de la façon dont se conçoivent, se représentent et ainsi se produisent à la fois soi et l'autre. Comment le dialogue interculturel se structure-t-il ? À partir de quelles prémisses et de quels motifs se déploie-t-il ? Quelles questions sont abordées et comment sont-elles déterminées ? Et enfin qu'est-ce que cela nous apprend sur les façons et les moyens à partir desquels autrui est abordé dans la rencontre ? Ce sont là les questions qui guideront cet article.

Comme point de départ empirique, je me pencherai sur un type particulier de dialogue interculturel en Allemagne : le *Deutsche Islam Konferenz* (que nous appellerons subséquemment DIK). Le DIK fut mis sur pied à l'automne 2006 par le ministère de l'Intérieur dirigé par Wolfgang Schäuble. Il se voulait un forum pour mettre en œuvre une conversation structurée entre des représentants de l'État et des musulmans de différents horizons vivant en Allemagne. Après une première période de trois ans, cette initiative peut aujourd'hui être évaluée sur la base de ses motifs, de sa dynamique, et aussi de ses résultats préliminaires. Le DIK fut généralement salué comme une étape nécessaire et attendue pour la reconnaissance des musulmans en Allemagne. Je me tiendrai à l'écart de ces évaluations en prenant quelques pas de recul. J'examinerai de façon critique les questions reliées à la conception sous-jacente de cette initiative et des modes de représentation qu'elle implique.

Sur le plan conceptuel, j'analyserai le DIK en m'appuyant sur l'idée de Hans Georg Gadamer qui conçoit le dialogue comme événement herméneutique critique (Gadamer,

---

Pour ne mentionner que quelques-unes de ces initiatives : depuis la fin des années 1990, le ministère français de l'Intérieur a commencé à inviter les musulmans à s'asseoir « à la table de la République », avec comme objectif la création d'un corps de représentants musulmans qui a mené en 2003 à la naissance du Conseil français du culte musulman (CMCF). Aux Pays-Bas, des programmes visant à déliner et promouvoir les voies adéquates pour être musulman dans un contexte néerlandais se sont multipliés depuis l'assassinat de Theo Van Gogh (cf. Tezcan, 2008). En Italie, des tentatives pour structurer les échanges entre le gouvernement et les organisations musulmanes ont mené à la création d'une plateforme de dialogue administrée par l'État.

1988, 2001, 2006 [1975]). Gadamer fut l'un des penseurs les plus importants de l'herméneutique philosophique, et nombre de penseurs ont réinterprété son approche pour en faire un cadre directeur applicable aux dialogues interculturel ou interreligieux (par exemple: Mal, 2005; Zaidi, 2007; Dallmayr, 2008). Mon objectif n'est cependant pas ici d'offrir une méthode, ni même des conseils pratiques quant à la façon dont le dialogue interculturel devrait idéalement être structuré pour être fécond ou inclusif. Je chercherai plutôt à faire ressortir quelques éléments de la notion de «compréhension» (ou compréhension critique) de Gadamer, afin d'interpréter et décortiquer certains des problèmes inhérents au DIK. En d'autres mots, il s'agit de mettre au jour les raisons pour lesquelles ce genre d'initiative de dialogue peut en fait miner l'objectif premier, dans la mesure où l'autre peut se sentir traité avec condescendance et même se voir privé de sa propre voix. En conséquence, j'analyserai le DIK à travers deux aspects interreliés de la pensée de Gadamer: d'abord, l'emphase qu'elle met sur la nécessité de se concevoir comme des êtres historiques, d'où découle le caractère profondément situé de nos présuppositions et qui devrait se refléter *à travers* la rencontre avec autrui. Ensuite, et conséquemment, à la base de chaque échange se trouve le principe d'ouverture, à la fois quant à la possibilité de réviser son propre point de vue mais aussi, et de façon plus générale, quant à l'issue de la rencontre dialogique. Dans la conception du dialogue de Gadamer, la différence ou la similitude entre soi et autrui n'est ni donnée d'avance ni immuable, mais doit être découverte au fil du *processus* de compréhension qui émerge de l'interaction.

En utilisant implicitement ces prémisses comme fil directeur, j'avancerai que l'un des principaux problèmes du DIK réside dans le refus de «comprendre», et ainsi de reconnaître la différence de l'autre, un refus qui découle de celui d'exercer une réflexion critique sur ses propres présuppositions. En présentant certains discours de ces «autres» qui sont ici les musulmans, j'évoquerai à la fin de cet article le caractère potentiellement ambivalent de cette rencontre, en rappelant qu'il n'existe pas nécessairement de relation causale entre les motifs d'une action et ses conséquences. En ce sens, une approche reposant sur Gadamer me permettra de faire ressortir les problèmes et les potentialités qui non seulement participent de ce type particulier d'entreprise dialogique, mais également en découlent. Je commencerai par présenter les aspects qui peuvent être considérés comme cruciaux à la fois pour la compréhension de la pensée de Gadamer et pour une conceptualisation du dialogue comme mise en pratique de la compréhension critique. C'est à la lumière de ces idées que j'analyserai ensuite le DIK.

LE DIALOGUE COMME COMPRÉHENSION CRITIQUE

L'œuvre de Gadamer doit être située dans l'ère de l'herméneutique philosophique; elle se préoccupe des dimensions *éthiques* de la pratique interprétative. En d'autres mots, en situant son herméneutique philosophique au sein de la tradition de la «philosophie pratique», Gadamer conçoit la compréhension non pas seulement comme une technologie adéquate ou une simple technique, mais comme étant surtout liée à des questions et à des notions du « bien », à savoir « quelle est la meilleure conduite de vie, ou la meilleure constitution de l'État » (Gadamer, 2001 : 328).

La question philosophique fondamentale à laquelle s'attaque Gadamer est celle de savoir comment s'orienter vers, et interagir avec les revendications de l'autre, un autre qui peut aussi bien être un texte qu'un individu, une peinture ou même un horizon historique reculé. À un niveau très élémentaire, on peut ainsi dire que l'herméneutique philosophique s'efforce de faire justice à l'intégrité du monde qui se déploie au-delà du soi. Ce n'est pas la similitude — qu'elle soit de rendre autrui identique à soi ou de devenir soi-même identique à autrui —, mais bien la différence qui permet l'émergence de possibilités alternatives qui ne nous sont pas propres. L'herméneutique philosophique de Gadamer est en quête d'une ouverture disciplinée à l'inconnu et à l'étranger, et elle favorise une tension créatrice entre les présomptions et les attentes issues de notre propre horizon et celles qui en diffèrent. C'est dans cette perspective que l'herméneutique philosophique recherche le *dialogue* avec autrui. Ainsi, même si Gadamer lui-même se préoccupait principalement de rencontres interprétatives avec des textes, certaines de ses hypothèses fondamentales peuvent être transposées à des rencontres, et donc également à des dialogues, entre des individus issus de cultures différentes (cf. Mal, 2005 ; Zaidi, 2007 ; Dallmayr, 2009).

Ce que je souhaite ici faire ressortir de l'œuvre complexe de Gadamer, c'est l'idée que sa notion d'herméneutique philosophique ne s'oriente pas vers le consensus, mais se base plutôt sur la possibilité et la capacité de rendre effectives certaines transformations d'une position initiale au sein de la rencontre dialogique. Deux éléments particuliers pointent vers cette hypothèse fondamentale, et c'est eux que je m'emploierai à esquisser ici. Le premier aspect important concerne ce que Gadamer appelle « le travail de l'histoire » (*Wirkungsgeschichte*) (Gadamer, 2006 [1975] : 299 et suivantes). Bien que le concept de *Wirkungsgeschichte* se déploie en fait à plusieurs niveaux, il peut se résumer par l'idée fondamentale du caractère situé de l'interprète. Il renvoie à l'enchâssement dans l'histoire du texte et de celui qui le lit, l'interprète et doit le comprendre. La compréhension herméneutique ne défend donc pas l'idée qu'il est impossible d'interpréter un texte selon les intentions potentielles de son auteur ; elle soutient plutôt que le regard porté sur le texte est ancré dans une position propre à l'interprète. Cette position initiale n'est pas donnée dès le départ, mais devient en fait apparente au fil du processus de rencontre et de compréhension. Il ne s'agit pas de supposer ou d'exiger d'un individu qu'il comprenne un texte en tant qu'observateur neutre, habilité à lire à partir du point de vue de celui qui écrit dans un cadre temporel différent. Gadamer avance en fait que c'est l'horizon temporel du lecteur qui devrait se révéler, et donc le contexte historiquement situé au sein duquel il ou elle lit et interprète un texte, à travers le *Wirkungsgeschichte* de son propre ancrage historique : « la conscience d'être affecté par l'histoire (*wirkungsgeschichtliches Bewußtsein*) est d'abord la conscience de la situation herméneutique » (*ibid.* : 301).

Même si les multiples couches et dimensions du travail de l'histoire empêchent l'individu d'y parvenir complètement, la prise de conscience d'*être dans l'histoire* doit être son ultime aspiration. Selon Gadamer, la compréhension inclut ainsi la conscience de ses propres préjugés (*Vorurteil/Vorverständnis*) acquis à travers les conventions, et souvent difficilement identifiables au premier coup d'œil (*ibid.*: 273). Seule cette conscience des préjugés, soutient-il, et non la supposition d'une position neutre, permet à l'individu de les contrôler[3]. Pour Gadamer, le préjugé n'est donc pas seulement inévitable, il est de plus un élément productif puisqu'il renvoie à une conscience historique particulière de la compréhension propre à un individu[4].

Ceci devrait être lu d'abord et avant tout comme un argument lancé contre l'idée d'une position supposément neutre, à partir de laquelle un interprète ne serait pas affecté par ses présuppositions, ou encore serait en fusion parfaite avec autrui. Gadamer offre également ici une critique constructive de certaines des hypothèses principales de l'esprit des Lumières, par exemple sa condamnation des notions de tradition, ou sa conception particulière de la temporalité pensée en termes de progrès et de ruptures historiques. On peut aussi aisément rapprocher la position de Gadamer d'une critique de certains aspects fondamentaux de la pensée libérale, nommément sa conception d'un individu autonome et sans attache, flottant librement au-delà de toute situation historique. Les idées de Gadamer sur la tradition et les préjugés en tant que points de départ nécessaires pour la compréhension du point de vue d'autrui renvoient entre autres à son ancrage dans la tradition philosophique aristotélicienne, qui présente l'homme comme un être fondamentalement inscrit dans une communauté historique. Ces idées font également écho à celles d'autres penseurs issus par exemple de la philosophie morale, comme Alasdair MacIntyre (1998). Dans la perspective de Gadamer, la tradition devrait surtout se comprendre comme une reconnaissance du caractère historique de l'existence; c'est ce qu'il traduit comme l'impossibilité d'un «point zéro» dans la situation herméneutique. Nous ne pouvons comprendre quelque chose que sur la base de ce que nous savons déjà ou de ce que nous avons déjà expérimenté. Selon Gadamer: «La compréhension doit être pensée moins comme une action subjective que comme une manifestation de la tradition. Un processus de transmission dans lequel le passé et le présent sont constamment diffusés.» (Gadamer, 2006 [1975]: 299). Dans la terminologie de Gadamer, cette idée de compréhension qui intervient dans la rencontre et qui enclenche le processus du devenir à soi-même différent, se conçoit plus fréquemment en termes de «fusion des horizons» (*ibid.*: 305 et suivantes), et comprend d'abord une dimension temporelle: «Il n'existe pas plus d'horizon isolé du présent en

3.	Gadamer rappelle que la connotation négative du préjugé dans la pensée des Lumières remonte à sa critique de la religion et à sa transmission à ses yeux injustifiée. Le préjugé est devenu l'équivalent d'un «faux» ou d'un «mauvais» jugement, et ainsi quelque chose qui doit être évité si l'on souhaite atteindre un savoir scientifique (et donc neutre).

4.	L'emphase que met Gadamer sur la force productrice et non perturbatrice du préjugé devrait, bien sûr, être comprise comme une critique générale adressée aux prétentions d'universalisme, de rationalisme et de savoir objectif (à l'abri des préjugés et de la conscience historique) des Lumières. Gadamer situait également ouvertement son approche en réaction, et comme critique, à certains aspects de la philosophie des Lumières. (Voir par exemple: Gadamer, 2006 [1975]: 280.)

lui-même que d'horizons historiques devant être acquis. En fait, la compréhension est toujours une fusion de ces horizons que l'on suppose exister en eux-mêmes » (*ibid.*).

La capacité de prendre conscience de son propre point de vue entraîne la capacité de le réexaminer afin de comprendre l'autre. Cette idée implique un second aspect sur lequel j'aimerais m'attarder. La conscience de ses propres présuppositions et de sa situation historique ne devrait pas être confondue avec une « conscience de soi » globale, mais doit plutôt se comprendre comme quelque chose devant englober à la fois l'incertitude et l'ouverture : « Le mouvement historique de la vie humaine réside dans le fait qu'elle n'est jamais rattachée à un seul point de vue, et qu'elle ne peut donc jamais avoir un horizon réellement fermé. L'horizon est plutôt quelque chose au sein duquel on se meut et qui se meut avec nous » (*ibid.* : 303). Pour Gadamer, la compréhension se conceptualise comme quelque chose grâce à laquelle la rencontre avec la différence ouvre la voie à une transformation mutuelle de la compréhension initiale que chaque participant apporte avec lui. Si l'un des buts est de devenir conscient de ses propres présuppositions, il y a et devrait toujours y avoir possibilité de réviser ces présuppositions. Ainsi, chaque appropriation pour soi du sens d'un autre recèle un potentiel de changer sa propre compréhension de soi, pratique et morale. Lorsqu'on se comprend soi-même différemment grâce à la compréhension — et non par assimilation ou immersion de l'autre — on a progressé. Dans son analyse de Gadamer, Nicholas Davey (2006 : 5) explicite bien cette idée :

> L'accent spécifique que met l'herméneutique philosophique sur la compréhension concerne ces moments révélateurs d'une réalisation, lorsqu'il devient apparent qu'autrui ne pense pas de la même façon que moi, ou que je ne peux plus continuer à penser de la même façon qu'avant sur un individu ou un texte. Prendre conscience de la différence chez l'autre m'a permis de me devenir différent à moi-même.

> Dans la pensée de Gadamer, la compréhension critique devient ainsi un « événement » qui *me* fait nécessairement quelque chose, comme il fait quelque chose à l'autre : « La compréhension s'avère être un événement, et la tâche de l'herméneutique, vue de façon philosophique, est de demander quel type de compréhension, quel type de science se trouve lui-même à progresser par un changement historique ». (*ibid.* : 308)

Sur fond de ces deux idées — la compréhension en tant que rencontre qui englobe et génère des préjugés issus d'horizons particuliers (*Wirkungsgeschichte*), et la capacité de transformer ces préjugés à travers la rencontre avec d'autres points de vue et horizons — le dialogue pris dans le sens de Gadamer peut seulement se comprendre comme un processus, dont l'issue ne peut être déterminée ou définie d'avance mais qui émerge au sein même de l'événement dialogique. La compréhension ne peut intervenir en amont du processus de lecture ou d'interprétation, mais seulement *au sein* du processus et *à travers* lui. Être expérimenté signifie être exposé à l'inattendu. Peu importe ce que je comprends, j'en viens à comprendre grâce à la médiation d'autrui. Ainsi, l'herméneutique philosophique suppose une disposition éthique, en ce sens que l'« événement » qu'est la compréhension n'est pas un accomplissement individuel, mais présuppose en fait une rencontre éthique avec l'autre et une reconnaissance (engendrée éthiquement) de l'autre et de sa différence.

LE DIK : OÙ A-T-IL DÉRAPÉ ?

Maintenant qu'ont été présentées quelques-unes des idées centrales de Gadamer sur le dialogue comme pratique herméneutique, quel genre d'éthique trouve-t-on derrière l'initiative de dialogue du DIK ? En d'autres mots, quels sont les problèmes qui émergent lorsqu'on y applique la grille de lecture de Gadamer ? Il importe tout d'abord de rappeler les grandes lignes structurelles du DIK. Le comité se compose de quinze représentants de l'État, issus des paliers fédéral et régional, et de quinze musulmans parlant en leur nom propre ou en celui d'associations de mosquées[5]. Le groupe se rencontre deux fois par année en sessions plénières semi-publiques, qui n'incluent que les invités officiels et un certain nombre de journalistes sélectionnés. Parallèlement au forum plénier, le DIK compte quatre groupes de travail qui se rencontrent chaque mois en vase clos[6], ayant pour titres : 1) « L'ordre sociétal allemand et le consensus sur les valeurs », 2) « Questions religieuses du point de vue de la Constitution allemande », 3) « L'économie et les médias en tant que créateurs de liens », et 4) « La sécurité et l'islamisme »[7]. Ces formules donnent déjà une idée du ton général de l'événement. Dans les séances plénières comme dans les groupes de travail, l'ordre des présentations, les thèmes abordés ainsi que le temps accordé à chacun des intervenants sont déterminés par le ministère de l'Intérieur. À chacune des rencontres, les participants ou des invités spéciaux font des présentations sur des sujets en lien avec le thème général, qui sont suivies par des discussions ouvertes.

Comme sa structure le laisse déjà deviner, il semble approprié d'évaluer le DIK en tant qu'initiative ancrée bien davantage dans des politiques d'intégration que dans des politiques de négociation de la différence. La mise sur pied du DIK doit ainsi être située dans un contexte plus large, soit celui de la reconnaissance relativement tardive, tant par les politiciens que par la société civile allemande, du caractère durable de l'implantation des musulmans en Allemagne. L'initiative se veut une réponse à leur quête — menée principalement par des organisations musulmanes — d'une citoyenneté à part entière, d'une reconnaissance de droits égaux et de l'opportunité de pratiquer leur religion au même titre que les autres communautés religieuses établies. Indépendamment des considérations sécuritaires et de l'engagement de l'État au côté des musulmans

---

5. Les différentes organisations comprennent la branche allemande de l'Union turco-islamique des affaires religieuses (*Diyanet Isleri Türk Islam Birligi* [DITIB]), le *Zentralrat der Muslime in Deutschland* (ZMD) et l'*Islamrat*. Les représentants musulmans qui ne sont pas affiliés incluent des écrivains, comme l'auteur et fondateur de *Kanak Attack,* Feridun Zeimoglu, des orientalistes comme Navid Kermani, ou encore l'avocate Seyran Ates qui se définit elle-même comme féministe laïque. Pour une liste détaillée des participants de la séance plénière : http://www.deutsche-islam-konferenz.de/nn_1318820/SubSites/DIK/DE/DieDIK/ Teilnehmer/teilnehmer-node.html?__nnn=true (consulté le 8 septembre 2009).

6. Selon un des coordonateurs du DIK, cette séparation du public a été décidée en accord avec les représentants musulmans afin de maintenir une sphère qui soit à l'abri des médias (entrevue menée le 3 juillet 2009).

7. Les observations qui suivent se basent principalement sur l'analyse de documents accessibles au grand public, ainsi que sur des entrevues menées auprès de membres des sessions plénières et des groupes de travail.

dans un « partenariat pour la sécurité » (Schiffauer, 2008), l'une des motivations centrales du DIK et des initiatives de dialogue qui y sont reliées est de réguler et structurer cette quête de reconnaissance. À l'instar des programmes d'intégration qui prennent
actuellement de plus en plus d'ampleur, ce forum de dialogue n'a pas un caractère
législatif mais vise en fait à structurer et à réguler les conduites de vie sur le plan extrajudiciaire des sensibilités, des attitudes personnelles et des pratiques religieuses quotidiennes. C'est également sur ce plan qu'il envisage de formuler autant des mesures
contraignantes que des recommandations.

Cette constatation est d'autant plus frappante si l'on observe comment, à ses
débuts, l'initiative de dialogue a été présentée au public par son principal protagoniste,
le ministre de l'Intérieur Wolfgang Schäuble. Le discours de Schäuble expose en effet
l'idée d'une « hospitalité conditionnelle » (cf. Yeğenoğlu, 2003) mêlée d'une volonté
d'incorporer les musulmans au moule d'une nation allemande préformatée.
Préalablement et parallèlement à la mise sur pied du DIK, Schäuble a expliqué à plusieurs reprises que l'Islam était devenu « partie intégrante de la société allemande », et
que les musulmans étaient « les bienvenus » en Allemagne[8]. Cette déclaration fut largement applaudie par les musulmans présents au DIK[9] comme un geste nécessaire
contre l'exclusion rhétorique de l'islam du paysage allemand, et comme un pas en
faveur de sa reconnaissance politique. Pourtant, l'aspect le plus important de ce geste
de « bienvenue » a pour une grande part été éludé[10]. Le fait d'accueillir des immigrants
vivant au pays depuis près de deux générations reste encore à être abordé de façon critique. En lui-même, il réaffirme le confinement des musulmans à un statut d'« invités »
qu'il faut accueillir avant qu'ils ne fassent pleinement partie de la société allemande, un
statut qui remonte à l'établissement du système de travailleurs invités et qui s'est cris-
tallisé depuis (cf. Mandel, 2008 : chap. 2).

L'aspect le plus pertinent de mon argumentation est ici surtout le fait que ce geste
de bienvenue s'est vu doublé de certaines exigences prédéterminées par l'hôte ; il s'ac-
compagnait de l'idée que l'invité doit d'abord intégrer certaines leçons avant d'être
reconnu comme membre à part entière. Par exemple, la notion d'intégration, bien
qu'explicitement détachée de celle d'assimilation, a été régulièrement conceptualisée
comme un processus nécessitant davantage d'efforts de la part des musulmans que de

---

8.   Voir les discours de Schäuble sur la page d'accueil du DIK : http://www.deutsche-islam-
konferenz.de/nn_1318844/SubSites/DIK/DE/PressePublikationen/Reden/reden-node.html?__nnn=true,
consultée le 20 juillet 2009.

9.   Voir par exemple les discours prononcés durant la quatrième séance plénière : http://www.deutsche-
islam-konferenz.de/cln_117/nn_1319566/sid_B7688C1B4D7634B50A3042C93087EAA1/ nsc_true/SubSites/
DIK/DE/DieDIK/Plenum/Pressekonferenz/pressekonferenz-node.html?__nnn=true, consultée le 20 juillet
2009.

10.   Sur ce point, voir Peter, 2009.

celle de la société allemande en son ensemble[11]. Aussi, le DIK illustre de façon symptomatique une tendance à associer l'idée d'intégration à la production d'un sujet musulman qui doit en fait potentiellement affronter le problème de l'intégration. Dans son discours inaugural, Schäuble déclare :

> Afin d'ouvrir des perspectives pour un futur commun, nous devons essayer de résoudre les problèmes pouvant nuire à la coexistence avec les musulmans de notre pays : l'éducation religieuse dans les écoles coraniques et publiques, le foulard, la formation des imams, le rôle des femmes et des filles, l'abattage rituel, pour ne mentionner que certains mots-clés[12].

Il devient évident d'ici la fin du discours que la raison d'être du DIK s'expliquait principalement par certains manques du côté des musulmans, et ce bien que l'intervention reposât principalement sur une reconnaissance des musulmans comme partie intégrante de la société allemande[13]. Le ministre de l'Intérieur renvoie à une idée qui se trouve perpétuée par la structure et l'organisation mêmes des groupes de travail : il s'agit d'identifier les problèmes associés aux musulmans, puis de s'orienter vers leur résolution grâce au soutien de l'État qui joue ici un rôle de gardien. Finalement, et bien qu'ils soient présentés comme faisant déjà partie de la société allemande, les musulmans doivent encore être façonnés de telle façon qu'on puisse appréhender « leurs » problèmes et assurer « leur » intégration.

Si l'on s'attarde à la formation et à l'identification du programme adopté par les groupes de travail, une logique en deux temps apparaît : d'abord l'identification des problèmes des musulmans, et ensuite les tentatives pour les résoudre collectivement lors des réunions. Il est important de mentionner qu'en de multiples occasions, Schäuble a insisté sur le fait que le DIK n'était pas une mise en scène déterminée d'avance, mais bien une initiative dont l'issue demeurait ouverte, et dont les discussions elles-mêmes étaient aussi importantes que les résultats attendus[14]. Il déclarait également que la conduite de vie des musulmans ne regardait pas l'État fédéral, et ne figurait donc pas parmi les préoccupations du DIK. Les intitulés des sous-thèmes des groupes de travail étaient de plus formulés en des termes plutôt vagues, qui auraient effectivement pu témoigner de cette ouverture promise par Schäuble. Toutefois, un examen approfondi

---

11.   Du discours d'inauguration aux remarques concluant trois années d'activité, tous les rapports réitèrent dans les mêmes mots l'idée que bien que l'intégration soit un « processus mutuel », les musulmans se doivent de fournir un effort supplémentaire afin de s'ajuster aux normes allemandes, « particulièrement aux orientations de la société d'accueil basées sur le droit, l'histoire et la culture » (voir le discours d'inauguration, les rapports intérimaires et les remarques conclusives, documentés sur la page d'accueil du DIK, *op. cit.* note 8, également publiés dans le livret *Deutsche Islam Konferenz*, 2009).

12.   Bulletin der Bundesregierung, 93-1, 28 septembre 2006 : 3.

13.   Le théoricienne des médias et participante du troisième groupe de travail du DIK, Sabine Schiffer, rappelle que les thèmes liés à la « normalité » de la vie sociale et religieuse des musulmans en Allemagne étaient absents du DIK, en faveur de questions centrées plutôt autour de leurs « problèmes ». Voir *Zeit Online*, 25 juin 2009 : http://www.zeit.de/online/2009/26/ganz-praktisch, et *Qantara*, 25 mai 2007 : http://de.qantara.de/webcom/show_article.php/_c-469/_nr-701/i.html, consultés le 2 août 2009.

14.   Voir par exemple l'entrevue du *Süddeutsche Zeitung*, « Der Islam ist Teil Deutschlands », 26 septembre 2006.

révèle qu'ils englobent en fait des exigences et des attentes à l'endroit des musulmans somme toute bien plus concrètes qu'il n'y paraît, et la structure même des groupes de travail montre clairement que leur programme et son implantation étaient joués d'avance.

Ceci devient explicite lorsqu'on observe par exemple la façon dont sont abordées les questions liées aux sexes et aux normes sexuelles — des questions centrales souvent identifiées, bien au-delà du DIK, comme étant particulièrement problématiques dans le cas des musulmans (Ahmed, 1992 ; Abu Lughod, 1999 ; Amir-Moazami, 2007, Bilge dans ce numéro). Alors que le DIK considère l'égalité des sexes comme étant une « valeur non négociable[15] », il conceptualise d'avance l'islam comme étant problématique pour l'ordre démocratique et les valeurs d'égales libertés, et traduit cette valeur d'égalité en un certain nombre de thèmes, de critères, mais aussi d'objectifs préalablement formulés. Dans les deux premiers groupes de travail en particulier (« L'ordre sociétal allemand et le consensus sur les valeurs » et « Questions religieuses du point de vue de la Constitution allemande »), des enjeux comme celui des pratiques corporelles telles que le port du voile ou la conduite religieuse prise de façon générale, ou encore les interactions entre musulmans et non musulmans dans les espaces publics — principalement dans le domaine de l'éducation — sont à l'ordre du jour. Ils abordent des thèmes comme « les symboles religieux », « l'égalité des sexes », « la famille », « l'éducation » ou « l'autonomie de la jeunesse ». Un peu plus loin, ils réfèrent à la « *nécessité* pour les filles musulmanes de participer aux cours mixtes d'éducation physique à l'école* », ils mettent en garde contre le « comportement des garçons musulmans à l'endroit des filles non musulmanes », et ils contemplent, de façon plus générale, une « amélioration de la condition des femmes musulmanes en Allemagne ».

De telles formules sont révélatrices d'une orientation déclarée vers l'obtention d'objectifs précis. Non seulement les enjeux abordés par le DIK sont-ils déterminés d'avance, mais le sont également certains critères de discussion ainsi que certaines cibles à atteindre. Pourtant, ces résultats ne pouvaient être formulés explicitement avant la tenue des rencontres sans remettre entièrement en question l'étiquette de dialogue dont l'initiative se réclame. D'un point de vue structurel, le DIK est ainsi moins axé vers la « compréhension » que vers la résolution de problèmes préalablement identifiés, une idée confirmée par l'un des coordonnateurs ainsi que dans une entrevue individuelle mettant l'accent sur le fait que le dialogue était mis en place dans le but « d'aider les musulmans à mieux intégrer la société allemande[16] ». Bien qu'une telle approche puisse être défendue en tant qu'étape stratégique justifiable au nom des responsabilités du gouvernement, cette conception du dialogue — dans laquelle l'une des parties anticipe d'avance le résultat — mine sérieusement l'idéal d'une rencontre ouverte et équilibrée. En d'autres mots, il s'agit d'un schéma dialogique dans lequel autrui est défini d'avance plutôt que découvert par, et à travers, la rencontre.

---

15.   http://www.focus.de/politik/deutschland/islamkonferenz_aid_55097.html, consulté le 20 juillet 2009.
16.   Entrevue menée le 3 juillet 2009 avec une personne qui ne souhaite pas être nommée.

DES DROITS AUX VALEURS : « GRUNDGESETZ PLUS »

L'objectif de mon argumentation devient plus clair si on étend la perspective jusqu'à la façon même dont s'est mené le dialogue[17]. Il est particulièrement intéressant de s'attarder à l'identification qui s'est faite, tout au long du DIK, entre les droits et les valeurs. En tant que point de départ de l'initiative, l'objectif déclaré des instigateurs du DIK était de trouver et de formuler certaines règles et principes ayant valeur d'obligation. En d'autres mots, il s'agissait d'établir un consensus pouvant s'inscrire dans un cadre défini par « l'ordre libéral-démocrate », dont il fut plus tard précisé qu'il s'enracinait dans la Constitution allemande présentée comme « nonnégociable[18] ». Bien que cette idée fasse écho à la notion de patriotisme constitutionnel telle que développée par d'importants penseurs comme Jürgen Habermas (1993, 1995), un certain discours s'est graduellement imposé au fil du dialogue : un discours dans lequel les principes constitutionnels ont de nouveau acquis une dimension éthique devant être partagée par chaque citoyen. Un tel discours élargit la notion de patriotisme constitutionnel, et fait plutôt écho à une trajectoire spécifiquement allemande du concept de nation, dans laquelle sont mis de l'avant des liens principalement émotionnels.

Déjà, au cours des deux premières séances plénières, Schäuble avait réorienté son discours en insistant sur le fait que la relation des musulmans avec la société allemande devait aller au-delà d'une simple loyauté à la Constitution, et se concentrer sur des liens mutuels qui dépasseraient les seuls principes légaux. Abordant ainsi une sphère davantage affective, Schäuble déclare qu'il est en fait question « d'appartenance à une communauté, de mémoires communes, peut-être aussi d'une entente commune sur le futur ou, comme le dit le sociologue Karl-Otto Hondrich, avec des émotions partagées et des relations émotionnelles »[19]. De telles demandes ne manquent pas de renvoyer au débat sur la *Leitkultur* initié à la fin des années 1990 par le secrétaire général du Parti chrétien démocrate, Friedrich Merz, et ajoutent simultanément une nouvelle dimension à ce discours. Elles révèlent en fait une nouvelle orientation dans la façon dont les musulmans en général, et les organisations musulmanes en particulier, sont actuellement abordés par l'État. Avant la mise en place du DIK, il était généralement avancé que la principale exigence envers les musulmans, pour être pleinement reconnus comme citoyens, était leur loyauté à la Constitution. Au fil de la conférence, cette exigence s'est vue étendue et la notion de « *Grundgesetz Plus* » (Constitution-plus) a été mise de l'avant comme point de départ de la future coexistence entre musulmans et non-musulmans en Allemagne. Dans son discours à l'occasion du rapport intérimaire, Schäuble a contourné le sujet en référant aux valeurs constitutionnelles telles

---

17. Il est important de rappeler que les observations suivantes se basent strictement sur le matériau véhiculé dans les médias et sur des entrevues individuelles menées avec les membres des sessions plénières et des groupes de travail. Puisque je n'ai pas accès aux réunions elles-mêmes, une analyse détaillée de la dynamique des rencontres, interprétée à travers ma propre voix et mon point de vue, est impossible.

18. Schäuble, discours d'ouverture, *Deutsche Islam Konferenz*, 2009 : 14.

19. Discours prononcé à l'Académie de Tutzing : http://www.deutsche-islam-konferenz.de/cln_117/nn_1319102/SubSites/DIK/DE/PressePublikationen/Reden/Reden/20060701-einheitindervielfalt.html, consulté le 1er septembre 2009.

qu'elles se reflètent « dans la jurisprudence de la cour constitutionnelle ». Dans un même temps, il a cependant légitimé de nouveau le fait de demander aux musulmans de respecter « les règles de vie communes dans la vie quotidienne[20] » au-delà d'une loyauté à la Constitution. Au-delà de ces changements d'orientation rhétoriques, cet appel à s'ajuster à une base commune de valeurs a aussi atteint des formes plus concrètes et explicites.

Avant la troisième réunion plénière, par exemple, après avoir fait foi à plusieurs reprises de leur confiance en la Constitution, quelques représentants de fédérations musulmanes ont été appelés à accepter une convention encadrant une base commune de valeurs allant au-delà des principes codifiés légalement, sous l'appellation de « communauté de valeurs allemandes » (*deutsche Wertegemeinschaft*). Cette entente devait élargir leur « simple » allégeance à la Constitution allemande, et comprendre des exigences assez détaillées quant à la conduite sociale et religieuse à adopter dans des contextes de vie quotidienne, comme le renoncement au port du foulard dans les écoles primaires publiques, ou la participation obligatoire des filles musulmanes aux cours mixtes de natation[21].

Une autre illustration du discours *Grundgesetz-Plus* s'est manifestée à l'occasion d'une controverse publique initiée par la tête du Conseil musulman (*Koordinierungsrates der Muslime in Deutschland*), Ayyub A. Köhler, avant la seconde séance plénière sur la question de la participation d'élèves musulmans aux cours d'éducation physique et de natation dans les écoles publiques. Köhler a publiquement déclaré que pour lui, le dossier des cours d'éducation physique mixtes était matière à discussion. De façon plus controversée, il a avancé que le rôle des fédérations musulmanes était d'appuyer les parents et étudiants musulmans dans leurs efforts pour examiner les possibilités d'introduire, dans les écoles publiques, des cours d'éducation physique non mixtes. Cette déclaration avait déclenché d'importantes discussions (Cantzen, 2007 : 273), et entraîné une violente réaction de la part du commissaire pour l'intégration et représentante de l'État au DIK, Maria Böhmer :

> La diversité culturelle est quelque chose de beau et d'enrichissant. Mais je veux clarifier une chose : elle s'arrête lorsque nos droits et nos valeurs fondamentales sont remis en question. L'égalité des sexes est l'un de ces droits fondamentaux non négociables. Elle se manifeste, entre autres choses, dans des cours d'éducation physique et de natation communs aux garçons et aux filles, ou dans des sorties pédagogiques communes. Nous ne permettrons pas qu'une petite minorité réactionnaire tente d'introduire les règles de leurs grands-pères[22].

---

20. Discours prononcé à la quatrième séance plénière : http ://www.deutsche-islam-konferenz. de/cln_117/SharedDocs/Anlagen/DE/DIK/Downloads/Sonstiges/schaeuble-plenum4,templateId= raw,property=publicationFile.pdf/schaeuble-plenum4.pdf, consulté le 1ᵉʳ septembre 2009.

21. Il s'agit là d'informations qui n'ont pas été publiées, mais que j'ai recueillies au cours d'entrevues individuelles menées auprès de représentants d'organisations musulmanes. Voir aussi Werner Schiffauer : « Muslime schätzen die deutsche Verfassung », dans le *Berliner Zeitung*, 26 mars 2009.

22. http ://www.bundesregierung.de/nn_1500/Content/DE/Interview/2007/04/2007-04-30-interview-boehmer-noz.html, consultée le 20 août 2009.

Plus généralement, la déclaration de Böhmer illustre la compréhension limitée du pluralisme culturel en Allemagne, souvent réduit à la notion de «l'autre abstrait» ou de «l'autre antiseptique» (Žižek, 1998 : 77) qui ne va pas tellement plus loin qu'une idée folklorique. Cette vision est caractéristique d'une tension significative au sein du discours politique et public allemand depuis l'immigration d'après-guerre (Mandel, 2008 : chap. 3; Terkessidis, 2002). Dans la déclaration de Böhmer, la différence n'est acceptée que dans la mesure où les personnes issues de l'immigration n'encouragent pas une discussion sur les implications des «droits fondamentaux», ni même sur les «valeurs fondamentales».

L'étroite association qui est faite entre les droits et les valeurs, d'une part, et d'autre part la définition plus spécifique de ce en quoi consiste l'égalité des sexes (par exemple, dans la mixité des cours d'éducation physique et de natation, ou des sorties pédagogiques) révèle à quel point l'acceptation de la différence fonctionne de façon conditionnelle. Cette déclaration met au jour la charge normative de l'égalité des sexes comme «droit» fondamental, que supposément les musulmans ne peuvent respecter qu'en acceptant inconditionnellement certaines «valeurs» spécifiques, ouvertes ni à l'interprétation, ni à la discussion ou à la contestation, mais dont la signification est fixée et doit être prise pour acquise.

Si on le confronte à l'idée de Gadamer sur la nécessité de réfléchir sur sa propre position et son propre horizon de pensée *à travers* la rencontre avec l'autre, ce qui s'est produit à l'occasion du DIK (du moins dans cet exemple) s'avère en contradiction complète. Les horizons qui sont ici en jeu n'ont pas été exposés, n'ont pas même été matière à réflexion, mais ont bien plutôt été produits et figés au fil d'une stabilisation — et non d'une remise en question — de jugements préalables et de préconceptions sur le caractère incommensurable de la différence de l'autre. Ce qu'élude le vigoureux débat sur la nécessité d'embrasser la mixité dans les écoles publiques si l'on veut être un bon sujet libéral, c'est le fait qu'en Allemagne, la «valeur» de la mixité n'est aucunement partagée de façon unanime par les non-musulmans. Par exemple, un important débat fait rage depuis quelques décennies dans les domaines de la psychologie et de la pédagogie, à savoir si une séparation des sexes dans les classes ne serait pas bénéfique au succès des filles dans des cours comme ceux de sciences naturelles, mais aussi d'éducation physique (voir par exemple Schmolze, 2007). De plus, un nombre considérable d'écoles publiques dans les États de Bavière, du Bade-Wurtemberg et de Saxe ont mis en place des cours ségrégés d'éducation physique, sans pourtant avoir déclenché de débat sur le principe d'égalité des sexes. Dans le processus ici à l'œuvre, les différents niveaux qui forment l'horizon de pensée d'un individu se subsument en un seul ordre temporel, à savoir un récit du progrès qui se traduit par l'émergence d'un sujet féminin graduellement émancipé.

Dans un article éclairant, Judith Butler (2008) se penche sur les débats récents en matière de politiques sexuelles, sous un aspect temporel. Elle examine, par exemple, les essais controversés, initiés par le gouvernement néerlandais, pour informer et instruire les nouveaux arrivants issus de sociétés présumées homophobes sur le mode de vie libéral néerlandais[23]. Butler avance que de telles techniques sont non seulement basées sur une interprétation spécifique de la liberté rattachée à une forme particulière de sexualité, mais que cette notion de liberté est de plus liée à une conception propre au temps (séculier) compris ici comme progrès, ainsi qu'à « ce que signifie le fait de déployer dans le temps un futur de liberté » (Butler, 2008 : 1). Plutôt que de contrer le temps « séculier » en lui-même avec l'idée essentialiste d'une division des différentes cultures ou espaces en différents cadres temporels, Butler défend l'idée que « certaines conceptions hégémoniques du progrès se définissent à partir de, et en réaction à une temporalité prémoderne qu'elles produisent elles-mêmes dans le but de se légitimer » (*ibid.*). Dans cette conception d'une liberté liée à un cadre temporel spécifique, l'Europe se perçoit comme ayant atteint la modernité, alors que les immigrants sont associés à des orthodoxies et des traditions devant être remodelées. Ce qui est crucial dans l'analyse de Butler, et aussi pour mon propos en ce qui concerne la déclaration de Böhmer, est le lien qu'elle repère entre les droits, les valeurs, la liberté et le progrès, et leur relation fonctionnelle avec d'autres notions de temporalité responsables de la production d'une conception de « notre » modernité et de « leur » arriération.

Une autre déclaration de Böhmer sur le même sujet peut se lire comme illustration supplémentaire de l'hypothèse de Butler :

> En ce qui concerne la question de l'égalité des sexes, on constate que pour beaucoup de personnes issues de sociétés différentes ayant une conception très patriarcale du rôle de la femme et de l'homme, il y a tout un processus de rattrapage qui — comme il l'a été mentionné hier [à la réunion plénière du DIK] — doit également être un processus d'apprentissage. Je crois que c'est important pour les deux côtés. Notre opportunité en tant qu'Allemands consiste à clarifier quelles valeurs sont associées au principe d'égalité. Et pour les autres, c'est également, je crois, une opportunité que de vivre ici d'une façon particulière, à savoir dans l'égalité, et sous la bannière de la liberté[24].

Plutôt qu'une constatation du caractère hétéroclite et contradictoire des couches et marqueurs qui constituent l'horizon historique d'un individu, ce type de discours révèle plutôt une réification de ce même horizon historique, à travers une lecture sélective de l'histoire et du temps. L'image qui transparaît d'un tel discours est celle d'une communauté d'Allemands non musulmans qui ont réussi à atteindre quelque chose (à savoir l'égalité des sexes), que d'autres ont encore à apprendre. La rencontre dialogique sert ici à aider l'autre à atteindre un standard prédéfini. Plutôt qu'une rencontre dont l'issue serait ouverte, le discours de Böhmer trahit un manque de volonté de se pencher *de façon critique* sur ses propres présuppositions, ainsi qu'un refus — qui y est directement lié — de potentiellement réviser ces présuppositions sur la base de la rencontre, refus qui est finalement révélateur d'une fermeture à l'autre. Cette fermeture procède

---

23.   L'un des aspects les plus contestés de cette mesure fut un film dans lequel deux hommes homosexuels s'embrassaient, que devaient regarder les nouveaux arrivants pour se familiariser avec ce qui les attendait dans les espaces publics néerlandais.

24.   Maria Böhmer contre les cours d'éducation physique nonmixtes, http://www.dradio.de/dlf/sendungen/interview_dlf/621200/, consulté le 20 août 2009.

en fait d'une image de l'autre comme affrontant des problèmes dont « nous » avons réussi à nous débarrasser.

Le ton condescendant de la déclaration de Böhmer est de plus révélateur de l'étroitesse de l'espace de négociation accordé à ces acteurs musulmans qui ne se conforment pas aux attentes établies par les initiateurs du dialogue. Alors que Köhler parlait de la nécessité de *discuter* du dossier des cours mixtes d'éducation physique, la ministre de l'Intégration rend très clair le fait qu'il n'y a pas d'espace de discussion, mais bien seulement un schéma unique qui doit être respecté.

En suivant la pensée de Gadamer, on pourrait avancer que la véritable motivation du DIK pour mettre la question de la mixité à l'ordre du jour résidait en fait dans une volonté d'aborder la question des pratiques corporelles ainsi que celles liées à la sexualité avec des musulmans qui, pour des raisons religieuses, s'abstiennent de participer aux cours mixtes d'éducation physique et de natation. Suivant une pratique optimale du dialogue telle que présentée par Gadamer, l'objectif serait de « comprendre » leurs perspectives en les *écoutant*, mais non nécessairement en les épousant. La capacité ou la volonté d'écouter doit également englober le témoignage des dimensions affectives que recèlent les pratiques et les sensibilités religieuses, y compris les pratiques corporelles et les normes sexuelles, et au moins un essai de comprendre leur caractère sacré aux yeux de cet autrui religieux. Dans ce cas-ci, il y a plutôt eu, préalablement à la rencontre, un rejet des pratiques de la différence, et une association de ces pratiques à des entités culturelles incommensurables. Le dialogue s'est ainsi déroulé d'une façon qui, d'abord, a contribué à la production d'une norme de la mixité comme expression de l'égalité des sexes et, ensuite, a érigé les déviations à cette norme en apologie illégitime de l'inégalité des sexes.

La demande formulée à l'endroit des musulmans pour qu'ils s'ajustent à une conception particulière des droits fondamentaux, fondée en l'occurrence sur une base éthique, est symptomatique d'une pratique de l'État qui vise à réguler et à discipliner les comportements éthiques, la conduite de vie, ainsi que les sphères émotionnelles de la société — des domaines qui, selon une conception libérale-démocrate et comme Schäuble l'a lui-même répété en entrevue[25], devraient idéalement être inclus dans le champ d'action de l'État[26]. Cet élan pédagogique dans l'intervention dialogique s'est vu explicité par un autre des représentants de l'État au DIK : le ministre de l'Éducation du Schleswig-Holstein, Ute Erdsiek-Rave, qui a insisté sur l'idée que le DIK devait « envoyer des signaux » aux parents d'enfants musulmans, afin de s'assurer qu'ils « participent naturellement aux cours et aux leçons de natation[27] ». Le DIK peut ainsi s'interpréter comme un essai de remettre les musulmans dans les rangs, en particulier ceux ayant commencé à questionner certaines normes.

---

25.   Voir les discours sur la page d'accueil du DIK (cf. infra, note 8).

26.   Les théoriciens libéraux, de Rawls à Habermas, ont mis une emphase particulière sur la neutralité de l'État quant aux conceptions du bien.

27.   « Schäuble zufrieden, Muslime kritisch », *Focus online Politik* : http://www.focus.de/politik/deutschland/islamkonferenz_aid_55127.html, consulté le 7 septembre 2009.

Il y a plusieurs interprétations possibles de ces quelques constatations. Il y a d'abord le simple constat empirique que les musulmans ont eux-mêmes commencé à s'appuyer sur des principes constitutionnels afin d'accéder à certains droits pour leur reconnaissance légale en tant que communauté religieuse. Les principes de liberté religieuse et d'égalité devant la loi sont les plus courants et aussi les plus efficaces pour une telle quête légale de reconnaissance. Il existe de nombreux exemples de luttes légales d'organisations comme l'*Islamische Gemeinschaft Millî Görüş* (IGMG)[28] qui a offert son soutien à de jeunes étudiants qui refusaient de participer aux cours mixtes de natation, de même qu'à une enseignante qui s'était rendue jusqu'en cour constitutionnelle pour défendre son droit d'enseigner en portant le voile (Amir-Moazami, 2007). La demande faite aux musulmans d'élargir leur identification aux principes légaux à une identification aux valeurs qui en sont constitutives est un clair reflet de l'effet déconcertant produit par le fait que les musulmans aient été en mesure d' « utiliser » la loi en appuyant leurs revendications sur l'ordre constitutionnel existant. Ceci explique également l'association récurrente établie entre les droits et les valeurs, et dont le DIK fournit un exemple important, en plus de mettre au jour les limites du « patriotisme constitutionnel », prôné par des penseurs libéraux comme Habermas, qui ne suffit pas à surmonter l'importante charge culturelle que recèle, dans la foulée du passé nazi, la conception allemande de la citoyenneté. Comme le suggère Heiko Henkel (2008), le patriotisme constitutionnel s'est forgé dans un contexte historique au sein duquel la présence active de musulmans porteurs d'importantes revendications normatives n'était pas anticipée.

La requête du gouvernement pour que les musulmans s'en tiennent à des valeurs communes peut ainsi être interprétée comme une tentative de s'assurer qu'ils n'élargissent pas trop les interprétations de principes constitutionnels, et qu'ils fassent usage des droits de la « bonne façon », à savoir pour des besoins qui sont en adéquation avec une société culturellement homogène. Cette idée fait clairement écho à des dossiers comme ceux d'un retrait des cours mixtes d'éducation physique et de natation. De façon plus générale, une telle démarche de la part du gouvernement fait état du soupçon voulant que les musulmans s'appuient stratégiquement sur des principes auxquels ils ne s'identifient pas réellement (voir aussi Schiffauer, 2007). Dans cette mesure, les initiatives officielles de dialogue étatique comme le DIK représentent une occasion d'instruire les musulmans de la façon appropriée de s'appuyer potentiellement sur la constitution et de s'identifier à elle afin de devenir des citoyens allemands à part entière. Les déclarations de Schäuble et de Böhmer mettent au jour les efforts déployés pour

---

28. L'IGMG, l'une des plus importantes organisations turco-islamiques, a été mise sur pied en Allemagne dans les années 1970 en tant que branche du mouvement islamique *Millî Görüş*, menée en Turquie par Necmettin Erbakan. Depuis 1993, l'IGMG est sous enquête par la Bundesverfassungsschutz (BVG), les services secrets nationaux. Les accusations portent sur l'« importation » de chefs religieux de Turquie, sur un manque de transparence quant à des transferts financiers, et sur des discours antisémites propagés surtout par le biais du quotidien *Milli Gazete*, qui a cessé sa diffusion en Allemagne en 1995 (cf. Schiffauer, 2009).

rétablir l'hégémonie de l'État dans des domaines où les musulmans ont étendu leur interprétation des droits fondamentaux et des normes à partir de la loi elle-même, en s'appuyant sur des principes fournis par l'ordre constitutionnel, ou encore en osant défier le consensus au sein d'une rencontre dialogique extrajudiciaire, comme l'illustrait par exemple la citation du représentant du Conseil musulman (KRM) Köhler reproduite plus haut.

Dans un même temps, une telle interprétation viendrait trop confirmer selon moi la pensée libérale que j'ai indirectement critiquée plus haut à travers la pensée de Gadamer. Bien qu'ils admettent que la loi constitutionnelle se soit fondée dans un espace et un temps particulier, ainsi que sur une base éthique tout aussi particulière (voir par exemple Habermas, 1993 : 183), la plupart de ceux qui se revendiquent d'une pensée libérale conçoivent encore le constitutionnalisme comme un ensemble de principes neutres et universels, mis à la disposition de chacun de façon égale. Pourtant, l'exigence de s'identifier à des valeurs précises associées aux principes légaux témoigne précisément du caractère non neutre, et donc éthiquement orienté, des principes constitutionnels eux-mêmes. L'exigence de souscrire également à une certaine substance éthique des principes constitutionnels trahit en elle-même le particularisme de ces normes constitutionnelles supposément universelles et disponibles pour tous.

Pour le dire autrement, je ne considérerais pas comme problématique en elle-même l'accent mis par les autorités politiques sur les valeurs éthiques que recèlent certains principes constitutionnels abstraits. Au contraire, elle m'apparaît comme une étape cruciale dans de tels processus de dialogue, du moins si l'on suit la ligne tracée par Gadamer et par d'autres. La reconnaissance de l'autre à travers le démantèlement de ses propres prémisses, suivant ce que j'ai expliqué plus haut, est cruciale et centrale pour l'aboutissement de quelque rencontre que ce soit. Ce que je considère comme problématique est plutôt l'hypothèse selon laquelle ces valeurs peuvent être tenues pour acquises et seraient partagées de façon consensuelle par tous les non-musulmans, comme le suggère explicitement Böhmer, alors que les musulmans ont encore à souscrire à leur supposée substance. C'est ce qui met en lumière le potentiel exclusif inhérent aux principes libéraux.

Dans un langage inspiré de Gadamer, plutôt que de prendre comme point de départ le caractère contesté, non défini et pluriel de ces principes, ainsi que les tentatives de les ouvrir à la discussion, à la controverse et à la négociation *au sein même* du processus de dialogue, la procédure du DIK révèle en fait une réification unilatérale et l'imposition de normes à l'endroit de ceux qui sont considérés comme n'étant pas tout à fait prêts à les absorber. Le problème qui surgit alors est que la base de valeurs soustendant supposément les principes constitutionnels n'est pas matière à redécouverte, à discussion ou à négociation. L'idée fondamentale de ce qu'est une vie bonne n'émerge donc pas à travers la rencontre, mais est en fait prédéterminée. Cette approche du dialogue est bien plus flexible, dans laquelle l'un des partenaires est en mesure de déterminer l'ordre du jour, le contenu des interventions, les questions qui seront discutées et celles qui ne le seront pas et, en définitive, une telle conception révèle les limites légitimes de la reconnaissance de l'autre et de son appartenance. Ce qui en ressort n'est donc pas une volonté d'écouter, ni une ouverture principielle visant la fusion d'horizons différents, mais bien plutôt une tentative d'immerger l'autre sous un seul horizon sur lequel ne se développe aucune réflexion, qui est en fait donné d'avance et considéré comme irrémédiablement fixé.

Bien que l'idée d'une nécessité de prendre conscience de ses propres bases de valeurs, qui vient s'opposer à celle d'un terrain neutre d'entente, rencontre certaines des exigences de départ énoncées plus haut, la façon dont elle s'est traduite à l'occasion du DIK s'éloigne à la fois du principe d'une compréhension autocritique et de celui d'ouverture. Elle pallie le problème de sa propre ambivalence en projetant les lacunes sur autrui. Si on l'analyse à partir de Gadamer, la tâche d'un événement dialogique comme le DIK pourrait être, par exemple, de discuter de ce que représente la contestation des principes libéraux-démocrates pour chacun des participants, et d'ainsi libérer un espace de compréhension, tout comme — bien souvent et peut-être même plus souvent encore — d'incompréhension. Mais dans les faits, ce type de rencontre n'avait pas comme objectif de demander aux musulmans quelle pouvait être leur contribution aux fondements éthiques de la société, mais bien plutôt de leur prescrire unilatéralement ce que ces fondements devaient être.

Une telle procédure a paradoxalement comme résultat de pousser les musulmans vers le légalisme. La loi leur apparaît en effet le seul terrain de communication possible pour faire comprendre leur position et pour lutter pour leur reconnaissance. Dans la dernière partie de l'article, j'avancerai que cela semble être précisément le cas dans le contexte du DIK, du moins en ce qui concerne la direction des organisations musulmanes. Je m'attarderai, par le fait même, aux conséquences non intentionnelles qu'ont nécessairement des mesures de dialogues comme celle du DIK, malgré le fait que leurs objectifs et leurs résultats aient été prédéterminés.

LES CONSÉQUENCES NON INTENTIONNELLES DU DIALOGUE CONTRÔLÉ

Des rencontres comme celle du DIK, bien que leur structure et leur déroulement soient déterminés d'avance, et qu'ils s'orientent vers des objectifs définis par un seul des deux partis, ont néanmoins tendance à entraîner des conséquences ambivalentes. Malgré les lacunes évidentes et le caractère inégal des structures de pouvoir soulignés plus haut, les résultats du DIK et d'initiatives de dialogue similaires ne sont pas entièrement prédictibles ou contrôlables.

Ceci devient particulièrement évident si on se penche de plus près sur certains des représentants musulmans. Il est important ici de rappeler qu'en raison de la diversité des musulmans invités au DIK, il est difficile de généraliser leurs motifs, leurs objectifs ou leurs stratégies avant ou pendant le dialogue. Les activistes féministes laïques, par exemple, ont des priorités différentes de celles des musulmans dévots organisés en partie qu'elles accusent de réitérer un schéma de ségrégation des sexes et d'oppression de la femme. Les quelques observations suivantes ne font donc référence qu'aux acteurs musulmans qui représentent des fédérations islamiques. Ils sont également les cibles archétypales d'interpellations comme celles que j'ai illustrées plus haut, dans la mesure où ils ont souvent été accusés de nuire à l'intégration des musulmans en développant des «sociétés parallèles», et parfois même d'ébranler l'ordre constitutionnel allemand[29].

Si on s'attarde aux réactions publiques des représentants d'organisations musulmanes au DIK, on constate que leur motivation pour participer à l'initiative de dialogue s'avère complètement différente de celle des initiateurs et des autres musulmans non affiliés. Leur but premier semble être de faire avancer leur quête de reconnaissance en tant que communauté religieuse établie, en atteignant des résultats pratiques. Leur motivation pour entrer dans un dialogue structuré avec l'État était par exemple de faire avancer les procédures visant à obtenir un statut de corporation de droit public, d'organiser et d'institutionnaliser l'enseignement de l'islam dans les écoles publiques, ou encore d'établir des facultés de théologie dans les universités allemandes afin de former les imams et leur fournir un diplôme reconnu. Un fossé important apparaît donc entre les préoccupations, objectifs et intérêts différents, fossé qui n'a pas été mis sur la table avant la rencontre. Alors que les musulmans affiliés attendaient de l'État qu'il les aide à mettre en place une infrastructure adéquate aux pratiques religieuses, le but premier de l'État était plutôt de les aider à s'ajuster à certains standards normatifs avant de leur fournir d'autres installations. Pendant et après le DIK, les représentants d'organisations musulmanes ont exprimé leur déception sur le fait qu'un débat, ou plutôt une imposition de valeurs, ait occupé une place centrale au détriment de questions pratiques qui auraient permis de faire avancer une institutionnalisation de l'islam en Allemagne[30].

Ayant été confronté tout au long du DIK à cette association entre droits et valeurs dont il a déjà été fait mention, Oguz Ücüncü, qui est à la tête de l'IGMG, a dit, à l'occasion d'une entrevue:

> Je trouve en effet intéressant dans les discussions autour de ce thème qu'il doive toujours y avoir quelque chose qui va au-delà de la Constitution. C'était également une discussion intéressante au DIK, alors qu'ils essayaient de nous renvoyer aux valeurs, à un ordre de valeurs, un ordre allemand de valeurs. Et de notre côté, nous avons, bien entendu, demandé à nos juristes, et dans la littérature légale ce concept n'existe pas. Il y a l'ordre normatif de la Constitution. [...] Pourtant, ils n'arrivent pas à définir ce que ce «davantage» est réellement, et nous ne le pouvons pas non plus. [...] C'est en effet un débat intéressant puisqu'il soulève la question de «qui nous sommes», et donc de l'identification à la société majoritaire. «Qu'est-ce qui nous constitue réellement?» Nous demandons sans arrêt qu'on s'intègre à notre société, qu'on adhère à notre ordre de valeurs, mais qu'est exactement cet ordre de valeurs? Qu'attendons-nous réellement de l'autre? Et si soudainement apparaît un moment d'indécision, et plus encore une approche culturaliste dans le sens de «vous

---

29. Cette idée est particulièrement vraie dans le cas de l'organisation turco-musulmane IGMG, mise sous surveillance pas les services secrets qui la soupçonne de miner la constitution allemande et de s'orienter vers un ordre sociopolitique islamique (cf. Schiffauer, 2009).

30. Voir par exemple le discours d'Ayyub a. Köhler durant la quatrième et dernière réunion plénière: http://www.deutsche-islam-konferenz.de/cln_117/nn_1624762/SubSites/DIK/DE/DieDIK/Plenum/RedeTeilnehmer/reden-teilnehmer-node.html?__nnn=true, consulté le 13 septembre 2009.

devez vous débarrasser de vos poids culturels », cela crée bien sûr des tensions. Et c'est en fait ce que nous vivons les uns avec les autres, de dire, de dire en tant qu'individus qui vivent ici avec un bagage culturel et religieux différent, nous voulons faire partie de cette société, et non, nous ne vivons pas ça comme un poids, mais bien au contraire comme un enrichissement qui est même protégé par la Constitution et ne devrait pas être remis en question[31].

Il est intéressant que ce soit ici le représentant d'une organisation islamique contestée qui rappelle aux agents de l'État de ne pas élargir les limites des principes constitutionnels. L'insistance d'Ücüncü sur son respect des lois et son appropriation de plus en plus importante d'une rhétorique de droits doivent se comprendre dans le contexte des accusations portées par les services secrets nationaux (*Bundesverfassungsschutz*) quant à la menace que l'IGMG ferait peser sur l'ordre constitutionnel, accusations auxquelles l'organisation fait face depuis la fin des années 1980. Tout particulièrement à la lumière des discussions sur une introduction progressive du code de la *Shari'a* en Allemagne, l'effet est intéressant. Non seulement Ücüncü rejette-t-il les accusations pesant sur l'IGMG, mais de plus, il renvoie la balle à ses accusateurs en dénonçant leurs tentatives d'introduire la dimension normative extrajudiciaire d'une certaine germanitude qu'ils ont eux-mêmes eu de la difficulté à concrétiser. Il révèle ainsi les problèmes liés à la construction d'un consensus basé sur des valeurs supposément prédéterminées.

Faisant partie de ces dirigeants d'organisations islamiques éduqués et formés au droit, Ücüncü illustre comment les musulmans sont parvenus à intégrer dans leurs demandes d'espaces religieux des idées et idéaux basés sur des principes libéraux constitutionnels. Ils transgressent ainsi un ordre normatif qui n'a sans doute pas été anticipé par les initiateurs du DIK. Ücüncü s'appuie sur la flexibilité, l'ouverture et l'herméneutique contenue dans les principes constitutionnels et dont émerge une multiplicité de valeurs qui, bien qu'« éthiquement imprégnées » (Habermas, 1993 : 182), n'en demeurent pas moins diverses et partiellement divergentes. Selon son interprétation, les principes constitutionnels, malgré leur imprégnation éthique, permettent d'accommoder les pratiques religieuses pour autant qu'elles n'entrent pas en contradiction avec d'autres principes. Plutôt que de renoncer à leur affiliation religieuse pour devenir des citoyens « intégrés », Ücüncü souligne le fait que le cadre institutionnel permet aux musulmans de respecter leur religion tout en s'identifiant à un pan significatif de la société allemande, à savoir la Constitution. Contrairement aux accusations dont il est régulièrement l'objet, l'emphase que met Ücüncü sur les normes constitutionnelles ne traduit pas une revendication de droits pour un groupe particulier, mais bien des droits individuels tels que garantis par la constitution. Dans leur refus d'abandonner certains aspects de la normativité islamique qu'ils jugent conformes à la Constitution, et malgré le caractère pluriel que présentent sans doute ces aspects dans la pratique et au sein de la vie organisationnelle, les organisations islamiques témoignent de la flexibilité et

---

31.   Ücüncü. Entrevue menée à Kerpen, Cologne, dans les bureaux de l'IGMG, le 2 avril 2008.

du caractère plurivoque que peut présenter l'ordre constitutionnel. On pourrait affirmer qu'à travers de telles réitérations, soit dans l'adoption d'une rhétorique libérale
dans une visée qui ne correspond pas elle-même aux normes et aux idéaux libéraux, les
principes constitutionnels s'en trouvent étendus et ainsi vitalisés (Benhabib, 2004 :
chap. 5).

Pourtant, comme nous l'avons constaté plus haut, l'espace permettant de telles
réitérations est bien plus limité que ne l'avancent la plupart des libéraux, y compris
les associations musulmanes qui adoptent actuellement un discours libéral. En d'autres
mots, les agents étatiques présents au DIK ont rappelé aux musulmans qu'ils devaient
suivre une voie adéquate dans l'utilisation des droits fondamentaux, plus précisément
en souscrivant d'abord aux fondements de valeurs qu'ils impliquent. Même si l'espace
disponible pour articuler une critique à l'endroit des demandes qu'engendre une telle
conception est plutôt limité, il n'en demeure pas moins que le seul fait que ces représentants de l'État aient eu à écouter les points de vue de musulmans organisés et pratiquants a ouvert la voie à une remise en question de telles assomptions. Même si la
structure et le fonctionnement du DIK ont fait des musulmans de simples figurants, cela
a simultanément mis en route un processus dans lequel les présomptions fondamentales de l'initiative ont été inévitablement contestées par ceux qui remettaient en question la nécessité de suivre un mode vie qui, supposément, « nous » caractérise.

Bien qu'on ne puisse que spéculer, la scène décrite plus haut par Ücüncü sur
l'« indécision » quant au contenu de ces présomptions fondamentales nous rappelle
quelques-unes des idées de Gadamer sur la découverte graduelle de son propre horizon à travers la rencontre — un objectif qui, comme il nous le rappelle, ne peut jamais
être complètement atteint. Bien que ce processus n'ait pas été discuté plus avant dans
la rencontre dialogique elle-même, le seul fait que de tels instants d'indécision apparaissent entre clairement en contradiction avec l'hypothèse de l'existence d'une
Leitkultur allemande incontestée que devraient adopter les musulmans. Certaines des
rencontres du DIK ont ainsi apparemment déclenché un processus dans lequel les
coordonnées de soi ont dû être matière à réflexion puisqu'elles ont été questionnées par
autrui. Le DIK a de plus fourni un forum dans lequel certaines organisations musulmanes contestées ont pu faire état de leur légalité tant aux yeux des agents étatiques qu'à
ceux du grand public, qui souvent, les associent spontanément à des cibles des services
secrets.

Un certain fossé entre les critères prédéfinis, les objectifs et leurs conséquences,
apparaît également dans ce qui a été présenté comme les « résultats » officiels de l'initiative. Au-delà des affirmations selon lesquelles un consensus doit être atteint entre les
musulmans et les non-musulmans, le contenu explicite de cette entente demeure sans
réponse si on se fie à la rubrique « résultats » des publications officielles du DIK. Aussi,
lorsqu'on observe la façon dont ont été traités les dossiers controversés, comme celui
des règles de conduite dans les écoles publiques, il devient évident que les recommandations du DIK ne dépassent pas le flou artistique, et se contentent de réitérer la jurisprudence établie ainsi que les pratiques sociales déjà en vigueur. En ce sens, on pourrait

avancer que la tentative d'intervenir dans la vie sociale et dans les pratiques musulmanes en tentant de les mettre au pas grâce au dialogue ne n'est pas vraiment avérée
fructueuse. Les musulmans, et particulièrement les groupes organisés, continueront
probablement à s'appuyer méticuleusement sur l'ordre légal dans leur lutte pour certains droits[32] — une conséquence que le DIK, en tant que mesure extrajudiciaire, cherchait précisément à éviter.

CONCLUSION

Dans cet article, mon objectif était de me pencher sur les possibilités d'établir un lien
entre le dialogue en tant qu'idée philosophique et le dialogue en tant que pratique. En
m'appuyant sur la notion de Gadamer d'herméneutique philosophique, j'ai d'abord mis
en relief quelques-unes des assomptions fondamentales sur ce que le dialogue se devait
d'être pour être conçu comme tel. Parmi les éléments les plus importants se trouvent
la volonté et l'aptitude à structurer le dialogue en tant que rencontre potentiellement
ouverte, dans laquelle autrui doit être compris à travers le processus même de compréhension. Interpréter le DIK à partir de la pensée de Gadamer m'a aidé, d'une part,
à jeter un regard critique sur les prémisses de la rencontre, plus particulièrement le
point de vue des agents de l'État responsables de sa mise sur pied. D'autre part, réinter-
préter l'herméneutique philosophique en tant qu'entreprise remettant en question les
critères de compréhension préétablis, et examiner plus précisément la façon dont l'issue
du DIK semblait déterminée d'avance, m'a permis d'avancer que l'initiative délaissait
certains aspects cruciaux de la compréhension en tant qu'entreprise éthique. Son objectif premier n'était pas tant de comprendre l'autre que de le convertir. Le DIK se basait
sur des préconceptions de l'autre voulant qu'il soit indissociable d'une différence problématique, et visait à transformer l'étrange en familier. Plus importantes encore, les
prémisses à partir desquelles autrui devrait souscrire à notre propre discours n'ont pas
été explicitées, mais sont plutôt demeurées cachées derrière certains principes supposément tenus pour acquis. La rencontre n'était ainsi pas ouverte à l'interprétation de certains critères ni à la suggestion quant à la signification de ces critères, mais était en fait
refermée sur un ensemble plutôt immuable de fondements finalisés.

Une analyse sous-textuelle du DIK à partir de Gadamer laisse donc entendre que
ce genre de dialogue se transforme en pratique gouvernementale basée sur une rationalité extrajudiciaire qui, bien qu'elle sanctionne autrui, cherche simultanément à le
modeler grâce à des moyens pédagogiques et communicationnels. Elle produit un ordre
contrasté entre la normalité du détenteur du pouvoir et la déviation du marginalisé. Une
telle logique de dialogue n'est pas l'apanage du DIK. Elle entre en résonnance avec une
tendance plus générale que l'on peut retrouver dans les tentatives de plus en plus nombreuses pour approcher les musulmans par le dialogue, qu'elles soient déployées par des
membres de la société civile, des groupes cléricaux voués au dialogue interreligieux,

---

32.   Ceci est devenu particulièrement évident à l'occasion d'une des entrevues que j'ai menées auprès
d'Ücüncü. Voir aussi Schiffauer, 2009.

ou encore des organisations politiques mettant en place diverses initiatives de dialogue interculturel[33]. Bien que très diversifiées et plurielles, le point commun de ces initiatives demeure leur inscription dans une logique téléologique qui tente de régler les problèmes sociétaux et les conflits culturels. Levent Tezcan (2006) fait remarquer que depuis la fin des années 1990, même les groupes interreligieux locaux, à la structure relâchée, ont tenté de façon récurrente de lier leurs activités à des objectifs normatifs visant à faciliter et assurer l'intégration des musulmans dans la société allemande. Le dialogue est ainsi devenu l'une des pierres de touche des politiques d'intégration et une mesure curative en porte-à-faux avec la perception générale des musulmans en tant que terroristes, extrémistes et non intégrables, à travers leur endossement légal, politique et symbolique.

L'espace attribué au partenaire de dialogue est pour le moins ténu. J'ai également avancé, toutefois, que les résultats d'une telle démarche et de mesures de dialogue similaires sont bien plus ambivalents qu'il n'y paraît. Des figures comme celles d'Ayyub A. Köhler ou Oguz Ücüncü se présentent à plusieurs égards comme des transgresseurs de frontière, et donc comme des *passeurs* au sens de ce numéro. Leur voix témoigne d'un processus mis en branle malgré des fermetures évidentes, au fil duquel les musulmans pourraient témoigner publiquement de leur loyauté à la Constitution tout en refusant d'abandonner ce qui leur est sacré, à savoir leurs engagements envers l'islam. Ils peuvent de plus questionner le fait que l'État aille au-delà de l'ordre constitutionnel, en soulignant le caractère problématique d'une posture culturaliste et non libérale. Plutôt que de se faire donner la leçon par l'État, les musulmans interpellés ont retourné les accusations vers leurs détracteurs. En rendant compte de tels aspects de la rencontre dialogique, on peut avancer que l'appel à un terrain d'entente basé sur certaines valeurs partagées au-delà de la Constitution a entraîné une prise de conscience inattendue sur le fait que ce consensus de valeurs était bien plus fluide et pluriel que ce qui était prévu et visé. Après tout, il ne reste plus grand chose du contenu explicite du consensus sur les valeurs allemandes prolongeant le *statu quo* libéral-démocrate.

Il est difficile de savoir dans quelle mesure, aux yeux des différents acteurs, le changement est attendu ou survient de façon impromptue. Il est toutefois clair que les prémisses sur lesquelles s'est construite l'initiative du DIK ne se basaient pas sur l'hypothèse d'une transformation de corps et d'esprit chez les acteurs étatiques, mais uniquement chez (certains) des représentants musulmans. Malgré tout, il est devenu clair, au fil du déroulement du DIK, que certains de ces représentants n'étaient pas disposés à se transformer unilatéralement, mais ont plutôt choisi de questionner cette demande en remettant en question certaines de ses assomptions fondamentales.

En d'autres mots, en rendant compte des ambivalences de cette initiative de dialogue, je ne la concevrais pas comme une simple étape stratégique qui réifie les positions de pouvoir et les acteurs. Même si ce fut définitivement le cas, il semble qu'autre chose

---

33.   Voir en particulier les initiatives menées par le *Friedrich-Ebert-Stiftung*, proche du Parti social démocrate (SPD) : http://www.fes.de, consulté le 20 juillet 2009.

se déroule simultanément. Je me permets d'avancer qu'en examinant cette potentialité du dialogue à travers la perspective de Gadamer comme « événement » dynamique, il est possible de mieux analyser — et ainsi mieux gérer — ce qui pourrait éventuellement se dérouler dans cette rencontre particulière.

RÉSUMÉ

Cet article analyse le dialogue interculturel en Allemagne grâce à l'outil conceptuel que représente l'herméneutique critique de Gadamer. Le point de départ en est le *Deutsche Islam Konferenz* (DIK), une initiative de dialogue avec les musulmans menée par l'État en Allemagne. À partir de l'idée de Gadamer du caractère processuel du dialogue et d'une ouverture principielle à la différence de l'autre, je souhaite montrer que le DIK trouve ses origines bien plus dans une politique d'intégration que dans une idée de « compréhension » mutuelle. Plutôt que de délinéer une réflexion critique sur les prémisses d'un « travail de l'histoire » (*Wirkungsgeschichte*) propre à un individu et d'une révision potentielle de ces prémisses à travers la rencontre, cet article suggère qu'un tel événement dialogique se base sur l'assomption d'une normalité de soi et d'une déviance d'autrui à transformer. En donnant la parole à certains représentants musulmans et à leur refus de se transformer unilatéralement, j'avance que les retombées de telles mesures de dialogue n'en sont pas moins ouvertes et ambivalentes.

ABSTRACT

This article analyses intercultural dialogue in Germany through the conceptual tool of Gadamer's critical hermeneutics. The starting point is the *Deutsche Islam Konferenz* (DIK), a state-led dialogue initiative with Muslims in Germany. Starting from Gadamer's idea of the procedural character of dialogue and a principled openness towards the difference of the other, I argue that the DIK is in the first place anchored in politics of integration and less in the ideal of mutual « understanding ». Instead of encompassing a critical reflection upon the premises of one's own « history of effect » (*Wirkungsgeschichte*) and a potential revision of these through the encounter, the article suggests that this dialogical event is based on the assumption of the normalcy of the self and the deviation of the other to be transformed. Introducing the voices of some Muslim representatives and their refusal to one-sidedly transform, I claim that the outcomes of such dialogue measures are nonetheless open and ambivalent.

RESUMEN

Este artículo analiza el diálogo intercultural en Alemania gracias a la herramienta conceptual que representa la hermenéutica crítica de Gadamer. El punto de partida es la *Deutsche Islam Konferenz (DIK)*, una iniciativa de diálogo con los musulmanes dirigida por el Estado en Alemania. Partiendo de la idea de Gadamer del carácter procesual del diálogo y de una apertura principal a la diferencia del otro, este artículo desea mostrar que la DIK encuentra sus orígenes más bien en una política de integración que en una idea de "comprensión" mutua. Más que delinear una reflexión crítica acerca de las premisas de un "trabajo de la historia" (*Wirkungsgeschichte*) propia a un individuo y de una revisión potencial de sus premisas a través del encuentro, este artículo sugiere que tal evento dialógico se basa en la asunción de una normalidad de sí mismo y una desviación del otro que debe ser transformada. Al dar la palabra a ciertos representantes musulmanes y su rechazo a transformarse unilateralmente, el artículo señala que los resultados de tales medidas de diálogo no son menos abiertos y ambivalentes.

BIBLIOGRAPHIE

ABU-LUGHOD, L. (dir.) (1998), *Remaking Women: Feminism and Modernity in the Middle East*, New Jersey, Princeton University Press.

AHMED, L. (1992), *Women and Gender in Islam. Roots of a Modern Debate.* New Haven et Londres, Yale University Press.

AMIR-MOAZAMI, S. (2009), « Die Produktion des Tolerierbaren: Toleranz und seine Grenzen im Kontext der Regulierung von Islam und Geschlecht in Deutschland », *in* G. DIETZE, C. BRUNNER, E. WENZEL (dir.), *Kritik des Okzidentalismus. Transdisziplinäre Beiträge zu (Neo-)Orientalismus und Geschlecht*, Bielefeld: transcript, p. 151-170.

AMIR-MOAZAMI, S. (2007), *Politisierte Religion. Der Kopftuchstreit in Deutschland und Frankreich.* Bielefeld, transcript.

BECK, U. (2004), « The Truths of Others A Cosmopolitan Approach », *Common Knowledge* vol. 10, n° 3, p. 430-449.

BENHABIB, S. (2004), *The Rights of Others. Aliens, Residents and Citizens.* Cambridge, Cambridge University Press.

BROWN, W. (2006), *Regulating Aversion. Tolerance in the Age of Identity and Empire.* Princeton, Princeton University Press.

BROWN, W. et J. HALLEY (dir.) (2002), *Left Legalism/Left Critique*, Durham et Londres, Duke University Press.

BUTLER, J. (2008), « Sexual Politics, Torture, and Secular Time », *The British Journal of Sociology*, vol. 59, n° 1, p. 1-23.

CANTZEN, R. (2007), « Der "deutsche Wertekonsens" und die Religion der Anderen. Kulturalisierung des Islam: Die 2. Islamkonferenz in ausgewälten Printmedien », *in* I. ATTIA *Orient- und Islambilder*, Münster, Unrast, p. 267-277.

DALLMAYR, F. (2009), « Hermeneutics and Inter-Cultural Dialog: Linking Theory and Practice, *Ethics & Global Politics*, vol. 2, n° 1, p. 23-39.

Drei Jahre Deutsche Islam Konferenz (DIK) 2006-2009. Muslime in Deutschland — deutsche Muslime, ministère de l'Intérieur, SilberDruck oHG, Niestetal.

DAVEY, N. (2006), *Unquiet Understanding. Gadamer's Philosophical Hermeneutics,* New York, New York State Universtiy Press.

GADAMER, H.-G. (1988), *Wahrheit und Methode. Grundzüge einer Philosophischen Hermeneutik.* Francfort-sur-le-Main, Campus.

GADAMER, H.-G. (2001), « Hermeneutics as Practical Philosophy », *in* K. BAYNES, J. BOHMAN et T. MacCARTHY (dir.), *After Philosophy. End or Transformation?* Cambridge, Massachusetts et Londres, MIT Press, p. 325-338.

GADAMER, H.-G. (2006 [1975]), *Truth and Method.* Londres, Continuum.

HABERMAS, J. (1995), *Die Normalität der Berliner Republik*, Francfort-sur-le-Main, Suhrkamp.

HABERMAS, J. (1993), « Anerkennungskämpfe in einem demokratischen Rechtsstaat », *in* C. TAYLOR (dir.), *Multikuturalismus und die Politik der Anerkennung*, Francfort-sur-le-Main, Suhrkamp, p. 147-196.

HENKEL, H. (2008), « Turkish Islam in Germany: A Problematic Tradition or the Fifth Project of Constitutional Patriotism? », *Journal of Muslim Minority Affairs*, vol. 28, n° 1, p. 113-123.

LATOUR, B. (2004), « Whose Cosmos, which Cosmopolitics? Comments on the Peace Terms of Ulrich Beck », *Common Knowledge*, vol. 10, n° 3, p. 450-462.

MacINTYRE, A. (1988), *Whose Justice, Which Rationality?*, Notre-Dame, University of Notre-Dame Press.

MAL, R. A. (2005), *Hans-Georg Gadamers Hermeneutik interkulturell gelesen*, Interkulturelle Bibliothek, Bautz, Traugott.

MANDEL, R. (2008), *Cosmopolitan Anxieties. Turkish Challenges to Citizenship and Belonging in Germany*, Durham/Londres, Duke University Press.

PETER, F. (2009), « Welcoming Muslims into the Nation : Tolerance Politics and Integration in Germany »,
    in CESARI, J. (dir.), *Muslims in Europe and the US since 9/11*, Londres, Routledge, p. 119-144.

SCHIFFAUER, W. (2009), *Nach dem Islamismus. Eine Ethnographie der Islamischen Gemeinschaft Milli Görüs*,
    Francfort-sur-le-Main, Suhrkamp.

SCHIFFAUER, W. (2008), « Zur Konstruktion von Sicherheitspartnerschaften », in M. BOMMES, M. KRÜGER-
    POTRATZ (dir.), *Migrationsreport 2008. Fakten, Analysen, Perspektiven,* Francfort-sur-le-Main, Campus,
    p. 205-238.

SCHIFFAUER, W. (2007), « Der unheimliche Muslim. Staatsbürgerschaft und zivilgesellschaftliche Ängste »,
    in TEZCAN, L., et WOHLRAB-SAHR, M. (dir.), *Konfliktfeld Islam in Europa, Soziale Welt*, numéro spécial
    17, Baden-Baden, Nomos, p. 11-134.

SCHMOLZE, C. (2007), *Koeduktion im Sportunterricht. Notwendigkeiten und Möglichkeiten der Differenzierung*,
    Saarbrücken, VDM Verlag Dr. Müller.

TERKESSIDIS, M. (2002), « Der lange Abschied von der Fremdheit. Kulturelle Globalisierung und Migration »,
    Aus Politik und Zeitgeschichte, disponible sur le site du Bundeszentrale für Politische Bildung
    http ://www1.bpb.de/publikationen/AXUE2O,0,Der_lange_Abschied_von_der_Fremdheit.html.

TEZCAN, L. (2007), « Kultur, Gouvernementalität der Religion und der Integrationsdiskurs », in TEZCAN L.,
    et WOHLRAB-SAHR, M. (dir.), *Konfliktfeld Islam in Europa, Soziale Welt*, numéro spécial 17, Baden-
    Baden, Nomos, p. 51-76.

TEZCAN, L. (2006), « Interreligiöser Dialog und Politische Religion », *Aus Politik und Zeitgeschichte*, APuZ 28-
    29/2006, disponible sur le site du Bundeszentrale für Politische Bildung :
    http ://www.bpb.de/publikationen/J9E9O3,0,Interreligi%F6ser_Dialog_und_politische_Religionen.ht
    ml.

YEGENOGLU, M. (2003), « Liberal Multiculturalism and the Ethics of Hospitality in the Age of Globalization »,
    Postmodern Culture, vol. 13, n° 2.

ZAIDI, A. H. (2007), « A Critical Misunderstanding. Islam and Dialogue in the Human Sciences »,
    International Sociology, vol. 22, n° 4, p. 411-434.

ŽIŽEK, S. (1998), *Ein Plädoyer für die Intoleranz*, Wien, Passagen.

« … alors que nous, Québécois, nos femmes
sont égales à nous et nous les aimons ainsi » :

la patrouille des frontières au nom de l'égalité de genre dans une « nation » en quête de souveraineté

SIRMA BILGE

Département de sociologie
Université de Montréal
C.P. 6128, succursale Centre-ville
Montréal (Québec) H3C 3J7
Courriel : sirma.bilge@umontreal.ca

Traduction : Patrick Thériault

INTRODUCTION

Dans une conjoncture historique où l'obsession pour les politiques frontalières et l'inquiétude quant à l'état de la nation semblent s'imposer comme les principaux modes d'expression des attachements nationaux à travers le monde occidental (Hage, 2003), les débats publics et politiques sur l'intégration des immigrants sont de plus en plus dominés par des arguments sur les dommages que l'accommodement des minorités causerait aux femmes migrantes, en particulier musulmanes. Alors que des enjeux comme le hijab, les mariages arrangés et les crimes d'honneur faisaient simultanément irruption dans les débats d'intérêt national des places publiques occidentales, on avait soin, sur le plan international, de mettre en scène les interventions militaires en Afghanistan comme des missions de sauvetage menées au nom de l'égalité de genre, en effaçant par le fait même des logiques géopolitiques et économiques, et l'héritage de la stratégie américaine de la Guerre froide (Abu-Lughod, 2002 ; Hirschkind et Mahmood, 2002). Les références récurrentes à la liberté sexuelle des femmes ou à la liberté d'expression et d'association des gais et lesbiennes ont été déterminantes pour faire accepter ces agressions violentes aux imaginaires nationaux de l'Occident (Butler, 2008 : 3), de même que les représentations de l'islam comme un « ramassis de manques : de liberté, de disposition à la science, de civilité et de bonnes manières, d'amour de la vie, de valeur humaine, de respect égal pour les femmes et les homosexuels » (Goldberg, 2006 : 345).

Abordant le rôle accru que les rapports de genre et les sexualités racialisés sont venus jouer dans le traçage des frontières de la citoyenneté occidentale, cet article postule que notre époque est témoin d'un nouveau mouvement politique[1] dans lequel les discours libéraux des droits de la personne, plus spécifiquement des droits des femmes et des homosexuels, servent à réaffirmer la *Kulturnation* et à fournir un profil politique de l'individu qui est qualifié pour en faire partie et de celui qui doit y être adapté, quand ce n'est pas, plus radicalement, de celui qui doit en être exclu[2]. Conformément à la prémisse selon laquelle la construction du corps national exige la production simultanée de *différences signifiantes* susceptibles de légitimer l'exclusion de certains éléments du « nous » — que ce « nous » se rapporte ou non à des communautés imaginées (Anderson, 1983) nationales ou supranationales (comme l'Europe ou l'Occident) —, on considérera que le discours de l'égalité de genre et des libertés sexuelles fait partie intégrante des processus d'homogénéisation et de totalisation qui accompagnent la constitution et la réaffirmation de l'identité nationale. Aussi bien, on associera les discours majoritaires sur les pratiques de genre et des sexualités des groupes minoritaires, qu'elles soient réelles ou présumées, à des processus socio-symboliques de différenciation ou de discrimination concourant à une fin politique ; on les regardera comme autant d'outils au service de processus de formation, de sauvegarde ou de transformation de frontières qui produisent des traits signifiants du « nous » et du « non-nous[3] » dans certaines circonstances interactionnelles, historiques, économiques et politiques déterminées (Barth, 1994 : 12).

Étant donné que toutes les frontières ne sont pas similaires, certaines permettant un positionnement ambigu, d'autres étant cristallisées et agissant sur des conflits de valeurs prétendument fondamentales, il importe en priorité de se demander dans quelles circonstances les frontières deviennent plus ou moins poreuses ; pour qui elles deviennent telles ; quelles sortes de passage de frontières sont possibles ; et sous quelles conditions ils le sont. Si dans les sociétés plurales, les relations ethniques et les constructions

---

1.   On disputera peut-être sa nouveauté en affirmant que, depuis sa création, le mouvement des femmes a dû composer avec l'instrumentalisation hégémonique de la « question des femmes » dans la légitimation de la domination coloniale et de l'oppression raciale. Il n'empêche que l'intégration des mouvements et de la rhétorique LGBT et *queer* dans les politiques sexuelles et raciales de la nation manifeste sans contredit une nouvelle tendance politique à travers l'Occident (Bilge, 2010).

2.   Pour une critique des emplois contemporains des rhétoriques des droits des femmes dans la poursuite de l'impérialisme occidental et de la « guerre contre la terreur », voir Grewal (1999), Abu-Lughod (2002), Hirschkind et Mahmood (2002), Razack (2004) et Thobani (2007) ; et des rhétoriques de l'émancipation des homosexuels, voir Puar (2007), Haritaworn (2008) et Haritaworn *et al.* (2008).

3.   À l'égal de Zolberg et Long (1999 : 32), je préfère référer à « non-nous » plutôt qu'à « eux » afin de souligner l'ethnocentrisme que reflète l'assignation d'identités aux autres.

de frontières ne mettent pas en jeu une altérité culturelle radicale, mais plutôt des autres familiers et adjacents (Barth, 1994), séparés les uns des autres par des « frontières brouillées » qui autorisent des localisations sociales ambiguës, dans les sociétés occidentales, l'identité collective est largement construite par référence à des représentations hégémoniques et unilatérales de l'Autre non occidental et par référence à des « frontières claires » impliquant une nette démarcation, de telle manière que tout le monde, en tout temps, sait de quel côté il se situe (Alba, 2005 : 22). Sur la scène géopolitique contemporaine, parmi les frontières qui sont constitutives de la modernité occidentale libérale/laïque, la plus claire, c'est-à-dire la moins ambiguë, est sans doute celle qui démarque l'altérité musulmane (Alba, 2005 ; Zolberg et Long, 1999 ; Korteweg et Yurdakul, 2009), laquelle, en fait, est produite par cet acte même de dichotomisation[4]. En ce sens, on peut considérer l'islam comme l'« extérieur constitutif[5] » qui fournit une unité contingente à l'identité et aux valeurs européennes/occidentales (Yegenoglu, 2006 : 248), telles qu'on les décrit, dans la présente conjoncture historique, comme résolument féministes, sympathiques à la cause homosexuelle, libérées sur le plan sexuel et tolérantes, tandis que l'on perçoit les musulmans comme intrinsèquement sexistes et homophobes[6]. À l'évidence, en adossant ainsi le discours de l'égalité de genre et des libertés sexuelles à cette frontière constituante et hautement hiérarchique entre l'Occident et le reste du monde, on produit une nouvelle variante de la thèse du « choc des civilisations » — qui suppose que « la principale ligne de faille culturelle », le « conflit de valeurs fondamentales » entre l'Occident et l'islam, ne concerne pas la démocratie mais l'égalité de genre et les libertés sexuelles (voir Norris et Inglehart, 2002).

En m'appuyant sur des travaux qui se sont illustrés en offrant de riches analyses et typologies des processus de frontières[7], j'étudie ici, à travers la couverture médiatique du débat sur les accommodements religieux ayant récemment eu lieu au Québec, les modes sous lesquels le discours de l'*égalité-de-genre-et-des-libertés-sexuelles* s'articule au discours sur la nation et travaille à tracer des frontières civilisationnelles et racialisées entre le « nous » et le « non-nous ». Ce faisant, mon analyse approfondit la compréhension actuelle des processus de frontières de deux manières.

D'une part, j'inscris cette enquête dans le contexte pertinent du Québec où la définition des frontières de la communauté nationale, un processus qui n'est jamais totalement achevé, s'avère particulièrement incertaine et délicate, étant donné le projet politique de la « souveraineté nationale » (la séparation du Canada), la profonde ambiguïté de la majorité sociologique (le groupe dominant), et les oscillations récurrentes

---

4.   Voir l'analyse pionnière de Saïd sur le discours de l'Orientalisme qui a construit « l'Orient politiquement, sociologiquement, militairement, idéologiquement, scientifiquement et imaginairement » (1978 : 3) et en a fait l'antithèse de l'Occident Éclairé.

5.   Yegenoglu s'appuie ici sur Derrida et Mouffe et Laclau.

6.   Voir l'excellente conceptualisation de Puar sur l'homonationalisme (le nationalisme homonormatif) auquel elle fait référence pour distinguer les sujets américains proprement hétéros et maintenant proprement homos des corps terroristes, racialisés, pervers (2007).

7.   Barth 1969, 1994 ; Bauböck 1994 ; Verdery 1994 ; Juteau 1999 ; Zolberg et Long 1999 ; Lamont et Molnár 2002 ; Alba 2005.

entre les tendances civiques et ethniques dans la définition du *nous Québécois* (Juteau, 2002). En effet, bien que l'on se soit engagé, depuis le premier référendum sur la souveraineté en 1980, à en pluraliser la définition, l'idée de « *core nationals* » (ou d'ethnicité fondationnelle), comme le suggère l'expression « Québécois de souche », y est toujours vivace et crée des frontières entre le vrai « nous » et les autres, qui sont parmi nous et nous sont plus ou moins éloignés ; par conséquent, ils se trouvent être « classés par rang dans des hiérarchies ethniques » (Hagendoorn, 1993 : 27). Dans la mesure où la formation de l'État-nation constitue le processus paradigmatique où les frontières ethnoculturelles se (re)forment et où « divers groupes établissent des conventions et se battent à leur propos, recherchent la légitimité et déterminent leurs relations mutuelles et les distributions qui s'y rattachent » (Verdery, 1994 : 45 ; Williams, 1989), la société québécoise s'avère être un cas particulièrement intéressant pour étudier les (trans)formations de frontières. En effet, elle se caractérise par un pluralisme institutionnel relatif, comme en témoigne son système d'éducation public divisé sur une base linguistique, et par des rapports de dominance ethnique ambigus (McAndrew, 2001 : 16), du fait qu'aucune de ses deux principales composantes, les francophones et les anglophones, n'exerce une complète domination sociale, politique, économique et culturelle sur la société et l'État.

D'autre part, je me concentre sur un aspect négligé de la présente problématique : la patrouille des frontières (*boundary patrolling*[8]). Ce phénomène implique, dans le contexte où le discours de l'égalité de genre est employé de manière tendancieuse, des pratiques symboliques qui déprécient les relations de genre et les relations intergénérationnelles associées aux groupes minoritaires, par exemple en ravalant leurs conceptions et normes sur la féminité, la masculinité, le mariage ou la sexualité, au rang d'archaïsmes ou de pathologies (marqués par la dépravation, la violence, la soumission, etc.). La patrouille des frontières implique également des pratiques matérielles, comme le profilage racial/culturel intervenant dans la définition et l'application des politiques en matière d'immigration et d'intégration[9]. Interroger le discours de l'égalité de genre et mettre en relief son rôle dans l'homogénéisation nationale et la patrouille des frontières va à l'encontre des représentations dominantes opposant, comme deux projets politiques incompatibles, l'égalité de genre et l'accommodement (multi)culturel. Par là même, cela met en question la manière dont ce cadre antagoniste en est venu à définir les paramètres des débats sur la citoyenneté et l'intégration, et à discréditer le multiculturalisme en tant que politique et idéal dans l'arène publique. Il est toutefois à préciser qu'une telle mise en question n'implique pas en retour une adhésion non critique au multiculturalisme, lequel occulte les rapports de pouvoir inégalitaires en dépeignant la société sous les traits d'un espace horizontal (Bannerji, 2000) et peut contrarier la réalisation de projets de vie égalitaires pour les hommes et les femmes, et renforcer ainsi,

---

8.   L'expression « *boundary patrolling* » est inspirée de Lamont et Molnár (2002).

9.   Pour un exemple récent où les « autres cultures » sont associées, en droite ligne avec ces présupposés orientalistes, à une attitude permissive en ce qui concerne la violence faite aux femmes, voir le nouveau guide d'étude pour les examens de citoyenneté au Canada (Citoyenneté et Immigration Canada, 2009 : 9).

paradoxalement, des stéréotypes culturels utilisés par ses opposants pour faire de la différence culturelle la cause de la dissolution de la «cohésion sociale» (Phillips, 2007)[10]. Pourtant, étant donné que, dans les circonstances historiques actuelles, dans les sphères publiques et politiques, on fait grand cas des impacts du multiculturalisme sur l'égalité de genre sans, en contrepartie, se préoccuper vraiment du détournement de la rhétorique des droits des femmes et des homosexuels aux fins de la patrouille des frontières de l'Occident et de la racialisation des immigrants non occidentaux, mon analyse souscrit au constat de Razack selon lequel, en tant que féministes, nous devons «cesser de nous concentrer sur le multiculturalisme et consacrer une attention nouvelle au racisme, et très précisément au mode de fonctionnement du racisme culturel» (2008: 143).

QUELQUES REMARQUES THÉORIQUES

Mon analyse porte essentiellement sur les opérations du cadrage *égalité-de-genre-et-des-libertés-sexuelles* dans la construction discursive des frontières du nous/non-nous pendant la controverse sur les «accommodements raisonnables» qui a agité le Québec entre octobre 2006 et décembre 2007. Je propose une étude systématique de la couverture médiatique québécoise (reportages, articles d'opinion signés par des éditorialistes attitrés, des journalistes ou des spécialistes, lettres d'«opinion du lecteur») des accommodements raisonnables suivant une perspective de l'analyse critique du discours (CDA), et plus précisément du courant discursivo-historique (Reisigl et Wodak, 2001; Wodak, 2001), dans le but de révéler les manières dont le cadre argumentatif «égalité de genre et libertés sexuelles» sert à la production de la nation québécoise. Interrogeant systématiquement, au moyen d'analyses textuelles et contextuelles, «la relation entre le texte et ses conditions sociales, ses idéologies et ses rapports de pouvoir» (Wodak, 1996: 20), cette approche promeut la prise en compte de tout élément d'information pertinent qui se rapporte au cadre historique dans lequel s'inscrit l'«événement» discursif (Leeuwen et Wodak, 1999: 91). Elle permet, en l'occurrence, de rendre compte des ressorts historiques et théoriques du phénomène par lequel les droits des femmes et des homosexuels ont pu servir à délégitimer les pratiques d'accommodement des minorités et des immigrants; elle permet aussi de saisir le lien entre ces rhétoriques avec le «carré idéologique», c'est-à-dire le binôme constitué par une autoreprésentation positive et une représentation de l'autre négative (van Dijk, 1998: 267), qui forme et informe les discours médiatiques des accommodements raisonnables.

Il importe d'être attentif aux ressemblances discursives dans la mise en représentation des normes de genre des minoritaires comme étrangères à celles de la nation: car l'idée selon laquelle l'égalité de genre et les libertés sexuelles seraient menacées par les droits des immigrants est très commune en Europe, où l'on justifie des changements de politique concrets en pointant les inégalités de genre dans certaines communautés

---

10.   Tant la rhétorique promulticulturaliste que la rhétorique antimulticulturaliste peut participer de l'essentialisme culturel (Hannerz, 1999).

immigrées et en arguant de la protection des femmes minoritaires contre leur culture
« patriarcale » (Razack, 2004 ; Fekete, 2006). Bien que les processus de construction
nationale et les régimes de citoyenneté de ces contextes nationaux diffèrent, il est judicieux de se pencher sur les similarités discursives qui caractérisent la construction de
la « mêmeté nationale » et de la « différence » (Wodak, 2001) qui s'opèrent par le truchement de la pathologisation des normes de genre des minorités, que celles-ci soient
réelles ou supposées : cela permet de retracer la constitution d'images stéréotypées de
la « femme musulmane en péril » et de l'« homme musulman dangereux » (Razack,
2004) et de mieux comprendre les stratégies discursives semblables déployées dans le
débat québécois sur les « accommodements raisonnables ».

LE DISCOURS DE L'« ÉGALITÉ DE GENRE » : UN INSTRUMENT DE PATROUILLE DE FRONTIÈRES

Les démocraties occidentales peuvent-elles s'engager à promouvoir les accommodements favorables à la diversité tout en poursuivant leur mission de défense de l'égalité
hommes-femmes ? Pour certains, la réponse est évidente : chaque fois que des pratiques
culturelles risquent d'entrer en conflit avec l'égalité de genre, cette dernière devrait primer les considérations multiculturelles. On identifie le plus souvent cette position à
Susan Okin, philosophe féministe aujourd'hui décédée, qui l'a défendue à la fin des
années 1990 dans son essai *Is Multiculturalism Bad for Women ?*. Non seulement ses
interventions ont suscité l'intérêt des universitaires pour les impacts du multiculturalisme sur les rapports de genre — intérêt qui était jusque-là minime (Dustin et Phillips,
2008) —, mais sa principale affirmation, selon laquelle la défense des droits culturels
des minorités renforce les rapports de pouvoir inégalitaires déjà en place et désavantage
les groupes vulnérables comme les femmes, a réussi à légitimer l'opposition entre droits
des femmes et droits des immigrants dans les discours savants comme dans les discours politiques, ce qui a fait passer pour un fait évident la perception selon laquelle le
multiculturalisme compromettrait l'égalité de genre (Fekete, 2006).

Ce cadrage est à l'origine d'un net antagonisme entre groupes libéraux dotés de
valeurs et groupes non libéraux dotés de culture (Phillips, 2007), lequel constitue une
forme de discours racialisé enté sur des dichotomies telles que civilisation/sauvagerie
et dont la rigide structure duelle a pour effet de balayer toute nuance (Hall, 1997).
Dans la mesure où les logiques binaires cachent souvent des hiérarchies, structurées
qu'elles sont par des rapports de pouvoir inégalitaires — un pôle représentant la norme,
l'autre la déviance (Derrida, 1974) —, on ne s'étonnera pas que, dans le couple « droits
culturels *versus* égalité de genre », cette dernière, à qui on fait incarner les « valeurs occidentales », acquiert la primauté. Dans ces conditions, les minorités sont marquées du
trait de la spécificité/culture, alors que la majorité reste non marquée/universelle. Tandis
qu'on considère les actions des minorités comme des signes de soumission collective
aux diktats culturels, comme des pathologies culturelles collectives, on fait du choix
individuel et de l'autonomie l'apanage de la majorité. La partialité de ce cadrage devient
évidente lorsque des questions semblables sont présentées différemment. Par exemple,

comme le note Narayan (1997), alors qu'il est habituel de traiter les « meurtres d'honneur » et les « meurtres pour la dot » comme des cas de meurtres de femmes perpétrés par leur culture, il est inconcevable de lier les meurtres de femmes commis en milieu familial à l'aide d'armes à feu aux États-Unis à la culture des armes à feu qui y est dominante. Cet exemple rappelle que de telles représentations consolident les frontières du nous/non-nous, en dépeignant les communautés immigrées, en particulier musulmanes, comme étant intrinsèquement oppressives pour les femmes, et en idéalisant par le fait même les rapports de genre au sein de la majorité. En présentant le genre comme le seul vecteur de divisions sociales significatif dans l'identité assignée aux musulmans, on fait de la notion d'« oppression patriarcale islamique » et des enjeux comme les mariages arrangés des preuves que la culture archaïque de telles minorités est incompatible avec notre culture de libertés (Alexander, 2004 : 533-534). Du coup, on favorise les changements de politique qui valorisent la conformité culturelle de la majorité au détriment du multiculturalisme[11], de même que l'exécution de mesures d'exclusion. Si l'on affirme que certains groupes sont inassimilables, en alléguant que leur culture est incompatible avec les valeurs libérales occidentales, on est alors en droit de décourager leur immigration.

La description des hommes musulmans sous les traits de patriarches brutaux et d'agresseurs dysfonctionnels[12] est complémentaire aux représentations faisant des femmes musulmanes des victimes de leur culture. La diabolisation des masculinités musulmanes et la victimisation des féminités musulmanes permettent de recadrer le débat sur l'immigration/intégration par référence aux rapports de genre (Alexander, 2004), de la même façon que les discours sur les émeutes urbaines et les jeunes issus de l'immigration, tendent à racialiser l'exclusion sociale et la crise de l'État-providence[13]. En plus d'accroître la polarisation nous/non-nous, la stigmatisation des rapports de genre attribués aux minorités laisse intacts d'autres types de hiérarchies et de modes de domination qui marquent le groupe aussi bien de l'intérieur que de l'extérieur. En

---

11.   Par exemple, en décrivant, dans les débats publics sur les crimes liés aux questions d'honneur, les femmes musulmanes assassinées par des hommes de leur parenté comme des « victimes du multiculturalisme », on a rendu les discours assimilationnistes et les changements de politique moins rebutants. Ce fut notamment le cas aux Pays-Bas, où l'association des crimes « d'honneur » à l'islam a exercé une influence particulièrement importante sous l'impulsion de l'« entrepreneuriat politique féministe » d'Ayaan Hirsi Ali (Prins et Saharso, 2008).

12.   Pour une littérature émergeante sur les masculinités migrantes/musulmanes stigmatisées en Europe, voir Alexander (2004) ; Guénif-Souilamas (2004) ; Pratt-Ewing (2008).

13.   En Grande-Bretagne comme en France, des personnages politiques de haut niveau (David Blunkett et Nicolas Sarkozy, tous deux alors ministres de l'Intérieur) ont lié les émeutes urbaines à des dysfonctionnements culturels des communautés immigrées plutôt qu'à des problèmes sociaux, en affirmant que le patriarcat et la polygamie en étaient la cause. Il est remarquable que, lorsque le gouvernement britannique a limité les droits à la réunification familiale et au mariage transnational à la suite des émeutes urbaines de 2001, on ait désigné des jeunes hommes de l'Asie du Sud « avec des attitudes rétrogrades et des pratiques oppressives à l'égard des femmes » (Fekete, 2006) comme la source du problème. En liant les émeutes à des cultures étrangères indisciplinées et à des vies parallèles sanctionnées par les politiques multiculturelles, on a fait du multiculturalisme une partie du problème plutôt que d'y voir, comme c'était le cas dans les années 1980, sa solution (Alexander, 2004).

fournissant des motifs d'explication culturels au débat sur l'intégration, de tels discours permettent à la «société d'accueil» de se disculper de l'échec de ses politiques économiques d'intégration des immigrants et de dissimuler des barrières structurelles persistantes et des faits de racisme systémiques.

À l'évidence, envisager les tensions entre le genre et la culture sous la forme d'un dilemme insoluble n'aide pas à saisir le «problème»; cela en est constitutif. Dans la mesure où elle relève d'une forme de discours racialisé, cette manière de procéder définit aussi les paramètres des débats sur la citoyenneté et l'immigration.

Les immigrants sous contrat moral et l'esprit pâlissant du multiculturalisme

Dans tout l'Occident, on est de plus en plus prompt à associer le multiculturalisme au risque du «Jihad fait maison» à travers les ghettos culturels et vies parallèles qu'il est censé engendrer, et à lui reprocher de faire peu de cas de l'oppression des femmes dans les communautés immigrées. Si l'on mobilise les deux arguments pour initier des changements de politique en matière de migration et de citoyenneté, je m'attarde seulement au dernier, en me concentrant sur la façon dont l'égalité de genre sert d'alibi à ceux qui cherchent à imposer des contrats moraux aux nouveaux immigrants/citoyens et à promouvoir des plans d'action monoculturalistes/assimilationnistes.

Les inquiétudes qu'a soulevées le statut des femmes dans les communautés migrantes «patriarcales» ont contribué pour beaucoup à changer les discours et les politiques en matière de citoyenneté et d'immigration. Dans tout l'Occident, un nouveau plan de défense et de promotion de l'égalité de genre visant explicitement les minorités musulmanes demande plus d'intervention de la part de l'État, lors même que celui-ci se retire de plusieurs domaines (Phillips et Saharso, 2008 ; Siim et Skjeie, 2008) ; au même moment, on impose aux éventuels immigrants ou aux demandeurs de citoyenneté des contrats moraux censés affirmer les valeurs/identités nationales[14].

---

14.   Depuis janvier 2007, ceux qui émigrent en France doivent signer un «contrat d'intégration» qui stipule que les femmes sont les égales des hommes et que la polygamie et les mariages forcés sont interdits dans le pays. Au Danemark, le gouvernement a adopté en 2002 l'une des mesures en matière d'immigration familiale les plus sévères de toute l'Europe (*the Danish Aliens Act*) qui enlève le droit statutaire à la réunification familiale, et des publications officielles soutiennent que les mariages arrangés entravent l'intégration et engendrent une augmentation de l'immigration. Aux Pays-Bas, un examen prémigratoire sélectionne, depuis mars 2006, tous les nouveaux-arrivants (à l'exclusion de ceux en provenance de l'Union européenne, des pays occidentaux et du Japon, de même que les travailleurs qualifiés gagnant plus de 45 000 € par année) selon leur potentiel d'assimilation aux «valeurs fondamentales» néerlandaises. Un DVD, *Coming to the Netherlands*, compris dans la trousse d'étude, a fait l'objet de critiques au motif qu'il intègre à sa présentation du contexte néerlandais ordinaire des femmes qui se font bronzer les seins nus et des hommes homosexuels en train de s'embrasser, vraisemblablement pour dissuader les musulmans traditionalistes de venir au pays (Fekete, 2006). De même, au Royaume-Uni, on comprend dans les valeurs fondamentales censées définir l'appartenance nationale le respect de l'égalité de genre, représentée comme contraire au multiculturalisme (Dustin et Phillips, 2008). En outre, le gouvernement a introduit des cours de citoyenneté obligatoires dans les programmes scolaires, des cérémonies de citoyenneté pour les nouveaux ressortissants, ainsi que des examens de citoyenneté exigeant une connaissance adéquate de l'anglais et de la vie au Royaume-Uni.

Ces changements participent pleinement d'un mouvement plus vaste de réformes de politique et de transformation culturelle qui se détourne de manière caractéristique de l'esprit du multiculturalisme. L'expression l'« esprit du multiculturalisme[15] » me permet de prendre en compte des changements qui affectent l'appui public et politique aux idéaux multiculturels dans des pays qui n'ont jamais adopté officiellement le multiculturalisme[16]. S'il est vrai que l'esprit du multiculturalisme (qui valorise la diversité ethnoculturelle et ses accommodements) est en perte de vitesse à travers l'Europe[17], il n'est pas moins vrai que l'« annonce tapageuse » de sa mort appelle certaines réserves, puisqu'elle est en elle-même un « geste politique, un moyen de prendre ses désirs pour la réalité » (Gilroy, 2005 : 2) et ce, même si ses conséquences lui confèrent une efficace bien réelle[18].

Même au Canada, pays qui se targue d'être un modèle en matière de multiculturalisme, la réception du multiculturalisme s'avère être surdéterminée par la question de l'égalité de genre, laquelle s'articule de plus en plus à la nation et contribue à patrouiller ses frontières racialisées. À cet effet, un sondage de l'Institut Environics portant sur les opinions publiques à propos des Canadiens musulmans en 2006 indiquait que l'appui du public au multiculturalisme dépend étroitement de la perception de l'attitude des minorités en ce qui concerne l'égalité hommes-femmes, selon qu'elles la respectent ou non ; la cote de popularité du multiculturalisme est susceptible de baisser dans les cas où les pratiques culturelles/religieuses apparaissent compromettre l'égalité de genre (Bilge, 2008a[19]).

---

15.   Je remercie Barbara Thériault pour ses commentaires perspicaces ; ils m'ont aidée à développer ce point.

16.   Le Royaume-Uni peut constituer un exemple illustrant l'esprit du multiculturalisme. En dépit du fait que le multiculturalisme n'y ait pas de statut officiel, la politique publique a pris en considération la diversité ethnoculturelle au cours d'un processus appelé « le glissement vers le multiculturalisme » (*multicultural drift*) ; l'esprit multiculturel « s'[y] est développé comme partie d'un vague arrière-plan général de la politique publique ; il a été invoqué comme tel principalement par les enseignants et les travailleurs sociaux, mais dans un contexte où on pensait qu'il était largement appuyé » (Dustin et Phillips, 2008 : 406).

17.   Les attaques contre le multiculturalisme peuvent ressembler à de l'acharnement dans les pays qui ne se sont jamais définis, ne serait-ce qu'un tant soit peu, comme multiculturels, à l'exemple du Danemark, où le ministre des Affaires culturelles, Brian Mikkelsen, a déclaré : « Nous sommes entrés en guerre avec l'idéologie multiculturelle qui prétend que tout se vaut » (S. Theil, "The end of tolerance : Farewell, multiculturalism", *Newsweek International*, 6 March 2006, http://www.newsweek.com/id/46827?tid=relatedcl).

18.   Un tel défi est manifeste aux Pays-Bas, où on prétend que le multiculturalisme est « relégué au dépotoir de l'histoire politique » (Doomernik, 2005 : 35). La popularité grandissante d'un nouveau courant, le Nouveau réalisme, qui prône une nouvelle posture « au diapason avec le vrai monde », c'est-à-dire les Néerlandais de souche et de la classe ouvrière (Prins, 2002), a opéré une transition : de nouvelles attentes qui insistent sur la capacité d'assimilation et sur des preuves de loyauté sans équivoque (comme l'abandon de la double citoyenneté) ont remplacé les associations antérieures de l'intégration à l'emploi et l'éducation (Doomernik, 2005). Le juge de la Haute cour Jan Wabeke résume cette nouvelle « façon de faire à la néerlandaise » en matière d'intégration : « Nous réclamons un nouveau contrat social… Nous n'acceptons plus que les gens n'apprennent pas notre langue ; nous exigeons qu'ils envoient leurs filles à l'école et nous réclamons qu'ils arrêtent de faire venir leurs jeunes épouses du désert et de les enfermer dans des petits appartements anonymes » (http://www.newsweek.com/id/46827?tid=relatedcl).

19.   Parmi les sondés qui évaluent négativement l'islam, 21 % mentionnent comme justification « le traitement des femmes musulmanes », 19 % la « violence », 17 % l'« association avec le terrorisme », 11 % l'« intolérance » et 11 % l'« extrémisme ».

Plus récemment, une nouvelle version du guide d'étude destiné à la préparation de l'examen de citoyenneté obligatoire pour devenir Canadien fait de l'égalité entre les femmes et les hommes une valeur canadienne. En outre, on y soutient que :

> Au Canada, les hommes et les femmes sont égaux devant la loi. L'ouverture et la générosité du Canada excluent les pratiques culturelles barbares qui tolèrent la violence conjugale, les « meurtres d'honneur », la mutilation sexuelle des femmes ou d'autres actes de violence fondée (sic) sur le sexe. Les personnes coupables de tels crimes sont sévèrement punies par les lois canadiennes. (Citoyenneté et Immigration Canada, 2009 : 9)

Il est difficile de ne pas relever les traces du racisme culturel dont se nourrit « le carré idéologique » (le binôme constitué par l'autoreprésentation positive et la représentation de l'autre négative) (van Dijk, 1998 : 267), qui informe les stratégies référentielles et prédicationnelles, de même que l'argumentation et la mise en perspective (Reisigl et Wodak, 2001) de ce discours :

- Nous = les Canadiens ; nous sommes bien disposés à l'égard de l'autre et généreux.

- Non-nous = ceux qui s'adonnent à des pratiques barbares qui font fi de la violence envers les femmes.

- La violence conjugale, les « meurtres d'honneur » et la mutilation génitale féminine sont des pratiques culturelles barbares.

- Nous = les Canadiens ne tolèrent pas de telles pratiques (nous les considérons comme des crimes) ; de ce fait, nous sommes civilisés.

- Les Non-nous les tolèrent (ils ne les considèrent pas comme des crimes) ; de ce fait, ils sont barbares.

- Nous = les Canadiens ; nous sommes fidèles aux principes de justice, nous punissons sévèrement les criminels.

- Les Non-nous sont coupables, ils sont criminels.

On est en droit d'associer ce discours au régime discursif de l'Orientalisme (Saïd, 1978), qui repose pour beaucoup sur des oppositions hiérarchiques entre l'Occident et l'Orient, et qui naturalise l'infériorité de celui-ci, en y voyant une entité monolithique et l'incarnation de ce que l'Occident civilisé considère comme étranger et barbare (Jiwani, 2006 : 181).

La réception du multiculturalisme au Québec

Il importe de souligner que l'inquiétude publique et politique relativement au prétendu « choc » affectant la culture/le genre est plus vive dans la province de Québec que dans le reste du Canada. En effet, non seulement le multiculturalisme y est-il contesté depuis sa mise en place — du fait qu'il est considéré comme un piège conçu par les fédéralistes pour mettre les Canadiens français sur le même pied que les autres groupes ethniques —, mais aussi le principal représentant du féminisme d'État, le Conseil du statut de la femme (CSF), y défend la prééminence de l'égalité de genre sur la liberté religieuse. Si l'égalité hommes-femmes était déjà un enjeu d'importance dans les débats sur l'immigration antérieurs au déclenchement de la controverse sur les accommodements religieux[20], elle s'est imposée comme un sujet brûlant tout au long de celle-ci, jusqu'à devenir une des deux «valeurs fondamentales», avec la laïcité, pour lesquelles on exige plus de protection. En conséquence, l'Assemblée nationale du Québec adoptait, en juin 2008, à la suite des recommandations du CSF, un projet de loi visant à accorder la priorité à l'égalité de genre sur la liberté religieuse par l'incorporation d'une «clause sur l'égalité des sexes» dans la *Charte des droits et libertés de la personne du Québec*[21], qui interdit déjà la discrimination sexuelle (Baines, 2009).

Plus récemment, le gouvernement provincial changeait sa politique sur la diversité en imposant un contrat moral aux nouveaux arrivants. Depuis janvier 2009, on demande à ceux-ci, dans le cadre de leur processus de demande, de signer une *Déclaration sur les valeurs communes de la société québécoise*, en vertu de laquelle ils promettent d'apprendre le français, souscrivent à l'égalité des droits entre hommes et femmes et approuvent la séparation entre pouvoir politique et pouvoir religieux[22]. Adoptée avant les élections provinciales, cette déclaration ne comprend aucune référence aux «pratiques culturelles» contestées comme l'excision, la polygamie ou les mariages forcés, au rebours de ses équivalents européens. Néanmoins, elle renforce les frontières du nous/non-nous en ciblant les nouveaux arrivants comme une population devant être éduquée dans un cadre démocratique libéral, laïque et respectueux de l'égalité de genre, comme si, au sein même de la majorité, il n'y avait pas d'entorses à l'égalité hommes-femmes ou de dispositions antidémocratiques et antilaïques.

Le débat sur les accommodements religieux au Québec et l'argument de l'égalité de genre

Depuis peu, les discours publics et politiques témoignent de certaines remises en question de la légitimité des accommodements raisonnables en tant qu'instrument légal pour gérer la diversité ethnoculturelle et religieuse, et résoudre les conflits qui y sont afférents. Ces remises en question suggèrent qu'un changement est en cours dans la société québécoise. S'il n'est pas propre au Québec, le malaise du public vis-à-vis des accommodements des minorités, en particulier ceux qui sont motivés par des raisons religieuses, s'y exprime plus ouvertement que dans le reste du Canada, d'une manière qui, à certains égards, rappelle le renouveau affirmatif des identités nationales et du discours assimilationniste en Europe. En février 2007, le gouvernement provincial du

---

20.   Comme l'a démontré la ministre des Relations internationales du Québec, Monique Gagnon-Tremblay, en affirmant : «Le Québec devrait refuser les immigrants qui croient qu'on devrait mettre en application la loi islamique. [...] Nous devons retravailler le contrat social de sorte que les gens — les musulmans qui veulent venir au Québec et qui ne respectent pas les droits des femmes ou qui ne respectent pas quelque droit que ce soit de notre Code civil — demeurent dans leur pays et ne viennent pas au Québec, parce que c'est inacceptable. [...] D'un autre côté, si les gens veulent venir au Québec et acceptent notre manière de faire les choses et nos droits, en ce cas, ils seront bienvenus et nous les aiderons à s'intégrer» (De Souza, 2005, p. A1).

21.   R.S.Q. 1977, chapitre C-12.

22.   (http://www.canada.com/montrealgazette/pdf/valeurs_communes.pdf).

Parti libéral a jugé bon de mettre en branle, pour apaiser le mécontentement populaire grandissant envers les «accommodements raisonnables», une Commission d'enquête présidée par deux universitaires de renom, le philosophe Charles Taylor et le sociologue Gérard Bouchard, qui a tenu des auditions publiques à travers toute la province.

Même s'il est trop tôt pour diagnostiquer la teneur exacte des changements qui se profilent derrière ce débat acrimonieux sur les accommodements religieux et, incidemment, pour déterminer s'il y a ou non un retrait définitif des idéaux pluralistes, il est opportun de considérer les modes de fonctionnement du discours de l'égalité de genre dans ce débat.

Les accommodements raisonnables : plus que des pratiques légales contestées

En droits québécois et canadien, l'obligation légale connue sous le nom d'accommodement raisonnable est un corollaire de l'interdiction touchant la discrimination indirecte ; elle se fonde sur le droit à l'égalité garanti par la *Charte canadienne des droits et libertés*[23] et la *Charte québécoise* (Woehrling, 1998). Au Canada, dans le cadre d'un jugement[24] rendu en 1985 et qui a fait date, les cours ont défini la discrimination indirecte comme une «discrimination par suite d'un effet préjudiciable» ; ce faisant, elles ont créé une mesure pour contrôler l'obligation légale qu'ont les entreprises et les institutions d'accommoder, dans des limites raisonnables, les individus susceptibles d'être discriminés.

Les accommodements raisonnables se sont révélés un sujet de prédilection pour les médias québécois et une source de questionnement pour le public en général au début de mars 2006, dans un contexte marqué par la crise internationale consécutive à la publication des caricatures de Mohammed par Jyllands-Posten. Un certain nombre d'événements locaux liés aux accommodements religieux et, de manière plus générale, à la place de la religion dans la sphère publique ont fait l'objet d'une couverture intensive dans les médias québécois francophones, et ont provoqué des réactions immédiates dans la population, qui a fait grand usage des lieux d'expression participatifs, que ce soient les lettres dans les journaux, les tribunes téléphoniques ou les blogues.

Le débat fut déclenché par une décision de la Cour suprême relativement au cas *Multani* qui rendait de nouveau légal, sous certaines conditions strictes, le port du *kirpan*[25] dans les écoles publiques. Ce jugement, sévèrement critiqué dans les médias québécois francophones, fut suivi par un autre : en réponse à une plainte déposée par le Centre de recherche-action sur les relations raciales au nom de 113 étudiants musulmans de l'École de technologie supérieure de Montréal, la Commission des droits de la personne et des droits de la jeunesse du Québec établissait que l'obligation d'accommoder raisonnablement ces étudiants n'avait pas été satisfaite et imposait que fût mis à leur disposition un local multiconfessionnel. On critiqua ces décisions, qui firent

---

    23.   Partie I de La Loi constitutionnelle de 1982.

    24.   *Ontario (Human Rights Comm.) and O'Malley* v. *Simpsons-Sears Ltd.* (1985), 7 C.H.R.R. D/3102 (S.C.C.).

    25.   Dague de cérémonie que les hommes et les femmes sikh baptisés portent sur eux.

beaucoup de mécontents, en alléguant qu'elles contrevenaient à la nature laïque des écoles et qu'elles transformaient l'interdiction de discriminer sur des fondements religieux en une obligation de faciliter la pratique de la religion. À l'origine, l'égalité de genre ne représentait pas un élément central de l'argumentaire des opposants aux accommodements religieux.

Dans les mois qui suivirent, les médias québécois reportèrent 35 incidents et non-incidents[26] sous le titre d'« accommodement raisonnable », lequel prit les allures d'un cri de ralliement. La couverture médiatique atteignit un sommet mensuel en janvier 2007 (161 articles) avec la publication d'un sondage d'opinion controversé sur le racisme au Québec. Très commenté dans les médias appartenant à Quebecor[27], ce sondage enflamma le débat sur l'intégration et fit passer pour un fait admis l'impression selon laquelle les Québécois étaient clairement opposés aux « accommodements raisonnables ». On atteignit d'autres sommets par la suite, avec l'adoption d'un code de conduite par le conseil municipal d'Hérouxville, une petite ville de région de 1300 habitants, qui interdit notamment de lapider des femmes dans les lieux publics[28]; et l'évolution de la controverse connut de semblables sommets mensuels entre septembre et décembre 2007, pendant les auditions publiques de la Commission Bouchard-Taylor.

En raison de leur couverture continûment négative des « accommodements raisonnables », les médias du Québec se sont imposés comme ceux qui, à l'échelle canadienne, ont le plus souvent associé le conflit et la controverse aux thèmes du multiculturalisme et des communautés ethniques; ils sont ainsi passés du neuvième rang, en 2005, au premier rang en ce qui a trait aux associations négatives du multiculturalisme et des minorités aux problèmes sociaux (Influence Communication, 2007). Comme les cas reportés étaient tous reliés à des enjeux religieux, les médias du Québec sont aussi à l'origine d'un changement sémantique dans la compréhension de l'expression « accommodement raisonnable », qui est devenue synonyme d'« accommodement religieux ». La construction de ce « sens préféré » pour emprunter le concept de Hall (1997 : 228), s'est opérée à une échelle plus vaste par la répétition de pratiques et de figures représentationnelles similaires, et l'accumulation de significations à travers différents textes. Par exemple, les médias ont fait l'impasse sur un véritable cas d'accommodement raisonnable : le jugement de la Cour suprême (mars 2007) qui imposait à Via Rail de modifier certains sièges afin de permettre aux passagers en fauteuil

---

26. Comme la crise survenue en mars 2007 autour du droit de voter en *niqab* ou *burqa* sans avoir à passer d'examen d'identité physique — une situation hypothétique qui ne correspond à aucune demande réelle venant d'un individu ou d'un groupe.

27. Media tycoon est le propriétaire du *Journal de Montréal*, du réseau TVA et de la firme de sondage Léger Marketing, firme qui a administré le sondage.

28. Cette résolution municipale avertit les éventuels immigrants que, dans cette ville, une femme peut conduire une voiture, faire des chèques, danser, que les résidants écoutent de la musique, boivent de l'alcool et décorent leurs arbres de Noël de boules, et que « la seule occasion où vous pouvez masquer ou couvrir votre visage est à Halloween ». L'adoption de ces mesures — à but préventif : il n'est pas certain que les immigrants s'installent dans cette ville de province éloignée et homogène — suggère que les angoisses collectives autour de l'avenir de l'identité québécoise se manifestent aussi dans les régions qui ne connaissent pas d'immigration.

roulant de voyager en toute dignité. Dans le même temps, les médias utilisaient abusivement l'expression «accommodement raisonnable» pour se référer à des événements sans rapport à la religion : ainsi, rapportant le projet à but lucratif d'un entrepreneur néerlandais «de souche» de mettre sur pied à Rotterdam un hôpital réservé exclusivement aux musulmans, un journal francophone d'importance titrait : «Raisonnable, cet accommodement?» — en n'oubliant pas de joindre à l'article une photographie représentant des hommes musulmans en train de prier[29].

Retracer les arguments de l'égalité de genre dans la couverture de la presse

Notre étude des modes de fonctionnement des arguments fondés sur l'égalité de genre et les libertés sexuelles dans les discours médiatiques québécois relatifs au débat sur les accommodements raisonnables /accommodements religieux repose sur deux bases de données comprenant respectivement 2 502 articles de journaux (nouvelles et textes d'opinion signés par des éditorialistes attitrés, des journalistes ou des spécialistes) et 1401 lettres d'«opinion du lecteur[30]» se rapportant aux accommodements raisonnables[31]. Ces bases de données ont été établies par l'utilisation d' une combinaison de mots-clefs comprenant «accommodement raisonnable», ou «minorit*» et «accommodement», ou bien «immigr*» et «accommodement». Tous les articles et les lettres compris dans ce corpus étendu ont paru dans des journaux québécois[32] entre mars 2006 et décembre 2007, soit entre le moment où la Cour suprême a rendu son jugement autorisant le port du *kirpan* et la fin des auditions Bouchard-Taylor.

L'examen méthodique de ce corpus auquel nous avons procédé en utilisant les mots-clefs «femmes», «filles», «genre», «sexe» et «sexualité» a produit 113 articles (nouvelles et chroniques des éditorialistes attitrés, des journalistes ou des spécialistes) et 90 lettres d'«opinion du lecteur». Nous avons sélectionné ces documents pour constituer un corpus plus restreint, en considérant leur pertinence en regard du phénomène discursif spécifiquement à l'étude : l'emploi des arguments fondés sur l'égalité de genre et les libertés sexuelles dans le discours médiatique québécois relatif aux accommodements raisonnables et la manière dont ces arguments contribuent à construire, maintenir, renforcer, mettre en question ou déconstruire les frontières du «nous/non-nous».

---

29. *La Presse*, 17 mars 2007, p. A31.

30. On notera que je ne considère pas les lettres d'«opinion du lecteur» comme des documents représentant l'opinion publique, mais comme un reflet des opinions et des arguments d'une *articulate minority* (Gallup, 1958, cité dans Richardson, 2007 : 152). Pour une analyse détaillée des lettres d'opinion des lecteurs dans le cadre du débat sur les accommodements religieux, voir Quérin (2008).

31. Je remercie Joëlle Quérin, alors mon assistante de recherche, de son inestimable aide dans cette tâche colossale.

32. Le corpus comprend *La Presse, Le Soleil, Le Nouvelliste, La Voix de l'Est, La Tribune, Le Droit, Le Quotidien* (tous appartiennent à Gesca), *Le Journal de Montréal, Le Devoir* et l'unique journal quotidien anglophone du Québec, *The Gazette*. J'ai exclu du corpus 275 articles publiés dans des journaux du reste du Canada, puisque l'objectif de cette étude est d'examiner l'emploi et le fonctionnement des arguments de l'égalité hommes-femmes dans les discours médiatiques québécois.

Pour l'essentiel, ces documents signalent et commentent des cas d' accommodement raisonnable — pouvant inclure des réactions aux demandes ou aux pratiques
d'«accommodement raisonnable» — où l'égalité hommes-femmes est perçue comme
un enjeu. Ces cas comprennent : l'autorisation accordée par la Commission scolaire
de Montréal à trois jeunes filles musulmanes de passer leur examen de natation en
l'absence d'élèves masculins ; le refus d'une femme musulmane enceinte d'être traitée
par des médecins hommes ; le dépolissage des fenêtres d'un centre YMCA de Montréal
destiné à accommoder une synagogue hassidique voisine en empêchant les hommes qui
la fréquentent de voir les femmes en tenue d'exercice ; l'adoption du «code de conduite»
de Hérouxville ; la demande de la Société de l'assurance automobile du Québec formulée à ses examinatrices de conduite de laisser leur place à leurs collègues masculins
afin d'accommoder les hommes hassidiques candidats à l'examen ; la directive de la
police de Montréal adressée à ses agentes de faire appel à leurs collègues masculins
dans les situations impliquant des hommes hassidiques ; la mise en place de périodes
de bain libre réservées exclusivement aux femmes ; et les exclusions de jeunes filles voilées de compétitions sportives.

Mon analyse s'est inspirée de l'approche discursive-historique du CDA, que j'ai
trouvée utile en raison de l'importance qu'elle accorde au contexte historique dans
lequel s'inscrit l'«événement» discursif à l'étude, et en raison de la pertinence qu'ac-
quièrent tout particulièrement dans le cadre de mon sujet certaines de ses applications
empiriques qui étudient le discours sur la nation et l'identité nationale (voir Wodak *et
al.*, 2009). Cette approche permet de considérer minutieusement la longue histoire
dont certains arguments collectifs peuvent dériver et les manières dont ils sont resi-
tués et reformulés dans les discours médiatiques (Leeuwen et Wodak, 1999). S'ordon-
nant selon cinq axes linguistiques : référentiel, prédicationnel, argumentation, mise en
perspective et intensifiant/atténuant (Reisigl and Wodak, 2001), son cadre d'analyse
des stratégies discursives fournit un point de départ intéressant pour mettre au jour des
notions intériorisées et des présuppositions idéologiques informant le processus dialectique qui construit discursivement la «mêmeté nationale» et la «différence», et qui
contribue à l'exclusion de certains groupes (Wodak, 2001). L'attention que cette
approche accorde aux stratégies de niveau macro (constructif, perpétuation et justification, transformation et destructif) recoupe étroitement l'accent que je mets sur les
frontières et renvoie aux questions suivantes : ces discours construisent-ils de nouvelles
frontières de type «nous/non-nous»? Ou sont-ils en train de perpétuer, justifier ou
consolider celles qui existent déjà? Ou encore, sont-ils en train de les transformer ou
de les abolir?

Aussi bien, mon analyse démontre que les discours médiatiques québécois des
accommodements raisonnables, quand ils traitent des normes de genre des minoritaires qui diffèrent de celles de la majorité, les étiquettent souvent de patriarcales, donc
de répréhensibles, faisant ainsi de l'égalité de genre le principal terrain de délégitima-
tion de ces accommodements. Si la plupart des discours médiatiques ont représenté les

rapports de genre des minoritaires comme prémodernes, donc intolérables, il y a toutefois eu, quoiqu'en petit nombre, des contre-discours comme celui de Françoise David.

Dans les articles d'opinion et les tribunes libres, l'argument de l'égalité de genre se donne parfois à lire comme la raison fondamentale pour récuser l'accommodement du fait minoritaire ; en d'autres occasions, il repose sur d'autres foyers de préoccupations et d'inquiétudes, comme la dissolution du caractère national ou le retour à un Québec « prémoderne » assujetti par la religion (voir *infra*). Dans les deux cas, le discours de l'égalité de genre véhicule des images stéréotypées des minorités religieuses, qui sont dépeintes comme plus oppressives à l'endroit de *leurs* femmes que la société québécoise. En cela, il constitue une forme de *savoir racialisé de l'Autre*, profondément inscrite dans les opérations de pouvoir (Hall, 1997). Une telle manière de stéréotyper était manifeste, par exemple, lors de la protestation publique contre l'installation de fenêtres dépolies à laquelle le YMCA a procédé en 2006 pour satisfaire la demande d'une synagogue hassidique voisine ; elle fixait ainsi le sens préféré d'accommodement raisonnable comme une menace aux droits des femmes et à leur bien-être. On a contesté cette représentation dominante à deux occasions.

D'abord, les réactions publiques qui ont suivi les reportages des médias sur les cours prénataux réservés exclusivement aux femmes dans un CLSC de Montréal n'ont pas toutes confirmé l'opinion dominante selon laquelle cet accommodement allait à l'encontre des luttes féministes pour la participation égalitaire des hommes et des femmes à l'éducation de leurs enfants. Quelques voix se sont élevées pour soutenir que les activités réservées exclusivement aux femmes étaient importantes pour l'autonomisation des femmes. C'est le cas de Françoise David, ancienne présidente de la Fédération des femmes du Québec (FFQ) et coprésidente de Québec solidaire, un parti politique de gauche favorable à la souveraineté :

> Voyez-vous, j'ai un peu d'expérience en la matière et une bonne connaissance historique des luttes des femmes pour se tailler une place dans des sociétés machistes. Je vous dirai donc ceci : vous protestez vigoureusement parce que j'ai osé suggérer qu'un cours prénatal non mixte pouvait avoir sa place dans un CLSC à côté d'une majorité de cours mixtes. Ce faisant, vous montrez votre ignorance des stratégies féministes présentes au Québec depuis des décennies. En effet, les gouvernements qui se sont succédé à Québec depuis au moins 25 ans ont compris, eux, qu'il pouvait être nécessaire que des femmes participent à des activités non mixtes, en certains cas, pour briser leur isolement, reprendre confiance en elles et oser franchir le pas qui les mènera à une participation active à toute la vie sociale et politique. (David, Françoise, « À propos de ma dérive », *Le Journal de Montréal*, 2 mars 2007, p. 26)

Le second exemple d'interprétation divergente, sinon tout à fait contre-hégémonique, concerne les incidents où la tenue vestimentaire islamique conservatrice a fait l'objet d'une surveillance serrée : d'abord, l'expulsion de deux jeunes filles voilées lors de compétitions sportives se déroulant au Québec (respectivement un tournoi de soccer et de taekwondo, en février et en avril 2007) ; ensuite, les deux controverses ayant éclaté en mars et en septembre 2007 autour des décisions des directeurs généraux des élections du Canada et du Québec de permettre aux femmes musulmanes de voter tout en ayant le visage couvert.

Les réactions à l'expulsion de la jeune fille voilée lors d'un tournoi de soccer véhiculent toute une série d'arguments soulevés par des partisans et des détracteurs du hijab. Parmi 53 lettres tirées des tribunes libres publiées dans les journaux québécois relativement à cet incident, la majorité appuie la décision et invoque la «sécurité» — motif dont s'était aussi prévalu l'arbitre qui a expulsé la jeune fille —, les «règles universelles» dans les sports, l'«endoctrinement» des jeunes filles portant un tel foulard et le «sens du voile en tant que symbole de soumission des femmes».

Parmi les voix divergentes, s'écartant de la compréhension dominante selon laquelle les accommodements religieux menaceraient le tissu social du Québec en ne respectant pas l'ordre du genre censément égalitaire qui y régnerait, l'un des principaux arguments en faveur des jeunes filles voilées était qu'«elles ne sont pas les pires». Or la question qu'une telle affirmation suppose: «moins pire que qui?» ne trouve pas de réponse bien définie:

> La mère de 27 ans aimerait que les gens sourient quand ils voient des jeunes filles voter ou jouer au soccer avec leur hijab. «Ces femmes-là sont progressistes dans la communauté musulmane. Certaines d'entre elles ont surmonté des obstacles, car il y a des gens plus traditionnels dans la communauté qui n'aiment pas ça.» (Côté, Émilie. «Sportives, voilées et progressistes», *La Presse*, 17 avril 2007, p. A24)

Si, pour cette mère musulmane, ces filles ont besoin de l'empathie et du soutien de la population, puisqu'elles luttent pour le progrès et ne sont certainement pas les pires de la communauté — les pires étant les «gens les plus traditionnels» —, pour d'autres, ce que ces filles font en portant le hijab n'est pas plus grave que de porter des parures féminines «classiques» comme des talons hauts. La dénonciation de l'hypersexualisation des jeunes filles ou de la société capitaliste occidentale qui survalorise la jeunesse et la beauté est une autre stratégie discursive pour contester la stigmatisation des jeunes filles voilées.

> Little girls are bombarded with sexualized images of themselves, but when an 11-year-old tomboy decided she wanted to wear a hijab on the soccer pitch, she was thrown out of the game. (Bagnall, Janet. «It has been a year of sliding backward for women[33]», *The Gazette*, 7 mars 2007, p. A23)

> Si on me demandait très sérieusement ce qui, aujourd'hui, menace le plus l'égalité hommes/femmes au Québec, je pense que je répondrais: la société de consommation. Le marché du lifting et du string. Plus que le voile. (Potvin, Maryse, «Entre le string et le voile», *Le Journal de Montréal*, 31 octobre 2007, p. 29)

Dans la mesure où il se formule comme une critique du «déclin moral» de l'Occident ou de l'«aliénation des femmes» sous les diktats de la mode, l'argument de l'hypersexualisation opère une relève éloquente de la position attribuée aux musulmans

---

33.   «Les fillettes sont bombardées d'images sexualisées d'elles-mêmes, mais lorsqu'un garçon manqué de 11 ans a décidé qu'elle voulait porter un hijab sur un terrain de soccer, on l'a expulsée de la partie.»

traditionalistes. Il est consonant avec les analyses de certains spécialistes en sciences sociales qui soutiennent que le voile est un instrument grâce auquel les femmes peuvent s'émanciper du culte de la beauté hégémonique de l'Occident et du regard réifiant des hommes (voir Bartkowski et Read, 2003 : 88). Dans un article au moins, signé par une éditorialiste québécoise, la réflexion au sujet des jeunes filles voilées, menée sous un mode ironique, repose sur des stéréotypes négatifs sur les filles d'« ici » :

> L'immigré devra suivre le courant. Ici, les filles ne portent pas de foulard, en fait, elles ne portent presque rien du tout : chandail-bedaine, mini-jupe, la moitié des seins et la moitié des fesses à l'air. Ce qu'elles perdent en textile, elles le gagnent en tatouage et en piercing — encore une marque bien visible d'identité nationale que la jeune immigrée se fera un devoir d'adopter. (Gagnon, Lysiane, « La langue de "cheu nous" », *La Presse*, 27 octobre 2007, p. PLUS5)

Le recours à l'argument de l'égalité de genre pour contester les accommodements religieux tend à graviter autour de trois thèmes représentationnels qui sont reliés : « les luttes féministes que nous avons menées », « notre propre passé d'oppression religieuse » et notre « identité nationale/occidentale ».

« Au nom des luttes féministes que nous avons menées »

La référence aux « luttes féministes que nous avons menées » est commune lorsqu'il s'agit de rejeter les accommodements religieux. Cette stratégie représentationnelle repose sur l'idée selon laquelle les femmes sont *enfin* entrées dans la modernité, que les acquis auxquels elles sont parvenues de haute lutte ont besoin d'être protégés contre les autres prémodernes/religieux, de manière à ce que leurs filles restent libres. Dans ce genre d'arguments, on mobilise habilement l'histoire[34], après se l'être appropriée, pour lier des luttes antérieures à des préoccupations actuelles relatives au bien-être des générations futures :

> Canadian and Quebec women fought hard for more than 50 years to be where they are in society. To them the hijab is a sign of submission. They do not want their daughters to have to resume those debates again[35]. (Dionne, Jacques, « Ban hijabs and turbans », *The Gazette*, 5 mars 2007, p. A22)

> Avoir le droit d'exister publiquement, devenir des citoyennes de corps et d'esprit, par la voie du travail, de la politique, des loisirs, a été une grande victoire pour les femmes. Tirer un rideau là-dessus, c'est un épouvantable retour en arrière. (Boileau, Josée, « Être vue », *Le Devoir*, 10 novembre 2006, p. A8)

---

34.   J'ai développé ailleurs la mobilisation de l'histoire dans les débats publics sur les accommodements religieux, notamment les modes argumentaires : *la nostalgie* et *le passé comme épouvantail* (Bilge, 2008b).

35.   « Les femmes canadiennes et québécoises ont lutté ferme pendant plus de 50 ans pour être où elles sont aujourd'hui socialement. Pour elles, le hijab est un signe de soumission. Elles ne veulent pas que leurs filles aient encore à reprendre ces débats. »

Alors que l'on voit dans l'accommodement du *kirpan* et du voile, présentés comme « symbole de domination masculine », une « insulte aux gains sociaux acquis si chèrement par les Québécoises »[36], on justifie constamment son refus des accommodements religieux en construisant une temporalité prémoderne à laquelle appartiennent les autres religieux et où « nous pouvons finir nous aussi, si nous continuons à abdiquer devant leurs demandes » :

> Ce n'est pas vrai que je vais me tasser sur le trottoir parce qu'un hassidim passe par là. Où sont les féministes ? Se sont-elles endormies dans la fausse tolérance québécoise ? Je ne m'accommode plus de ces insignifiances de groupuscules qui nous font revenir 40 ans en arrière. J'ai déjà porté le foulard catholique et ce n'est pas vrai que des intégristes vont faire reculer la condition et les droits des femmes. (Clark, Angéline, « Où sont passées les féministes ? », *La Presse*, 16 novembre 2006, p. A23)

Les références aux luttes féministes antérieures s'entrelacent souvent à des références à la propre histoire du Québec en matière d'oppression religieuse, en particulier celle dont les femmes disent avoir été victimes, comme en témoigne ici la femme affirmant avoir « déjà porté le foulard catholique ».

« À cause de notre propre passé d'oppression religieuse »

Les opposants aux accommodements religieux articulent l'argument de l'égalité de genre aux souffrances que l'oppression religieuse a causées aux Québécois eux-mêmes en utilisant des expressions comme « faire marche arrière », « régresser », qui ont pour effet de créer une rupture temporelle entre des temps prémodernes et l'époque actuelle. Ce discours s'appuie sur des conceptions historiques très répandues qui associent l'histoire du Québec avant la Révolution tranquille[37] à une époque d'obscurantisme — la « Grande noirceur » — où tout le monde souffrait, au premier chef les femmes. Bien qu'on ait mis en question sa validité historique (Gauvreau, 2005), cette représentation exerce toujours une influence sensible dans la formation de l'imaginaire national des Québécois et agit à la manière d'un revenant :

> Women have been accused of corrupting men for centuries and men have always turned to religion to control women's behaviour. We finally got rid of the Catholic authority influencing our governments here, let's not go backward and let other men in black robes tell us what to do[38]. (Atkinson, Michele, « Don't let men control us », *The Gazette*, 23 novembre 2006, p. A26)

---

36.   Cadieux, Michèle, « Le voile, une soumission », *Le Droit*, 5 février 2007, p. 14

37.   La Révolution tranquille réfère à la période de modernisation et de changement social qui a suivi la mort de Maurice Duplessis, Premier ministre du Québec durant les années 1936-1939 et 1944-1959. On se représente la société québécoise durant les années de son gouvernement comme oppressive et étroitement dépendante du clergé.

38.   « Les femmes ont été accusées de corrompre les hommes pendant des décennies et les hommes se sont toujours tournés vers la religion pour contrôler le comportement des femmes. Nous nous sommes finalement débarrassés de l'autorité catholique et de son influence sur nos gouvernements, ne faisons pas marche arrière en autorisant d'autres hommes en robe noire à nous dire quoi faire. »

La vraie question est donc celle-ci : les Québécois sont-ils si intolérants et si xénophobes que ça ou est-ce tout simplement qu'ils ont tourné la page sur une période révolue et qu'ils sont inquiets d'une éventuelle régression ? Pour revenir aux femmes baby-boomers, elles sont d'une génération qui a lutté fort pour l'égalité des sexes dans notre société et elles ne veulent pas, avec raison, d'un retour à la grande noirceur. Nous voulons bien adopter des nouveaux venus, mais nous voulons aussi qu'ils nous adoptent et qu'ils adoptent les valeurs que nous croyons importantes. (Bard, Pierre, « Hijab et soutane », *Le Devoir*, 25 mars 2006, p. B4)

Les « autres hommes » et les « nouveaux arrivants » se profilent comme de nouvelles forces réactionnaires qui peuvent ramener le Québec aux temps prémodernes. Reposant sur une réinterprétation de l'histoire ajustée à la rhétorique moralement convenable de l'égalité de genre, de tels discours lient le débat sur l'intégration à la sauvegarde des droits des femmes durement acquis, ce qui rend toute objection insoutenable sur le plan moral. De plus, comme les jeunes Québécois, qui n'ont pas vécu cette époque terrible, semblent ne pas comprendre le danger que ces « hommes archaïques » représentent pour le Québec moderne[39], on se croit dans l'obligation de faire un peu de pédagogie :

Il y a un triste côté moralisateur chez ces jeunes qui dénoncent leurs aînés jugés intolérants face à l'islam. C'est plutôt la pratique extrémiste de cette religion qui nous rend intolérants devant l'intolérable. Ces jeunes ignorent-ils qu'on a déjà subi l'intégrisme de l'Église catholique ? Surtout les femmes : humiliées, infantilisées... (Smith, Irène, « Voile islamique : régression », *Le Journal de Montréal*, 26 novembre 2007, p. 29)

En faisant reposer l'argument de l'égalité de genre à la fois sur « les luttes féministes que nous avons menées » et sur « notre passé d'oppression religieuse », on parvient à une conception hégémonique du « nous, les Québécois », où ceux-ci se représentent eux-mêmes comme des « tard-venus dans la modernité » et se définissent en contraste avec une altérité prémoderne, « d'un autre âge », religieuse. Cette construction discursive qui qualifie l'entrée du Québec dans la modernité comme « tardive » et « encore fragile » cadre comme « compréhensibles » les sentiments de rejet des pratiques d'accommodement (voir les deux premiers extraits), quand elle ne légitime pas ouvertement les postures assimilationnistes vis-à-vis des autres nouveaux arrivants (voir les deux derniers extraits) :

Le Québec catholique s'est déconfessionnalisé, ou est en bonne voie de le faire. Cette situation est fragile. [...] Il n'y a plus de censure religieuse, pourquoi en accepter de nouvelles au nom du multiculturalisme ? (Godbout, Jacques, « Le multiculturalisme est une politique généreuse devenue discriminatoire », *Le Devoir*, 3 avril 2007, p. A7)

La condition des femmes au Québec a fait des progrès remarquables depuis les années 1960. [...] La plupart des cas d'« accommodements » qui ont fait les manchettes visaient à

---

39.   Les sondages montrent un fossé générationnel, ce qui suggère que le groupe d'âge des 18-24 ans est le moins préoccupé par les torts que les accommodements religieux seraient censés causer au tissu culturel du Québec et à l'égalité de genre.

contrôler le comportement des femmes. [...] Les acquis sont très récents et fragiles. Ils ont été obtenus par de longues luttes. (Langevin, Louise, « Droit à l'égalité : pourquoi tant d'émoi ? », *Le Devoir*, 23 octobre 2007, p. A9)

Nous avons mis des siècles à arriver à des niveaux de démocratie à peu près acceptables en nous battant contre la religion catholique et les autres. Maintenant, des groupes arrivent de l'extérieur et ne veulent pas s'intégrer. Ce n'est pas acceptable. Nous sommes les hôtes, alors qu'ils collaborent. Le corps humain, ce n'est pas une source de honte. (Morin, Jean-Yves, « Fenêtres givrées au YMCA », *Le Journal de Montréal*, 9 novembre 2006, p. 25)

Je fais partie de la génération des baby-boomers qui ont subi la religion catholique à l'école (y compris la perversité sexuelle de certains « frères ») et nous avons réussi, avec la Révolution tranquille, à nous débarrasser de la main-mise de la religion catholique sur toutes les sphères de notre société. Mais j'enrage à l'idée de certains « accommodements raisonnables » pour des religions encore plus stupides que la religion catholique. Le fait de voiler les femmes, de les traiter comme des êtres inférieurs, de se prosterner cinq fois par jour en ânonnant des prières, d'interdire de manger du porc parce qu'il est un animal impur (il a le sabot fendu, mais il ne rumine pas !), etc. Toutes ces idées nous ramènent au Moyen Âge. [...] Les Québécois ne sont pas racistes. Ils en ont contre ces coutumes d'un autre âge, qui ne doivent pas avoir cours dans notre société. (Robert, Serge, « Lettres : Contre les "accommodements raisonnables" », *Le Devoir*, 7 avril 2007, p. B4)

En articulant doublement l'argument de l'égalité de genre aux luttes féministes antérieures et au passé religieux du Québec, on parvient à faire de l'égalité hommes-femmes un trait définitoire de la société québécoise et un symbole d'appartenance à la civilisation occidentale, tout en construisant, comme le démontre l'extrait suivant, un argumentaire promouvant l'indépendance du Québec devant le multiculturalisme canadien présenté comme le responsable de l'intégration (censément) déficitaire des immigrants.

Si nous nous sommes écartés durant la Révolution tranquille du pouvoir religieux dans l'espace public et politique, ce ne serait certainement pas pour y replonger. C'est là où le bât blesse pour nous au Québec : le multiculturalisme canadien n'intègre pas les populations immigrantes, il exacerbe les différences, dont les différences religieuses. Les diverses politiques fédérales, les chartes des droits et les différentes cours de justice en font souvent la preuve. Il est aussi primordial que les nouveaux arrivants comprennent clairement que l'égalité entre les femmes et les hommes est plus qu'un discours. C'est une réalité quotidienne sur laquelle il ne saurait y avoir aucune concession.

Les femmes ont gagné de haute lutte leur place dans la société et il serait impensable de reculer. (Lemay, Martin[40], « Pour un contrôle total : En matière d'immigration, tous les pouvoirs doivent revenir au Québec pour mettre fin au multiculturalisme canadien », *La Presse*, 30 septembre 2007, p. A15)

---

40. Martin Lemay, député de Sainte-Marie-Saint-Jacques, était alors porte-parole du Parti québécois en matière d'immigration, de communautés culturelles et de citoyenneté.

« Cela va à l'encontre de nos valeurs occidentales/nationales modernes »

En faisant de l'égalité hommes-femmes « un principe irrévocable », une valeur *nonné-gociable* de la société québécoise où « aucune discussion à ce sujet ne peut être tolé-rée », on impose aux nouveaux arrivants ce que l'on tient comme le modèle des relations de genre en vigueur au Québec. Les arguments que l'on trouve typiquement dans cette constellation thématique mobilisent deux représentations de l'égalité de genre qui sont étroitement liées : en tant que marqueur de l'Occident et en tant que trait du caractère national. Ces arguments construisent aussi les frontières ethnosexuelles de l'Occident sur le principe de l'égalité de genre en le présentant dans un cadre dramatisant où il paraît être *en péril* :

> Le tollé suscité par les fenêtres givrées du YMCA du Parc à Montréal n'a rien à voir avec les subtilités de l'accommodement raisonnable. Ce qui est attaqué, c'est la caractéristique par excellence des sociétés occidentalisées : l'égalité entre les hommes et les femmes, qui comprend le droit de celles-ci d'être vues dans l'espace public, avec leur corps qui bouge sans entraves. Aucune discussion à ce sujet ne peut être tolérée. (Boileau, Josée, « Être vue », *Le Devoir*, 10 novembre 2006, p. A8)

Des références aux interventions militaires placées sous le signe du sauvetage des femmes opprimées accusent cette imagerie guerrière, ce qui suggère que les frontières ethnosexuelles occidentales s'appuient aussi sur l'idée de solidarité avec les femmes opprimées qui vivent sous la loi islamique et dont le sauvetage dépend de « nos sol-dats ». Beaucoup de participants au débat public dénoncent ce qu'ils regardent comme une « aberration », « un double discours » : d'un côté, nos soldats risquent leur vie pour « permettre aux femmes afghanes de s'épanouir » ; de l'autre, nous en sommes venus à tolérer « de vêtements opprimants semblables » chez nous[41]. Une situation qui doit cer-tainement faire rire les talibans dans leur barbe[42].

> On envoie supposément nos jeunes soldats combattre pour instaurer nos valeurs démocratiques et d'égalité entre l'homme et la femme en Afghanistan. Pendant ce temps, on laisse s'installer insidieusement les valeurs contraires ici, telles que la burka, le voile islamique. Ou bien on nous prend pour des imbéciles, ou bien il y en a qui le sont. En Amérique, il n'y a que pour se protéger du froid ou pour faire un mauvais coup qu'on se cache le visage. Avis aux intéressés. (Fafard, Guy, « Le visage caché pour voter », *Le Devoir*, 8 septembre 2007, p. B4)

En outre, lorsque l'égalité de genre est présentée comme un « trait québécois », c'est souvent le seul attribut clairement défini parmi le groupe autrement vague de « nos valeurs » ou « valeurs nationales ».

> L'intégrisme, présent dans la plupart des conflits portant sur la liberté religieuse, exprime en général un refus de cette intégration, et défend des principes absolument incompatibles avec nos valeurs, notamment sur la place des femmes. (Dubuc, Alain, « La religion doit être une affaire privée », *La Presse*, 13 mai 2006, p. A29)

---

41.   Landry, Marc, « Vote incognito », *Le Droit*, 14 septembre 2007, p. 19.
42.   Neault, Dennis, « Voile : double discours », *Le Droit*, 15 septembre 2007, p. 26.

Cette nationalisation de l'égalité de genre s'accomplit quand celle-ci est représentée comme l'objet d'un «consensus national» que les demandes des minorités ne peuvent pas compromettre. En la matière, tout acte de tolérance, tout compromis, reviendrait ainsi à «nier nos convictions»:

> Dans une société, le Québec, où la majorité s'entend pour dire que l'égalité entre les hommes et les femmes est un principe irrévocable, et où l'État vient de reconnaître — dollars à l'appui — le principe d'équité salariale, ces demandes sont inacceptables et devraient toujours être interdites. Lorsqu'une femme instruite et autonome financièrement vient nous dire qu'à ses yeux, son voile ne symbolise pas l'oppression et qu'elle le choisit librement, il faut lui expliquer qu'*au Québec, la symbolique de ces quelques mètres de tissu est sans équivoque*. L'accepter ou la tolérer, c'est nier nos convictions. (Collard, Nathalie, «Le défi de la diversité», *La Presse*, 24 septembre 2006, p. A16, je souligne)

C'est dire que les frontières du «nous/non-nous» se construisent à travers la supériorité de notre manière de traiter nos femmes par rapport à leur manière de traiter les leurs, ce qui illustre avec éloquence comment «les politiques du corps national subsument les femmes comme sa frontière et sa limite métaphorique» (McClintock, 1995: 354):

> Concernant l'accommodement, il y a certaines (r)aces et/ou religions qui dégradent la femme alors que nous, Québécois, nos femmes sont égales à nous et nous les aimons ainsi. (Dupont, Marcel, «Accommodement», *Le Journal de Montréal*, 23 novembre 2006, p. 26)

Non seulement l'affirmation «nous, Québécois, nos femmes sont égales à nous et nous les aimons ainsi» véhicule-t-elle l'idée selon laquelle le sujet politique de la nation, (celui doté d'une agentivité légitime) «nous, le peuple», est toujours de sexe masculin, mais elle introduit en plus une certaine confusion dans la compréhension de la relation entre le sujet de la liberté et l'objet d'amour. On peut lire cette affirmation dans les deux sens: nos femmes sont libres parce que nous les aimons de cette manière ou nous aimons que nos femmes soient libres. De plus, l'idéal qui consiste à célébrer publiquement, au lieu de la cacher, la beauté des femmes, et accessoirement leur force, est présenté comme un *modus vivendi* des habitudes (occidentales) du Québec que les minorités devraient suivre:

> Je n'ai rien contre les hassidiques: je leur demande d'admirer la beauté et la force de nos belles Québécoises et que leurs femmes s'intègrent à notre société multiculturelle. (Pilon, Marc, «Un coup de pub?», *Le Soleil*, 21 janvier 2007, p. 24)

L'opposition entre notre manière de traiter nos femmes et leur manière de traiter les leurs est loin d'être neutre: en tant qu'elle constitue un couple binaire structuré par des rapports de pouvoir, son pôle dominant inclut celui qui est assujetti dans son champ d'opérations (Hall, 1997). Son hégémonie devient manifeste dans une autre lettre de contestation écrite au sujet des fenêtres dépolies: «Cacher les jolies femmes! Non mais quelle idée barbare [43]!» Cette remarque s'avère moins bénigne qu'elle paraît

---

43.   S. Sanchez, «Le droit à la sieste», *La Presse*, 8 novembre 2006, p. A29.

d'emblée dès lors qu'on y reconnaît un exemple d'appropriation des discours féministes sur le droit de chacun de disposer de son propre corps. Elle témoigne à ce titre d'un changement argumentatif: l'égalité de genre comme valeur fondamentale de l'Occident cède le pas à l'exigence de visibilité des femmes (pour le regard masculin hétérosexuel) comme condition plus appropriée d'être occidental et civilisé. Ce changement renforce l'hétéronormativité de l'ordre national (Cohen, 1997) et projette comme barbares ceux qui n'exaltent pas la disponibilité collective des (belles) femmes pour le regard masculin.

Une telle appropriation et un tel changement paradigmatique ne sont pas spécifiques au Québec. Comme Scott (2007) l'a démontré de manière convaincante, les problèmes que posait le voile dit islamique, pour plusieurs partisans de son interdiction dans les écoles publiques françaises, ne concernaient pas tant l'inégalité des femmes que le dérobement des femmes au regard des hommes. Pour la psychanalyste Élisabeth Roudinesco, qui a témoigné en qualité d'experte à la commission Stasi, le voile représentait un déni des femmes en tant qu'«objets de désir»: selon son raisonnement, l'appréciation visuelle du corps des femmes par les hommes fait naître la féminité des femmes, ce qui explique la dépendance de l'individualité des femmes par rapport au désir de l'homme, lequel dépend lui-même de la stimulation visuelle (Scott, 2007: 157-158). Cette logique, qui est également à l'œuvre dans le débat québécois, est plus profondément ancrée dans les souffrances que le Québec a lui-même connues sous l'effet du catholicisme:

> Ne faisons donc pas dévier le débat: c'est bien le corps des femmes qui est condamné et, à travers lui, l'éveil à la sexualité de jeunes adolescents. Ce scénario tordu, le Québec l'a déjà vécu. Il est temps d'imposer des fins de non-recevoir à tous ceux qui voudraient le rejouer. (Boileau, Josée, « Être vue », *Le Devoir*, 10 novembre 2006, p. A8)

Ce déplacement de l'égalité à la visibilité est aussi manifeste dans les déclarations de Bernard-Henri Lévy, figure médiatique et philosophe français. À l'occasion d'une entrevue sur le port du voile qu'il a accordée à la radio publique nationale des États-Unis, Lévy en est venu à déplorer, de manière symptomatique, le fait que l'on couvre les beaux visages de jeunes filles, en y voyant une chose bien triste (Scott, 2007). Dans un environnement discursif où l'on considère que les rapports harmonieux entre les sexes sont une qualité de la francité, « une spécificité nationale » comme l'a affirmé Mona Ozouf (1995), l'interaction normative hommes-femmes prescrit l'exercice d'une civilité empreinte de séduction, exigeant la visibilité/disponibilité de corps à regarder. En se voilant, les jeunes filles enfreignent les règles de l'interaction hommes-femmes qu'on conçoit comme un pilier de l'ordre social et politique (Scott, 2007).

Dans tous ces débats, on suppose de manière évidente que le regard anonyme de l'homme est le principal instrument culturel pour la reproduction de la féminité, assimilée à l'égalité des femmes aux hommes. Alors que toute pratique qui soustrait les femmes au regard des hommes (que ce soit le hijab, les cours prénataux ou les heures de baignade réservées exclusivement aux femmes) est interprétée de manière générale comme un signe d'inégalité de genre et de subordination des femmes, on considère que celle qui réalise sa féminité en étant visible/disponible pour les hommes en est venue à indiquer la voie de l'égalité. Le passage suivant, où une journaliste critique la docilité avec laquelle le Québec composerait avec les minorités, témoigne de cet état de discours où le motif de l'égalité de genre s'enchevêtre de manière problématique à celui de la visibilité des femmes pour le regard des hommes :

> L'égalité entre les hommes et les femmes prévaut au pays. C'est une valeur fondamentale qui n'est pas négociable. Si on permet aux femmes de voter à l'abri du regard des hommes, va-t-on accepter qu'elles soient éduquées, qu'elles travaillent et qu'elles accouchent dans nos établissements publics toujours à l'abri du regard des hommes ? (Breton, Brigitte, « Trop accommodant », *Le Soleil*, 8 septembre 2007, p. 38)

CONCLUSION

Si l'histoire et la culture politique du Canada comme du Québec sont marquées par la quête de la modération et la « décolonisation tranquille », et diffèrent en cela de l'histoire de l'État moderne en France et aux États-Unis, qui est caractérisée par « des ruptures radicales, des révolutions agitées et des esprits doctrinaires » (Laforest, 2007 : 56), on peut reconnaître au Québec, dans les débats publics qui ont récemment eu lieu autour des accommodements religieux, les signes d'une attirance vers le modèle français de conformité culturelle forgé autour de la notion abstraite de citoyen, et infléchi selon la version affirmée de la laïcité — ce que Goldberg (2006 : 350-351) appelle l'« universalisme particulariste de la France et l'assimilationnisme insistant au nom de la laïcité ». Ce modèle est lié aux particularités historiques des processus de constitution nationale et de structuration étatique de la France, qui diffèrent sensiblement de ceux du Québec. Ma contribution spécifique à cette problématique consiste à montrer que l'on ne promeut pas seulement ce modèle au nom de la laïcité ou d'une culture dirigeante (*Leitkultur* comme on l'appelle en Allemagne), mais aussi, continuellement, par le biais des discours de l'égalité de genre qui cristallisent des frontières claires entre le « nous » et le « non-nous », ce qui réduit les possibilités de localisations ambiguës et le brouillage de frontières, en plus d'éroder la légitimité des idéaux pluralistes.

On peut difficilement soutenir que les mises en accusation actuelles des rapports de genre chez les groupes minoritaires et le regain de légitimité de l'éthos de la *Kulturnation*, ainsi que le déclin de la citoyenneté pluraliste, interviennent de manière purement accidentelle. Il ne fait pas de doute que l'égalité de genre joue un rôle central dans ces débats et qu'elle sous-tend l'abandon des idéaux multiculturels au profit de la conformité culturelle. Sans égard aux variations nationales, on peut affirmer que les politiques sexuelles radicales sont utilisées pour définir la civilisation occidentale comme la sphère de la modernité — c'est-à-dire comme « un site privilégié où le radicalisme sexuel peut avoir, et a effectivement, lieu » (Butler, 2008 : 2) —, de même que pour présenter les politiques multiculturelles qui accommodent les « autres prémodernes » comme des menaces à la cohésion et à l'identité de la nation.

Les remous que les accommodements religieux ont causés au sein de la société québécoise ont laissé glisser, à la façon d'un lapsus, des angoisses suscitées par la peur de la dissolution du caractère national et travesties sous le déguisement de la rhétorique républicaine civique de la laïcité, des droits individuels et, surtout, des arguments féministes en faveur de l'égalité de genre. Loin de se limiter à servir de stratégie représentationnelle pour la contestation des accommodements des minorités religieuses, le discours de l'égalité de genre désigne la société québécoise comme le site par excellence des libertés sexuelles devant être protégé contre les autres religieux ; il y parvient, entre autres, en amalgamant l'égalité hommes-femmes avec la visibilité/disponibilité des femmes pour les hommes. Comme en témoigne le tollé autour des fenêtres dépolies, on doit protéger le droit des femmes à être vues en tenue d'exercice que d'aucuns pourraient considérer comme suggestive contre les demandes injustifiées de la synagogue voisine réclamant plus de pudeur. Bien qu'on considère généralement que la demande hassidique pour réduire la visibilité des corps féminins est l'expression d'un « fantasme sexiste », nous avons montré que le contraire, rendre les femmes visibles, peut aussi impliquer des fantasmes sexuels cachés derrière un discours de l'égalité de genre *nationalisé*.

Dans un environnement discursif où on fait de l'égalité de genre un marqueur clé d'une société libérale moderne, censé la différencier des cultures prétendument prémodernes, non occidentales, non libérales (Phillips, 2007), et où l'on invoque certaines conceptions de la liberté comme une logique et un instrument à l'appui de certaines pratiques de coercition — une situation qui se pose en dilemme aux défenseurs des politiques sexuelles progressistes (Butler, 2008) —, il est essentiel que les recherches féministes observent avec discernement les manières dont on emploie les arguments féministes pour accréditer les programmes anti-immigration/assimilationnistes, et pour justifier plus d'initiatives envahissantes de la part de l'État et de mesures de contrôle gestionnaires de la population. Les luttes féministes menées contre l'assignation symbolique des femmes au rôle de porteuses d'identités communautaires et de marqueuses de frontières doivent étendre leur portée de façon à contester les cadrages dominants qui posent les droits des minorités comme antithétiques pour les droits des femmes, et opposent les politiques sexuelles progressistes (les droits des femmes, les droits des gais et des lesbiennes) et la lutte contre le racisme. Un moyen de résister à la récupération actuelle du féminisme est de susciter des formes oppositionnelles de savoir en encourageant la recherche depuis des perspectives intersectionnelles et transnationales, et en tenant sérieusement compte des politiques de race et de nation qui sont promues par le truchement des discours libéraux des droits et des libertés, et des discours de l'égalité de genre.

RESUMÉ

Cet article étudie la manière dont le discours de l'*égalité-de-genre-et-des-libertés-sexuelles*, qui a acquis un statut central dans les débats sur la citoyenneté et l'intégration en Occident, est amené à travailler la définition des frontières du « nous/non-nous » dans le contexte des récentes controverses autour des accommodements religieux au Québec. Alors que l'État-nation constitue le cadre le plus saillant dans lequel les frontières ethnoculturelles sont produites, le Québec, avec son ambigüité quant à la dominance ethnique et son projet irréalisé mais encore actuel de définition nationale et de souveraineté politique (sa séparation du Canada), s'avère un cas intéressant pour l'étude des processus de définition de frontières. L'examen des arguments relatifs à l'égalité de genre présents dans la couverture du débat sur les accommodements religieux proposée par la presse révèle des pratiques discursives de patrouille de frontières (*boundary patrolling*), comme le ravalement des conceptions minoritaires sur la féminité, la masculinité, le mariage et la sexualité au rang d'archaïsmes ou de pathologies. Non seulement ces pratiques discursives contribuent-elles à délégitimer les idéaux et les accommodements multiculturels, mais elles présentent le Québec, qui se qualifie lui-même de «tard-venu de la modernité», comme un promoteur de l'égalité de genre et des libertés sexuelles dont le statut exemplaire doit être protégé contre l'altérité religieuse.

ABSTRACT

This article examines the workings of *gender-equality-and-sexual-freedoms* discourse, which has become pivotal to western citizenship and integration debates, in the shaping of "us"/"not-us" boundaries within recent Quebecois controversy over religious accommodation. As nation-state formation is the most salient context in which ethnocultural boundaries are produced, Quebec, with its deep-rooted ambiguity on dominant group and ongoing project of national definition and political sovereignty (separation from Canada), proves relevant for studying boundary processes. Examining gender-related arguments in the press coverage of religious accommodation debate reveals discursive practices of *boundary patrolling*, such as deprecating minority conceptions of femininity, masculinity, marriage and sexuality as archaic or pathological, which not only help delegitimizing multicultural accommodation and ideals, but also construct Quebec, a self-proclaimed latecomer into modernity, as the privileged site of gender equality and sexual freedoms that must be protected against religious others.

RESUMEN

Este artículo estudia la manera como el discurso de la *igualdad de género y de las libertades sexuales*, que ha adquirido un estatus central en los debates acerca de la ciudadanía y la integración en Occidente, es utilizado para trabajar la definición de las fronteras del "nosotros"/ "no-nosotros" en el contexto de las recientes controversias alrededor de los acomodamientos religiosos en Quebec. Mientras que el Estado-nación constituye el más destacado marco en el que son producidas las fronteras etnoculturales, Quebec, con su ambigüedad en cuanto a la dominación étnica y su proyecto inalcanzado pero aún actual de definición nacional y de soberanía política (su separación de Canadá), resulta un caso interesante para el estudio de los procesos de definición de fronteras. El examen de los argumentos relativos a la igualdad de género presentes en el cubrimiento que la prensa realizó acerca del debate sobre los acomodamientos religiosos, revela prácticas discursivas de *patrulla de fronteras* (*boundary patrolling*), como el revestimiento de las concepciones minoritarias acerca de la feminidad, la masculinidad, el matrimonio y la sexualidad, en el rango de arcaísmos o de patologías. Estas prácticas discursivas contribuyen no solamente a deslegitimar los ideales de los acomodamientos multiculturales, sino que además presentan a Quebec, que se califica asimismo como atrasado de la modernidad, como un promotor de la igualdad de género y de libertades sexuales, cuyo estatus ejemplar debe ser protegido contra la alteridad religiosa.

BIBLIOGRAPHIE

ABU-LUGHOD, L. (2002), « Do Muslim Women Really Need Saving? Anthropological Reflections on Cultural Relativism and its Others », *American Anthropologist*, vol. 104, n° 3, p. 783-790.

ALBA, R. (2005), « Bright vs. Blurred Boundaries: Second-Generation Assimilation and Exclusion in France, Germany, and the United States », *Ethnic and Racial Studies*, vol. 28, n° 1, p. 20-49.

ALEXANDER, C. (2004), « Imagining the Asian Gang: Ethnicity, Masculinity and Youth After "the Riots" », *Critical Social Policy*, vol. 24, n° 4, p. 526-549.

ANDERSON, B. (1983), *Imagined Communities: Reflections on the Origins and Spread of Nationalism*, Londres, Verso.

BAINES, B. (2009), « Must Feminists Support Entrenchment of Sex Equality? Lessons from Quebec », *in* WILLIAMS, S. (dir.), *Constituting Equality: Gender Equality and Comparative Constitutional Law*, Cambridge, Cambridge University Press, p. 137-156.

BANNERJI, H. (2000), « The Paradox of Diversity: The Construction of a Multicultural Canada and "Women of Color" », *Women's Studies International Forum*, vol. 23, n° 5, p. 537-560.

BARTH, F. (1969), *Ethnic Groups and Boundaries: The Social Organization of Cultural Difference*, Boston, Little, Brown.

BARTH, F. (1994), « Enduring and Emerging Issues in the Analysis of Ethnicity », *in* VERMEULEN, H. et C. GOVERS (dir.), *The Anthropology of Ethnicity. Beyond "Ethnic Groups and Boundaries"*, Amsterdam, Spinhuis, p. 11-32.

BARTKOWSKI, J. P. et J. G. READ (2003), « Veiled Submission: Gender, Power, and Identity among Evangelical and Muslim Women in the United States », *Qualitative Sociology*, vol. 26, n° 1, p. 71-92.

BAUBÖCK, R. (1994), *The Integration of Immigrants*, Strasbourg, Conseil de l'Europe.

BILGE, S. (2008a), « Between Gender and Cultural Equality », *in* ISIN, E. F. (dir.), *Recasting the Social in Citizenship*, Toronto, University of Toronto Press, p. 100-133.

BILGE, S. (2008b), « Le rapport à l'histoire e(s)t le rapport à l'autre : Réflexion sur l'histoire à l'ère de la polémique des accommodements raisonnables », *Thèmes Canadiens/Canadian Issues*, automne 2008, p. 60-64.

BILGE, S. (2010), « Beyond Subordination vs. Resistance: An Intersectional Approach to the Agency of Veiled Muslim Women », *Journal of Intercultural Studies*, vol. 31, n° 1, p. 9-28.

BUTLER, J. (2008), « Sexual Politics, Torture, and Secular Time », *British Journal of Sociology*, vol. 59, n° 1, p. 1-23.

CITOYENNETÉ ET IMMIGRATION CANADA (2009), *Découvrir le Canada. Les Droits et les responsabilités lies à la citoyenneté*, Guide d'étude, Ottawa, Ministère des Travaux publics et des Services gouvernementaux.

COHEN, C. (1997), « Punks, Bulldaggers and Welfare Queens. The Radical Potential of Queer Politics? », *GLQ: A Journal of Lesbian and Gay Studies*, vol. 3, n° 4, p. 437-465.

DERRIDA, J. (1974), *Of Grammatology*, Baltimore, Johns Hopkins University Press.

DE SOUZA, M. (2005), « Keep Islamic law out of Canada, Quebec politicians urge », *The Montreal Gazette*, 11 mars, p. A1.

DOOMERNIK, J. (2005), « The State of Multiculturalism in the Netherlands », *Canadian Diversity*, vol. 4, n° 1, p. 32-35.

DUSTIN, M. et A. PHILLIPS (2008), « Whose Agenda is it? Abuses of Women and Abuses of "Culture" in Britain », *Ethnicities*, vol. 8, n° 3, p. 405-424.

FEKETE, L. (2006), « Enlightened Fundamentalism? Immigration, Feminism and the Right », *Race and Class*, vol. 48, n° 2, p. 1-22.

GAUVREAU, M. (2005), *The Catholic Origins of Quebec's Quiet Revolution, 1931-1970*, Montréal, McGill-Queen's University Press.

GILROY, P. (2005), *Postcolonial Melancholia*, New York, Columbia University Press.

GOLDBERG, D. T. (2006), « Racial Europeanization », *Ethnic and Racial Studies,* vol. 29, n° 2, p. 331-364.

Grewal, I. (1999), «Women's Rights as Human Rights: Feminist Practices, Global Feminism and Human Rights Regimes in Transnationality», *Citizenship Studies*, vol. 3, n° 3, p. 337-354.

Guénif-Souilamas, N. et É. Macé (2004), *Les féministes et le garçon arabe*, Paris, Éditions de l'Aube.

Hage, G. (2003), *Against Paranoid Nationalism*, Sydney, Pluto Press.

Hagendoorn, L. (1993), «Ethnic Categorization and Outgroup Exclusion: Cultural Values and Social Stereotypes in the Construction of Ethnic Hierarchies», *Ethnic and Racial Studies*, vol. 16, n° 1, p. 26-51.

Hall, S. (1997), «The Spectacle of the "Other"», *in* Hall, S. (dir.), *Representation: Cultural Representations and Signifying Practices*, Londres, Sage, p. 223-279.

Hannerz, U. (1999), «Reflections on Varieties of Culturespeak», *European Journal of Cultural Studies*, vol. 2, n° 3, p. 393-407.

Haritaworn, J. (2008), «Loyal Repetitions of the Nation: Gay Assimilation and the War on Terror», *DarkMatter*, n° 3, récupéré le 7 décembre 2009 sur «http://www.darkmatter101.org/site/category/issues/3-post-colonial-sexuality/».

Haritaworn, J. avec T. Tauqir et E. Erdem (2009), «Queer Imperialism: The Role of Gender and Sexuality Discourses in the "War on Terror"», *in* Miyake, E. et A. Kuntsman (dir.), *Out of Place: Interrogating Silences in Queerness and Raciality*, York, Raw Nerve Books, p. 71-95.

Influence Communication (2007), «Ethnic communities and multiculturalism: Negative associations increasingly present in the media», *communiqué de presse,* 12 janvier.

Jiwani, Y. (2006), *Discourses of Denial. Mediations of Race, Gender and Violence*, Vancouver, University of British Columbia Press.

Juteau, D. (1999), *L'ethnicité et ses frontières*, Montréal, Presses de l'Université de Montréal.

Juteau, D. (2002), «The Citizen Makes an Entrée: Redefining the National Community in Quebec», *Citizenship Studies*, vol. 6, n° 4, p. 441-458.

Korteweg, A. et G. Yurdakul (2009), «Islam, Gender and Immigrant Integration: Boundary Drawing in Discourses on Honour Killing in the Netherlands and Germany», *Ethnic and Racial Studies,* vol. 32, n° 2, p. 218-238.

Laforest, G. (2007), «One never knows... Sait-on jamais?», *in* Murphy, M. (dir.), *Quebec and Canada in the New Century: New Dynamics, New Opportunities*, Kingston, Institute of Intergovernmental Relations, p. 53-81.

Lamont, M. et V. Molnár (2002), «The Study of Boundaries in the Social Sciences», *Annual Review of Sociology*, vol. 28, p. 167-195.

Mc Andrew, M. (2001), *L'immigration et la diversité à l'école*, Montréal, Presses de l'Université de Montréal.

Mcclintock, A. (1995), *Imperial Leather: Race, Gender, and Sexuality in the Colonial Contest*, New York, Routledge.

Narayan, U. (1997). *Dislocating Cultures: Identities, Traditions, and Third World Feminism*, New York, Routledge.

Norris, P. et R. Inglehart (2002), *Islam and the West: Testing the Clash of Civilizations Thesis*, KSG Working Paper RWP02-015.

Okin, S. M. (1999), «Is Multiculturalism Bad for Women?», *in* Cohen, J., M. Howard et M. Nussbaum (dir.), *Is Multiculturalism Bad for Women?*, Princeton, Princeton University Press, p. 7-24.

Ozouf, M. (1995), *Les mots des femmes. Essai sur la singularité française*, Paris, Fayard.

Phillips, A. (2007), *Multiculturalism without Culture*, Princeton, Princeton University Press.

Phillips, A et S. Saharso (2008), «The Rights of Women and the Crisis of Multiculturalism», *Ethnicities*, vol. 8, n° 3, p. 291-301.

Pratt Ewing, K. (2008), *Stolen Honor. Stigmatizing Muslim Men in Berlin*, Stanford, Stanford University Press.

Prins, B. (2002), «The Nerve to Break Taboos: New Realism in the Dutch Discourse on Multiculturalism», *Journal of International Migration and Integration*, vol. 3, n° 3-4, p. 363-379.

Phillips, B. et S. Saharso (2008), «In the Spotlight: A Blessing and a Curse for Immigrant Women in the Netherlands», *Ethnicities*, vol. 8, n° 3, p. 365-384.

PUAR, J. (2007), *Terrorist Assemblages: Homonationalism in Queer Times*. Durham, Duke University Press.

QUÉRIN, J. (2008), « *Accommodements raisonnables* » *pour motifs religieux: étude d'un débat public*. Mémoire de maîtrise en sociologie. Université de Montréal.

RAZACK, S. (2004), « Imperilled Muslim Women, Dangerous Muslim Men and Civilised Europeans: Legal and Social Responses to Forced Marriages », *Feminist Legal Studies*, vol. 12, n° 2, p. 129-174.

RAZACK, S. (2007), « The "Sharia Law Debate" in Ontario: The Modernity/Premodernity Distinction in Legal Efforts to Protect Women from Culture », *Feminist Legal Studies*, vol. 15, n° 1, p. 3-32.

REISIGL, M. et R. WODAK (2001), *Discourse and Discrimination: Rhetorics of Racism and Anti-Semitism*, Londres, Routledge.

SAÏD, E. (1978), *Orientalism*, New York, Pantheon Books.

SCOTT, J. W. (2007), *Politics of the Veil*, Princeton, Princeton University Press.

SIIM, B. et H. SKJEIE (2008), « Tracks, Intersections and Dead Ends: Multicultural Challenges to State Feminism in Denmark and Norway », *Ethnicities*, vol. 8, n° 3, p. 322-344.

THOBANI, S. (2007), « White Wars: Western Feminisms and the "War on Terror" », *Feminist Theory*, vol. 8, n° 2, p. 169-185.

VAN DIJK, T. (1998), *Ideology: A Multidisciplinary Approach*, Londres, Sage.

VAN LEEUWEN, T. et R. WODAK (1999), « Legitimizing Immigration Control: A Discourse-Historical Analysis », *Discourse Studies*, vol. 1, n° 1, p. 83-118.

VERDERY, K. (1994), « Ethnicity, Nationalism and State-making. *Ethnic Groups and Boundaries*: Past and Future », *in* VERMEULEN, H. et C. GOVERS (dir.), *The Anthropology of Ethnicity. Beyond "Ethnic Groups and Boundaries"*, Amsterdam, Spinhuis, p. 33-58.

WILLIAMS, B. F. (1989), « A Class Act. Anthropology and the Race to Nation across Ethnic Terrain », *Annual Review of Anthropology*, vol. 18, p. 401-444.

WODAK, R. (2001), « The Discourse-historical Approach » *in* WODAK, R. et M. MEYER (dir.), *Methods of Critical Discourse Analysis*, Londres, Sage, p. 63-94.

WODAK, R., R. de CILLIA, R. MARTIN et K. LIEBHART (2009), *The Discursive Construction of National Identity*, 2ᵉ éd. Édimbourg, Edinburgh University Press.

WOEHRLING, J. (1998). « L'obligation d'accommodement raisonnable et l'adaptation de la société à la diversité religieuse », *McGill Law Journal*, vol. 43, n° 2, p. 325-401.

YEGENOGLU, M. (2006), « The Return of the Religious. Revisiting Europe and Its Islamic Others », *Culture and Religion*, vol. 7, n° 3, p. 245-261.

ZOLBERG, A. et L. W. LONG (1999), « Why Islam is Like Spanish: Cultural Incorporation in Europe and the United States », *Politics and Society*, vol. 27, n° 1, p. 5-38.

Récit d'une recherche-action : la participation et le passage de frontières de femmes immigrantes à la Ville d'Ottawa[1]

CAROLINE ANDREW

École d'études politiques
Faculté des sciences sociales
Université d'Ottawa
55, avenue Laurier Est
Ottawa (ON) K1N 6N5
Courriel : candrew@uottawa.ca

L A « GESTION DE LA DIFFÉRENCE », la « création d'une société inclusive » et la « convivialité multiculturelle » sont trois formulations qui décrivent le travail d'intégration propre à nos sociétés marquées par le pluralisme et une sensibilité à la diversité.

Ces formulations renvoient toutefois à différents types d'acteurs : si la « gestion de la différence » et la « création d'une société inclusive » font appel à des acteurs officiels — ou à des acteurs occupant des postes officiels —, la « convivialité multiculturelle » implique des actions de nature informelle venant de divers individus dans la vie quotidienne. La « gestion de la différence » suggère généralement une action entreprise par des acteurs qui ne représentent pas cette différence, mais qui agissent « sur » ou « au nom » de ceux qui la représentent. La convivialité multiculturelle se manifeste quant à

---

1.   La construction de ce texte a initialement été inspirée des discussions que j'ai eues avec Michèle Kérisit sur les passages de frontières, je tiens ici à la remercier. Je tiens également à remercier toutes les femmes de l'IVTF qui constitue pour moi un véritable lieu d'apprentissage. Je remercie le Conseil de recherches en sciences humaines du Canada (CRSH) pour l'appui à différentes étapes de cette étude. Michèle Kérisit et moi avons obtenu une subvention pour analyser les bonnes pratiques dans la gestion de la différence à Ottawa ; Fran Klodawsky, Janet Siltanen et moi-même avons reçu une subvention pour l'étude de deux organisations : IVTF et Femmes et Villes International. Je remercie le CRSH pour cette aide. La version finale de cet article représente mes idées et n'engage en rien mes partenaires de recherche.

elle par le biais de relations entre des acteurs qui représentent la différence et ceux qui la gèrent.

À travers une association communautaire de la ville d'Ottawa, « Initiative : une ville pour toutes les femmes » (IVTF), je me penche, dans le cadre de ce numéro sur les passeurs de frontières, sur des questions touchant l'agentivité des femmes immigrantes. J'analyse en quoi la participation des femmes immigrantes dans cette association représente, pour ces dernières, une série de frontières. Le dépassement de ces frontières conduit, comme nous le verrons, à un engagement citoyen égalitaire dans la société canadienne. Cet engagement reflète à la fois l'expression d'une agentivité de la part des femmes immigrantes et un travail réalisé par d'autres acteurs qui représentent ces femmes.

Cet article se base sur une recherche de terrain et un engagement au sein du groupe. Avant d'aller plus loin, je me dois de situer ma propre position au sein de l'IVTF. Depuis les débuts de l'association, je suis à la fois participante et membre du comité d'orientation. Pendant six ans, j'ai écouté les débats au comité d'orientation, j'ai participé aux activités de l'IVTF, j'ai conversé avec des participantes et j'ai conduit des entrevues sur leurs expériences d'immigration. Ces sources d'information m'ont permis d'identifier les motivations des femmes immigrantes et leurs hésitations (voir aussi Andrew, 2008 ; Andrew et Klodawsky, 2006 ; Andrew, Doerge et Klodawsky, 2009 ; Klodawsky, Siltanen et Andrew, 2009). Ma position au sein de l'organisation me donne un accès privilégié à l'information, mais teinte sans nul doute ma perspective d'analyse.

Les assises théoriques et empiriques de l'article peuvent être situées dans deux champs d'études : les écrits sur l'organisation communautaire des femmes (Saegert, 2006 ; Smock, 2004 ; Appadurai, 2001 ; Gibson-Graham, 2005 ; Rankin, 2009 ; Harcourt et Escobar, 2005 ; Wekerle, 2005)[2] et les écrits portant sur les liens entre la mondialisation, le néolibéralisme et le potentiel de la mobilisation politique des villes-régions (Purcell, 2007 ; Sassen, 2005 ; Keil, 2009 ; Boudreau, Boucher et Liguori, 2009 ; Mayer, 2009). La combinaison de ces deux champs a attiré mon attention sur l'importance de bien comprendre le fonctionnement de l'IVTF au quotidien. En insistant sur cette dimension empirique, je m'inspire de la position de Flyvbjerg (2001) sur la pertinence des études de cas, mais aussi sur les écrits de Wekerle (2005) et Boudreau, Boucher et Liguori (2009) sur l'organisation politique autour des enjeux de la vie quotidienne.

Ma présentation de l'IVTF se veut une description détaillée qui tente de rendre compte des dynamiques qui sous-tendent les activités du groupe. En plus de cette visée descriptive, ma présentation est également conçue comme une exploration du potentiel et des limites d'une organisation communautaire progressiste au niveau municipal dans le contexte de la mondialisation et du néolibéralisme. Le questionnement de Purcell (2007) sur les multiples versions de la démocratie en lien avec la ville-région est

---

2.   Parmi ces études, je me suis particulièrement penchée (voir aussi Andrew, 2009a, 2009b) sur celles portant sur l'organisation communautaire des femmes immigrantes (Tastsoglou et Miedema, 2003 ; Ng, 1990 ; Ralston, 1995).

à cet effet pertinent pour mon analyse de l'IVTF, tout comme celui de Sassen (2005) sur les pratiques politiques de la citoyenneté et le discours du « droit à la ville ».

INITIATIVE : UNE VILLE POUR TOUTES LES FEMMES

Pourquoi s'intéresser à l'IVTF ? Bien que n'étant pas un regroupement exclusif de femmes immigrantes, la particularité de l'IVTF est qu'elle est caractérisée spécifiquement par la présence de femmes immigrantes. Comme j'aurai l'occasion de le montrer, la direction de cette association n'est pas assumée par des femmes immigrantes, mais l'énergie et le dynamisme de son organisation proviennent en grande partie de ces dernières. La décision de participer à IVTF représente, pour les femmes immigrantes, un premier passage de frontières. Le groupe noyau des femmes immigrantes à l'IVTF est constitué de personnes qui ont toutes été actives dans des groupes ethno-spécifiques et, dans la plupart des cas, continuent à y œuvrer[3]. Elles sont d'avis que la participation dans une association mixte représente une voie alternative et, pour certaines, un choix judicieux vers une inclusion dans la communauté d'Ottawa.

Les femmes immigrantes ayant choisi de participer à l'IVTF sont en général des femmes bien instruites dans leurs pays d'origine, qui se retrouvent sous-employées, ou sans emploi, au Canada. La non-reconnaissance de leurs diplômes et de leur expérience dans la société canadienne est frustrante pour toutes et, dans certains cas, tout à fait démobilisante. Mais, en dépit de la frustration, ces femmes ont un sens de leurs propres capacités, une volonté de contribuer à la société et de se faire reconnaître pour leur contribution. Cette situation permet de comprendre leurs décisions de passer d'un engagement communautaire ethno-spécifique à une participation dans une organisation mixte avec, entre autres, objectifs de faire entendre la voix des femmes. Cette décision de participer à l'IVTF reflète l'agentivité des femmes immigrantes comme passeurs. En même temps, ce choix les introduit au sein d'une organisation où le travail de passage des frontières est mené en premier lieu par des femmes non immigrantes. Afin de mieux saisir les implications de ce choix d'engagement politique, il est nécessaire de présenter l'IVTF plus en détail.

HISTOIRE ET STRUCTURE

L'objectif principal de l'IVTF est d'inscrire la perspective des femmes, dans toute leur diversité, à l'intérieur des processus de prise de décision de la Ville d'Ottawa. Il est à souligner qu'il existe des antécédents à la création de l'IVTF. Avant que l'association fût créée, le Groupe de travail sur l'accès des femmes à des services municipaux existait déjà. Celui-ci avait été mis sur pied avec le concours de la Ville autour du dossier de l'inclusion des femmes, un dossier remontant à l'époque précédant la fusion municipale de 2000[4]. En tant que telle, l'IVTF a connu ses débuts en 2004 avec l'obtention d'une

---

3.   Voir C. Andrew (2009) pour une analyse du travail communautaire de ces femmes.

4.   La Ville d'Ottawa, dans sa forme actuelle, a été créée en 2000 par une fusion des municipalités qui composaient l'ancienne municipalité régionale d'Ottawa-Carleton.

subvention de Condition féminine Canada dans le but d'œuvrer, en collaboration avec la municipalité, à l'amélioration de l'accessibilité aux services sociaux et urbains pour les femmes.

Depuis ses débuts, les activités de l'IVTF sont caractérisées par deux volets : premièrement, la formation des femmes issues des groupes communautaires en vue d'améliorer leur participation aux processus de prises de décision, et deuxièmement, un travail avec l'administration municipale dans le but de créer des outils permettant à la Ville d'évoluer et de s'adapter d'une façon plus efficace et inclusive à une population de plus en plus diversifiée. À l'heure actuelle, les principales activités de l'association comprennent la formation dans les quartiers d'Ottawa, un projet de participation à la consultation pour le plan des services récréatifs de la Ville et la création d'un outil prenant la forme d'un énoncé formel « une optique d'équité et d'inclusion », visant 11 groupes marginalisés[5].

La structure de l'IVTF est à la fois simple et complexe. Un comité d'orientation symbolise le partenariat. Il est composé de femmes issues de groupes communautaires (élues pour une année, parmi les candidates qui ont déposé une demande), de membres du personnel de la Ville, de représentantes des programmes en études des femmes de deux universités[6] et de la coordonnatrice en plus des autres employées. Il y a également ment une participation dans le cadre de projets spécifiques, comme lors de formations communes ou d'un travail sur le guide d'égalité.

Le financement de l'IVTF se fait selon le modèle typique des groupes communautaires en Ontario, c'est-à-dire par le biais d'un financement par projet provenant de sources multiples. En l'occurrence, le financement provient de Condition féminine Canada, de la Fondation Trillium, de Centraide Ottawa ainsi que de la Ville d'Ottawa. Les défauts de ce système sont bien connus : ils comprennent les difficultés de rétention du personnel, l'obligation de penser continuellement à des nouveaux projets plutôt que de consolider les activités existantes, l'incertitude constante et l'impossibilité de financer l'infrastructure et l'administration du groupe.

Bien qu'elle soit officiellement bilingue, l'IVTF fonctionne surtout en anglais. L'association est plus connue par son appellation anglaise, *City for All Women Initiative*, et son sigle CAWI. Son bilinguisme est manifeste lors des présentations publiques où les porte-parole sont généralement au nombre de deux, une femme anglophone et une femme francophone. Le bilinguisme est également visible dans les documents officiels qui sont produits en anglais et en français. On dénote un effort pour embaucher du personnel bilingue et, sauf exception, une des personnes employées par l'IVTF est francophone. Les femmes immigrantes de l'Afrique francophone assurent une présence

5. Les 11 groupes incluent les cinq groupes désignés dans la politique d'équité et de diversité de la Ville : les minorités visibles, les autochtones, les femmes, les personnes ayant des handicaps et la communauté GLBT. Les personnes vivant dans des conditions de pauvreté, les immigrants récents, les francophones, les résidants du secteur rural, les enfants et la jeunesse et les aînés ont plus tard été ajoutés aux groupes ciblés.

6. Je siège au comité en tant que représentante du programme en Études des femmes de l'Université d'Ottawa.

immigrante francophone. Certains membres du comité de direction sont également bilingues. Dans le contexte spécifique de la Ville d'Ottawa, l'IVTF respecte ainsi mieux la politique de bilinguisme que la majorité des groupes de la société civile, tout en fonctionnant surtout en anglais.

Parce que cette étude s'intéresse à l'agentivité des femmes, la composition de l'IVTF doit être soulignée. On peut distinguer quatre groupes au sein de l'organisation. Le premier est composé de femmes immigrantes qui sont, ou qui ont été, membres du comité d'orientation et qui forment la majorité des membres actifs de l'IVTF. J'ai déjà évoqué les principales caractéristiques de ces femmes. Le deuxième groupe est composé des femmes blanches siégeant au comité d'orientation ou actives dans les projets spécifiques de l'IVTF[7]. Ces femmes représentent souvent des organisations de la société civile. Le noyau de ce groupe est composé des deux représentantes des universités en plus de la coordonnatrice de l'IVTF, tout en incluant également des personnes issues du mouvement syndical et du milieu de la consultation. Toutes sont actives dans des activités spécifiques de l'IVTF. Le troisième groupe est plus hétérogène en terme d'origine ethno-raciale, mais se distingue par sa relative jeunesse. Ce groupe est, d'une part, composé d'étudiantes actives dans des projets de l'IVTF et, d'autre part, du personnel plus temporaire de l'association qui œuvre au sein de projets spécifiques. Finalement, le quatrième groupe est composé des femmes qui sont employées de la Ville d'Ottawa et — si elles ne sont pas actives dans un des projets de l'IVTF — font partie du comité d'orientation.

Si les représentantes de ces quatre groupes partagent l'espoir que l'IVTF puisse être un instrument efficace pour faciliter le passage de frontières dans la société canadienne, on dénote des motivations différentes qu'il convient de souligner.

Pour les femmes immigrantes, ce passage est forcément une question personnelle, mais il constitue aussi une volonté plus collective — qui rejoint également leurs familles, leurs communautés et l'ensemble de la population immigrante. Eu égard à leur engagement dans les organisations immigrantes ethno-spécifiques, l'IVTF constitue donc pour ces femmes une stratégie d'insertion dans la société canadienne à travers une association « mixte ». La perspective municipale peut expliquer pourquoi elles font le choix d'adhérer à l'IVTF, même si cela n'est peut-être pas aussi déterminant que leur volonté de reconnaissance par la société canadienne. Les personnes du deuxième groupe, celui des femmes blanches, sont motivées par le fait de voir la perspective des femmes mieux intégrée aux processus de prise de décision de la Ville d'Ottawa ainsi que par une volonté de s'assurer que cette perspective soit en adéquation avec la reconnaissance d'une diversité admise et reconnue pour ces femmes. Cette inclusion de la pleine diversité des femmes correspond à une volonté partagée à la fois par le troisième groupe, les étudiantes et les employées temporaires, et par les femmes immigrantes. Le quatrième groupe, les gestionnaires de la Ville, défend une idée auprès de

---

7.   Faute de trouver une meilleure expression, je me réfère à ces individus comme le groupe des femmes blanches. J'ai opté pour cette expression, elles ne sont pas toutes nées au Canada. Dans l'analyse des groupes au sein de l'IVTF, je fais clairement partie de ce deuxième groupe.

l'administration municipale, celle d'une meilleure reconnaissance et intégration par
la Ville de la diversification croissante de la population d'Ottawa. Cette idée concorde
avec le travail de l'IVTF.

La dynamique de l'IVTF découle surtout de l'interaction entre les deux premiers
groupes, les femmes immigrantes et les femmes blanches. Le troisième groupe joue un
rôle intermédiaire entre les deux premiers alors que le quatrième assume un rôle plus
spécifique en fonction de ses responsabilités à la Ville. Si les femmes immigrantes ont
fait un choix en s'engageant à l'IVTF, leur passage de différentes frontières — une fois
à l'intérieur de l'organisation — se fait avec le groupe des femmes blanches qui, en
même temps, facilitent et contrôlent les passages. Les femmes immigrantes sont
conscientes des choix qu'elles ont faits : elles ont peut-être moins d'autonomie que
dans une organisation ethno-spécifique, mais l'association à laquelle elles ont adhéré
est possiblement mieux placée dorénavant, étant donné leur présence, pour se faire
entendre.

PASSAGES DE FRONTIÈRES

Dans cette présente section, je souhaite illustrer les tensions, les ambiguïtés et les solidarités au sein de l'organisation du point de vue des différents types de frontières auxquels les femmes immigrantes sont confrontées afin de devenir des citoyennes à part
entière au Canada. Avant de me pencher sur la position des diverses figures de passeurs, j'aimerais d'abord m'attarder un instant aux types de frontières.

J'ai déjà mentionné une première frontière franchie par les femmes immigrantes :
le passage d'un engagement dans leur communauté d'origine à la participation dans
une association mixte. Les objectifs de l'IVTF visent, je l'ai également souligné, un
engagement à l'échelle de la Ville d'Ottawa. Un tel engagement implique un passage de
la sphère de la société civile — ou même de la sphère privée — à la sphère politique. Il
y a là une frontière qui se définit par des éléments concrets (des activités, des gestes, des
affiliations), mais également par des éléments de nature psychosociale (le sens de soi,
les pratiques des autres, les normes sociétales) à quoi s'ajoutent des réalités relevant
de discours et des représentations propres à chacune des participantes. On remarque
en effet que ces dernières sont enclines à naturaliser la dichotomie entre le privé et le
public. Pour les femmes immigrantes, il s'avère difficile de franchir la frontière qui
constitue et délimite la sphère publique. Les difficultés sont liées dans un premier temps
à leur situation matérielle, mais aussi à l'image des femmes immigrantes que projette
la société d'accueil.

Rappelons qu'un très grand nombre de femmes immigrantes vivent des situations
de précarité économique difficiles, particulièrement au cours des premières années de
leur arrivée au Canada. La recherche d'emploi et, souvent l'obligation de travailler dans
des conditions pénibles et mal rémunérées leur laissent peu de temps pour un engagement citoyen. En outre, l'identification au rôle maternel est fréquemment forte chez
les femmes immigrantes. Pour beaucoup d'entre elles, la décision d'immigrer a été avant
tout liée aux enfants et à la volonté d'accorder la priorité à leur vie et à leur avenir.

Cette volonté découle d'une conception du rôle maternel et du sacrifice de leurs intérêts personnels au bénéfice de leurs enfants. De plus, le soin des enfants — propre à
toutes les femmes et auquel les femmes immigrantes ne se soustraient pas — renforce
l'identification des femmes à leur rôle de mère. Ce n'est pas en soi cette identification
qui conduit à établir un lien entre femme (et mère) et sphère privée, mais plutôt l'ambiguïté de l'identification — particulièrement depuis la deuxième vague du mouvement féministe — qui confère au rôle de mère un caractère public dans la société
canadienne (Abu-Laban, 2008 ; Andrew, 2004).

La vision des femmes immigrantes véhiculée par certains éléments de la société
canadienne tend à renforcer l'idée d'une relation prioritaire ou prédominante avec la
sphère privée. Les communautés immigrantes sont souvent perçues comme traditionnelles ou patriarcales. Par conséquent, on les définit comme des communautés où
le rôle des femmes est avant tout contraint par la sphère privée. La force de cette représentation impose des contraintes ou des barrières réelles aux femmes immigrantes. En
effet, mes observations indiquent que ces barrières peuvent indéniablement ralentir le
passage de la frontière vers un engagement dans la vie publique. Étant donné les difficultés rencontrées par les femmes immigrantes qui désirent se faire reconnaître par la
société canadienne en tant qu'acteurs politiques, ce passage particulier est souvent pris
en charge par les femmes blanches de l'IVTF, celles qui sont responsables de l'association et des tractations de celle-ci avec la Ville d'Ottawa.

En plus du passage vers une organisation mixte et un engagement politique, un
troisième type de passage de frontière peut être relevé. Celui-ci implique cette fois une
démarche plus collective. L'activité des groupes et des associations composés majoritairement de femmes — et de surcroît de femmes marginalisées comme les femmes
immigrantes — est souvent considérée comme peu importante par rapport à l'activité communautaire des principaux acteurs de la société civile, tels les Centraides ou les
Chambres de commerce. Dans le cas de groupes semblables à l'IVTF, cette frontière
est moins une ligne divisant un espace en deux qu'une zone à la marge délimitant ce qui
est exclu de ce qui est inclus. Passer la frontière entre des groupes peu valorisés et des
groupes reconnus signifie passer de la marginalité à l'inclusion à la majorité par l'intermédiaire de mécanismes et de processus propres à la société civile. Passer cette
frontière ne correspond pas nécessairement à une valorisation du statut du travail communautaire, mais implique plutôt une reconnaissance du travail communautaire des
associations ou groupes de femmes et d'immigrants comme faisant partie intégrante
de ce secteur communautaire. Dans le vocabulaire spécialisé des politiques d'égalité, on
peut parler de *mainstreaming*, non pas seulement au sujet genre, mais plus généralement, au sujet des femmes marginalisées. Il s'agit là d'une démarche collective : le rôle
accordé au groupe ainsi que sa visibilité sont à la base du passage de frontière. En même
temps, il est clair que ce passage recouvre des implications pour les individus. La reconnaissance collective demeure liée à une reconnaissance individuelle.

Il y a un dernier type de frontière que je souhaite évoquer. Celui-ci concerne le
passage de l'inclusion à la transformation, la capacité d'articuler une vision alternative,

un «vivre ensemble... autrement». Dans ce cas précis, la frontière se situe avant tout sur le plan discursif. Elle sépare, d'un côté, une vision que l'on pourrait qualifier de «confortable», fondée sur des valeurs largement acceptables et acceptées de notre société et, de l'autre, une vision reposant sur un nouvel imaginaire collectif. Cette frontière conceptuelle est issue d'un processus collectif permettant de se projeter dans l'avenir. Ce processus exige un équilibre délicat entre une colère contre les injustices et un sens d'inclusion — voire même de confort — qui établit la confiance nécessaire à la construction d'un projet alternatif de société. Il s'agit ici de la frontière entre l'adaptation et la transformation, entre l'inclusion dans la société d'accueil et la transformation de cette même société. C'est un engagement citoyen exemplaire qui peut se réaliser à partir d'un sentiment d'inclusion de ses propres valeurs dans le groupe dans lequel nous sommes actifs tout en demeurant conscients, et en partie frustrés, par la non-inclusion de ces valeurs dans l'ensemble de la société.

Dans la prochaine section, je souhaite revenir d'une façon plus systématique sur ses quatre types de passages et sur les dilemmes qui s'y rattachent. Je m'attarderai à des exemples qui illustrent la façon par laquelle ces frontières peuvent, sous l'angle d'une perspective égalitaire et citoyenne, être franchies dans la société canadienne.

LA FRONTIÈRE ENTRE LA SOCIÉTÉ CIVILE ET LA SPHÈRE PUBLIQUE

Pour l'IVTF, le passage de frontière qui démarque la société civile et la sphère publique est facilité par des sessions de formation organisées dans le but de permettre aux femmes issues des groupes de femmes du milieu communautaire de mieux comprendre les structures municipales, les processus de prises de décision, de même que les exigences et les procédures de présentation devant les comités du conseil municipal. L'objectif premier de ce type de formations est justement de favoriser un passage vers un rôle public et une capacité d'influencer les décisions de la Ville d'Ottawa. À leurs débuts, les relations entre l'IVTF et l'administration municipale se sont révélées conflictuelles, surtout concernant la fiscalité municipale et certains enjeux budgétaires. Pour les participantes aux sessions de formation, ces conflits ont été l'occasion de réaliser en quelque sorte des «travaux pratiques». Entre 2004 et 2009, l'IVTF a effectué 24 présentations devant les comités du conseil ou le conseil municipal.

Les présentations des participantes ont été préparées avec soin et la coordonnatrice de l'IVTF a travaillé conjointement avec elles afin de les aider à intervenir, s'assurant que celles qui devaient prendre la parole se sentent appuyées par le groupe. Les sessions de formation ont été évaluées très positivement par les participantes.

Le passage vers l'engagement public se manifeste visiblement lors des cérémonies de «diplomation» qui se tiennent au terme de chaque session de formation. Des certificats sont remis par des représentants de la Ville — élus et fonctionnaires — et par les représentantes de groupes communautaires associés à l'IVTF. Ces cérémonies sont très vivantes : on applaudit, chante, photographie. Les femmes qui reçoivent des certificats et ceux et celles qui les remettent s'embrassent. Les discours prononcés par les représentants de la Ville évoquent l'IVTF comme partenaire de la Ville dans la réalisation des objectifs d'inclusion, reconnaissant ainsi les participantes « diplômées » comme acteurs dans les processus décisionnels de la Ville.

Ces deux exemples, les sessions de formation et les cérémonies de « diplomation », illustrent le rôle central que joue les non-immigrants à cette étape d'activité de l'association. Malgré un discours récurrent à l'IVTF voulant que tout le monde soit à la fois expert et apprenti, il y a une perception assez claire selon laquelle les femmes immigrantes doivent être « formées » en vue de franchir une frontière tandis que le deuxième groupe, celui des femmes blanches, possède déjà les ressources qui facilitent le passage des femmes immigrantes.

Ces ressources au sein de l'association sont multiples et il est possible d'associer certaines catégories d'acteurs avec certains types de ressources. Sans aller jusqu'à une analyse des trajectoires empruntées à ce sujet par des individus particuliers, on peut néanmoins identifier les types de ressources en cause : l'appui au transfert d'habiletés individuelles au contexte canadien, la réflexion sur les structures organisationnelles et la façon de rendre plus efficaces les compétences acquises lors de la formation et, finalement, le *networking* au sein la société d'accueil qui peut faciliter l'utilisation des nouvelles connaissances.

Le discours et la dynamique de l'IVTF laissent présager des tensions entre le rôle de facilitateur du passage de frontières conféré aux femmes blanches et leur contrôle du passage de ces mêmes frontières. Ces tensions se sont notamment matérialisées lorsque des femmes blanches ont dû exprimer leurs opinions sur des candidatures de femmes immigrantes pour des postes à la Ville. Par l'expression de leurs opinions, leur rôle de « contrôleur » du passage de frontières devient manifeste. Accepter de « faire jouer ses contacts » (un autre exemple d'utilisation de la ressource « contacts au sein de la société d'accueil ») renvoie également — que le contact soit efficace ou non — au potentiel de contrôle de la frontière. Si le contact s'avère utile pour une femme immigrante, la situation renforce la perception d'un pouvoir de contrôle sur le passage de frontière. Si le contact ne mène à aucun résultat utile, on remarque aussi — voire même plus — une perception de contrôle et de barrière imposée au passage de frontière.

Malgré les tensions évoquées, il demeure néanmoins que le passage vers un engagement politique se fait surtout par l'entremise du rôle assumé par les femmes blanches. Leurs ressources sont mises à profit par les femmes immigrantes, leur permettant ainsi d'adapter leurs habiletés individuelles au contexte canadien.

LA FRONTIÈRE ENTRE LA PÉRIPHÉRIE ET LE CENTRE

Le prochain passage de frontière qui retient mon attention se situe à l'intérieur de la société civile : il s'agit du passage de la marge ou de la périphérie vers le centre. Le travail communautaire des groupes de femmes, des groupes immigrants et, en général, des groupes représentant les milieux marginalisés, est peu reconnu et peu visible au cœur de la société civile. Les groupes les plus importants sont souvent des associations du secteur des affaires ; dans le secteur à portée sociale, une position dominante est occupée par Centraide ainsi que, dans une moindre mesure, les fondations communautaires et les conseils de planification sociale. Dans le cas spécifique d'Ottawa, l'organisme central du secteur des affaires est l'*Ottawa Centre for Research and Innovation* (OCRI), une association qui représente les entreprises dans le secteur des technologies de pointe en partenariat avec les universités — surtout les facultés de génie. L'OCRI a développé une série d'activités autour de l'éducation en général, y compris des programmes de bénévolat d'aide à la lecture dans les écoles primaires, en plus de concours rendant hommage aux meilleurs enseignants et professeurs de la région[8]. Malgré la présence de plusieurs immigrants dans le secteur des technologies de pointe, la direction de l'OCRI est largement constituée de personnes nées au Canada. La gestion du secteur à portée sociale est principalement assurée par Centraide Ottawa dont l'action du comité de campagne de souscription est particulièrement visible. Celui-ci est dominé par des hommes blancs d'ici, provenant soit du milieu privé ou du milieu gouvernemental.

Ottawa n'est pas différente d'autres villes canadiennes. En effet, la société civile y est dominée par les organismes dirigés par des personnes de classe moyenne, souvent issues du secteur des affaires et très peu représentée par des membres de communautés d'immigrants récents ou des minorités visibles. Il s'agit donc, tout comme pour l'ensemble du secteur public, d'un domaine largement contrôlé par des hommes. Comme en témoigne une quantité considérable d'écrits à ce sujet, le travail communautaire des femmes — et de surcroît des femmes immigrantes pauvres — peine à se faire reconnaître. En Ontario, c'est la Fondation Maytree qui a fait le travail le plus intéressant afin d'inclure une présence immigrante et des minorités visibles au sein de la société civile[9].

L'IVTF s'efforce d'être reconnue à titre d'association qui défend des valeurs centrales pour la vie collective de la communauté d'Ottawa tout en faisant la promotion de valeurs humanistes universelles. La position de l'IVTF peut se résumer ainsi : les dimensions d'équité, d'inclusion de même que l'égalité entre femmes et hommes constituent des valeurs centrales pour le fonctionnement des groupes, des institutions et de la société en général. Le travail de promotion d'une telle position se fait en collaboration avec la Ville d'Ottawa, les médias et les autres acteurs de la société civile. Dans la phase antérieure à la création de l'IVTF, la participation du personnel de la Ville d'Ottawa au Groupe de travail sur l'accès des femmes à des services municipaux se faisait sur une base volontaire. La Ville refusait de reconnaître qu'une telle participation fît pleinement partie du travail régulier de son personnel. En plus de rendre difficile la participation des employés de la ville à ce groupe, cette non-reconnaissance a profondément découragé celles et ceux qui valorisaient l'engagement dans ce projet. Dès le départ — au moment de la création de l'IVTF —, ses responsables ont dû déployer des efforts considérables afin de convaincre la Ville de s'engager sur la voie d'un véritable

---

8. Voir le site Web www.ocri.ca pour une liste des programmes liés au domaine de l'éducation. Ces programmes relèvent d'*Ottawa-Carleton Learning Foundation*, une association créée par l'OCRI.

9. Voir www.maytree.org et www.citiesofmigration.org pour une description des nombreuses activités de Maytree qui visent une plus grande inclusion de la diversité au sein des groupes de la société civile.

partenariat. Les responsables de l'IVTF souhaitaient que des membres du personnel de la Ville aient comme responsabilité, inscrite dans leurs tâches, un travail avec leur organisation. L'association espérait obtenir trois directeurs afin de couvrir le plus grand nombre possible de fonctions administratives de la Ville. Même si l'administration municipale n'a finalement accepté de nommer que deux membres de son personnel à cette tâche, cette décision peut toutefois être interprétée comme une victoire importante, la perspective et l'approche de l'IVTF ayant été légitimées.

Au cours des dernières années, le partenariat entre la Ville et l'IVTF s'est accru. Cette nouvelle situation est due en bonne partie à la reconnaissance de la qualité du travail de l'IVTF, mais aussi à la qualité des relations qui règnent entre la coordonnatrice de l'IVTF et le personnel de la Ville. Ce changement dans l'attitude de l'administration municipale est également le reflet de changements au sein des priorités de la Ville, en même temps que d'une reconnaissance de la part des administrateurs municipaux de la capacité de l'IVTF à contribuer à la réalisation de ces priorités. À l'instar de plusieurs bureaucraties, les dirigeants administratifs de la Ville d'Ottawa sont préoccupés par la relève et la nécessité d'attirer dans un proche avenir des employés de grande qualité. Cette préoccupation accroît l'intérêt de créer un milieu de travail stimulant et attrayant pour les employés les plus prometteurs et inclut la création d'outils destinés à augmenter la qualité du travail administratif. Dans ce contexte, la mise en œuvre d'outils comme ceux destinés à faire la promotion de l'équité et l'inclusion revêt une importance grandissante. Dans cette foulée, le partenariat avec l'IVTF acquiert forcément un statut différent. Ainsi, le fait que deux des services de l'administration municipale se soient concurrencés pour travailler en priorité avec l'IVTF témoigne déjà d'une réussite, surtout si on compare cette situation à l'indifférence qui régnait aux débuts de l'association.

Dans le passé, l'IVTF a tenté d'établir des relations avec les médias afin d'être perçue par la Ville comme une association légitime, c'est-à-dire une association dont l'engagement et la position comptent dans l'espace public. La représentation de la diversité des femmes a été centrale dans le message médiatique. De plus, l'IVTF a souligné la nécessité d'obtenir de bons services publics, des services qui répondent ou reconnaissent l'importance de la voix des femmes et qui respectent des conditions équitables et inclusives. Faute de temps, les relations avec les médias se sont cependant avérées moins décisives qu'elles auraient pu l'être. Toutefois, leur importance pour la reconnaissance publique a été bien comprise par les membres de l'IVTF.

Une illustration du changement de la nature des relations entre l'IVTF et les acteurs centraux de la société civile a été la remise d'un prix à l'IVTF par Centraide Ottawa. Le prix, qui souligne la qualité du travail du groupe, a été remis en mai 2009 lors d'un banquet de Centraide. On peut voir une certaine ironie dans ce prix puisque Centraide avait préalablement refusé une demande de l'IVTF concernant le financement d'un projet. Ce refus avait eu des conséquences fâcheuses quant à la capacité de l'IVTF de réaliser, et même de poursuivre, son travail. La coordinatrice de l'IVTF a cependant décidé que la reconnaissance par Centraide demeurait extrêmement importante pour les femmes de l'IVTF et l'avenir du groupe. Cette décision l'a conduite à préparer une présentation de l'IVTF dont l'objectif était d'insister sur la présence des femmes en tant que citoyennes actives et engagées et sur celle de l'IVTF comme acteur autonome et partenaire avec des associations de femmes à base communautaire, la Ville et les universités. En d'autres mots, le message insistait sur le fait que les femmes de l'IVTF ne sont pas simplement des « clientes » qui reçoivent des services de Centraide, mais des acteurs impliqués dans la vie de la communauté.

La joie des femmes qui ont participé au banquet suivant la remise du prix était visible et palpable. On comptait trois tables de femmes actives au sein de l'IVTF. Les tenues des femmes, des femmes immigrantes en particulier, étaient spectaculaires. Toutes portaient des foulards de couleur pêche, symbole de l'IVTF. La plupart des groupes honorés étaient représentés sur la scène par le président du conseil d'administration et le directeur général de l'association — le masculin dans ces cas représentant un homme et non pas une forme générique. Toutefois, quand fut venu le tour de l'IVTF, une trentaine de femmes se sont levées de tables situées au fond de la salle. Elles ont suivi le tapis rouge et se sont dirigées vers la scène à l'avant. Deux femmes ont pris la parole et, à la fin de leur discours, toutes les femmes ont lancé leurs foulards en l'air. Les discours soulignaient avant tout les objectifs de travail de l'IVTF. Tout en remerciant Centraide pour sa reconnaissance, les femmes ont insisté sur l'importance de réduire les inégalités et d'accroître l'inclusion. Les deux présentatrices lors de l'occasion étaient Fantu Melesse Tewabe et Dondji Kapalati.

Voici des extraits de ces discours :
Fantu :
« *Thank you for honouring our contribution to the city with this inspiring award. We stand here as women from every corner of the earth. We are Canadian-born and immigrant women, working together to create a more inclusive city and promote gender equality. We are community women, academics and city staff.* »

Dondji :
« Nous croyons qu'une ville est en santé lorsque ses décideurs et décideuses tiennent compte des idées et de l'expérience de la pleine diversité des femmes et des hommes. Comme femmes, nous apportons une nouvelle perspective à la planification municipale. Tout changement durable est incomplet sans la participation des femmes au point de vue social, culturel et politique. »

Fantu :
« *Many of the immigrant women in our network have been leaders and even politicians, in our home countries, but have found our skills and knowledge often go unrecognized in Canada. Others of us came from countries where our democratic rights were limited. Through our involvement in CAWI, and thanks to United Way, we are discovering ways to make our views known to city decision makers.* »

Dondji :
« Nous vous remercions de croire en cette œuvre. Cela nous donne du courage pour continuer à travailler afin que les femmes immigrantes, ainsi que toutes les femmes dont les voix risquent de ne pas être entendues, soient incluses dans le façonnement de notre ville. »

Fantu : « *Our Views Matter !* »

Dondji : « Notre point de vue compte ! »

La présence des femmes immigrantes au sein de l'IVTF est fondamentale pour la reconnaissance de l'association. L'IVTF est perçue comme une association œuvrant pour que la communauté d'Ottawa puisse réduire l'écart entre, d'un côté, les principes — un discours d'inclusion et d'équité — et, de l'autre, la réalité des femmes immigrantes ainsi que celle d'autres groupes marginalisés. En même temps, le discours des femmes de l'IVTF lors de la cérémonie soulignait à quel point les participantes de l'IVTF se réjouissent de la reconnaissance par Centraide Ottawa. La joie exprimée par ces femmes pour cette reconnaissance illustre, de façon dramatique, la peine inhérente à l'exclusion vécue, en même temps que les difficultés qui découlent de la réalité subie par les femmes immigrantes au quotidien. La joie ressentie reflète l'importance de se voir reconnues par des acteurs considérés légitimes de la société civile, et cela dans cadre d'une cérémonie officielle. En outre, on peut dire que la présence des femmes immigrantes a permis à l'IVTF de franchir la frontière de la reconnaissance et de la légitimité du travail communautaire.

Les quatre groupes mentionnés plus haut aspirent à faire davantage reconnaître que le travail communautaire des femmes. Les gestionnaires de la Ville souhaitent cette reconnaissance pour diverses raisons : leur reconnaissance personnelle, leurs propres carrières, la réussite de leur travail à la Ville et le bénéfice des femmes immigrantes elles-mêmes. Les femmes blanches souhaitent cette reconnaissance parce que leur motivation d'engagement à l'IVTF repose en grande partie sur la promotion de l'acceptation de la perspective des femmes, parce qu'elles se définissent comme féministes et parce qu'elles sont heureuses d'être reconnues à titre d'actrices dans la vie municipale d'Ottawa. Le groupe plus jeune, composé d'étudiantes et d'employées, partage en général les motivations des femmes blanches. Quant aux femmes immigrantes, elles considèrent qu'une plus grande reconnaissance de leur travail communautaire contribuera à l'intégration de leurs familles, de leurs communautés, et viendra en aide à la population immigrante en général tout en favorisant leurs propres intérêts et leur sentiment du travail accompli.

LA FRONTIÈRE ENTRE L'INCLUSION ET LA TRANSFORMATION

La présentation des prix nous conduit à une dernière frontière, celle qui marque le passage d'une volonté d'être inclus dans la société d'accueil — celle où l'on vit — à une volonté de transformer cette société. L'idée de transformation est consubstantielle d'une vision tournée vers l'avenir. Elle comporte une inclusion de valeurs qui ne sont pas présentes dans la société. Ces valeurs sont portées par des personnes ayant une vision différente de la société.

Dans l'analyse des activités de l'IVTF, la transformation sociale implique des actions concrètes qui découlent d'une vision alternative de la société, lesquelles rendent visible « le vivre autrement ». Certains exemples d'éléments de transformation ont déjà été soulignés dans les descriptions antérieures des activités de l'IVTF. Lors d'une présentation au conseil municipal en 2005, les femmes de l'IVTF ont décidé de commencer leur intervention par une chanson[10]. Cette décision avait été prise à la suite d'une longue discussion sur les objectifs de la présentation, sur les contraintes de la procédure et sur les limites de la non-conformité à la procédure. La chanson avait été choisie comme une façon d'illustrer ce qu'est une société plus holistique (la culture faisant partie de la politique). Elle devait également avoir un impact sur le conseil municipal, juxtaposant une musique douce et « féminine » à un message plus dur, porteur de critiques à l'endroit de la conduite de la Ville lors des élections et soucieux d'évaluer les réalisations de la Ville à l'égard des groupes marginalisés.

Les éléments de transformation mis en avant sont la vision holistique qui, d'une part, incorpore la politique aux autres secteurs d'activités et, d'autre part, considère que le plaisir du travail collectif et les rires font partie intégrante d'une démarche très sérieuse visant à influencer les décisions prises par l'administration municipale.

Cette frontière se rapproche de la deuxième frontière mentionnée dans la mesure où elle permet d'exprimer des différences dans les visions sociales et politiques entre, d'une part, les femmes immigrantes et, de l'autre, les femmes blanches, au sein de l'IVTF. De façon un peu simpliste, on pourrait dire que les femmes immigrantes font la promotion d'une vision plus « transformatrice » tout en voulant davantage intégrer la société canadienne actuelle. En revanche, les femmes blanches souhaitent — du moins d'un point de vue théorique — une transformation de la société, bien qu'elles vivent plus confortablement dans la société canadienne, tout en rejetant de façon concrète les dimensions de celle-ci qu'elles n'approuvent pas.

Les femmes immigrantes critiquent la société canadienne : la segmentation de la vie dans des catégories étanches — « économiques », « politiques », « culturelles » — et une des conséquences importantes de cette segmentation, le cantonnement de la famille dans la sphère privée au détriment de son intégration dans un ensemble social et politique. En même temps, les femmes immigrantes sont conscientes que la société canadienne véhicule une vision individualiste de la famille et des femmes. Cette spécificité est à la source d'une hésitation concernant la promotion du thème de la famille. Cette hésitation impose des limites à l'articulation d'une vision alternative de la société misant sur un rôle accru de la famille et la mère. Si une telle hésitation ne vient pas spécifiquement de l'engagement des femmes de l'IVTF, elle influence néanmoins le fonctionnement de l'association. Plusieurs femmes immigrantes sont convaincues qu'une opposition explicite à l'articulation du rôle accordé à la famille et à la mère dans la société canadienne pourrait freiner aussi bien leur capacité à franchir des frontières que leur possibilité de devenir des passeurs de frontières. Dans un sens, la situation impose un choix entre la possibilité d'inclusion dans la société canadienne et l'effort de transformer cette société.

---

10.   Voir Klodawsky, Siltanen et Andrew (2009).

Des tensions peuvent survenir parce que les femmes blanches ne comprennent pas les raisons à la source de cette hésitation ou ne voient même pas qu'il y a hésitation. En réagissant ainsi, les femmes blanches sous-estiment les éléments de transformation, mais également la volonté d'inclusion des femmes immigrantes. Le fait que les femmes blanches ne perçoivent pas l'hésitation des femmes immigrantes à exprimer leurs opinons sur la famille et le rôle de la mère peut être interprété par les femmes immigrantes comme une position rigide et inflexible qui tend, par ricochet, à accroître leur hésitation. Si les femmes immigrantes perçoivent aisément le confort des femmes blanches et leur intégration effective à la société canadienne, elles peuvent, à leur tour, sous-estimer la volonté des femmes blanches à transformer la société actuelle.

CONCLUSION

L'objectif de cet article a été d'explorer la question de l'agentivité des femmes immigrantes à l'intérieur d'une association mixte, *Initiative : une ville pour toutes les femmes*. En examinant les différents passages de frontières entrepris par les femmes immigrantes, il est possible de saisir la complexité de leur cheminement et de leur agentivité. Leur premier choix, celui de faire appel à un engagement civique à travers l'IVTF, en plus de participer à des groupes ethno-spécifiques, est clairement une illustration de leur rôle d'acteur social et politique. À d'autres étapes de leurs parcours, les femmes immigrantes ont aussi clairement opté pour se fier aux femmes blanches de l'IVTF afin de les aider à franchir des frontières. Le cheminement vers un engagement citoyen égalitaire pour les femmes immigrantes dans la société canadienne témoigne donc, mais seulement d'une manière partielle, de leur agentivité.

RÉSUMÉ

Dans cet article, je procède à l'analyse des mécanismes par lesquels les femmes s'engagent dans une perspective égalitaire et citoyenne dans la société canadienne. À partir d'une étude de cas, j'explore comment la participation de femmes immigrantes à un groupe communautaire — *Initiative : une ville pour toutes les femmes (IVTF)* — constitue pour ces dernières un premier passage de frontière. Par la suite, j'examine comment ce premier passage contribue à une libération des femmes immigrantes qui concourt à franchir d'autres types d'obstacles.

ABSTRACT

In this article, I analyse the mechanisms by which women engage in an egalitarian and civic perspective in Canadian society. Starting from a case study, I explore how the participation of immigrant women in a community group, Initiatuve : A City for All Women (*Initiative : une ville pour toutes les femmes (IVTF)*) constitutes for them a first crossing of a frontier. Next, I examine how this first crossing contributes to a liberation for immigrant women in relation to other types of obstacles.

RESUMEN

En este artículo procedo al análisis de los mecanismos por medio de los cuales las mujeres se comprometen con una perspectiva igualitaria y ciudadana en la sociedad canadiense. A partir de un estudio de caso, exploro cómo la participación de las mujeres inmigrantes en un grupo comunitario —*Iniciativa: una ciudad para todas las mujeres (IVTF)*— constituye para éstas un primer paso de frontera. A continuación, examino cómo este primer paso contribuye a una liberación de las mujeres inmigrantes que favorece la superación de otros tipos de obstáculos.

BIBLIOGRAPHIE

ABU-LABAN, Y. (2008), « Gendering the Nation-State: An Introduction », *in* ABU-LABAN, Y. (dir.) *Gendering the Nation-State*, Vancouver, UBC Press, p. 1-18.

ANDREW, C. (2008), « Gendering Nation-States and/or Gendering City-States: Debates about the Nature of Citizenship », *in* ABU-LABAN, Y. (dir.) *Gendering the Nation-State*, Vancouver, UBC Press, p. 239-251.

ANDREW, C. (2009a), « Women and Community Leadership: Changing Politics or Changed by Politics? », *in* BASHEVKIN, S. (dir.) *Opening Doors Wider: Women's Political Engagement in Canada*, Vancouver, UBC Press, p. 19-32.

ANDREW, C. (2009b), « Gender, Substantive Citizenship and Multiculturalism in Canada: Perspectives, Debates and Silences », *International Seminar on Gender Equality in a Multicultural Society*, Tohoku University, Sendai, Japan.

ANDREW, C. (2004), « Women as Citizens in Canada », *in* BOYER, P., L. CARDINAL, et D. J. HEADON (dir.) *From Subjects to Citizens: A Hundred Years of Citizenship in Australia and Canada*, Ottawa, University of Ottawa Press, p. 95-106.

ANDREW, C. et F. KLODAWSKY (2006), « New Voices: New Politics », *Women and Environments*, vol. 70-71, p. 66-67.

ANDREW, C., S. DOERGE et F. KLODAWSKY (2009), « Engaging *in* "Deep Democracy": Principles, Pleasures and Patience », manuscrit soumis à *Women's Studies Quarterly*.

APPADURAI, A. (2001), « Deep Democracy: Urban Governmentality and the Horizon of Politics », *Environment and Urbanization*, vol. 13, n° 2, p. 23-43.

BOUDREAU, J.-A., N. BOUCHER et M. LIGUORI (2009), « Taking the Bus Daily and Demonstrating on Sunday; Reflections on the Formation of Political Subjectivity in an Urban World », *City*, vol. 13, n° 2/3, p. 336-346.

FLYVBJERG, B. (2001), *Making Social Science Matter*, Cambridge, Cambridge University Press.

GIBSON-GRAHAM, J. K. (2005), « Building Community Economies: Women and the Politics of Place », *in* HARCOURT, W. et A. ESCOBAR (dir.), *Women and the Politics of Place*, Bloomfield CT, Kumarian Press, p. 130-157.

HARCOURT, W. et A. ESCOBAR (2005), *Women and the Politics of Place*, Bloomfield CT, Kumarian Press.

KEIL, R. (2009), « The Urban Politics of Roll-With-It Neoliberalization », *City*, vol. 13, n° 2/3, p. 231-245.

KLODAWSKY, F., J. SILTANEN et C. ANDREW (2009), *The Politics of Possibility in Place: Reflections on City for All Women Initiative, Ottawa, Canada*, présentation à la Conférence de l'Association canadienne des géographes, Université Carleton, juin 2009.

MAYER, M. (2009), « The "Right to the City" in the Context of Shifting Mottos of Urban Social Movements », *City*, vol. 13, n° 2/3, p. 362-374.

NG, R. (1990), « Immigrant Women and Institutionalized Racism », *in* BURT, S., L. CODE et L. DORNAY (dir.), *Changing Patterns*, Toronto, McClelland and Stewart, p. 184-203.

PURCELL, M. (2007), « City-Regions, Neoliberal Globalization and Democracy: A Research Agenda », *International Journal of Urban and Regional Research*, vol. 31, n° 1, p. 197-206.

RALSTON, H. (1995), « Organizational Empowerment among South Asian Immigrant Women in Canada », *International Journal of Canadian Studies*, vol. 11, p. 121-146.

RANKIN, K. (2009), « Critical Development Studies and the Praxis of Planning », *City,* vol. 13, n° 2/3, p. 219-229.

SAEGERT, S. (2006), « Building Civic Capacity in Urban Neighbourhoods : An Empirically Grounded Anatomy », *Journal of Urban Affairs,* vol. 28, n° 3, p. 275-294.

SASSEN, S. (2005), « The Repositioning of Citizenship and Alienage : Emergent Subjects and Spaces for Politics », *Globalizations,* vol. 2, n° 1, p. 79-94.

SMOCK, K. (2004), *Democracy in Action : Community Organizing and Urban Change,* New York, Columbia University Press.

TASTSOGLOU, E. et B. M. MIEDEMA (2003), « Immigrant Women and Community Development in the Canadian Maritimes : Outsiders Within ? », *Canadian Journal of Sociology,* vol. 28, n° 2, p. 203-234.

TINDAL, C. R. et S. N. TINDAL (2004), *Local Government in Canada,* Toronto, Thomson Nelson.

WEKERLE, G. (2000), « Women's Rights to the City : Gendered Spaces of a Pluralistic Citizenship », *in* ISIN, E. (dir), *Democracy, Citizenship and the Global City,* New York, Routledge, p. 203-207.

Site Web : www.cawi-ivtf.org

Passer et retravailler la frontière... Des converties à l'islam en France et au Québec : jeux et enjeux de médiation et de différenciation

GÉRALDINE MOSSIÈRE

Département d'anthropologie
Université de Montréal
C.P. 6128, succursale Centre-ville
Montréal (Québec) H3C 3J7
Courriel : geraldine.mossiere@umontreal.ca

« BIEN SÛR, MON MARI A CINQ ÉPOUSES, il m'oblige à rester à la maison et il me bat tous les jours ! »

Mélanie, jeune femme québécoise convertie à l'islam, mariée avec un immigrant d'origine marocaine.

Figure archétypale du passeur de frontières, le converti incarne celui qui a choisi de quitter son groupe d'appartenance premier et s'est affranchi de la vision du monde héritée en vue d'adhérer à un univers social et symbolique autre. Ancrée dans cette dualité, sa situation de l'entre-deux lui confère généralement un rôle de médiateur. Dans le cas de l'islam, l'histoire montre en effet que les convertis ont plus souvent qu'autrement assumé cette fonction ; les nouveaux adeptes du soufisme en particulier auraient agi comme intermédiaires culturels entre les commerçants, guerriers et visiteurs musulmans, et les populations d'Afrique de l'Ouest (Winter, 2000). Quant aux Européens, ils auraient généralement adhéré à l'islam dans le cadre de mouvements de masse, liés soit aux échanges commerciaux et culturels menés dans le bassin méditerranéen, soit aux projets de conquête arabe ou de croisades chrétiennes (Garcia-Arena, 1999). Tandis que le phénomène de conversion à l'islam connaît actuellement un fort regain dans les pays occidentaux (Castel, 2006 ; Dix, 2002 ; Van Nieuwkerk, 2006), la littérature relève le caractère individuel des parcours (Hervieu-Léger, 1999), tout en continuant à reconnaître un rôle d'intermédiaires culturels aux nouveaux musulmans (Allievi, 1998 ; Gerholm, 1988 ; Roald, 2004 ; Vroon, 2007). Médiateurs, constructeurs de ponts ou traducteurs culturels entre majoritaires et minoritaires, les convertis disposeraient de ressources, notamment linguistiques et symboliques, pour établir le dialogue et diffuser une image acceptable de l'islam auprès de la société dominante (Jensen, 2006). Cette position leur octroie toutefois un pouvoir de représentation dont certaines nouvelles musulmanes que nous avons rencontrées ont pris un plaisir espiègle et quelque peu provocateur à user, en reproduisant sur un ton dérisoire les stéréotypes communs sur l'islam et les musulmans, tel que cité plus haut. Comme le montre Jensen (2008), ironiquement, de telles représentations constituent à la fois un acte de différenciation et d'identification qui théâtralise et distingue les identités, de sorte que l'on pourrait se demander jusqu'à quel point le traducteur trahit l'authenticité de son texte ou, reprenant le fameux adage italien, « Traduttore, traditore » ?

Dans cet article, nous montrons que les convertis participent de la construction d'un islam adapté à leur contexte de vie. Si, dans le cas de l'Europe, cet islam hybride a été largement documenté (Al-Azmeh, 2007 ; Cesari, 2003 ; Dassetto, 1996 ; Khoroskhavar, 1997 ; Marechal *et al.*, 2003), nos données collectées auprès de converties à l'islam en France et au Québec permettent d'y apporter un éclairage supplémentaire. La version de l'islam dont les converties constituent les figures de proue fonde en effet sa légitimité sur une vision du savoir qui retravaille le discours sur l'ethnicité, et produit ainsi de nouveaux rapports de pouvoir avec les musulmans nés dans l'islam. En soulignant que cette structure forge une nouvelle forme d'orientalisme, nous soutenons que les passeurs de frontières tiennent en réalité le groupe minoritaire captif de la représentation qu'ils construisent et diffusent, en vertu des enjeux qui sont les leurs. Soumis à la contrainte d'incarner la cohérence d'identités considérées par les deux groupes d'appartenance comme incompatibles, ils contribuent à l'élaboration d'une troisième voie alternative aux discours dominants des sociétés française ou québécoise d'origine, et à l'adoption d'une vision du monde musulmane.

Au Danemark, Jensen (2006) montre qu'entre le choix bipolaire « danois » ou « musulman », les nouvelles musulmanes élaborent divers régimes d'identifications et d'appartenances, entre rupture et continuité, inclusion et exclusion. Nos données nous amènent à nuancer la démarche des converties à l'islam. En effet, le recours à l'idiome islamique, porteur d'un sens spécifique à l'environnement dans lequel il se décline, révèle une critique, et non une rupture, à l'égard du groupe majoritaire, ainsi qu'une alternative au modèle dominant. Cet article s'appuie sur une approche comparative des milieux français et québécois afin de montrer que les voies proposées pour la réalisation de ce projet varient selon les contextes sociopolitiques. Nous décrivons d'abord les activités associatives et l'engagement social que les converties rencontrées mènent au sein de leur société d'origine. Puis nous discutons les deux axes autour desquels se déploie leur régime identitaire. Ainsi, la quête de légitimité que les converties entretiennent auprès du groupe d'élection s'appuie sur une interprétation cognitive de l'islam qui reconfigure les rapports sociaux entre « apprentis musulmans » et « musulmans nés dans l'islam». Par ailleurs, si le rôle nouveau accordé au savoir vise à englober la communauté musulmane dans une optique universaliste, certaines performances identitaires trahissent un essentialisme renouvelé dans le cadre de la globalisation. Nous portons l'accent sur les valeurs qui animent ces projets sociaux et politiques, ainsi que sur les stratégies déployées pour retravailler les frontières sociales et symboliques, et passer d'un groupe à l'autre.

DE LA NÉCESSITÉ DE DÉCONSTRUIRE LE TERRAIN ETHNOGRAPHIQUE

La démonstration repose sur une étude ethnographique réalisée entre 2006 et 2008 auprès de femmes converties à l'islam en France et au Québec. Près de 40 entrevues ont été réalisées avec de nouvelles musulmanes dans chacun des espaces étudiés (38 au Québec et 40 en France). Nous avons également mené des observations au sein des associations où les répondantes sont actives, ainsi que dans des mosquées et divers centres d'apprentissage où elles suivent des cours d'arabe ou sur l'islam.

Les profils rencontrés sont variés : tous les âges sont représentés bien que la génération des moins de 35 ans prédomine nettement, en particulier en France. La majorité des femmes sont mariées à des hommes nés dans l'islam et, sauf de rares exceptions motivées par la volonté de préserver leur autonomie, tandis que les autres recherchent activement un conjoint de la même confession. Les rapports matrimoniaux s'articulent autour d'une commune appartenance religieuse, et les tensions sont généralement liées à des «divergences culturelles», les cas de divorce documentés étant toutefois uniquement localisés au Québec.

Étant donné leur jeune âge, la plupart des répondantes sont étudiantes (21 au Québec et 14 en France); toutes aspirent à rester au foyer afin de se consacrer à leur vie de famille qu'elles considèrent plus épanouissante qu'une carrière professionnelle jugée aliénante. Les niveaux d'éducation sont généralement élevés, en particulier au Québec où plus du trois quart des répondantes prépare ou détient un niveau universitaire tandis qu'en France, elles représentent plus de la moitié de l'échantillon. Dans les deux espaces observés, une part significative des répondantes œuvre dans le domaine associatif, dans le cadre de leur mosquée, d'associations musulmanes étudiantes ou d'organismes de représentation des musulmans (Présence musulmane, etc.), ou encore sur les forums et sites Internet d'échanges et d'entraide. Cet engagement semble constituer une stratégie alternative de projection dans l'espace public destinée à outrepasser les barrières à l'emploi que beaucoup connaissent du fait du port du voile, notamment en France. Un tel activisme serait également motivé par l'ambition de déconstruire les préjugés associés à leur nouvelle identité religieuse, dont elles revendiquent ainsi l'adoption.

Finalement, ces nouvelles musulmanes sont surtout concentrées dans les métropoles françaises et québécoises, soit parce qu'elles y sont nées, soit parce qu'elles s'y sont déplacées en vue de pratiquer leur religion. Contrairement au Québec où les nouvelles musulmanes rencontrées participent de milieux sociaux très divers, une forte proportion des converties françaises est issue des cités, soit de milieux socialement défavorisés. Dans les deux espaces, le processus de conversion s'inscrit dans des modes de sociabilité partagés avec des musulmans nés dans l'islam, dans le cadre de relations amoureuses, amicales, ou de voisinage. En France comme au Québec, sept femmes sur dix se sont converties après 2001. Plus de la moitié d'entre elles adhère à une lecture littérale des textes coraniques dans un contexte communautaire qui s'intègre dans le mouvement de piété déjà documenté par de nombreux auteurs (Deeb, 2006 ; Mahmood, 2005). Une autre catégorie de converties formule un discours réformateur visant à actualiser l'islam aux contraintes du temps et du lieu. Finalement, une minorité de femmes semble construire une version personnalisée de l'islam, parfois inspiré de spiritualité soufie, et caractérisé par une certaine individualisation de la performance religieuse.

La plupart des études sur la conversion à l'islam (Allievi, 1998 ; Mansson McGinty, 2002 ; Wohlrab-Sahr, 1999) reposent sur l'étude des itinéraires de conversion, recomposés à partir des récits de vie collectés. Toutefois, à l'instar de Bourdieu (1994) qui les qualifie d'« illusions biographiques », il est admis que ces discours constituent un genre littéraire codifié, soit une reconstruction *a posteriori* d'une biographie, en vertu du nouveau paradigme adopté.

Reprenant le postulat de Foucault prolongé par Somers (1994), nous considérons que le soi produit par le récit ne révèle pas une quelconque ontologie du sujet, sinon les conditions de sa production ainsi que son évolution temporelle. Puisque le récit du converti constitue un acte de production du sujet, sa valeur heuristique le déplace au statut de pratique identitaire. Nous proposons donc une analyse de type discursif inspirée de la perspective théorique poststructuraliste (Butler, 1990 ; Foucault, 1971). S'appuyant sur la théorie performative d'Austin, Butler considère que puisque le langage constitue un système de significations à travers lequel les sujets se produisent, c'est son analyse qui permet de déchiffrer le processus de formation du sujet. Dans la même perspective, Derrida (1967) attribue au discours le pouvoir de produire, mais aussi de réguler et de contraindre le phénomène qu'il énonce. Dans ce cadre, le discours est conçu comme une performance issue et génératrice d'une structure sociale et politique particulière qui, incorporée dans le langage, façonne la pensée et le comportement de ses auteurs. Sans nous attacher aux techniques de mise en récit, nous considérons les discours recueillis comme des artefacts des représentations et des échanges entre l'auteur et son public, dont la déconstruction met en évidence les conditions de formation.

MAJORITÉ DISCRIMINANTE, MINORITÉ STIGMATISÉE : DES STRATÉGIES DE NÉGOCIATION D'UN RÔLE DE MÉDIATION ATTRIBUÉ

Engagement associatif, politique... et éthique

Si la littérature considère généralement la position des convertis comme la condition idéale de possibilité d'une médiation culturelle entre deux groupes de pouvoirs social et politique différenciés (Gerholm, 1988 ; Jensen, 2004 ; Roald, 2008 ; Winter, 2000), nous observons des disparités dans leurs modes de négociation d'un tel rôle. En effet, tandis que certains nouveaux musulmans dissimulent les marqueurs visibles de leur conversion par souci de compromis avec leur groupe d'origine, d'autres exposent inten-tionnellement leur nouvelle appartenance, exprimant ainsi de nouveaux discours sur l'éthique, le social et le politique.

En fait, la grande piété et le strict respect des prescriptions islamiques dont font preuve la majorité des converties rencontrées en France et au Québec, induisent un devoir d'implication sociale et politique tant envers la communauté musulmane qu'à l'égard de la société globale. En effet, en dépit de leur adhésion au discours de seg-mentation de genre entre les espaces privé et public, un grand nombre de femmes ren-contrées formulent des projets d'engagement social qui généralement, donnent lieu à des activités de bénévolat auprès d'organismes communautaires qu'elles ont souvent contribué à mettre sur pied. Bien qu'elles placent la construction d'une vie de famille au cœur de leurs projets de vie, elles ne manquent pas d'y adjoindre un activisme altruiste, voire revendicateur. Au Québec comme en France, certaines ont par exemple créé des compagnies de «vêtements de haute qualité et de style diversifié répondant aux critères islamiques[1]» qui sont conçus et fabriqués sur le territoire national, autant que possible par des frères et sœurs musulmans. Spécialement destinés aux femmes éta-blies dans des milieux où les musulmans sont minoritaires, leur style long, sobre et unicolore combine le respect des prescriptions islamiques et les standards de mode locaux, dans un but à la fois d'affirmation et d'intégration de leur singularité sur la scène publique locale. Grâce à des échanges via les forums Internet, elles apportent également de l'aide matérielle à des sœurs dans le besoin, qui résident à l'étranger, au Moyen-Orient notamment. L'activité des converties auprès de la communauté s'élar-git toutefois au-delà de la communauté de musulmans (*umma*), et cible la société plus large. En France, dans la banlieue parisienne, deux femmes ont participé à la création d'une association à but non lucratif, mandatée pour distribuer des repas aux sans domi-cile fixe. Cette vision engagée de l'islam s'appuie sur une volonté de «changer les choses par de petites actions» telles que la mobilisation pour les sans-papiers africains à Paris. Elle se projette également dans un discours politisé qui englobe la sphère publique internationale. Beaucoup de converties prennent en effet ouvertement position dans des débats politiques tels que le conflit israélo-palestinien, associant ainsi leur engagement associatif à une cause politique.

Motivées par l'ambition de suppléer aux lacunes du système social dominant, les converties en déplorent le manque de valeurs morales, ainsi que le racisme et l'isla-mophobie endémiques. En effet, toutes disent désirer fonder une famille heureuse, vivre leur foi sereinement, et éventuellement mener une carrière épanouissante dans des environnements stables où elles se sentiraient «respectées et intégrées». Ces aspira-tions qu'elles considèrent comme, somme toute, relativement ordinaires, sont présen-tées par opposition à l'effritement des repères éthiques, à la dégénérescence des valeurs des sociétés française et québécoise marquée par «l'excès de liberté individuelle», à «l'émancipation de la femme et au déclin de l'institution familiale», ou encore à

1. Informations tirées du site Web d'une compagnie de vêtements créée au Québec par des femmes converties.

l'instrumentalisation de la sexualité, comme l'explique Denise (Québec, mariée, formation graphisme) :

> La montée du féminisme et la facilité du monde dans lequel on vit font en sorte que les valeurs tiennent plus beaucoup. Les valeurs de la famille sont éclatées. On est dans une société de consommation où tu jettes tout, une relation qui marche pas à ton goût, un enfant qui t'écoute pas. Pas grave tu laisses aller, t'es trop occupé à gagner ta vie, t'es trop stressé, trop pressé.

Par contraste, l'islam est présenté comme un modèle d'équilibre, d'ordre et de solidarité sociale de sorte que les activités associatives sont vécues comme des mises en pratique du paradigme adopté. Ces principes ne sont toutefois pas présentés comme une exclusivité de l'islam, et la plupart des converties les associent aux valeurs conservatrices ou à une tradition humaniste de leur société d'origine. Une telle interprétation permet de concilier des systèmes de valeurs en apparence contradictoires, en attribuant à l'islam des principes communs à ceux de la société d'origine, tels que la justice sociale, la sensibilisation écologique, l'équité entre les genres et la solidarité avec les pauvres (Jensen, 2008 ; Mansson, 2007). Cette promotion d'un ensemble de valeurs éthiques partagées amène à réhabiliter le paradigme musulman car, comme l'indique Anissa (France, fiancée, licence en santé publique) : « Être musulman, c'est être en quête de savoir et de lien social, celui qui donne et tend la main pas pour recevoir, mais pour donner. »

Sensibiliser le public et politiser le discours

Les converties rencontrées se considèrent comme des ambassadrices de l'islam. Elles visent à en diffuser une image positive auprès du public le plus large possible, auquel elles prétendent expliquer les logiques sous-jacentes des prescriptions islamiques. Selon elles, la discrimination et le racisme qu'elles disent subir s'expliquent essentiellement par un manque de connaissances de leur religion. Par conséquent, elles se donnent pour mission sociale et devoir religieux de déconstruire les stéréotypes associés à l'islam en sensibilisant et en éduquant les membres de la société majoritaire. Interrogée sur ses éventuels regrets quant à sa conversion dans un environnement français particulièrement hostile à l'islam, Anne-Marie (France, mariée, docteur en médecine) répond :

> Je n'ai jamais pensé à laisser tomber l'islam parce que je crois en cette religion, je pourrais pas concevoir de vivre ma vie autrement qu'en étant musulmane et croyante. Je pense que c'est aussi notre responsabilité en tant que femmes musulmanes voilées de nous impliquer, d'être un peu partout dans la société pour que les gens apprennent à nous connaître et que ce soit rendu normal, et qu'il y ait plus cette peur. On est là, on porte un message et c'est notre rôle.

D'autres femmes empruntent des voies pédagogiques et éducationnelles :

> Je vais peut-être étudier l'intégration des femmes musulmanes ou des communautés immigrantes en général. Les Québécois, ils savent des choses de l'islam mais ils ont une mauvaise vision et de l'autre côté, il y a aussi les immigrants qui n'ont peut-être pas la bonne approche. Il y a une incompréhension entre les deux, je voudrais trouver un moyen de faire ma part pour faire un lien. (Marie-Claude, Québec, divorcée, 1re année de Bac)

Dans ce projet d'éducation à l'islam dont elles se font les chevilles ouvrières, beaucoup considèrent la démonstration de la performance musulmane plus efficace que les explications rationnelles. Outre les femmes qui présentent le respect de leurs devoirs familiaux, notamment maternels, comme une manifestation vivante et quotidienne des vertus de cette religion, certaines converties modérées dans leur pratique témoignent de leur allégeance religieuse par l'application des principes de respect, de non-violence et de conscience sociale qu'elles attribuent à l'islam. Denise a décidé d'afficher ostensiblement des marqueurs de religiosité comme la prière ou la pratique du ramadan au travail « pas pour confronter, mais pour faire tomber les tabous », et aussi parce que « si les gens ont envie de croire quelque chose, peu importe ce que tu vas leur dire, la seule chose qui va les faire changer d'avis c'est ton comportement à toi, l'image que tu vas dégager ». D'autres femmes, souvent célibataires, transforment leurs pratiques religieuses en activités de militantisme menées au sein des associations d'étudiants ou dans les milieux de travail. Elles endossent ainsi un rôle de vitrine, n'hésitant parfois pas à user des possibilités d'exposition médiatique qui leur sont offertes. En illustration d'une entrevue qu'elle avait accordée à une revue française parents-enfants, Mélanie (France, mariée, BTS Tourisme) a insisté pour apparaître avec le voile, et en compagnie de sa fille, afin d'assurer la représentation des femmes voilées et « pas juste des nanas en bikini ». D'autres préfèrent témoigner de leur réalité en rédigeant des ouvrages ou en réalisant des documentaires qui décrivent et banalisent les conditions de vie des femmes musulmanes ; certaines créent des bibliothèques dans le but de diffuser des connaissances sur l'islam.

Les converties jugent leur situation idéale pour agir en tant que médiatrices dans un dialogue qu'elles décrivent comme « interculturel » entre la société majoritaire et les musulmans nés dans l'islam qui y sont minoritaires. Pourtant, la littérature indique que d'autres catégories de pratiquantes mènent des projets similaires de participation, voire de revendication sur la place publique, comme les femmes musulmanes pieuses rencontrées par Jouilli (2007) en France et en Allemagne. D'ailleurs, les converties de notre échantillon mènent leurs activités de concert avec des coreligionnaires nées dans l'islam et pratiquantes. Comme Jouilli, notons néanmoins que de tels comportements varient « entre insistance ou flexibilité par rapport aux pratiques et devoirs religieux (la prière et la modestie), ce qui se traduit également par des degrés divers de visibilité » (Jouilli, 2007 : 205). En effet, il convient de tenir compte d'une catégorie de converties plus discrètes qui n'expriment pas de revendications et maintiennent leur invisibilité, souvent en raison de la « discrimination » subie, mais aussi parce que

> Les gens, ça ne leur suffit pas une explication simple, il faut toujours qu'ils cherchent plus et qu'ils posent des questions. Et ça m'est déjà arrivé de dire une bêtise en m'expliquant et en parlant de l'islam, et c'est un gros péché quand on parle pas bien de l'islam. Donc je préfère rien dire... (Anaïs, Québec, fiancée, bac en sciences de l'administration)

Capacités et stratégies de passage des frontières

De cette situation de l'entre-deux, les converties ont accès à une variété de stratégies de négociation et de capacités d'action leur permettant d'entreprendre leur projet d'éducation à l'islam dans leur propre société. Comme les jeunes maghrébines françaises de seconde génération (Boubekeur, 2004), elles ont la possibilité de se déplacer au sein de divers espaces sociaux, musulman et non musulman, dont elles possèdent les critères de légitimité, sans toutefois porter l'obligation de se conformer à leurs codes normatifs. Pour faire le lien, la plupart des converties mobilisent donc leur identité d'origine et reconfigurent leur rapport d'altérité autour d'une commune appartenance ethnique, comme le montre Amélie (Québec, mariée, bac en sciences de l'administration) :

> En tant que Québécoise, je suis beaucoup plus crédible que l'Arabe et je me le suis fait dire souvent : un Québécois, ça prend un Québécois qui lui parle. Si ça vient d'une femme musulmane, ils peuvent penser qu'elle est opprimée, ou que c'est son mari, ou que c'est sa culture. Les gens sont pas éduqués, c'est pas de leur faute parce que t'entends pas parler de rien de bon sur l'islam. Il y a un travail à faire là-dessus : une petite conférence ou un peu de bénévolat, aider à défaire les mentalités.

Plusieurs femmes choisissent d'incarner une image socialement et politiquement acceptable de l'islam en produisant un discours d'ouverture et de tolérance religieuse, comme Samantha qui décrit l'évolution de son cercle social :

> Je n'ai coupé aucune relation suite à ma conversion, parce que ça aurait paru brutal et ça aurait donné une mauvaise image de l'islam. (France, mariée, bac + 2)

Cette posture n'est toutefois pas sans engendrer une constante pression sociale sur les converties : « Le port du voile me force à être constamment plus gentille, plus serviable et plus sympathique que les autres » (Anne Marie). Contrairement à ces exercices de séduction de l'opinion publique, d'autres choisissent des méthodes plus provocatrices, à l'instar de cette médecin qui, dans l'hôpital parisien où elle pratique, a choisi de porter ostensiblement le foulard, instrumentalisant ainsi son statut social pour soutenir la cause. Selon elle en effet, « oui, on peut être musulmane dans cette société ».

Les nouvelles musulmanes ne se dissocient donc pas complètement de leur identité héritée. Leur activisme politique et communautaire traduit en réalité la flexibilité des constructions identitaires, à l'intersection des référents de la religion, du genre, de l'ethnicité et de la citoyenneté.

LE DISCOURS D'UNE TROISIÈME VOIX (VOIE ?) : NOUVELLE HYBRIDITÉ DANS L'ISLAM…

Par leur double appartenance et par la définition qu'elles construisent de l'islam, les converties contribueraient à la naissance d'une nouvelle culture islamique en Occident, un discours hybride auquel les immigrants de seconde génération pourraient également s'identifier. Initié par l'installation de populations nées dans l'islam dans des espaces où elles sont minoritaires, cet islam européen (Allievi, 1998) ou nord-américain propose de nouveaux projets politiques et modes de citoyenneté, forgés et diffusés par l'entremise associative et par leur zèle sur la scène publique. Cette nouvelle voie islamique se réapproprie par ailleurs des éléments d'inspiration moderne ou globale (Haenni, 2005) : langue de la société d'ancrage et représentations dans sa sphère publique, revalorisation du statut de la femme, investissement communautaire, cyber-activisme, bioéthique, développement personnel, etc. Plus que des intermédiaires, des faiseurs de ponts ou des passeurs de frontières, les discours des converties constituent des archétypes de ces critiques portées à l'endroit des régimes sociaux et politiques dominants, et dont ils proposent des alternatives formulées dans le langage de l'islam.

Du rôle des espaces sociaux : les contextes français et québécois

En France comme au Québec, l'appropriation d'un discours minoritaire par des membres du groupe majoritaire se développe dans les zones limites des régimes de gouvernementalité[2] locaux, limites tant sociales et politiques, que symboliques et éthiques. Ainsi, l'emprunt d'une identité musulmane représente une stratégie liée à un contexte précis, au sein duquel le choix du discours musulman signifie un message spécifique.

« Solidarité, égalité, convivialité ! »

Les converties rencontrées en France soulignent non seulement la forte composante de solidarité sociale de leur nouvelle religion, mais aussi son grand potentiel égalitaire. Curieusement, certaines font ainsi référence aux modalités du vivre-ensemble et de la chose commune républicaine, un modèle relativement mis à mal dans les quartiers défavorisés où nous avons recruté la majorité de nos répondantes. En fait, dans les banlieues des grandes villes où l'État s'est fortement désengagé les dernières années, l'idéologie républicaine n'a pas empêché la formation d'inégalités sociales et économiques, ni de contre-sociétés ou « ghettos » (Lapeyronnie, 2008). À cet égard, de nombreuses converties valorisent la règle de convivialité qu'elles attribuent à l'islam et qu'elles se réapproprient en la confondant avec le principe de fraternité qui régule, selon elles, les cités ; une référence non exprimée à l'idéal tripartite républicain. Plus encore, elles revendiquent leur appartenance sociale et leur participation politique à la société française, de sorte que l'on pourrait adapter le cadre d'interprétation des vécus de la citoyenneté élaboré par Venel (2004) à propos de jeunes Français d'origine maghrébine. Ici, l'intériorisation des systèmes de représentations, règles sociales et codes symboliques inhérents à leur socialisation primaire, se combine à l'adoption de référents et de liens d'appartenance issus de leur nouvelle affiliation pour décliner une diversité de modes d'inscription dans le collectif. Ces derniers conjuguent culture et origine françaises, religion musulmane, influence maghrébine et appartenance de classe. Les converties de notre échantillon recouvrent deux types de profil déjà identifiés par Venel : d'une part les « accommodatrices » qui composent à la fois avec le modèle d'intégration républicain et avec les principes religieux islamiques, et organisent une appartenance

---

2.   Soit « l'ensemble constitué par les institutions, les procédures, analyses et réflexions, les calculs et les tactiques qui permettent d'exercer cette forme bien spécifique, bien que complexe, de pouvoir, qui a pour cible principale la population [...] » (Foucault, M. (2004), *Sécurité, territoire, population*, Paris, Gallimard/ Le Seuil, coll. « Hautes Études », p. 111).

duale entre les sphères du privé et du public, et d'autre part, les « néocommunautaires » qui priorisent leur allégeance religieuse, défendent un modèle social communautaire et contestent le modèle français de citoyenneté. Alors que Venel mentionne également les profils des « Français pratiquants » et des « contractants », les femmes que nous avons rencontrées semblent constituer une nouvelle catégorie, de loin la plus significative, que nous qualifions de « réformatrices », ou « intégratrices ». Tout en se sentant « musulmanes d'éducation française », ces dernières travaillent à transformer de part et d'autre les institutions politiques et religieuses en vue d'obtenir la reconnaissance et l'acceptation de la compatibilité de l'éthique et des pratiques qu'elles attribuent à l'islam, et des valeurs et principes qu'elles reconnaissent au système français.

Les femmes rencontrées critiquent la « fausse laïcité » française en rappelant le rôle privilégié du catholicisme dans les institutions et traditions du pays. Elles dénoncent également la réticence possiblement raciste de l'opinion française à la reconnaissance de la diversité culturelle, en dépit de l'existence de communautés ethniques bien implantées dans l'Hexagone, comme l'explique Asma (France, mariée, BTS Action commerciale) : « Je vois pas pourquoi on devrait ne pas montrer sa confession puisque de toute façon on l'a quand même. Je reste musulmane si j'enlève le voile, et dans mon éthique et dans ma pratique professionnelle. Je reste musulmane parce que ça fait partie de moi. » D'autres, plus combatives, tiennent des discours véhéments : « Ils croient qu'en m'enlevant mon foulard, ils me stérilisent de toute pensée, mais non, ça ne marche pas comme ça ! » (Anne-Marie). Beaucoup de femmes comme Asma caressent le projet d'une émigration dans un pays d'Europe ou d'Amérique du Nord jugé plus libéral et tolérant à l'égard de l'expression publique des allégeances religieuses, par comparaison à la France et aux pays de tradition musulmane.

Tolérance et cosmopolitisme québécois à l'épreuve...

Comme la France, la province canadienne présente une forte diversité ethnique et religieuse qui, en constante redéfinition (Helly, 2004), est toutefois gérée différemment que dans l'Hexagone. À cet égard, les nouvelles musulmanes reproduisent le discours hégémonique québécois, axé sur le principe de tolérance et sur la valorisation du cosmopolitisme (Fridman et Ollivier, 2004). Cette rhétorique fait l'apologie des principes contemporains de liberté et de bien-être individuels que les converties extrapolent au domaine religieux, soutenant que « chacun fait ce qu'il veut du moment qu'on est heureux ». Ainsi, pour certaines converties adeptes de dialogue interreligieux, quelle que soit la tradition professée, le partage d'une vision spirituelle du monde permet de transcender les différences confessionnelles et d'assurer l'harmonie sociale. Toutefois, force est de constater que dans les pays occidentaux en général, cette valorisation du pluralisme ethnique et religieux induit par les flux migratoires et lié à la globalisation reste le monopole d'une catégorie sociale éduquée privilégiée. Dans le contexte québécois, elle demeure relativement limitée au milieu montréalais (Fridman et Ollivier, 2004). La conversion à l'islam et l'union avec un immigrant de surcroît permettent donc à des Québécoises moins bien nanties d'affirmer leur ouverture à l'altérité, et de participer, elles aussi, à la rhétorique de valorisation du cosmopolitisme qui domine la société, tout en contribuant à sa polarisation. En ce sens, la fille d'une des premières converties du Québec, entrée dans l'islam dans les années 1980, nous confie en riant, et avec un brin de fierté : « Je vivais le multiculturalisme 20 ans avant tout le monde ! ».

Un tel discours d'ouverture convient bien aux revendications des converties qui ne conçoivent pas l'ajustement de leurs pratiques sociales et religieuses autrement que dans un contexte de tolérance et d'accommodement. Au Québec, la perception de l'autre et l'attitude quant à l'altérité se construisent en fait dans un subtil rapport de pouvoir entre idéologie nationale et interculturalisme, dont les débats sur les accommodements raisonnables révèlent les apories (Bouchard, 2008 ; Koussens, 2007-2008 ; Maclure, 2008 ; Milot, 2008 ; Weinstock, 2007). De telles hésitations latentes enrayent encore la construction de l'identité collective, constamment partagée entre les idées de nation et de citoyenneté, de mémoire catholique et de sécularisation, et menacée d'une dérive vers l'intransigeance assimilationniste française : « Beaucoup de personnes veulent importer le problème de la France au Québec ou créer un problème et le résoudre à la française. Y'en a marre, t'as envie de dire vous pouvez nous lâcher deux secondes ? » (Stéphanie, Française immigrée au Québec, divorcée, bac en enseignement). Ces tensions informent et forgent les comportements et relations sociales des femmes converties dans l'espace public. C'est surtout dans le milieu de travail que se négocie l'expression de la subjectivité musulmane, à l'intersection entre la logique collective de sécularisation, et l'affirmation publique de la liberté individuelle. Amélie explique : « Les Québécois, la religion, ils l'ont sortie dehors, c'est fini, ils en veulent pas, et il faut respecter ça ! Moi, je fais mes petites affaires dans l'intimité, je prie pas au bureau, j'en parle pas, j'écœure personne avec ça. »

La reconnaissance que les converties attribuent à leur héritage collectif dépend en réalité de leur interprétation de l'islam. Les plus intégristes, une minorité, refusent de reconnaître à la mémoire et à la tradition catholiques tout statut spécifique dans l'identité québécoise, préférant souligner l'actuelle diversité religieuse induite par l'activité migratoire. Poussant le paradoxe de la sécularisation, cette catégorie de converties réclame que les fêtes musulmanes (*Aïd-el-Kébir* ou *Aïd-el-Fitr*) deviennent des jours fériés, à l'instar de Noël ou de Pâques. À l'inverse, d'autres adhèrent à une vision plus moderne de l'islam et, mentionnant l'histoire catholique de la province, rappellent la capacité d'ajustement de l'islam à tout contexte culturel. En fait, bien que tous les discours rejettent clairement le dogme et l'Église catholiques, ils expriment également une adhésion, assumée ou non, à leurs valeurs et principes moraux. Les nouvelles musulmanes associent ces derniers à la tradition historique québécoise et leur perte, à la sécularisation de la société ainsi qu'aux déplacements normatifs qui ont suivi la Révolution tranquille.

> C'est comme si la société québécoise avait pas donné aux gens un cadre qui leur a permis de garder ces valeurs. Je crois à ces valeurs, je crois à ce que Jésus a enseigné. Ce qui m'a frappée, c'est de voir un prophète qui a enseigné la même chose, il y a des fois que c'est pratiquement identique la façon de formuler les choses. C'est comme si je comprenais ma

religion qui était la chrétienté en apprenant sur l'islam. (Hélène, Québec, mariée, doctorante)

À cet égard, l'islam propose un paradigme opportun, tant pour vivre au quotidien les valeurs transmises par la mémoire collective, que pour construire une nouvelle conception du sujet croyant moderne.

Un projet de société alternatif: retour à la lettre du libéralisme

Entre l'incapacité du projet républicain à garantir l'intégration sociale et économique de tous, et les inachevés du modèle interculturel québécois, la démarche des converties semble réagir aux logiques institutionnelles et aux imaginaires publics, tout en formulant des projets politiques permettant la libre expression publique de leur allégeance religieuse. Elles contribuent par le fait même à reconfigurer les domaines du privé et du public, ainsi que les frontières de la marge et du centre. En maintenant et en incorporant les ressources nécessaires pour se positionner dans un espace d'indétermination entre groupes majoritaire et minoritaire, les nouvelles musulmanes jouent un rôle d'intermédiaire, mais aussi de représentation du nouveau groupe d'appartenance. Ces versions locales de l'islam adaptées aux contextes français ou québécois remettent en question les conditions de reconnaissance des minoritaires, et leur rôle dans la construction du tout.

Communalisme à la française et interculturalisme à la québécoise

Bien que certaines critiquent les pressions sociales qui peuvent en découler, la plupart des converties rencontrées idéalisent la dimension communautaire de l'islam. Certaines l'assimilent à un état de nature, ou du moins une tradition, qu'elles comparent aux premiers rassemblements du christianisme primitif antérieurs à l'institutionnalisation du catholicisme. Le projet de communauté qu'elles préconisent s'appuie toutefois sur la gouvernance divine et impose l'égalité des droits, devoirs et interdits pour tous les musulmans, au service du bien-être collectif comme l'explique Leila (Québec, célibataire, maîtrise):

> L'interdit de l'alcool, c'est comme l'interdit du cellulaire au volant. Moi je suis capable de parler et de conduire en même temps, mais comme certains le sont pas, on l'interdit à tous et je trouve ça correct. Quand on interdit ça à tout le monde, personne ne conteste alors que si moi je viens remettre en question l'alcool, on va interpréter ça comme un retour en arrière. C'est comme si leur [société globale] vision du progrès c'est que la société doit toujours avancer, et que tout ce qui appartient au passé et à la tradition doit être rejeté.

Dans le contexte de l'utopie républicaine française, la revendication d'un tel modèle révèle l'émergence d'un communalisme *de facto*, comme le souligne l'anthropologie de l'imaginaire français proposée par Bowen (2006). Nos données confirment ce nouveau fait social. En France, mais aussi au Québec, les femmes converties créent par exemple leurs propres lignes de services adressées spécifiquement à leur communauté en mettant à profit les compétences des unes et des autres: une psychologue de formation s'est ainsi spécialisée dans les éventuels problèmes de santé mentale et d'identité sociale liés à l'entrée dans l'islam. Ces nouveaux modes de socialité naissent des dynamiques d'exclusion et d'intégration des minorités ethniques et religieuses qui traversent les champs sociaux français et québécois. Mélissa, une convertie française résidant aujourd'hui au Québec est née et a vécu dans une cité située en périphérie de Paris. Avec ses parents, tous deux originaires d'Europe de l'Est, elle nous confie le sentiment d'ostracisme des premières années d'immigration. En dépit de ces obstacles, très peu de femmes rencontrées envisagent de s'installer dans un pays de tradition musulmane, incluant le pays d'origine de leur mari, dont elles ne se disent attirées ni par le style de vie, ni par la culture. Les Françaises préfèrent se tourner vers le Canada ou la Grande-Bretagne considérés comme des havres de liberté religieuse, dont elles apprécient le mode de fonctionnement moderne et démocratique, ainsi que la tolérance relativement aux signes extérieurs des identités et allégeances religieuses. Les discours collectés auprès de Françaises immigrantes ou candidates à l'émigration idéalisent le modèle de gestion de la diversité religieuse et le cosmopolitisme québécois qu'elles présentent comme un modèle alternatif au choix laïc : « Par rapport à la France il y a des lois, et le Québec n'a pas la même histoire que la France. Il y a aussi la charte canadienne qui protège la liberté religieuse, il y a une grande ouverture au Québec » (Stéphanie, Française immigrée au Québec). Cet environnement leur paraît effectivement propice au développement d'un projet individuel et familial comme le suggère Nadine (France, mariée, maîtrise en droit) :

> Avec mon mari, nous préparons notre arrivée à Montréal. Nous aimerions y trouver le respect de notre religion, de notre pratique, que nous ne trouvons actuellement plus en France. Nous souhaitons tout simplement vivre normalement dans un pays où l'on se sentirait bien, où on pourrait s'épanouir. Nous projetons d'y chercher un travail où malgré ses origines maghrébines mon mari puisse évoluer, et où moi je sois enfin acceptée avec mon voile. Si nous aimons la vie là-bas, nous aimerions y acheter une maison, et avoir d'autres enfants. En somme, vivre une vie normale, simple, mais dans un endroit où on nous respecte.

Le couple a finalement émigré en août 2007, Nadine était alors enceinte. Son mari n'ayant pas trouvé d'emploi dans la province, ils ont finalement accepté l'offre d'une entreprise québécoise qui leur proposait un contrat en tant qu'expatriés en France ! Stéphanie qui a immigré au Québec depuis plus de 10 ans compare les deux milieux où elle a vécu :

> Ici, c'est vraiment l'ouverture et la tolérance, rien que travailler dans une école publique, en France, je ne pourrais pas. Pour les Français, il faudrait que tu rentres dans le moule du Français typique. Les Québécois sont respectueux par rapport à la diversité, ils sont curieux d'apprendre, vont pas poser de jugement. Je suis la seule prof de l'école voilée et je me dis « wow ! », alors que toutes mes amies en France galèrent parce qu'elles portent le voile, elles sont bardées de diplômes et travaillent pas, ou alors avec un turban. Ici, une fois que tu arrives à te faire ta place, ils voient que ça se passe bien avec les élèves, voile ou pas voile, il y a même des élèves qui sont voilées, c'est une école multiethnique.

Ce discours polarise les conditions d'intégration de l'islam dans l'espace public autour de l'impossibilité structurelle française et de la tolérance accommodante québécoise. De cette dialectique entre différenciation et identification émerge un modèle qui, d'une part, se distance du projet d'intégration du religieux dans les structures de gouvernance et, d'autre part, vise à l'application d'un régime égalitaire de reconnaissance des libertés et des droits, autant religieux que sociaux et participatifs.

Citoyenneté unique et appartenances multiples

Comme au Danemark (Jensen, 2008), les discours collectés auprès des converties québécoises et françaises ne traduisent pas de dissociation relativement à leur identité nationale et aux valeurs qui lui sont associées, sinon une remise en question de son homogénéité et de son hégémonie. À titre d'exemple, décrivons ce cas extrême et quasi unique dans notre échantillon, quoique très éclairant : Dominique, une fonctionnaire française à la retraite, s'est convertie 20 ans plus tôt après une longue mission professionnelle en Algérie. Elle proclame son identité musulmane et sa solidarité avec cette communauté, tout en revendiquant le respect des valeurs de la laïcité et de la République. Évoquant régulièrement sa conversion sur la scène publique à des fins de provocation, son attitude volontairement subversive vise en réalité à déconstruire les stéréotypes formulés à l'endroit des musulmans car selon elle, ceux-ci justifient des discriminations qui sapent l'idéal républicain. Sa démarche de conversion manifeste par conséquent une volonté de réitérer et de renforcer les principes démocratiques qu'elle reconnaît à son pays.

Cultivant l'idéal des libertés de religion et de conscience exprimées dans la sphère publique, les converties valorisent également la nature pluraliste de leur société d'origine et aspirent à un mode de gouvernance non interventionniste. Comme le suggère Venel (2004), ce positionnement marque l'avènement d'une nouvelle citoyenneté concrète, participative et plurielle, combinée à la multiplicité des appartenances et des références. Si les observations de la politologue réfèrent à une population de jeunes musulmans d'origine maghrébine nés en France, nos données montrent leur pertinence dans le cas des converties établies en France et au Québec. Néanmoins, force est de constater que leur responsabilité de transmettre et de traduire ces modèles leur confère également le pouvoir d'en contrôler l'image diffusée. Nous verrons que cette dernière est produite dans la négociation de leur appartenance et de leur reconnaissance sociale, comme dans leur fantasme d'exotisme et d'insolite.

PASSER ET RETRAVAILLER LA FRONTIÈRE...

Si la position liminale des converties leur donne la possibilité de circuler plus ou moins librement entre le groupe d'adoption minoritaire et le groupe d'origine majoritaire, elle jette également flou et discrédit sur leur identité et loyauté à l'égard de chacun d'eux. Parmi les musulmans, les converties se livrent donc à un effort assidu d'intégration des normes sociales et codes comportementaux, dans un souci de reconnaissance de leur appartenance au groupe. Ce processus de négociation s'inscrit dans les dynamiques internes à la communauté et dans les débats liés à la lecture et à l'herméneutique des textes coraniques qui la traversent. En effet, c'est en appuyant leur représentation publique de l'islam sur une lecture littérale des sources scripturaires et sur le strict respect des normes ainsi interprétées que les converties construisent la légitimité de leur démarche. Par l'accent porté sur le savoir, ces femmes produisent et diffusent un islam présenté comme authentique et rationnel.

Instrumentaliser le savoir pour légitimer l'appartenance

En cherchant à extraire les composantes locales et ethniques de leur religiosité d'adoption, les converties dessinent de nouvelles catégories d'inclusion et d'exclusion sociales qui compensent leur absence de socialisation dans la religion musulmane, et donc d'incorporation de ses dispositions et logiques préréflexives inscrites sur le corps (Bourdieu, 1994). La dimension construite de ce discours dichotomique, universalisant le religieux et localisant l'ethnicité, se révèle toutefois dans certains de leurs commentaires qui, en réifiant les phénotypes arabes, associent islamité et arabité, et reproduisent une image essentialisée de l'islam.

Construction du savoir, extraction de la coutume

L'autorité que les converties attribuent au savoir religieux s'inscrit dans un mouvement global de retour à la « lettre de l'islam » (Mandaville, 2007 ; Turner, 2007) qu'elles justifient en invoquant constamment les premières prescriptions révélées dans le Coran : « Lis ! » Cette valorisation de l'interprétation individuelle et indépendante du Coran et des hadiths (*ijtihad*) justifie une approche cognitive de l'islam qui séduit particulièrement une catégorie de sujets modernes, intellectuels, à l'esprit critique aiguisé. Les converties rencontrées se livrent par conséquent à un travail d'herméneutique des sources scripturaires, visant à extraire de l'islam les biais et interprétations locales, et donc à redécouvrir un islam qualifié de « vrai ». C'est pourquoi la plupart d'entre elles, en France comme au Québec, les plus pieuses comme les pratiquantes les plus souples, se reconnaissent dans l'approche réformiste du philosophe musulman Tariq Ramadan qui, selon elles, prône un islam dépouillé des dérives coutumières locales. Ainsi, l'acquisition de connaissances sur l'islam est considérée comme une activité prioritaire pour toutes les converties rencontrées, de sorte que certaines prévoient d'y consacrer une année sabbatique :

> Le voile, manger *halal*, c'est pas quelque chose qu'au début j'ai très bien compris, parce que la pratique ça vient avec les connaissances. Je trouvais ça plus difficile d'intégrer des choses que je comprenais pas vraiment, je voyais pas qu'est-ce que ça change de manger *halal*. (Marie-Claude)

Samia (France, mariée, 2e année de licence) explique le bien-fondé de ce procédé par des arguments voulus scientifiques : « On sait que l'animal égorgé il souffre moins. Quand il est égorgé, le sang sort et donc s'il y a des maladies transmises par le sang, il y a moins de risques que le sang reste dans la viande et donc de les transmettre. » Ce processus

d'apprentissage est rendu possible par la prolifération d'outils de connaissance matériels (brochures, livrets, cassettes, CD) et virtuels (sites et forums Internet, câbles,
etc.) Bibliothèques d'ouvrages sur l'islam, forums Internet, élaboration de documentaires, leçons sur l'islam ou cours d'arabe, groupes d'étude de l'islam (*halaqa*), les
converties organisent autant d'espaces de sociabilité que de véhicules de savoir religieux qui se substituent aux institutions traditionnelles de socialisation (écoles, *medersa*,
famille, etc.). Celles que nous avons rencontrées se montrent particulièrement actives
dans la production et la transmission de savoir sur l'islam. Des enquêtes réalisées en
France et en Allemagne suggèrent qu'à cet égard, elles seraient plus dynamiques que les
musulmans nés dans l'islam, notamment dans le cadre associatif (Jonker, 2003 ; Jouilli,
2007).

Idéal de modernité et représentations de la femme

La plupart des converties se situent dans un discours du savoir, de l'authenticité et de
la piété typique de l'actuel mouvement de renouveau dans l'islam, documenté par plusieurs auteurs dans les pays de tradition musulmane (Haenni, 2005 ; Hirschkind, 2001 ;
Mahmood, 2005). Pour les converties françaises et québécoises, ce projet d'extraction
de la coutume se construit autour de l'enjeu du statut de la femme, lui-même structuré
par une nouvelle dichotomie « *bled* versus Occident », qui symbolise l'opposition qu'elles
opèrent entre système patriarcal et modernité. Unanimement, les femmes rencontrées
se décrivent comme des êtres modernes et rationnels, dont le mode de vie occidental
s'oppose à « la culture du *bled* » ou aux « traditions », une sémantique qui fait référence
aux pratiques locales perpétrées par les musulmans nés dans l'islam, notamment en
matière de rapports de genre. C'est ce qu'indique Amélie :

> – Je suis chanceuse parce que mon mari, il est vraiment occidentalisé, je te dis pas que ça
> marcherait aussi bien avec un Arabe qui vient d'arriver, avec toute la culture du *bled*.
>
> – C'est quoi la culture du *bled* ?
>
> – C'est la valeur donnée à la femme, c'est toutes les traditions aussi qui parfois n'ont rien
> à voir avec la religion.

Toutefois, la distinction entre coutume et savoir est moins polarisée qu'il n'y paraît.
En Europe en effet, la littérature suggère qu'en dépit de la persistance des structures
patriarcales, émerge une catégorie de femmes auxquelles le niveau d'éducation et l'accès au savoir octroient indépendance et autonomie (Boubekeur, 2004 ; Silvestri, 2008).
Si les converties rencontrées placent, elles aussi, le savoir religieux et l'éducation scolaire
au cœur de leur démarche religieuse, cette intellectualisation de l'islam reste volontairement limitée aux cercles féminins, en vertu des règles islamiques de ségrégation des
sexes. Les femmes qui entrent dans l'islam assument ainsi une tradition que leur
démarche rationnelle et cognitive amène toutefois à transformer, de l'intérieur, et selon
une perspective féministe. Au Québec et particulièrement en France, études et connaissances leur fournissent les outils nécessaires pour déconstruire les stéréotypes véhicu-
lés sur la femme musulmane, tandis que leur statut de l'entre-deux leur offre une

tribune publique pour débattre avec les partisans de la laïcité et divers chantres de l'égalité entre les genres. Les femmes converties qui ont choisi d'adhérer à une religion communément présentée comme défavorable à leur cause, constituent à cet égard un archétype de ce mouvement de réhabilitation de la femme musulmane et de critique des représentations de la féminité occidentale. Leur démarche qui repose sur une critique véhémente des dérives patriarcales de l'évolution historique de leur religion d'adoption, participe de la reconfiguration des dynamiques sociales internes à la *umma*, et de l'émergence de nouvelles catégories sociales.

Fragmentations dans la umma : musulmans convertis et nés dans l'islam

> Le but et le chemin sont différents chez les musulmans eux-mêmes. La foi est le moteur mais la locomotive, c'est toi qui charges et décharges les wagons, et qui donnes la direction. (Andréa, France, mariée, bac +2)

Quelle piété ? Pratiquants stricts versus pratiquants souples

La rigueur scripturaire mêlée aux performances de piété que la plupart des converties entretiennent en gage de légitimité de leur appartenance à la *umma* n'est pas sans générer conflits et malaises entre musulmans nés dans l'islam et convertis, ces derniers aimant à rappeler : « Heureusement que j'ai rencontré l'islam avant de rencontrer les musulmans... » Ces tensions reposent sur la perception d'un décalage entre l'idéal de l'islam et la réalité des musulmans, comme l'expriment par ailleurs des converties de toutes origines (Jensen, 2008 ; Roald, 2004 ; Vroon, 2007 ; Wohlrab-Sahr, 1999). La plupart d'entre elles évoquent effectivement leur déception quant à la souplesse de la performance islamique perpétrée par certains musulmans. Elles déplorent la confusion entre religion et tradition culturelle ou ethnique, ainsi que l'ignorance de beaucoup de musulmans nés dans l'islam au sujet de leur propre religion, voire le caractère rétrograde de leur religiosité. Plusieurs d'entre elles critiquent par exemple l'espace restreint et souvent mal entretenu dévolu aux femmes dans les mosquées, quand il y en a un. Anna (France, bac) confie à propos de son fiancé d'origine algérienne : « Il me conseille des choses qu'il fait pas forcément. Il me dit : la prière, c'est une obligation, moi je la fais pas mais je suis en tort, c'est une obligation ».

De nouvelles différenciations apparaissent donc entre pratiquants stricts et non pratiquants, ou pratiquants souples. Certaines converties ont commencé par fréquenter des musulmans non pratiquants avant de se tourner exclusivement vers des « bons musulmans », au fur et à mesure qu'elles développaient leurs propres religiosité et connaissances de l'islam. Leur champ sémantique distingue effectivement les « bons musulmans » de « certains musulmans » ou des « pratiquants techniques » qui agissent plus par coutume qu'en réelle conscience de la foi, comme l'explique Audrey (Québec, mariée, bac en enseignement) :

> Par exemple, le taux de musulmans qui font le ramadan est élevé. Mais pour eux, c'est pas grave si on comprend pas l'essence même de la prière. En fait, la majorité des musulmans

de naissance fêtent les fêtes religieuses mais c'est tout le sens de ce qu'ils font qui est pas nécessairement présent.

Dans ce projet de piété fondé sur l'accumulation du savoir, le recours aux ressources offertes par Internet inscrit les converties au sein de réseaux virtuels globaux assimilés à la *umma*, et les amène à développer un sens de l'universalité de l'islam qu'elles distinguent des islams locaux, culturels et souples. Elles justifient donc leur appartenance au groupe en soulignant que « les musulmans ne représentent pas l'islam ».

À l'inverse, nous avons rencontré des musulmans nés dans l'islam qui critiquent le zèle de leurs nouvelles coreligionnaires et leur approche conservatrice, parfois « intégriste » de l'islam. À leur tour, ces dernières se vantent d'en avoir ramenés certains à une pratique plus rigoureuse et plus conforme aux Écritures. Selon Nathalie (mariée, maîtrise), une Québécoise très active dans les cours offerts aux femmes, l'expertise religieuse des converties hiérarchise leurs relations avec les musulmans nés dans l'islam, ces derniers les considérant souvent comme une source d'information fiable relativement aux prescriptions islamiques.

> Il y avait une convertie sur un forum Internet qui parlait des Arabes comme s'ils allaient toujours te considérer inférieur, c'est eux les vrais musulmans, toi t'allais toujours être moindre. Mais j'ai pas du tout ce sentiment-là. Parmi les musulmanes de naissance que je côtoie, je sens vraiment qu'elles me considèrent aussi musulmane qu'elles. Même il y en a une, quand elle fait quelque chose et qu'elle veut le faire passer aux autres, elle me demande : c'est vrai ? Est-ce que ça fait partie de l'islam ?

Néanmoins, même auprès des converties, la figure du pratiquant constitue un idéal-type car seuls les musulmans les plus accomplis sauraient réellement respecter l'ensemble des prescriptions coraniques. Et les adeptes d'une pratique plus souple se justifient par une interprétation réformiste ou moderniste des textes sacrés, non sans témoigner d'un sentiment de culpabilité eu égard à l'assiduité de leurs coreligionnaires. Cette dynamique de pouvoir entre divers types de pratiquants s'assouplit dans les rapports avec la famille d'origine puisque la plupart des nouvelles musulmanes s'appliquent à entretenir de bonnes relations avec leurs parents, au prix de certains compromis sur les activités religieuses. Pour de nombreuses converties, même fondamentalistes, cette posture de tolérance empruntée au registre moderne et conforme à la prescription islamique de respect des parents nuance la dichotomie « pratiquants versus non-pratiquants » au-delà du domaine de l'islam.

Converties, « blédards » et seconde génération d'immigrants : différentes catégories de musulmans

La plupart des converties pratiquantes sont très proches de jeunes musulmanes d'héritage revenues à la religion en dépit de leur socialisation agnostique. Au Québec et en France, le discours sur le savoir et la piété religieuse qui organise les rapports entre musulmans définit effectivement de nouvelles catégories sociales, à l'intersection de la génération d'immigration, du niveau d'éducation et de la classe sociale. Ainsi, les immigrants de première génération sont associés à un islam culturel ou ethnique. Quant aux immigrants de seconde génération, ils sont vus comme des non-pratiquants ou pratiquants souples, respectant seulement quelques interdits, à moins qu'ils ne soient revenus à l'islam, auquel cas ils sont considérés comme des modèles, alliant l'acquisition du savoir sur l'islam à certaines dispositions religieuses et culturelles nécessaires à la pratique (langue arabe, etc.). Le cercle social de Mélissa (Française immigrée au Québec, mariée, bac français) s'inscrit dans cette typologie :

> En France, j'ai deux amies qui sont nées musulmanes. Il y en a une, je lui ai dit que je m'étais convertie et que je portais le voile, elle est super contente. Elle pratique mais elle met pas le voile. L'autre copine, je lui ai dit aussi, elle est super contente mais son mari, il veut pas qu'elle porte le voile parce qu'il trouve ça trop arriéré.

Cette émulation mutuelle pour la pratique religieuse repose sur la comparaison des performances de piété et s'articule autour d'une rhétorique de la tradition et de l'immigration, portée par une sémantique de l'origine et de l'espace. Delphine (France, célibataire, bac + 2), issue d'une union mixte entre une mère française et un père marocain témoigne de cette reconfiguration des frontières sociales :

> Ma grand-mère, elle sait ni lire ni écrire, donc au Maroc c'est plus une foi... Ils cherchent pas forcément à comprendre les choses, ils sont élevés dedans. Donc, ils connaissent tout alors que, mine de rien, ils connaissent presque pas beaucoup et en fait, ils font les choses surtout par tradition. En France, je pense qu'il y a une espèce de conscience où l'on va revenir peut-être un peu à la vraie nature de l'islam. En fait ça dépend... Ma tante la plus âgée, elle a travaillé donc elle a quand même une conception un peu occidentale, par contre mes autres tantes, elles se sont mariées assez jeunes et elles se cantonnaient à la cuisine, et voilà.

C'est dans la promiscuité des relations de couple que ces conflits entre convertis et musulmans nés dans l'islam sont les plus significatifs (Badran, 2006). Ici, la préoccupation qu'expriment de nombreuses converties, parfois très activistes, à l'égard des droits de la femme révélés dans le Coran, se heurte aux conceptions conservatrices de la séparation espace privé — espace public entretenues par leurs époux nés dans l'islam :

> On est souvent bloquées par nos maris, mais c'est plus une question de culture maghrébine. Élizabeth, elle est avec un Maghrébin francisé, elle a plus de marge de manœuvre... Fichue culture machiste ! Nous on est dynamiques, on veut faire plein de choses mais ils nous freinent. (Anne-Marie)

Les propos de Sirma (Québec, mariée, diplôme d'études collégiales), unie depuis 30 ans à un immigrant musulman d'origine turque, illustrent ces rapports de pouvoir qui aboutissent généralement soit à un retour à la lettre de l'islam, soit à une rupture :

> Il est arrivé avec son bagage de méconnaissance de l'islam qui a fait qu'on a été obligé de s'ajuster ! C'est-à-dire retourner aux sources, clarifier, Ok ça ça vient de ta culture, ça ça vient de ma culture, est ce qu'on garde ça ? Est-ce que c'est essentiel ? Ça c'est islamique, c'est écrit, ça fait du sens, on le garde ! C'est tout ce réajustement qu'on a été obligé de faire, pendant cinq ans !

En France, Peretti-Nidaye (2008) décrit comment les populations jeunes des cités, en majorité d'origine étrangère, développent un idiome novateur, vecteur de catégories d'altérité et d'appartenance spécifiques. Alors que la profondeur du phénomène migratoire segmente désormais le paysage social entre trois groupes, le terme «blédard» permet aux jeunes musulmans nés en France de parents étrangers d'affirmer une identité locale, différente de celle des «céfrans» qui bénéficient d'une antériorité sur le territoire national, et dominent culturellement et socialement les institutions. Par ailleurs, les «blédards» se distinguent des primo-arrivants, incluant leurs parents. Référant au «décalage et à la méconnaissance des codes et usages sociaux» (Peretti-Nidaye, 2008 : 126) propres au milieu local, le mot «blédard» transcende par conséquent les origines et l'ethnicité, et réfère à de nouvelles expériences de la migration. Au Québec, bien que le phénomène des secondes générations soit encore embryonnaire du fait de l'immigration relativement récente des populations de confession musulmane, les converties rencontrées expriment une distinction similaire entre les musulmans arrivés dans la province directement depuis leur pays d'origine, et ceux ayant connu un parcours international leur conférant une expérience des sociétés européennes ou nord-américaines. Par ces nouvelles références, les converties inscrivent les enjeux de culture, d'ethnicité, d'expérience migratoire et de lieu dans les catégories de la piété et du savoir religieux. C'est dans cet espace qu'elles composent leur discours sur l'islam et sur les musulmans.

Rapport d'altérité : «commodification» et mimétisme, un nouvel orientalisme ?

Pour des Françaises ou des Québécoises «de souche», entrer dans l'islam signifie pénétrer un espace où les identités et pratiques culturelles débordent et reconfigurent les catégories fixes et héritées, du soi et de l'autre. Dans ces espaces alternatifs et autonomes, Jensen (2008) observe que la «grammaire des identités[3]» oscille entre discours de polarisation et d'assimilation des identités. Nos données suggèrent que la mobilité de l'identité des converties s'inspire effectivement d'une vision orientaliste voire «*commodifiante*» de l'islam, dont elles renversent le rapport d'altérité au monde occidental, tout en prétendant le transcender. En effet, en dépit de leur insistance à dissocier islam et ethnicité, certaines femmes rencontrées évoquent avec fascination l'exotisme tant des pratiques que des pratiquants musulmans, ou encore les douceurs culinaires et les saveurs d'épices qu'elles savourent à l'occasion du ramadan. Se référant à divers hauts lieux de la civilisation musulmane (Syrie, Le Caire), leurs récits révèlent souvent la nostalgie d'un âge d'or de l'islam, alors associé à une forme de raffinement, de rareté et de distinction culturelle. Beaucoup de femmes expriment également leur attrait pour les hommes de phénotype arabe. Par exemple, malgré un parcours amoureux difficile avec ses ex-compagnons musulmans, Audrey se dit très attirée par les hommes de type maghrébin et décrit ainsi ses critères de choix d'un partenaire amoureux :

---

3.   Terminologie empruntée à Gingrinch (2004).

Au début, tu cherches un arabophone pour essayer d'apprendre l'arabe. De toute façon, moi, les Québécois m'intéressaient plus, depuis que je suis allée à Toronto, je me suis aperçue qu'il y avait d'autres... ethnies. À partir de ce moment, mes copains étaient toujours immigrants parce que peut-être que c'est un préjugé, mais je trouve qu'ils ont plus de choses à parler, politique... Et puis, c'est plus le physique. Avant de me convertir, j'ai rencontré plein de latinos, le teint basané... C'est un détail mais avant de me convertir, ça revenait tout le temps.

Cette curiosité semble nourrie par les stéréotypes que diffusent les médias assimilant islamité et arabité, la publicité relative aux événements du 11 septembre 2001 ayant d'ailleurs positivement contribué au regain d'intérêt pour l'islam actuellement observé dans les pays européens et en Amérique du Nord (Ramji, 2008 ; Winter, 2002). Dans ce cadre, comme le souligne Khoroskovar, parlant d'un «voile enjoué» (1998 : 129), le foulard n'est pas considéré comme un stigmate, mais comme un effet de mode marqué par son caractère dépaysant et transgressif, et porté par une volonté d'imitation, parfois de provocation. Plus du trois quarts des femmes rencontrées le portent au Québec et environ les deux tiers en France, parfois sous des formes adaptées ou plus discrètes (bandeaux, etc.).

Le dénominateur du savoir et de l'intellect ne permet par conséquent pas de transcender la légitimité de l'héritage culturel et de la socialisation des musulmans nés dans l'islam. En effet, certaines converties en union mixte suivent les conseils éclairés de leur conjoint sans que ce dernier ne pratique lui-même, ou reproduisent par mimétisme la religiosité de leur époux, bien que d'autres préfèrent éviter leur influence. En fait, à l'instar de l'étude de Jensen (2008) au Danemark, nos observations suggèrent que, tout en critiquant l'ethnocentrisme de la religion chrétienne, une majorité de converties se réapproprient les référents ethniques communément associés à l'identité musulmane. Cette fascination à l'égard des représentations et marqueurs visibles de l'altérité tend à saturer l'identité musulmane d'un ensemble de caractéristiques visibles et réifiées. Alors que ces comportements reproduisent la vision stéréotypée des musulmans et de l'islam, les femmes cherchent paradoxalement à s'en approprier les attributs de façon parfois quasi caricaturale, se dissociant alors volontairement de l'identité collective dominante. Par exemple, Juliette (France, mariée, licence) met de l'avant son phénotype pour entretenir l'ambiguïté de son origine : «La plupart des gens me prennent pour une Kabyle, parce que je suis blanche, mais j'ai le type méditerranéen, et comme mon père est Italien, j'ai les yeux marron.» Cette tendance à l'orientalisme inspirée d'un amalgame entre islam et arabité se manifeste également par une sémantique qui mêle les terminologies arabes comme *mektoub* («destin» ou «par hasard») au vocabulaire religieux : «J'ai la foi qui baisse» (sous-entendu que le locuteur pratique moins). Une telle consommation de traditions ethniques s'inscrit dans une dialectique de banalisation, d'enchantement et de réification de l'ethnicité (Comaroff, 2007), et semble produire la nouvelle subjectivité des converties par voie d'assimilation de l'autre.

Témoignant ainsi leur ouverture à l'altérité, les converties empruntent une multiplicité d'identités perçues comme minoritaires et exotiques, et vécues comme un gage de cosmopolitisme et d'avant-gardisme. L'altérité redéfinie par une opération de renversement et d'englobement s'appuie effectivement sur des techniques de mimétisme et de corporéalité (*embodiment*), que Jensen (2008) qualifie de parodiques et que nous comparons davantage au phénomène contemporain de jeux de rôles, visant à incorporer un personnage de fantasme tout en transcendant la réalité. Cette attitude s'inscrit également dans le tournant postcolonial actuel qui réhabilite et accorde un nouveau crédit aux discours provenant des anciens pays colonisés. Toutefois, cette volonté d'englober l'altérité restitue en réalité un rapport de pouvoir typique d'une vision réductrice et essentialiste d'un « ailleurs » arriéré quoique idéalisé. En témoigne le rapport qu'entretient Denise envers l'Algérie, le pays d'origine de son mari :

> Wassef et moi, on n'est pas allé vivre là-bas parce que je peux aider personne là-bas, c'est le tiers monde. Ici on essaie d'économiser pour aider les gens de la famille, là-bas tout le monde manque de travail, d'eau, de ressources. Si on n'avait pas pu vivre ici au Québec, probablement qu'on serait allé en France. Pas uniquement pour ramasser de l'argent mais pour avoir une vie confortable... Là-bas j'ai pas le sentiment qu'on pourrait avoir ça.

CONCLUSION : DE L'USAGE DE L'ISLAM COMME EXPRESSION D'UNE ALTERNATIVE SOCIALE ET POLITIQUE

Dans l'entre-deux des identités dichotomiques, les converties occupent une position symbolique qui leur permet non seulement de porter un regard critique sur chacun des deux groupes d'appartenance entre lesquels elles oscillent, mais aussi de jouer un rôle d'intermédiaire entre ces deux pôles. En France comme au Québec, la conversion à l'islam constitue un mode de distanciation sociale qui donne à voir les apories de chacune de ces sociétés. Au Québec, l'attrait pour l'islam traduit une volonté d'adhésion à la rhétorique cosmopolite hégémonique qui participe de l'actuelle remise en question des modes de gouvernance de la diversité ethnique et religieuse. En France, à l'inverse, il met en évidence les contradictions d'un modèle républicain qui a failli à sa prétention d'universalité, et manifeste une critique envers les logiques de différenciation sociale qui en découlent. Dans les deux espaces étudiés, de nombreuses converties se livrent à un activisme social et politique engagé, dont les ambitions manifestes d'éducation de la majorité aux réalités de la minorité conduisent cependant à s'interroger sur d'éventuels motifs de prosélytisme sous-jacents.

À l'instar de Mahmood (2005) dont la critique postcoloniale renverse les traditionnelles dichotomies de la pensée libérale modernité-islam, sécularisation-religion, nous soutenons que l'incorporation et la réappropriation des normes musulmanes fournissent aux converties un cadre d'action propice à la formation d'une vision sociale, politique et éthique, qui pourrait suppléer aux contradictions et lacunes de leurs structures d'héritage. De fait, et sans être véritablement novateur, ce modèle alternatif intègre des idéaux, parfois rétrogrades, tantôt attribués à leur interprétation de l'islam (discours de justice et d'égalité sociale), tantôt propres à leurs sociétés d'origine (application effective des idéaux républicains, conservatisme social et moral), ou issus d'autres références, anglo-saxonnes par exemple (liberté d'expression des allégeances religieuses dans l'espace public). De tels référents se conjuguent à des paradigmes plus ou moins inédits, sanctionnant l'évolution interne des sociétés française et québécoise, et leur perméabilité aux mouvements et effets de la globalisation (pluralisme ethnique, diversité religieuse, nouveau rôle des communautés, etc.).

Ce projet de reconfiguration des modèles de vie publique et privée nécessite néanmoins une légitimité sociale et politique. En conciliant les identités musulmane, et québécoise ou française, les converties démontrent que leur apparente incompatibilité provient davantage du contexte sociopolitique dans lequel ces identités se produisent que d'une impossibilité inhérente aux paradigmes dominants dans l'islam et dans leurs pays d'origine en soi. En effet, l'analyse a montré que si l'identité des femmes converties est forgée par ces conditions de possibilité, elle se négocie dans les rapports sociaux qui traversent et dominent ces univers du discours, et tente de les transcender dans le cadre d'une alternative qui combine l'hérité et le choisi. Auprès des deux groupes, produire un discours érudit sur l'islam constitue alors une stratégie de pouvoir leur permettant de construire leur identité de l'entre-deux. Au sein de la communauté musulmane en particulier, la reconnaissance de leur appartenance se construit dans une lutte pour l'interprétation de l'islam que les converties tentent de déplacer du champ des dispositions culturelles et de la socialisation primaire vers celui du savoir et de l'instruction.

Par ailleurs, en « délocalisant » l'islam de ses univers traditionnels, les converties contribuent à une réflexion sur l'univers culturel musulman qui s'inscrit dans les dynamiques actuelles de l'islam développées notamment par les musulmans en Europe et en Amérique du Nord, issus d'une voire de deux générations d'immigration. Jouant de leur relative crédibilité sur la place publique, les converties se présentent néanmoins comme des porte-parole de cette commune vision de l'islam, dont elles se font également les figures de proue. Une telle aspiration à incarner publiquement l'image de l'Autre musulman repose en réalité sur un paradoxe de la différenciation que les converties entretiennent avec les musulmans nés dans l'islam. En entretenant les stéréotypes sur l'islam et sur les musulmans, leurs discours contribuent à diffuser une image essentialisée de l'islam. Car comme le suggère Taussig (1993), celui qui se représente comme un autre s'en approprie puissance et statut, soit, dans le cas des converties à l'islam, une identité originale et marginale, qui légitime une circulation fluide, sociale et symbolique, entre divers espaces de pouvoir et de sens. Plus qu'un idiome de contestation sociale dans des contextes de forte stigmatisation, plus encore qu'un langage de l'altérité radicale dans des milieux de grande diversité ethnique et religieuse, l'islam pourrait donc constituer les mobiles et vecteurs de nouvelles subjectivité et alternative politiques.

RÉSUMÉ

À l'aide d'observations et d'entrevues collectées entre 2006 et 2008 auprès de converties à l'islam en France et au Québec, nous discutons le pouvoir de représentation de l'islam que la position d'intermédiaire confère aux nouveaux musulmans. Soumis à la contrainte d'incarner la cohérence d'identités considérées par les deux groupes d'appartenance comme incompatibles, ils contribuent à l'élaboration d'une troisième voie alternative aux modèles dominants de leurs sociétés d'origine et d'adoption. Alors que ces acteurs constituent les figures de proue d'un islam hybride adapté au contexte local, ils appuient leur légitimité sur une vision du savoir qui retravaille le discours sur l'ethnicité et produit de nouveaux rapports de pouvoir avec les musulmans nés dans l'islam. En soulignant que cette structure inspire une forme d'orientalisme, nous soutenons que les passeurs de frontières tiennent en réalité le groupe minoritaire captif de la représentation qu'ils construisent et diffusent, en vertu des enjeux qui sont les leurs.

ABSTRACT

With the help of observations and interviews collected between 2006 and 2008 from converts to Islam in France and Québec, I discuss the power for representing Islam conferred on new Muslims by their intermediary position. Submitted to the constraints of embodying the coherence of identities considered incompatible by both groups in question, they contribute to the elaboration of a third way, as an alternative to the dominant models of their groups of origin and adoption. While these actors serve as figureheads of a hybrid Islam adapted to local context, they defend their legitimacy, going on a vision of knowledge that reworks the discourse of ethnicity and produces new power relations with those born Muslim. Noting that this situation involves a certain Orientalism on the part of the converts, we maintain that these boundaries — crossers hold the minority group captive of the representation they have made of it because of their own issues as Western women converts.

RESUMEN

Por medio de observaciones y entrevistas recopiladas entre 2006 y 2008 entre convertidos al Islam en Francia y en Quebec, elaboramos una discusión acerca del poder de representación del Islam que la posición intermediaria confiere a los nuevos musulmanes. Sometidos a la obligación de encarnar la coherencia de identidades consideradas por los dos grupos de pertenencia como incompatibles, ellos contribuyen a la elaboración de una tercera vía alternativa a los modelos dominantes de sus sociedades de origen y adopción. Mientras que estos actores constituyen líderes de un Islam híbrido adaptado al contexto local, ellos apoyan su legitimidad en una visión de saber que retrabaja el discurso acerca de la etnicidad y produce nuevas relaciones de poder con los musulmanes nacidos en el Islam. Al subrayar que esta estructura inspira una forma de orientalismo, sostenemos que los pasadores de frontera en realidad tienen cautivo al grupo minoritario de la representación que ellos construyen y difunden, en virtud de sus desafíos.

BIBLIOGRAPHIE

AL-AZMEH, A., FOKAS, E. (2007), *Islam in Europe: Diversity, Identity and Influence* Cambridge, Cambridge University Press.

ALLIEVI, S. (1998), *Les conversions à l'islam. Les nouveaux musulmans d'Europe.* Paris, L'Harmattan.

BADRAN, M. (2006), « Feminism and Conversion: Comparing British, Dutch, and South African Life Stories», in K. Van Nieuwkerk, *Women Embracing Islam: Gender and Conversion in the West*, Austin, Texas, University of Texas Press, p. 199-226.

BOUBEKEUR, A. (2004), *Le voile de la mariée: jeunes musulmanes, voile et projet matrimonial en France*, Paris, L'Harmattan.

BOUCHARD, G., TAYLOR, C. (2008), *Fonder l'avenir. Le temps de la conciliation*, Gouvernement du Québec.

BOURDIEU, P. (1994), *Raisons pratiques sur la théorie de l'action*, Paris, Seuil.

BUTLER, J. (1990), *Gender Trouble: Feminism and the Subversion of Identity*, New York, Routledge.

CASTEL, F. (2006), « Quelques tendances observées chez les nouveaux musulmans et bouddhistes », *in Annuaire du Québec*, Bureau de la statistique du Québec, Québec, p. 222-228.

CESARI, J. (2003), « Muslim Minorities in Europe: The Silent Revolution », *in* ESPOSITO, J., F. BURGAT, *Modernizing Islam: Religion in the Public Sphere in the Middle East and in Europe*, Rutgers, University Press, p. 251-269.

COMAROFF, J., COMAROFF J. (2007), « Ethnicity, Inc: on Indigeneity and its Interpellations », *Conférence de l'Association Canadienne d'Anthropologie (CASCA)*, Toronto, May 8-12.

DASSETTO, F. (1996), *La Construction de l'islam européen. Approche socio-anthropologique*, Paris, L'Harmattan.

DEEB, L. (2006), *An Enchanted Modern: Gender and Public Piety in Shi'i Lebanon*, Princeton, Princeton University Press.

DERRIDA, J. (1967), *L'écriture et la différence*, Paris, Seuil.

DIX-RICHARDSON, F. (2002), « Resistance to Conversion to Islam among African American Women Inmates », *Journal of Offender Rehabilitation*, vol. 35, p. 109-126.

FOUCAULT, M. (1971), *L'ordre du discours: leçon inaugurale au Collège de France prononcée le 2 décembre 1970*, Paris, Gallimard.

FRIDMAN V., Ollivier M. (2004), « Ouverture ostentatoire à la diversité et cosmopolitisme. Vers une nouvelle configuration discursive? », *Sociologie et sociétés*, vol. 36, p. 105-126.

GARCIA-ARENAL, M. (1999), « Les conversions d'Européens à l'islam dans l'histoire: esquisse générale », *Social Compass*, vol. 46, p. 273-281.

GERHOLM, T. (1988), « Three European Intelectuals as Converts to Islam: Cultural Mediators or Social Critics? », *in* GERHOLM, T., Y. G. LITHMAN, *The New Islamic Presence in Western Europe*, London and New York, Mansell Publishing Limited, p. 263-277.

GINGRICH, A. (2004), « Conceptualizing Identities. Anthropological Alternatives to Essentialising Differences and Oralizing about Othering », *in* BAUMANN, G., A. Gingrich, *Grammars of identity/alterity. A structural approach*, New York, Oxford, Berghahn Books, p. 3-16.

HAENNI, P. (2005), *L'islam de marché. L'autre révolution conservatrice*, Paris, République des Idées-Seuil.

HELLY, D. (2004), « Le traitement de l'islam au Canada. Tendances actuelles », *Revue Européenne des Migrations Internationales*, vol. 20, p. 47-72.

HERVIEU-LÉGER, D. (1999), *Le pèlerin et le converti. La religion en mouvement*, Paris, Flammarion.

HIRSCHKIND, C. (2001), « Civic Virtue and Religious Reason: An islamic Counterpublic », *Cultural Anthropology*, vol. 28, n° 1, p. 3-34.

JENSEN, T. G. (2008), « To Be "Danish", Becoming "Muslim": Contestations of National Identity? », *Journal of Ethnic and Migration Studies*, vol. 34, p. 389-409.

JENSEN, T. G. (2006), « Religious Authority and Autonomy Intertwined: The Case of Converts to Islam in Denmark », *The Muslim World*, vol. 96, p. 643-60.

JONKER, G. (2003), « Islamic Knowledge Through a Woman's Lens: Education, Power and Belief », *Social Compass*, vol. 50, p. 35-46.

JOUILLI, J. (2007), *Devenir pieuse: Femmes musulmanes en France et en Allemagne entre réforme de soi et quête de reconnaissance*. École des Hautes Études en Sciences Sociales, Europa-Universität Viadrina Fakultät für Kulturwissenschaften Lehrstuhl für Kultur- und Sozialanthropologie, Thèse de doctorat, Paris.

KHOROSKHAVAR, F. (1998), « L'islam des jeunes en France », *in* KILANI, M., *Islam et changement social*, Lausanne, Payot.

KHOROSKHAVAR, F. (1997), *L'islam des jeunes*, Paris, Flammarion.

KÖSE, A. (1999), « The Journey from the Secular to the Sacred: Experiences of Native British Converts to Islam », *Social Compass*, vol. 46, p. 301-313.

KOUSSENS, D. (2007-2008), « Le port de signes religieux dans les écoles québécoises et françaises. Accommodements (dé)raisonnables ou interdiction (dé)raisonnée? », *Globe / revue internationale d'études québécoises*, vol. 10/2 et 11/1, p. 115-131.

Lapeyronnie, D. (2008), *Ghetto urbain. Ségrégation, violence, pauvreté en France aujourd'hui,* Paris, Laffont.

Maclure, J. (2008), « Le malaise relatif aux pratiques d'accommodement de la diversité religieuse : une thèse interprétative », *in* Mc Andrew, M., M. Milot, J.-S. Imbeault, P. Eid, *L'accommodement raisonnable et la diversité religieuse à l'école publique,* Montréal, Fides.

Mahmood, S. (2005), *The Politics of Piety : The Islamic Revival and the feminist Subject,* Princeton, Princeton University Press.

Mansson McGinty, A. (2007), « Formation of Alternative Femininities Through Islam : Feminist Approaches Among Muslim Converts In Sweden», *Women's Studies International Forum,* vol. 30, p. 474-485.

Mansson McGinty, A. (2002), *Becoming Muslim : Meanings of conversion to Islam.* Lunds Universitet.

Marechal, B., Allievi, S. Dassetto, F. (2003), *Muslims in the Enlarged Europe : Religion and Society,* Leiden, Boston, Brill.

Milot, M. (2008), « L'expression des appartenances religieuses à l'école publique compromet-elle la laïcité, l'égalité et l'intégration scolaire? », *in* McAndrew, M., M. Milot, J.-S. Imbeault, P. Eid, *L'accommodement raisonnable et la diversité religieuse à l'école publique : normes et pratiques,* Montréal, Fides.

Peretti-Ndiaye, M. (2008 juin), « "Blédard", "né ici" et "Français de souche" : l'incidence des autres groupes sur la culture dominante», *Revue Africaine,* vol. 3, p. 125-132.

Ramji, R. (2008), « Being Muslim and Being Canadian : How second generation muslim women create religious identities in two worlds? », *in* Aune, K., S. Sharma, G. Vincett, *Women and Religion in the West : Challenging Secularization,* Ashgate, p. 195-205.

Roald, A.S. (2004), *New Muslims in the European Context. The Experience of Scandinavian Converts,* Leiden, Brill.

Somers, M.R., Gibson, G.D. (1994), « Reclaiming the Epistemological Other : Narrative and the Social Constitution of Identity» *in* Calhoun, C., *Social Theory and the Politics of Identity,* Oxford, Blackwell, p. 37-99.

Taussig, M. (1993), *Mimesis And Alterity : A Particular History Of The Senses,* New York, Routledge.

Torab, A. (1996), « Piety as Gendered Agency : a Study of Jalaseh Ritual Discourse in an Urban Neighbourhood in Iran», *Journal of the Royal Anthropological Institute,* vol. 2, p. 235-252.

Van Nieuwkerk, K. (2006), *Women Embracing Islam : Gender and Conversion in the West,* Austin, University of Texas Press.

Venel, N. (2004), *Musulmans et citoyens,* Paris, Presses universitaires de France.

Vroon-Najem, V. E. (2007), *Pushing the Limits of Dutchness : Agency and Change in the Context of Female Conversion to Islam,* Vrije Universiteit, Amsterdam, Master Thesis.

Weinstock, D. (2007), « La crise des accommodements au Québec : hypothèses explicatives», *Éthique publique,* vol. 9, p. 20-27.

Winter, T. (2000), « Conversion as Nostalgia : Some Experiences of Islam», *in* Percy, M., *Previous Convictions : Conversion in the Present Day,* London, SPCK.

Wohlrab-Sahr, M. (1999), « Conversion to Islam : Between Syncretism and Symbolic Battle», *Social Compass,* vol. 46, p. 351-362.

Le politique du minoritaire

Étude de postures critiques d'un apparaître particulier
à travers les figures idéaltypiques du Juif et du Noir

ANAÏS SÉKINÉ

Département de sociologie
Université de Montréal
C.P. 6128 Succursale Centre-ville
Montréal (QC) H3C 3J7
Courriel : anais.sekine@umontreal.ca

LES PASSEURS DE FRONTIÈRES

La figure du passeur de frontières fait immédiatement penser à celle de l'*étranger* traitée par Georg Simmel dans sa fameuse « Digression sur l'étranger » (1984 [1908]). Pour Simmel, il est le commerçant, par lequel circule un réseau d'échanges de biens, monétaires, culturels. Il est le psychologue, en posture d'extériorité, à la fois proche et distant. Il présente l'avantage d'un rapport d'objectivité avec le groupe. À travers lui, le lointain se fait proche et le proche se fait lointain. Il est à la fois à l'intérieur et à l'extérieur. Il joue le rôle de médiateur. Il établit le passage entre l'autre et le soi, à l'entre-deux. Jamais complètement « des nôtres », il est celui qui arrive et celui qui reste et rappelle ainsi le groupe à son identité et à ses frontières. Il est représenté par la figure archétypale du Juif[1], l'étranger par excellence dont le sociologue de l'École de Chicago, Louis Wirth (2006 [1928]), dresse le parcours sociohistorique à travers le ghetto. Si pour l'écologie urbaine, le ghetto est un espace de mobilité et de transition, il est aussi et surtout un espace de

---

1. Dans ce document, Juif et Noir prendront une majuscule. Le choix n'est pas totalement arbitraire. Il n'est pas question de stipuler l'existence d'un peuple ou d'une nation juive ou noire. Les concepts utilisés se prêtent simplement à ce choix délibéré mais pleinement discutable.

séparation. À cet endroit, l'étranger ne gêne pas, car il n'est pas engagé dans la vie de l'établi, terme plus eliasien, celui qui est déjà là. Il n'est pas un égal.

Le passeur de frontière est aussi un *homme marginal*, figure développée par un autre sociologue de l'École de Chicago, et théoricien de la ville, Robert E. Park. L'homme marginal est le symbole, l'emblème de l'homme moderne. Cosmopolite, «citoyen du monde», il résout la synthèse des cultures et il est à l'avant-garde des sociétés modernes. Alors que l'étranger reste une figure en suspens, détachée du réel, l'homme marginal est pleinement inscrit dans l'espace commun, mais pris entre deux mondes. Il est de ces peuples «diasporiques» que conceptualisent plus récemment les études postcoloniales. L'homme marginal serait, selon Stuart Hall citant C.L.R. James, de «ces peuples qui sont dans la civilisation occidentale, qui y ont grandi, mais à qui l'on a fait sentir et qui ont eux-mêmes senti qu'ils étaient en dehors, ont un aperçu unique sur la société» (Hall, 2007 : 264). L'homme marginal est l'un des «nôtres», mais pas tout à fait. C'est ce «pas tout à fait» qui appelle à la posture critique et à l'interpellation.

PASSEURS RÉVÉLATEURS

Dans ces deux figures de passeur — l'étranger et l'homme marginal — dans les spécifi-cités de leur conceptualisation, il y a cette idée de différence. La différence n'existe pas en soi, elle ne peut être que dans la rencontre. Mais la légitimation du sens est dépendante de la marge de manœuvre dont le sujet dispose pour l'imposer, et ce, par jeu de domi-nation. L'identité culturelle, dirait le théoricien du postcolonial Homi Bhabha, n'est pas question d'authenticité, mais d'autorité. Qui a l'autorité de cette identité (Bhabha, 1994)?

Ces figures révèlent tout à la fois un obstacle, une assignation, une limitation et une fluidité, un mouvement, une recréation, une présence et une absence, une visibilité et une invisibilité, une humanité universelle et un métissage d'humanité. «Métissage d'humanité», quel mot abject! L'expérience n'est jamais aussi violemment vécue que par ce trouble dans la définition de l'universel. C'est précisément la question qui nous intéresse ici, celle du trouble suscité par une telle apparition, celle d'un «dehors en dedans», de l'intrus dans la bergerie, du retournement de l'autorité. Et cet intrus, je l'ap-pellerai le minoritaire. Dans le registre sociétal, le minoritaire est remarquablement inscrit dans l'espace commun. Le concept même de minoritaire ne se conçoit pas sans le majoritaire. Ils sont, et fonctionnent, en forme dialectique. L'un n'existe pas sans l'autre.

Le propos de cet article est de montrer comment cette apparition déclarative, cette révélation d'une frontière entre les hommes et leurs identités, est source d'une existence politique. L'existence, au sens étymologique d'*ex-istensia* en latin, «être placé» «hors de», au devant de soi-même, d'être dans le monde. Et une existence politique qui se crée par la rupture — car toute existence ne se fait pas politique — et une rupture située par une situation particulière, d'anormalité, d'oppression, qui est source d'un espace ouvert à un politique du minoritaire. En commençant par situer le propos politique, son ouverture à un «espace-qui-est-entre-les-hommes», et par expliciter les conditions et les implications de la situation minoritaire avec la sociologue (et féministe) Colette

Guillaumin, on s'intéressera à des exemples de mises en scène subjectives et biographiques de la déclaration identitaire à partir de deux figures idéaltypiques du minoritaire : le Juif et le Noir. Le choix de ces « figures », interprétées à travers des témoignages littéraires, est motivé par le contraste de la visibilité. La visibilité, ou la non-visibilité, est un caractère différentiel déterminant, et soulève une problématique conceptuelle dont il est important de se saisir.

Commençons par la fameuse « question juive » sartrienne. Deux formes de discussion entre des philosophes du siècle dernier, à l'intérieur de deux contextes historiques distincts, offrent une illustration remarquable de la dialectique minoritaire-majoritaire. On s'intéressera, dans un premier temps, aux dialogues publiés par Jean-Paul Sartre et Benny Lévy, dans le retournement existentialiste de Sartre qui vaudra à Benny Lévy, dans les années 1970 en France, d'être accusé de détournement de vieillard. Puis on se penchera sur la correspondance tenue entre Hannah Arendt et Karl Jaspers, deux philosophes allemands pris dans la tourmente de la Seconde Guerre mondiale, dans des lettres échangées entre 1930 et 1952[2]. Dans un second temps, on élargira le propos à une autre problématique d'existence que Frantz Fanon opposera lui-même à Sartre dans *Peau noire, masques blancs* (1952). Il oppose au Juif une visibilité radicale du Noir. Cette visibilité totale est ce qui l'empêche d'exister. Il est *l'Homme invisible* de Ralph Ellison (2002 [1952]). On abordera à partir de là les études postcoloniales et les travaux de Stuart Hall pour parvenir à problématiser ce couple contradictoire du minoritaire et du politique.

I.   CADRE CONCEPTUEL

1)   Le point de vue minoritaire : une existence politique ?

La question veut se situer dans l'énoncé du fait minoritaire, dans celui qui apparaît dans l'espace majoritaire, non pas dans sa visibilité sensorielle immédiate, mais dans la dimension politique de celui qui parle « au nom de » son caractère minoritaire.

Qu'y a-t-il de politique dans une voix qui porte un nom, qui n'est pas libre, selon la définition de la cité grecque antique ? Le politique est réservé à l'homme dans son unicité et sa voix propre et singulière. Selon Hannah Arendt, il « prend naissance dans *l'espace-qui-est-entre*-les-hommes, donc quelque chose de fondamentalement *extérieur-à-*l'homme » (Arendt, 1993 : 42). Le politique du minoritaire serait le politique de l'esclave, de celui qui cherche à s'émanciper. L'émancipation est-elle un acte politique ou tout au plus, un devenir majeur, dans le sens kantien du minoritaire, celui qui est sous tutelle, en relation de dépendance ? Aujourd'hui, poursuit Arendt, « nous sommes enclins à croire que la liberté commence où la politique finit » (Arendt, 1954 : 193).

Le politique n'est pas une question de morale, civilisée, dogmatique, réglée, qui dit ce qui doit être. Le politique a une visée universelle à partir de son lieu, de son temps, de son monde socio-historique, à partir de ce qui fait communauté. Il ne peut

---

2.   Les correspondances publiées de Hannah Arendt et Karl Jaspers sont comprises dans une période plus étendue allant de 1926 à 1969 (Arendt et Jaspers, 1985).

donc être fixé, professé ni organisé. Le politique est en rapport à la Loi, au *nomos*. Celle qui nous gouverne et qui, pour autant, ne s'édicte pas et rappelle, quand elle est mise à mal, à l'exigence du jugement et de la responsabilité individuelle. Le *nomos*, pour les Grecs, c'est la norme universelle incontestable qui permet de faire de l'homme, un être *humain*. Le jugement, c'est la capacité anthropologique de l'homme à penser le bien et le mal, dans la pluralité de leurs sens et de leurs situations. Cette exigence est une problématique centrale pour tous ceux qui ont tenté de comprendre l'expérience du totalitarisme qui a saisi le xxe siècle. Dans son article et analyse du problème du « mal » chez Arendt, Dario De Facendis explique :

> Le totalitarisme, [c'est] la capacité politique d'organiser ces masses dévaluées dans des mouvements politiques nés de la destruction même de l'espace politique. Le pouvoir qui en résulte est celui, absolu, de la non-valeur. (De Facendis, 2003 : 87)

> Quand la pluralité du monde humain est remise en cause, quand au sein du politique il n'y a plus d'espace pour un véritable débat sur le bien et le mal, mais qu'au contraire, bien et mal sont pensés comme étant nécessairement donnés par une quelconque construction logique du monde qui n'admet pas de variantes, alors, nous sommes témoins d'un processus de perdition de la qualité humaine des hommes. (De Facendis, 2003 : 71)

Le politique exige une disponibilité à l'événement, à la nouveauté, à l'inconnu, au hors cadre, au non habituel. On peut y faire correspondre le concept lévinassien d'« action éthique », « qui s'oppose au geste de la répétition, souligne que l'homme est un nouveau commencement, un initiateur » (Ouaknin, 1992 : 136). Ce concept de commencement comme *natalité* est un des concepts piliers de la théorie politique d'Arendt pour laquelle chaque naissance est un commencement, une nouvelle possibilité d'action et donc de liberté, d'*extra*-ordinaire et de nouveauté. Elle utilise même le terme de « miracle », « c'est-à-dire quelque chose à quoi on ne pouvait pas s'attendre » (Arendt, 1958b : 220).

Parler « au nom de » est devenu la condition nécessaire et préalable à toute possibilité d'existence après les totalitarismes du xxe siècle qui ont tenté de les éradiquer. On s'interrogera sur la parole spécifique du minoritaire, son caractère inattendu dans le sens commun, dans le sens qui lie les hommes entre eux, au passage du connu et de l'imprévu, du semblable et de l'étranger. Le roman de l'auteur de littérature noire Richard Wright, *Black Boy* (1945) raconte, à partir du regard d'un jeune garçon noir du sud des États-Unis auquel il donne son propre nom, comment celui-ci décrypte son monde social et parvient à se considérer lui-même comme un représentant du genre humain, malgré la ségrégation et les humiliations. C'est son regard qui révèle la couleur de l'Amérique. Il en a fallu peu pour qu'il soit fiché au FBI en raison de son adhésion au Parti communiste en tant qu'« élément subversif » (Schofield, 2003). La littérature a été pour lui le moyen de transcender son apparaître immédiat, sa visibilité radicale, et d'intervenir dans le champ de la signification. La signification sans image de l'écriture a été en effet sa meilleure arme de subversion :

> C'est sans doute pour cela que les sociétés dont la préoccupation première est de se définir comme strictement majoritaires portent leurs efforts sur la limitation de la liberté de

l'écriture et de la publication, comme sur l'expurgation de l'enseignement. Le mythe de la société monolithique est la condition *sine qua non* de leur existence aussi bien que le fondement de leur idéologie. Boas, Mann, Einstein, brûlés par le nazisme, la Lorelei devenue anonyme, Euripide et Sophocle interdits par les colonels grecs, ou le cinéma américain par le régime de Vichy, en sont témoins. (Guillaumin, 2002 : 184 en note)

En se nommant, le minoritaire se déclare. Il provoque un dérangement, un agacement. Il questionne l'ordre du monde et le bouleverse. Le minoritaire s'affirme, se revendique. Il entre dans la sphère publique, politique, et soumet des demandes spéciales, des «accommodements», dira-t-on au Québec. Il cherche à modifier les règles, à les conformer à soi, à un soi particulier et non général, dira le majoritaire, éloigné du bien de «tous». Le minoritaire s'affiche avec un problème. Il est collectif et exclusif. Il porte un projet qui concerne son existence propre. Or le minoritaire veut s'émanciper, devenir un homme universel, l'homme dont le projet est fondu dans l'individu. Mais en voulant le devenir, il en change le portrait et le récit. Son action identitaire se fait action politique. Qu'est-ce que provoque ce soudain apparaître?

2) Dialectique minoritaire-majoritaire

1. *Le minoritaire est d'abord une situation dans un ordre donné*

Dans cet article, le passeur de frontières est donc le minoritaire. Colette Guillaumin est sans doute celle qui a le mieux théorisé la situation minoritaire dans ce mécanisme idéologique. Dans *L'idéologie raciste* (2002), elle fait une analyse de texte, au mot à mot, des articles du quotidien *France Soir* et montre comment s'établit la «construction logique du monde» entre ordre anonyme dominant et excès de dénomination sémantique. Le minoritaire apparaît en effet dans le discours. Il n'apparaît qu'à travers lui. Il est «différent». C'est pourquoi il doit être nommé. Le minoritaire est celui qui porte un nom. Le majoritaire ne se nomme pas. Il est. Le «comme tout le monde» (collectif indéfini), «comme les autres» (pluriel indéfini), c'est le point de vue minoritaire. Du point de vue majoritaire, il n'y a pas de notion de totalité. Il est pure individualité. D'ailleurs pour lui, «tout le monde» n'a pas de sens. Il n'y a que des individus, certains qu'il décrit pourtant en les *nommant* (avec plus ou moins de censure) et d'autres qu'il qualifie par des particularités individuelles. L'idéologie raciste, qu'analyse Guillaumin, se situe précisément dans cette impasse sémantique.

Les minoritaires sont: «des groupes qui sont sociologiquement en situation de dépendance ou d'infériorité» (Guillaumin, 2002: 94-95). La situation minoritaire, c'est dans le même temps: «l'abstraction, c'est-à-dire le statut symbolique de sa minorité, et la réalité matérielle (la situation d'oppression)» (Guillaumin, 2002: 122). On pourrait l'étendre plus largement à une situation de limitation des droits par rapport à la norme majoritaire, c'est-à-dire une limitation du potentiel de liberté établi par des normes culturelles, donc arbitraires (ex.: le droit au mariage homosexuel). Ce qui fait dialectique, c'est l'univers symbolique commun. Le minoritaire est défini dans l'espace majoritaire, donc dominant. Il n'est pas nécessairement défini *par* lui, mais sa définition dépend du statut du majoritaire. Plus encore, Guillaumin ajoute et insiste sur ce fait, « ses efforts pour se définir un système [propre] sont orientés et canalisés par le majoritaire ; il ne peut se définir sur des références internes et indépendantes, il doit le faire à partir des références que lui offre le système majoritaire » (Guillaumin, 2002 : 125). Le minoritaire est un individu qui n'a pas le droit aux *mêmes* droits et aux *mêmes* chances que les autres. C'est pourquoi aussi la reconnaissance de la diversité ne satisfait pas les politiques de droit à la différence. La différence a des conséquences. C'est une tactique démagogique qui n'aboutit à aucune amélioration sociale. Toutefois, la situation d'*oppression* dont parle Guillaumin est loin de se limiter à des considérations matérielles, bien qu'elles soient, dit-elle, « insécables de l'ensemble constitué par le symbolique et le matériel » (Guillaumin, 2002 : 127). Le système de relations entre majoritaire et minoritaire est un système total, basé sur des situations de pouvoir inégalitaires. Le pouvoir, défini par Foucault, « ce n'est pas une institution, et ce n'est pas une structure, ce n'est pas une certaine puissance dont certains seraient dotés : c'est le nom qu'on prête à une situation stratégique complexe dans une société donnée » (Foucault, 1976 : 123). La diversité n'est pas composée d'une juxtaposition de cultures, mais d'un réseau de relations antagoniques. Or, faut-il le rappeler, aucun élément, qu'il soit en situation de pouvoir ou en situation de domination, n'est lisible en dehors de ce système. L'aliénation idéologique n'est pas unidirectionnelle. Le pouvoir n'est pas la liberté. C'est ce qui fonde la *dialectique* minorité-majorité.

2.   *Minoritaire et majoritaire sont compris dans un univers sémantique*

Les études d'histoire et de sociologie de l'immigration montrent aussi à quel point les statuts symboliques se modifient. Les cas « problématiques » changent de nom, changent de visage. Dans le schème marxiste où se situe Guillaumin, elle rappelle que les catégories sont le produit des relations sociales de production. Du mépris des paysans du xviie siècle, on passe ensuite aux ouvriers à l'âge industriel, puis aux « Arabes » des colonies. Chacun a eu sa part de théorisation essentialiste, réduisant leur être productif à une nature. L'étude de Norbert Elias et John L. Scotson (1965) sur les *Logiques d'exclusion* démontre singulièrement le peu de crédit que constitue le « caractère » ou « attribut » naturel. Alors qu'aucune différence sociologique ne permet de distinguer un groupe de l'autre, le simple fait d'être arrivé *après* — dans un lieu de travail et de résidence — peut produire l'installation d'une logique hiérarchique et d'opposition entre *établis* et *outsiders*. La différenciation a dans ce cas conduit à des conséquences sociopsychiques de discrimination et de stigmatisation.

Or les catégories racisées sont-elles à ce point interchangeables ? Dans sa propre élaboration conceptuelle de la situation minoritaire, le sociologue Pierre-Jean Simon (2006) remarque à raison que toute situation n'est pas équivalente et que dans une telle logique, on pourrait rapidement arriver à un phénomène inverse d'avoir du minoritaire partout et du minoritaire nulle part. C'est la fameuse formule tautologique du tout est dans tout et inversement. Il y a, de façon exemplaire dans mes deux propositions, juive et noire, une expérience historique mortifère : danger de mise à mort ; esclavage, exécution, persécution, et extermination effective. Au contraire, il y a des spécificités qu'il est nécessaire de distinguer et de reconnaître dans la détresse concrète qu'elles impliquent comme dans leur singularité conceptuelle. Car le minoritaire est-il nécessairement défini par sa condition malheureuse ? En effet, l'urgence que suscite le constat des discriminations délimite souvent le champ de la réflexion. L'analyse de Guillaumin est bien plus subtile, car elle ne s'arrête pas aux phénomènes concrets du racisme. Le point le plus probant de son épistémologie de la dialectique minorité-majorité se situe dans le champ sémantique. Car c'est là, à mon sens, que commence l'expérience minoritaire, comme majoritaire. Ce qui définit le minoritaire, c'est le caractère particulier. Caractère qui *nomme* l'altérité, l'univers du sens, le champ de la signification, compris dans l'imaginaire propre à une langue déterminée, «douée d'un sens qui est celui des implications propres à une société» (Guillaumin, 2002 : 128).

3. Le majoritaire est identifiable

Le majoritaire se considère comme un Homme universel qui fait partie de la «généralité humaine» (Guillaumin, 2002 : 165). Il est indéterminé et ne porte aucune autre particularité que sa singularité propre, son «caractère» disait Sartre. Au contraire, la particularité n'est pas «porteuse de la totalité humaine». Le Juif, la femme, l'homosexuel, le Noir, comme le singulier vient le signifier, sont totalement et imperturbablement juif, femme, homosexuel, noir.

   L'apparition du minoritaire dans le champ de la signification, c'est aussi la possibilité de signifier «en creux» l'être majoritaire. Le majoritaire apparaît toujours dans la négativité, ce qu'il n'est pas. La subversion de Wright a été de révéler une dimension dérangeante du système majoritaire. En isolant les caractères qui ne nécessitent pas d'être mentionnés (par défaut), on peut rapidement arriver à un portrait assez précis du majoritaire : homme (pas femme), adulte (ni jeune, ni vieux), blanc (pas de couleur), athée/chrétien (pas religieux, pas juif, pas musulman), hétérosexuel (pas homosexuel), national (pas étranger), saint d'esprit (pas malade, ni fou, ni handicapé), de classe bourgeoise (pas pauvre) (Guillaumin, 2002 : 295). Pour ne citer qu'un exemple, l'enquête du sociologue Éric Maurin sur *Le ghetto français* (2004) met bien en évidence que la ghettoïsation n'est pas à sens unique et que les contraintes sociales qui limitent l'accès à certains quartiers locatifs sont une forme de ghettoïsation silencieuse visant positivement à tenir éloignés les indésirables. Les enquêtes de ce type, dont les noms de Pinçon et Pinçon-Charlot (2007) sont les plus représentatifs, se font de plus en plus nombreuses bien que réduites. Elles mettent en évidence l'ethnocentrisme des majoritaires et des dominants et leur propre aliénation. «Classeurs classés par leurs classements», les distinctions opérées par les dominants déterminent tout autant leurs goûts et leurs opinions que ceux des dominés. La sociologie de Pierre Bourdieu ne serait-elle pas la meilleure illustration de la faible liberté (individuelle) des puissants — héritiers reproducteurs d'héritage ? Guillaumin remarque d'ailleurs très justement que «l'ensemble des caractères de la minorité absolue ne se trouve constitué en groupe réel nulle part, et ne se découvre jamais que dans des individus particuliers, alors que l'ensemble des caractères de majorité absolue se trouve réuni dans un groupe réel» (Guillaumin, 2002 : 123). Chacun, à sa place, peut être le minoritaire d'un autre, mais il arrive rarement, ou dans des cas isolés, que tous les caractères minoritaires soient concentrés en un groupe d'individus. Le minoritaire est variant. Or, bien qu'il n'existe pas d'*unité* majoritaire, il existe un groupe réel pour lequel la question minoritaire ne se pose pas. Le majoritaire ainsi figuré est totalisé. Le majoritaire est ordonné et porte à lui seul les valeurs de la société qu'il reproduit. Ce sont généralement des individus de ce groupe qui occupent les plus hautes fonctions du pouvoir. C'est généralement à eux aussi qu'incombe la responsabilité de l'oppression et son aveuglement. Un État qui met en place un ministère de l'Identité nationale est un État en crise qui ne veut plus prendre la charge de l'universel. La volonté de définir l'identité commune et de *reconnaître* leur prééminence, c'est aussi, paradoxalement, l'expression d'une difficulté à accepter la pluralité. Elle s'accompagne généralement d'un durcissement des modalités d'accueil de l'étranger.

II.   DU MÊME À L'AUTRE

1)   Sartre et Benny Lévy : de l'existentialisme au messianisme

1.   *Contexte*

Il y a un caractère anormal à vouloir aujourd'hui se définir «quelque chose». Quand les Juifs accèdent officiellement à la citoyenneté française, après une succession de décrets en 1791 (à la même époque que les protestants et les anciens esclaves, mais bien avant les femmes), le judaïsme devait devenir une religion comme le christianisme, mais dénuée d'existence particulière. La judaïcité, le fait d'appartenir à une *communauté* juive, religieuse ou culturelle, était renvoyée au domaine privé, discret et indistinctif, en d'autres termes, rendue invisible et inconséquente dans le monde commun. La déclaration du comte de Clermont-Tonnerre symbolise clairement les conditions de l'égalité et de l'intégration.

> Il faut refuser tout aux juifs comme nation et accorder tout aux juifs comme individus ; il faut méconnaître leurs juges, ils ne doivent avoir que les nôtres ; il faut refuser la protection légale au maintien des prétendues lois de leur corporation judaïque ; il faut qu'ils ne fassent dans l'État ni un corps politique ni un ordre ; il faut qu'ils soient individuellement citoyens. (Comte de Clermont-Tonnerre, 1789[3])

Cette condition d'accès à la citoyenneté, pour le moins contraignante, aurait dû logiquement faire disparaître la visibilité des Juifs en tant que groupe au fur et à mesure de leur assimilation. Le minoritaire est voué à l'émancipation.

Cette conception de l'identité particulière est toujours vivace en France. Quelques anecdotes sur les pensées communes, et sans aucun doute générales, illustrent simplement ce fait. Un lecteur du blogue de Nicole Lapierre (2009) se révolte contre son billet sur la judéité de Lévi-Strauss : «Lévi-Strauss était juif ? J'ai du mal à l'imaginer pratiquant à la synagogue.» Il ajoute ensuite : «La *judéité* n'existe tout simplement pas, pas

---

3.   Comte Stanislas de Clermont-Tonnerre, cité dans Poliakov (1968 : 234).

plus qu'une très hypothétique *francité*. » Lors du débat qui a suivi la projection, en juin 2008, du dernier documentaire d'Isy Morgensztern au Musée d'Art Moderne et Contemporain de Strasbourg, « Benny Lévy. La révolution impossible (La loi du retour) » (Morgensztern, 2008), un intervenant dans la salle affirmait que le choix de Benny Lévy d'immigrer à Jérusalem signifie un strict retour au religieux. Il ne s'agirait que de la conversion d'un personnage politique révolutionnaire, Benny Lévy — alias Pierre Victor, le chef de la gauche prolétarienne — en un Juif orthodoxe. Dès lors, Pierre Victor n'est plus et Benny Lévy devient un Juif, limitatif, auquel un non-Juif ne peut plus se relier. « Religieux », Pierre Victor devient le Juif orthodoxe Benny Lévy, parti à Jérusalem et dont on ne parle plus. Les dialogues publiés par Sartre et Benny Lévy sont en ce sens éloquents.

2. Le retournement sartrien

À l'époque des *Réflexions sur la question juive*, en 1946, Sartre cherchait surtout à faire du Juif un homme commun, « un homme, pas un Juif », un Homme universel. La publication de son essai a été d'une grande importance en ce qu'elle brisait le silence de l'après-Shoah et s'adressait aux non-Juifs pour démontrer la mythologie de l'antisémitisme.

> Le Juif est un homme que les autres hommes tiennent pour Juif: voilà la vérité simple d'où il faut partir. (Sartre, 1946: 83-84)

Benny Lévy détaille la proposition de Sartre. Le Juif est *surdéterminé*, car la judéité s'ajoute à l'altérité qui distingue chaque individu: « le Juif a comme nous un caractère et par-dessus le marché, il est Juif » (Sartre, 1946: 96). Le Juif est immobilisé, car il ne peut se défaire de sa condition. Il est fatalement Juif et confronté à la solution de se reconnaître et d'« être responsable dans et par sa propre personne du destin et de la nature même du peuple juif » (Sartre, 1946: 108), ou de se nier « désespérément ». Le Juif est, simultanément, celui qui, à la question « qui es-tu? », répond: « Je suis Juif », et celui qui ne peut pas répondre « Je ne suis pas Juif ». Sartre forme ainsi les deux êtres juifs: le Juif authentique qui assume son identité et le Juif inauthentique qui passera sa vie à la contester[4].

À cela Levinas proteste, rapporte Benny Lévy: « Être juif pour être juif, cela ne vaut pas la peine[5] » (Lévy, 2003: 36). Le politique se réduirait alors à de la réactivité, à une assignation subie ou à une passivité mortifère, vidée de toute possibilité d'action (donc a-politique). Pour Levinas, et d'une différente manière pour Arendt (1951: 18-19), l'être juif et l'historiographie juive sont porteurs d'un projet[6].

---

4. Bien qu'Arendt ait exprimé une grande hostilité vis-à-vis de Sartre, ses concepts de paria conscient et de parvenu ne sont pas très éloignés de la typologie élaborée par Sartre.
5. Levinas ne répond pas ici à Sartre, mais à Jérôme Lindon et à Emmanuel Berl qui arrivent à la même conclusion et avec lesquels il dialogue.
6. En réponse à Sartre, Arendt parle de « conscience juive » indépendante « des autres hommes » qui définiraient le Juif selon Sartre. À propos de l'idée de projet, voir aussi l'historiographie juive de Yéroushalmi (1982).

C'est ainsi que Sartre revient sur ses propos dans un entretien avec Benny Lévy qu'ils publient sous le titre : *L'espoir maintenant* (Sartre et Lévy, 1991)[7]. « À l'heure qu'il est, je pense qu'il y a une réalité juive par-delà les ravages de l'antisémitisme sur les Juifs. (...) Le Juif se considère comme ayant un destin » (Sartre et Lévy, 1991 : 67).

Le religieux est une relation métaphysique au destin du monde, le monde dans lequel nous vivons tous, Juifs, non-Juifs, minoritaires, majoritaires, Masaïs et Bretons. Il n'y a plus de séparation du politique et du religieux, car judaïsme, Christianisme et marxisme, que Sartre mentionne et compare, sont tous envisagés également d'un point de vue religieux, philosophique, politique et éthique. Il les envisage en dehors de leur cadre dogmatique. C'est une recherche d'un sens à l'histoire. C'est pourquoi il n'est pas utile d'entrer plus en détail, à ce niveau, dans l'explication religieuse, car il ne s'agit pas ici de donner une interprétation juive et judaïque de l'existence juive. Elle est une existence énoncée par le discours et active par les faits, et non par l'étude talmudique. L'explication sartrienne vaut pour elle-même matière d'analyse d'un point de vue extérieur. L'extériorité n'est pas seulement due au fait de sa non-judéité, mais bien plus fondamentalement parce que Sartre n'a jamais étudié le corpus hébraïque[8].

3.   *Impossible révolution : pensée politique de l'infini et de la naissance*

Benny Lévy intervient relativement peu dans la discussion. Il dirige l'entretien et fait parler Sartre pour qu'il détaille au plus près sa pensée. Sartre conçoit le Juif avec le judaïsme. L'« unité de la réalité juive » est, selon Sartre, un rapport particulier avec l'unité divine, une « liaison métaphysique avec l'infini » (Sartre et Lévy, 1991 : 71). Il résume : « Toute l'histoire des juifs consiste justement en ce premier rapport. » « L'essentiel, c'est que le Juif a vécu et qu'il vit encore métaphysiquement » malgré l'apparition d'un deuxième monothéisme et malgré l'histoire. Ce qui l'interpelle dans le judaïsme, c'est sa finalité messianique. Elle est « l'apparition de l'existence éthique des Hommes les uns pour les autres » (Sartre et Lévy, 1991 : 73), non plus comme responsabilité, mais comme évidence, par le dépassement des règles, précise Benny Lévy, et non par leur transgression. Benny Lévy déplace le débat de sa politique, il change le destin de sa révolution. Une révolution qui, si on le croit, aurait pu, en 1973, basculer dans une guerre terroriste. Une révolution, néanmoins, qu'il choisit de mener par la pensée. L'infini, pour Levinas, aussi étrange que cela puisse paraître dans nos représentations raisonnées et raisonnables, « ce n'est pas l'orgueil d'un nationalisme exacerbé par les persécutions. L'indépendance à l'égard de l'histoire affirme le droit que possède la conscience humaine de juger un monde mûr à tout moment pour le jugement, avant la fin de l'histoire et indépendamment de cette fin, c'est-à-dire un monde peuplé de personnes » (Levinas, 1963 : 302). Entrer dans ce schème, c'est résoudre la dialectique majorité-minorité. Ce pour quoi, sans doute, Benny Lévy a choisi d'être un Juif parmi

---

7.   La collaboration de Jean-Paul Sartre avec Benny Lévy a conduit à un retournement considérable de la pensée sartrienne de l'existentialisme, ce qui a été vivement remis en question et suscité une polémique.

8.   Ce qu'il regrette, dit-il, mais qui demandait trop de temps (apprendre l'hébreu) au vu de son âge avancé et de ses problèmes de santé (il est quasiment aveugle au moment où il rencontre Benny Lévy).

les Juifs, et non un Juif de la diaspora, un Juif parmi les non-Juifs. Ce messianisme est une pensée de la révolution et permet à Sartre de repenser la révolution marxiste par un dépassement des préoccupations économiques, pour une fin éthique, c'est-à-dire, la révélation de la pluralité[9]. L'être juif avec le judaïsme résout la contradiction du Juif imaginaire. Il a une existence.

Ce destin est lié à la naissance. Le «rêve de Sartre était d'«humaniser la naissance». (...) l'homme comme fils de l'homme» (Lévy, 2002: 290-291). Benny Lévy dira «Vous aurez beau devenir sociologue, révolutionnaire, Juif réformé, vous ne changerez *rien* à ce fait foncier, fondamental, initialement et destinalement: vous êtes nés, du début à la fin» (Lévy, 2003: 43). Naître, c'est naître situé dans un ordre du monde. On ne naît pas avec rien. Le rien n'existe pas, car il serait une négation de l'existence. L'indétermination de l'homme qui apparaît avec la démocratie n'est pas un recommencement perpétuel de la naissance du rien par le rien. Naître c'est venir au monde, exister avec un il y a.

L'être juif est factice, mais c'est cette contingence qui rend possible l'existence. L'*irrémissibilité* de l'être juif, c'est-à-dire son caractère impardonnable dans le totalitarisme, c'est l'irrémissibilité de l'être humain, précisément, la réalisation du néant, la dé-création. La poursuite de l'aryanisme ne va pas vers une détermination idéale de l'être humain, mais au contraire vers une indétermination absolue. D'où les affinités entre la forme totalitaire de la société et la forme démocratique, théorisées par Arendt, mais dont on peut voir déjà les fondements dans *De la démocratie en Amérique* d'Alexis de Tocqueville (1835 et 1840) qui identifie la contradiction démocratique (liberté/égalité/pouvoir anonyme du peuple/omnipotence).

2) Contexte de survie: dialogue entre Hannah Arendt et Karl Jaspers

1. *Contexte*

Au début du xxe siècle, et depuis le décret d'émancipation des Juifs en 1791, l'entrée tardive des Juifs dans l'histoire des peuples nationaux maintient une frontière symbolique qui ne les assimile jamais tout à fait, quelle que soit l'ancienneté des familles juives et quel que soit leur degré d'acculturation ou de déjudaïsation. Arendt personnifie cette contradiction par la vie de Rahel Varnhagen, Juive allemande prise dans le paradoxe de l'assimilation du xixe siècle (Arendt, 1958a). «Sortir du judaïsme» sonne comme une prescription pour tous les Juifs émancipés de ce siècle. Or, aucune tradition ne lui a été transmise. Privée de mémoire, elle est livrée à l'espace vide du paria qui n'est plus ce qui a été et ne s'inscrit dans aucune histoire. Rahel est pure individualité, «qui n'est que ce qu'[elle] a» (Arendt, 1946: 48), son expérience: «À cette originalité [...] s'alimente chez Rahel [...] le vide de celui qui sans cesse doit s'en remettre aux expériences et qui a besoin de toute la vie pour forger chacune de ses opinions» (Arendt, 1946: 44). Sous plusieurs aspects, ce travail est, selon la biographe d'Arendt, Élisabeth

---

9.   Sartre mêle régulièrement les termes *moral* et *éthique* comme s'ils étaient interchangeables. Leur distinction est certes un sujet en soi. Elle se situe peut-être dans le dogme que l'éthique ne comprend pas. La morale dicte ce qui est le bien, l'éthique est la responsabilité du bien. Elle ne dit pas ce qu'il est.

Young-Bruehl (1982), un travail autobiographique. Hannah Arendt considère sa judéité en dehors du judaïsme, une judéité déjudaïsée. Comment envisager sa natalité dans ce cas autrement que par un fatalisme, une vacuité surdéterminée ?

Une correspondance particulièrement éloquente quant au propos de cet article est celle tenue entre Hannah Arendt et Karl Jaspers de 1926 à 1969, c'est-à-dire de l'avant-guerre à l'après-guerre, donc avant et après la Shoah. Inutile de rappeler les « modalités » réservées aux *étrangers* et autres hommes marginaux à cette époque et en ces lieux. Bien que cette discussion se tienne entre deux individus dont la tradition (philosophique) allemande est incontestable, la position qu'occupe chacun d'eux — Jaspers, défenseur d'un idéal allemand, et Arendt, Juive exilée dont seule la langue est porteuse de cet idéal — permet de reconstituer l'opposition qui peut exister entre un *établi* et une *outsider* dans d'autres contextes, furent-ils français. Les termes et les critères employés coïncident avec les débats qui ont lieu aujourd'hui. La question, et la problématique *différence* qu'elle instaure entre eux, a le mérite de mettre tout de suite en situation.

Jaspers pose la question de la différence entre un Juif allemand et un Allemand, là où pour lui, l'un et l'autre peuvent se confondre sans ambiguïté. Pour lui, un Juif allemand est allemand. Jaspers exprime ici la dynamique qui a été celle même des Juifs allemands au XIXe siècle, profondément dévoués à leur assimilation, au point de ne pouvoir admettre le péril du nazisme jusqu'à la limite de l'indéniable. Cette question est posée une première fois au début des années 1930 (Arendt quitte l'Allemagne en 1933) et la discussion reprend en 1947. Les dates de correspondance entre Arendt et Jaspers, comme celles de l'écriture des textes, essais théoriques et articles d'Arendt, sont importantes, car elles ne renseignent pas seulement sur une époque. Toute l'œuvre d'Arendt est une tentative de « penser l'événement ». C'est pourquoi, peut-être, elle résistait à l'appellation « philosophe », car son intention n'était pas de fonder un système philosophique. Son problème philosophique était éminemment politique et donc mené par une conscience du présent et l'effort de comprendre son temps de manière globale. La question « qu'est-ce qu'être juif ? » constituait une problématique centrale dans le contexte nazi, postnazi, de la reconstruction de l'Allemagne, de la création de l'État d'Israël en 1948 et avant cela, de tout ce qui concerne ladite émancipation des Juifs en Europe, depuis leur accession à la citoyenneté en 1791 en France, puis progressivement dans toute l'Europe occidentale.

En 1933, Jaspers défend une conception de l'Allemagne qui évoluera avec le temps et l'irrévocable de l'événement qui suivra. L'Allemagne est pour lui un idéal supranational dont il retrouve le caractère dans d'autres pays limitrophes qu'il intégrerait dans un « empire des Allemands[10] ». Son idée du « caractère allemand » a une « visée totalisante, historiquement indéfinie ». En d'autres termes, un peuple serait le garant d'un

---

10.   Lettre de Karl Jaspers à Hannah Arendt, 3 janvier 1933, *in* Arendt et Jaspers (1985 : 40-42).

idéal universel porteur d'une mission en faveur « de la civilisation de l'avenir[11] ». L'« essence allemande », sa grandeur, sa philosophie, sa littérature, son université, est ce qui devrait naturellement amener Arendt à dire, « c'est ainsi que je veux être allemande ». C'est ainsi, selon lui, qu'elle est allemande, car elle en partage la tradition, la culture. Il lui suffit d'adopter, et de s'identifier au destin historique et politique de l'Allemagne. Or, s'étonne-t-il, « je suis surpris qu'en tant que Juive vous vouliez vous distinguer de ce qui est allemand »[12].

2.   « *Une différence entre nous* »

En 1947, le discours de Jaspers change quelque peu de nature. De « l'essence allemande, il ne reste en effet que la langue[13] », regrette-t-il. « Vous et moi avons pris conscience en 1932 (...) d'une différence entre nous, que je n'ai pas considérée comme personnelle à l'époque, une différence qui n'est pas absolue en soi, mais qui n'est pas pour autant une bagatelle[14]. » En quoi est-elle personnelle, il ne l'explique pas clairement. Il s'agit pour lui d'un certain ordre du monde. Bien que l'on puisse *volontairement*, par sa pleine conscience, *choisir* une nation, c'est-à-dire une responsabilité politique, un État, « il y a cependant quelque chose qu'on ne peut choisir, mais qu'il faut assumer[15] ». Il est allemand, réfléchit constamment avec son cœur sur ce que signifie pour lui être allemand, non seulement par conviction, mais parce qu'en 1947, le monde le lui crie. C'est ainsi qu'il apparaît au monde, et tient à assumer la responsabilité de ce *nom*. Il ne se reconnaît pas en tant que coupable. Il n'est pas question de cela. Il s'agit pour lui de « culpabilité métaphysique » qui, selon Arendt, « recèle non seulement l' "absolu", où l'on ne peut effectivement plus reconnaître aucun juge terrestre, mais aussi, cette solidarité (qui selon la formule de Clémenceau : "L'affaire d'un seul est l'affaire de tous") constitue le fondement politique de la république[16] ». Il se confronte néanmoins à sa propre contradiction lorsqu'il exprime toute sa difficulté à définir ce qui est précisément de l'ordre de l'indéfini, de l'interprétation, de la représentation, mais délimite en retour ce qu'est un Juif, « c'est la religion biblique et l'idée de Dieu et l'idée d'Alliance, sinon, il me semble que le Juif cesse d'être juif [17] ».

La condition sociale des Juifs en Allemagne n'était définitivement pas la même que celle des non-Juifs : « Je me souviens très bien de notre désaccord lorsque vous avez dit ou écrit un jour que nous étions tous dans le même bateau. [...] Avec Hitler pour capitaine, [...] nous autres Juifs ne serions plus assis dans le même bateau. » Et ajoute-t-elle : « Ça aussi c'était faux, car dans ces conditions vous-mêmes n'étiez plus non plus

---

11.   Lettre d'Hannah Arendt à Karl Jaspers, 1er janvier 1933, (*ibid.* : 40), citation par Arendt d'une expression employée par Jaspers dans son livre *Max Weber. Deutsches Wesen im politischen Denken in Forschen und Philosophieren*, Oldenburg, 1932.

12.   Lettre de Karl Jaspers à Hannah Arendt, 3 janvier 1933 ; *ibid.* : 40-41.

13.   Lettre de Karl Jaspers à Hannah Arendt, 8 janvier 1947, *ibid.* : 54.

14.   Lettre de Karl Jaspers à Hannah Arendt, 16 mai 1947, *ibid.* : 57.

15.   Lettre de Karl Jaspers à Hannah Arendt, 20 juillet 1947, *ibid.* : 105.

16.   Lettre d'Hannah Arendt à Karl Jaspers, 17 août 1946, *ibid.* : 51.

17.   Lettre de Karl Jaspers à Hannah Arendt, 20 juillet 1947, *ibid.* : 106.

dans le bateau — ou tout au plus comme dans une prison[18] ». Jaspers est en rupture, mais en rupture avec sa propre globalité qui est l'Allemagne. Arendt est dans un autre espace, l'espace d'entre-deux créé par sa condition. C'est une première différence que l'on peut aussi comprendre par la question de la responsabilité politique, au lendemain de la guerre qui a accéléré la création de l'État d'Israël en 1948 :

> Si aujourd'hui les Juifs allemands ne veulent plus être Allemands, on ne peut sûrement pas nous en faire grief, mais, naturellement, cela a aussi quelque chose de comique. Ce qu'ils veulent dire en fait, c'est qu'ils n'envisagent pas de partager la responsabilité politique avec l'Allemagne ; et en cela ils ont raison. Et c'est cela qui est décisif. Voyez-vous, il va de soi aujourd'hui, pour moi et pour beaucoup d'autres, que lorsque nous ouvrons le journal, nous vérifions d'abord ce qui se passe en Palestine — bien que je n'aie pas l'intention d'y aller [...][19].

Enzo Traverso, dans ses recherches sur l'histoire intellectuelle des Juifs entre le XIXᵉ et le XXᵉ siècle, rapporte que « l'ensemble du contexte social poussait objectivement l'intelligentsia juive à assumer une attitude anticonformiste, critique vis-à-vis de l'ordre établi » (Traverso, 1997 : 57). Devant l'antisémitisme prévalant dans les universités et à l'impossibilité d'une carrière dans les institutions publiques, l'engagement « politique » de ces intellectuels passait notamment par une créativité artistique remarquable dans cette période, à Berlin, Vienne et Prague (Traverso, 1997 : 60). Dans le milieu où Arendt évoluait, son entourage se divisait entre les affinités politiques sionistes ou communistes. Le mouvement ouvrier, militant pour la liberté, ne faisait aucune distinction entre les Juifs et les *gentils*. Il constituait la rencontre parfaite entre la lutte contre le racisme et la possibilité de s'y engager en tant qu'individu neutre. Et c'est dans cette alternative que s'est organisée la vie sociale d'Arendt (Young-Bruehl, 1982). Son mari, Gunther Stern, fréquentait les milieux communistes, son ami Walter Benjamin et son futur mari Heinrich Blücher défendaient les idées internationalistes. Ce fut surtout avec son ami Kurt Blumenfeld qu'elle s'engagea activement dans le mouvement sioniste. Il organisait « un sionisme destiné en premier lieu aux Juifs qui — à la différence des Juifs de l'Est — avaient connu dans leur histoire l'émancipation et l'assimilation et qui, du coup, ne pouvaient s'appuyer sur aucune existence communautaire, religieuse et sociale, pour lutter contre l'antisémitisme » (Young-Bruehl, 1982 : 92). Ce fut justement lui « qui éveilla et entretint [l'] identité juive [d'Arendt] et qui lui fit partager le renouveau de la conscience juive, entrepris par les sionistes » (Young-Bruehl, 1982 : 88).

Ainsi, sur le plan de l'identité, la définition ne peut être aussi limitative et théorique que dans l'ordre du religieux et de son allégorie, car, dit-elle, « le fait est néanmoins que beaucoup de Juifs sont comme moi totalement indépendants du judaïsme et sont pourtant des Juifs[20] ». Elle suggère alors que la judéité n'est pas seulement de l'ordre de la pratique, mais de l'existence, serait-elle politique. Le laconisme de la réponse

---

18.   Lettre d'Hannah Arendt à Karl Jaspers, 30 juin 1947, *ibid.* : 103.

19.   *Ibid.* : 104.

20.   Lettre d'Hannah Arendt à Karl Jaspers, 4 septembre 1947, *ibid.* : 108.

d'Arendt désempare ses lecteurs, tout comme ses exégètes Richard Bernstein (1996) ou Martine Leibovici (1998), qui questionnent ce que peut être une judéité sans judaïsme (et peut-on ajouter, un sionisme sans sionisme).

3. *Une judéité déjudaïsée*

Si le judaïsme religieux, par ses rites et ses coutumes, n'a jamais été central dans sa vie familiale, à la question : « Qui êtes-vous ? » Arendt répond néanmoins « Une Juive », comme le postulat de sa mise au monde, à partir de quoi tout commence. Sa judéité relève pour elle d'une évidence, comme un fait quasi immanent. « Vous appartenez toujours à un groupe quelconque de par votre naissance », rétorque-t-elle à Günter Gauss, le 28 octobre 1964, lors d'un entretien télévisé (Arendt, 1946 : 246). Or, ce postulat n'a aucun contenu prédéterminé. Il n'est question ni d'essence ni de fatalité. Qu'est-ce alors qu'être juive pour Arendt ?

La première fois qu'Arendt a eu à répondre de cette appartenance, c'est quand, petite fille, on lui a fait remarquer qu'elle « n'avait pas l'air comme les autres ». Il aurait été absurde pour elle de le nier. Or devant Jaspers, elle a bien *l'air* comme lui, elle est son égale. Et il lui faut revendiquer cette différence, au risque de disparaître. Par son travail sur la vie de Rahel Varnhagen, elle veut « montrer que le fait d'être juif rend possible une certaine existence[21] ». Elle n'essaye pas de « fonder » l'existence de Rahel sur sa judéité, comme l'interprète tout d'abord Jaspers. En 1952, une fois le livre achevé, l'appréciation de Jaspers change en effet : « Cette figure, vous lui donnez la parole, mais pas à partir d'un centre, celui de l'être humain lui-même, qui n'est pas essentiellement juif, mais qui passe dans ce monde en tant que Juif et vit de ce fait le pire, lequel n'arrive pas seulement au Juif[22]. »

Jean-Luc Fidel, dans sa présentation à l'édition réduite de la correspondance, qualifie l'analyse de Jaspers de « professorale ». En effet, le caractère professoral tient au fait qu'il tend à généraliser un « destin » individuel qu'il élève en « figure », ou, pourrait-on ajouter, en « idéaltype » objectivé. Le « pire » n'est certainement pas l'attribut de l'expérience juive, mais la conclure ainsi revient à la banaliser par effet de comparaison, et vide l'histoire et le politique de toute signification. La reconnaissance de la spécificité est primordiale pour comprendre la problématique de l'exil par exemple, et au-delà, celle de la responsabilité et du jugement, deux notions fondamentales dans la pensée d'Arendt (2005), pour ne pas être seulement un autre parmi les autres. Toute appartenance, affiliation, identification ne s'équivaut pas. La radicalité par laquelle le totalitarisme a tenté d'évincer *toute* trace d'altérité — et pas seulement juive — rappelle néanmoins la nécessité de reconnaître l'autre dans son existence propre. Cette nécessité concentre toute la problématique du minoritaire et de sa politique.

---

21.   Lettre d'Hannah Arendt à Karl Jaspers, 24 mars 1930, *op. cit.* : 102.
22.   Lettre de Karl Jaspers à Hannah Arendt, 23 août 1952, *op. cit.* : 111-112.

L'affirmation de sa judéité vient souligner le droit d'exister en tant que tel et de répondre de ce nom dans toute situation, qu'elle soit dans la condamnation du fonctionnaire nazi Eichmann, comme dans celle de la coopération des Conseils juifs (Arendt, 1963). D'une part, elle ne revient pas du procès où l'avait envoyé le *New York Times* avec la description du monstre que l'on attendait d'elle. Au contraire, ce procès lui a permis de se rendre compte de « la banalité du mal », de la normalité déstabilisante du haut fonctionnaire nazi Adolf Eichman, « un citoyen respecteux de la loi » (Arendt, 1963 : 1149), « une personne moyenne, *normale*, ni faible d'esprit, ni endoctrinée, ni cynique [...] absolument incapable de distinguer le bien du mal » (Arendt, 1963 : 1044). D'autre part, c'est elle qui est accusée de manque de compassion et de haine de soi quand elle écrit, « toute la vérité, c'est qu'il existait des organisations de la communauté juive, des associations de secours et d'entraide à l'échelle tant nationale qu'internationale. Partout où les Juifs vivaient, il y avait des dirigeants juifs, reconnus comme tels, et cette direction, presque sans exception, a coopéré, d'une façon ou d'une autre, pour une raison ou pour une autre, avec les nazis » (Arendt, 1963 : 1139). Aucune extériorité ne permet de comprendre les raisons de ce choix de prendre part à la machine nazie. Pensant sans doute qu'ils pourraient mieux négocier la vie d'un certain nombre contre celle d'un certain autre, les Conseils juifs ont, selon Arendt, facilité le travail administratif et le rendement des déportations. En d'autres termes, en mettant de l'ordre dans le chaos, en jouant le jeu du dominant, le minoritaire s'est annihilé. La polémique qu'a suscitée la publication de son livre montre à quel point Arendt déstabilise le cadre des catégories de pensée. Son jugement est dur, peut-être, ou sans doute, injuste. Mais il engage une nécessité de conscience et de responsabilité pour ne pas faire de l'histoire un mythe.

La « question juive », ou le « nom juif » n'est pas la question *des* Juifs, mais c'est bien *par* la judéité qu'elle se pose. Pris individuellement, les Juifs, quelle que soit leur position sociale, privée ou publique, sont traversés vis-à-vis de leur judéité par l'interpellation de cette existence spécifique, collectivement nommée, qu'ils la rejettent ou qu'ils l'acceptent. Sociologiquement ou historiquement, les Juifs ne sont pas confrontés au *choix* de leur identité, mais plutôt à la *responsabilité* des actes, des représentations et des associations qu'ils sont prêts ou non à assumer sous ce nom selon leur propre jugement. Être juive, pour Arendt, est une responsabilité éclairée de son être né dans le monde qui est le sien, être totalement dans la liberté de ce qui lui appartient.

III. LE SPECTACLE DE L'AUTRE

À cette liberté qui incombe à Arendt, à la natalité qu'elle intègre pleinement dans sa vie, à la double révolution de Pierre-Benny Victor-Lévy, Fanon leur oppose une visibilité inaltérable, une impossible transformation, un ordre irrévocable. Sa différence à lui fait spectacle. Sa natalité est prédestinée. Partout depuis l'impérialisme européen, le Noir est soumis à son extrême contraste sensoriel. Le Noir est paralysé par l'extrême vacuité de son identification. La distinction porte à réflexion.

1) Réponse de Frantz Fanon à Jean-Paul Sartre

1. *L'impossible rupture des damnés de la terre*

Fanon reprend la logique sartrienne des *Réflexions* à son compte. Pour le majoritaire sartrien, le racisé n'existe que parce qu'il y a un raciste. Autrement, il est un homme comme les autres. À cela, Fanon renvoie précisément le Juif à sa facticité, celui qui aurait pu ne pas être. À l'irrémissibilité de l'être juif, Fanon répond :

> Le Juif peut être ignoré dans sa juiverie. Il n'est pas intégralement ce qu'il est. On espère, on attend. Ses actes, son comportement décident en dernier ressort. C'est un Blanc, et, hormis quelques traits assez discutables, il lui arrive de passer inaperçu. (Fanon, 1952 : 93)

Le Juif est juif par hasard, et d'ailleurs, il *peut* vivre comme s'il ne l'était pas. D'autres n'ont-ils pas annoncé après lui que les Juifs sont en effet devenus des *white folks*, à l'instar des Irlandais aux États-Unis[23] ? Fanon établit un écart dans l'effet de réalité entre une appréhension radicale de la visibilité et ce qui nécessite une reconnaissance plus médiate. Autrement dit, cette reconnaissance mobilise un savoir plus élaboré et donc moins efficace. L'insoumission aux critères de la race construite par le raciste est peut-être plus insupportable quand cet autre racisé ne répond pas à ses critères.

Un peu plus loin sur la même page, Fanon définit la différence avec le Noir :

> Le Juif n'est pas aimé à partir du moment où il est dépisté. Mais avec moi, tout prend un visage *nouveau*. Aucune chance ne m'est permise. Je suis sur-déterminé de l'extérieur. Je ne suis pas l'esclave de « l'idée » que les autres ont de moi, mais de mon apparaître. (Fanon, 1952 : 93)

Selon lui, sa détermination est totale et définitive. Noir, Martiniquais, psychiatre et écrivain, il s'adresse à un Blanc, Français de la métropole, philosophe de l'existentialisme. La Martinique est une culture *créole*, issue d'une rencontre inégalitaire entre colons blancs et colonisés (autochtones ou déplacés). Une culture diasporique tant l'« Afrique » y constitue une origine essentielle, originelle et immanente, portée par la *trace* de la couleur. Le noir comme stigmate de cette expérience originelle et traumatique. Fanon interpelle et rappelle la condition de l'être noir qui prend selon lui (au risque d'une extrapolation), un effet de réalité qui se passe de discours, d'« idée ». La couleur parle pour elle-même, elle fait pouvoir. Il n'y a pas d'« idée » déterminante, car l'idéologie atteint le Noir dans le corps, dans son intégrité corporelle.

> La visibilité des Noirs est inaltérable et permanente. Ce n'est pas une question triviale. Sur la scène publique où rien ne compte qui ne puisse se voir et s'entendre, la visibilité et le caractère audible sont de prime importance. Soutenir que ce sont purement et simplement des apparences extérieures, c'est éluder la question. Car ce sont précisément des apparences qui « apparaissent » en public, et les qualités internes, dons du cœur ou de l'esprit, ne sont politiques que dans la mesure où leur détenteur souhaite les exposer en public, les placer sous les projecteurs du marché. (Arendt, 1959 : 224)

---

23. Cf. Noel Ignatiev (1996) et Karen Brodkin (1999).

Le Noir est Noir parce qu'il est noir. L'usage de la majuscule se montre ici parti-culièrement utile et indispensable. Il soutient la condition sociale et humaine qui découle de ce «caractère» surdéterminé. C'est un effet d'immanence à partir de la sur-face, de ce qui apparaît comme évident et immédiat. L'analyse critique de Georges Didi-Huberman de l'art minimaliste rend parfaitement compte de ce jeu de réalité : «Toujours devant cette œuvre vous voyez ce que vous voyez, toujours devant cette œuvre vous verrez ce que vous avez vu : la même chose. [...] Cela pourrait s'appeler un objet visuel tautologique» (Didi-Huberman, 1992 : 33). C'est un évidement de l'image, réduite à la nature, au plus nu de ce qui *est*. C'est «une tentative d'*éliminer toute tem-poralité* dans ces objets de manière à les imposer comme des objets à voir toujours immédiatement, toujours exactement comme ils sont». La naturalité de ce qui appa-raît *objectivement* sous-entend une absence de préjugé.

2. Le Noir est pris dans l'idéologie

Les prémisses de l'évidence, de «ce qui s'impose à l'esprit» sont bien préconstruites, pré-constituées par ce que Gramsci appelle le répertoire du «sens commun». C'est un «régime de savoir», pour employer une expression foucaldienne, qui est un système d'équivalence, «le jeu d'une identité» (Foucault, 1971 : 37), par lequel ce qui s'affirme comme réel est réel. Or, l'immédiateté est une illusion. Le regard porté sur le Noir est une construction idéologique dont la médiation s'est dissoute par l'incorporation com-plexe et organisée d'un système de représentation propre à une société. Si bien que la distinction que Fanon fait entre l'*apparaître* et l'*idée* ne provient, en réalité, que d'un même processus idéologique parce que, dit Hall, la signification ne dépend plus de «ce que sont les choses», mais de la manière dont celles-ci sont signifiées. Le corps est en effet, de l'intérieur comme de l'extérieur, le lieu de rencontre de l'individu et du collectif, la matérialité de l'existence. Le «spectacle de l'autre», selon l'analyse gramscienne de Hall (2007 : 81-120 et 1997 : 223-279), produit un effet de réalité. Pour Colette Guillaumin, l'«apparaître» est en fait un élément secondaire de l'idéologie : «Une dif-férence physique réelle n'existe que pour autant qu'elle est ainsi désignée, en tant que signifiant, par une culture quelconque» (2002 : 96-97). La valeur de l'apparaître est sémantique, «c'est en retour qu'elle se donne pour causale». «Les catégories altéri-sées» sont des catégories raciales au sens latent, «dans la mesure où leur conduite, vue par la société dominante comme particulière, est considérée comme sous-tendue par un caractère somatique» (Guillaumin, 2002 : 95). C'est l'alliage de la différence sociale associée à la biologisation de l'apparence physique qui forme l'efficacité de l'idéologie raciste.

3. Une sortie politique ?

Le Noir n'existe pas. Il est invisible. C'est pourquoi, dans *Les damnés de la terre* (1961), l'émancipation du Noir en tant que Noir, en tant que personne, est pour Fanon impos-sible. Il en appelle à la lutte armée, car contre la «pure violence» du monde colonial, c'est la violence révolutionnaire qu'il lui faut opposer, réunissant une solidarité opprimée panafricaine et au-delà, diasporique, internationale. Il est de ce fait marxiste, mais profondément sartrien (Sartre a d'ailleurs préfacé *Les damnés de la terre*) :

> Le tiers-monde n'entend pas organiser une immense croisade de la faim contre toute l'Europe. Ce qu'il attend de ceux qui l'ont maintenu en esclavage pendant des siècles, c'est qu'ils l'aident à réhabiliter l'homme, à faire triompher l'homme partout, une fois pour toutes. (Fanon, 1961 : 79)

Mais il ajoute :

> Allons, camarades, le jeu européen est définitivement terminé, il faut trouver autre chose. Nous pouvons tout faire aujourd'hui à condition de ne pas singer l'Europe, à condition de ne pas être obsédés par le désir de rattraper l'Europe [...]. Tâchons d'inventer l'homme total que l'Europe a été incapable de faire triompher. (Fanon, 1961 : 239-240)

La réification de son apparaître se fait toute entière révolte. *Les damnés de la terre* s'élève contre le monde colonial qu'il appelle à détruire pour le remplacer par un monde décolonisé, nouveau, fait d'une «autre espèce d'hommes» (Fanon, 1961 : 29). La révolution noire, ou la révolution anticoloniale, doit être une révolution universelle, pour une démocratie postraciale. C'est une internationale pour tous les opprimés, «les forçats de la faim». Fanon vit les dernières années de sa vie en Algérie dont il a adopté la lutte et où il milite pour l'indépendance. Fanon ne veut pas un monde noir, mais un monde où chacun peut prendre place, être un homme parmi les hommes. La révolution se fait porteuse d'espoir, de création et recréation, de reconstruction à partir du rien, à partir du projet de destruction totale de la relation coloniale. Pourtant, aussi contrastant que cela puisse paraître après la lecture des *Damnés de la terre*, il existait néanmoins dans *Peau noire, masques blancs,* une idée de transformation de l'acte de création originelle :

> Je ne suis pas prisonnier de l'Histoire. Je ne dois pas y chercher le sens de ma destinée. Je dois me rappeler à tout instant que le véritable *saut* consiste à introduire l'invention dans l'existence. (Fanon, 1952 : 186)

Les damnés de la terre est un livre de guerre, précise Jean-Marie Domenach, intellectuel français et ancien résistant (Domenach, 1962). Un livre du tout ou rien dont le genre d'antagonisme poussé à l'extrême a déjà servi à des entreprises moins «louables», celles de Mussolini ou de Staline. Selon Domenach, «peut-être faut-il faire un pas de plus que Fanon, cesser de vitupérer l'Europe et son colonialisme, exister par soi-même et non plus contre d'autres».

«Par soi-même» est un bien grand mot. Domenach poursuit : «L'alliance que conclut le meilleur de l'intelligence européenne [elle fut la première à concevoir la libération de l'humanité] avec les pauvres et les opprimés, voilà ce qui continue à féconder le monde entier.» C'est pourquoi la prégnance de l'Afrique est, pour Hall, la condition de la résistance, la possibilité d'une resignification qui s'exprime par la présence de traces africaines dans le langage (vocabulaire, syntaxe, expressions...), dans les modes de vie (coutumes, traditions, mœurs sociales) et dans les diverses productions culturelles et artistiques (peintures, musique, etc.).

2) Stuart Hall et l'étranger diasporique

1. *La barbadité ou le cinétique créole*

Stuart Hall se définit lui-même comme un *métis*, un *hybride* caribéen, aux origines africaine, écossaise, indienne et juive portugaise (Alizart *et al.*, 2007 : 77), tout d'abord considéré par Éric Macé et Éric Maigret comme un «intellectuel britannissime de la *New Left*» (Alizart *et al.*, 2007 : 37), l'(anti)patriarche des *cultural studies*, loin d'imaginer qu'ils découvriraient ensuite que celui-ci était «noir», «jamaïquain» et «immigré de l'intérieur»[24]. Cette anecdote, que Macé et Maigret relatent dans leur livre introductif à la pensée de Hall, est intéressante, car elle résume à elle seule toute la problématique de la représentation et de l'eurocentrisme critiqués par la théorie postcoloniale. Ainsi, dit Hall, «si quelqu'un veut faire de moi l'"autre", il peut le faire de multiples façons. [...] Je suis fait pour être Autre» (cité dans Alizart *et al.*, 2007 : 77). Un Autre emblématique de l'histoire caribéenne qui se fonde sur la «discontinuité historique»: une terre vidée et repeuplée par des populations d'origines diverses (africaines surtout, mais aussi européennes et asiatiques) à partir de l'entreprise du trafic d'esclaves. Voilà le mythe fondateur de l'identité caribéenne que Hall synthétise par cette phrase: «Notre association civile [...] commença par un acte de volonté impérial. Ce que nous appelons aujourd'hui les Caraïbes a été re-fondé dans et par une violence symbolique» (Hall, 2007 : 248). Toute l'organisation des identités caribéennes se base sur cette violence originelle, où chacun est identifié par sa couleur, sa classe, son niveau d'occidentalité:

> C'était donc une société soigneusement, délicatement nivelée, du plus foncé au plus clair, du blanc colonial éclatant au presque blanc, du plutôt brun au plutôt noir et au très noir, etc. Des niveaux de classe, de couleur. C'est ce qu'avaient décidé les colons. La société jamaïcaine est l'une des structures sociales les plus complexes au monde. Je savais faire ces distinctions avant même d'ouvrir les yeux [...]. Je savais quel degré sur l'échelle qui va du blanc au noir ne devait pas être dépassé. (Alizart *et al.*, 2007 : 78)

La pratique du colorisme définit l'ordre social, les limites à ne pas franchir à tous les niveaux de l'échelle des couleurs, jusqu'à un Blanc jamais atteignable malgré la meilleure impression de blancheur, car un anglicisé ne sera jamais un Anglais. Le noir qui, selon Hall, ne serait pas la marque d'une continuité anthropologique, mais celle d'une «histoire qui fut massivement supprimée, déshonorée et désavouée» (Hall, 2007 : 259). C'est ce que Frantz Fanon appelait «l'expérience vécue du Noir», le noir comme signifiant du pouvoir et de la domination, mais aussi signifiant de l'absence, du vide. Un «effet de réel» de la «personnalité concrète».

2. *L'étranger diasporique*

Cette Afrique réappropriée construit l'idée d'une «nation caribéenne» comme «communauté imaginée» au-delà du territoire, et des origines réelles. Car la diaspora caribéenne interpelle la «diaspora noire» dans son ensemble. L'expérience de l'émigration

---

24.   Hall a émigré à 18 ans de la Jamaïque vers la Grande-Bretagne.

des Caraïbes vers les pays du «centre», ceux des colons, en particulier la Grande-Bretagne, crée des relations d'affinité avec des minorités ethniques d'origines diverses. L'expérience de la diaspora, donc de la dispersion, mais aussi de la rencontre entre les dispersés, est une expérience de recomposition permanente des identités culturelles. La barbadité, l'africanité ou encore l'indo-occidentalité peuvent rassembler des individus qui ne correspondent pas physiquement, dans leur apparaître social, à la description suggérée par les termes culturels. Hall cite un artiste qui se décrit lui-même comme «un artiste masculin anglo-américain, créole, indo-occidental, trinidais et indien de la postindépendance, élevé dans le christianisme» et qui relate une anecdote où des «gens instruits» ne comprenaient pas qu'il soit originaire des Caraïbes alors qu'il «a l'air Asiatique» (Hall, 2007: 261). L'origine est un réel «tourbillon», réappropriée, transformée, recomposée à partir d'expériences et de récits divers: «Les cultures, bien entendu, ont leurs "localisations". Mais il n'est plus guère facile de dire d'où elles viennent» (Hall, 2007: 255).

Ainsi, bien que les migrations de retour vers les Caraïbes soient un phénomène notable, l'expérience de la diaspora est bien plus qu'une relation transnationale entre les Caribéens et les émigrés installés en Grande-Bretagne, entre un lieu d'origine et un lieu d'installation. L'individu diasporique est transnational, extraterritorial. C'est un *étranger* par excellence, mais par lequel le dedans et le dehors sont transfigurés. La diaspora est une re-création, une reformulation des origines et des identités culturelles. L'expérience diasporique met l'accent sur la nature profondément dynamique et dialogique de la culture où les rapports de pouvoir et d'autorité sont certes prégnants, mais où aussi, le dominé peut trans-former le dominant, et où globalement l'expression de «l'authenticité» n'a plus de sens. La créolisation est ce mouvement de passage et de désarticulation des signifiants de la domination. Ce pourquoi la langue, le langage sont tellement importants dans toutes les études sur l'idéologie. Hall engage et encourage une politique de l'existence, mais ce n'est pas dans le sujet qu'il voit la possibilité de la nouveauté et de la pluralité, mais dans les productions culturelles, dans l'art, dans «des forces diffuses» qui «échappent au système mondial actuel» (Alizart *et al.*, 2007: 91).

La posture postcoloniale rompt avec une tradition occidentale de mise en silence de soi pour représenter l'universel. Elle réitère la perspective, initiée déjà par la pensée des exilés, des intellectuels juifs d'Europe occidentale (Arendt, mais aussi Walter Benjamin, Theodor Adorno, Siegfried Kracauer, etc.)[25], à une pensée politique et critique qui prend la parole «au nom de», au sein même du savoir légitime et «neutre». La déconstruction de l'illusion de l'essence et du naturel des cultures et des nations ne conduit pas à une indétermination totale des individus et de l'humanité. Elle témoigne au contraire d'une volonté de conscience et d'action à partir de sa propre place, spécifique, différente. À partir d'un récit tragique et d'une réflexion poussée sur les pratiques de la domination et le poids de l'hégémonie, Hall parvient à mettre en lumière

25. Cf. Traverso (2004).

les espaces de batailles et de lutte par lesquels les opprimés se réapproprient une liberté. La position diasporique reste une position en marge, mais fondamentalement moderne, qui expérimente le vécu de la globalisation dans leur corps et dans leur existence. Ainsi, l'identité noire revendiquée devient une identité politique. Une identité qui ne se borne pas (nécessairement) dans un mythe de pureté raciale, mais qui, au contraire, porte la pluralité essentielle à toute humanité. Ce n'est plus de la survivance, mais de la création. À l'instar d'Hannah Arendt qui, à la question : « Qui êtes-vous ? », répondait : « Une Juive », à la question : « Es-tu noir ? », Hall répond : « Oui, bien sûr, je suis noir ! Je suis un intellectuel noir ! » (Alizard *et al.*, 2007 : 78).

CONCLUSION

La nécessité de la naissance situe l'individu dans le monde, dans ses espaces d'action, dans ses rapports de pouvoir, dans ses modalités de lien politiques. Dire qu'il y a une naissance au monde nécessaire, ce n'est pas réduire les identités à une essence fixe, déterminée. Rien ne précède la naissance, dans le sens où le renouvellement n'est conditionné par aucune loi, aucun ordre. Elle ne présage de rien. Une naissance qui, socialement, a des qualités visibles, identifiables, nommables, mais dont le devenir est ouvert. Le minoritaire porte un nom qui fait sens, qui agit et porte à conséquences. C'est parce qu'il n'y a rien d'anodin à cette situation qu'elle est précisément de l'ordre de l'existence. Une existence qui n'est pas politique en soi, mais d'où peut émerger une conscience « d'être au monde » particulière.

Cette conscience, quelle qu'elle soit, concerne certes tout individu, mais cela ne signifie pas qu'il y ait équivalence. Parce qu'il y a une violence, une oppression, une relation de pouvoir intrinsèque à l'émergence de la question minoritaire, quand cette question arrive à se poser, l'ordre idéologique est déjà bousculé. Le politique du minoritaire est ce qui est dans l'espace d'entre-deux. Ce qui crée sa spécificité, c'est sa place, celle d'être dans deux endroits à la fois, normatif et particulier. C'est pourquoi Arendt peut dire à Jaspers qu'ils ne sont pas sur le même bateau. C'est pourquoi aussi, Benny Lévy, au contraire de Sartre, peut s'engager dans un autre ailleurs éthico-politique. Fanon ne parvient pas, ou refuse, d'entrer dans l'entre-deux. Sa rupture est totale et propose une politique du néant pour recréer l'espace-qui-est-entre-les-hommes. L'identification d'un nom présume que l'on s'attend à quelque chose. Or, il n'y a rien de plus déstabilisant qu'un nom qui dit qu'il n'est pas ce qu'il est. Le discours de Monique Wittig sur *La Pensée straight*, prononcé en 1978, a profondément révolutionné le point de vue féministe, comme tout point de vue réceptif à cette politique, par sa fameuse conclusion : « Les lesbiennes ne sont pas des femmes » (Wittig, 1992 : 61). Wittig s'attaque, à l'espace global, à la mise en évidence d'un « régime politique ». Car l'apparition du nom oblige le sans-nom à se nommer, à se reconnaître. En désidentifiant la lesbienne, Wittig crée l'espace vide dans le sens commun, non pas celle reléguée par la norme, subie, mais celle conquise par une sémiologie politique. Hall, pour sa part, incarnerait presque la déconstruction essentialiste par une sur-représentation de la pluralité. Le minoritaire devient politique quand il crée une rupture *avec* le majoritaire, ou avec le pouvoir, le « régime », l'évidence idéologique.

Dans l'espace commun, l'apparition minoritaire est une perpétuelle remise en question du mode d'être normatif, c'est-à-dire, « qui va de soi ». Par la lutte armée, la lutte symbolique, le langage, le dialogue et les engagements de toute autre nature, cette apparition va jusqu'à en transformer les repères. L'ordre apparent du majoritaire est détourné par la variance des réappropriations du nom minoritaire. Le nom se fait politique et réintroduit la pluralité dans le fantasme du monde global commun.

Le monde globalisé, le monde des sans-noms, semble s'orienter à la fois vers une uniformisation accrue des sociétés et des réseaux économiques formés autour des modèles dominants (européens, nord-américains), et vers une explosion identitaire des subjectivités. Il s'inscrit aussi dans une perte du sens du monde entre les hommes, dont l'un des projets communs actuels les plus porteurs est tourné vers la protection de l'humanité, par celle de la nature, le projet de l'écologie, appuyé par des scénarii de catastrophes, voire de fin du monde. Le projet commun est dépolitisé. Il relève de la survie.

La récente élection de Barack Obama à la présidence des États-Unis constitue en cela une révolution. Il ne dit plus « Black is beautiful », mais ouvre la possibilité de dire : « Je ne vous ressemble pas [sous-entendu, vous = le neutre indéterminé], mais je peux vous représenter. » Sa révolution lui a valu un prix Nobel de la paix alors même qu'il venait de commencer son mandat. Pour être élu, il a dû déployer une force communicationnelle extraordinaire de ses « dons du cœur et de l'esprit ». Il est le Juif d'exception de Hannah Arendt, un « spécimen d'humanité », beau, cosmopolite, intelligent, diplômé de Harvard, la plus prestigieuse université américaine et internationale. Pour combler cette distance avec le pouvoir, il porte la responsabilité sacrificielle de l'humanité entière sur sa personne.

Yes we can! Pour être Noir et président, il faut d'abord être un super héros. Son génie, néanmoins, a été de réussir à toucher et à rassembler le monde entier. Son nom a donné une visibilité dans l'ordre anonyme des subjectivités libres et indéfinies. À la grande indétermination de la masse globale, les noms apparaissent avec un projet éthique et politique.

L'espoir se trouve dans la rencontre, dans le passage, dans l'itinéraire de passeurs de frontières.

RÉSUMÉ

Cet article propose de mener une réflexion sur la tension dialectique minoritaire/majoritaire dans une analyse théorique, littéraire et microsociale de l'« apparaître » du minoritaire — l'apparaître étant le « qui » dans le « qui suis-je » qui se déclare ou se signifie dans l'espace social et public. Il s'agira d'appréhender les figures du Juif et du Noir comme des idéaltypes du minoritaire afin d'élaborer une dimension politique spécifique du minoritaire, qui se compose au sein d'une citoyenneté républicaine, individuelle, égalitaire et anonyme. Tout d'abord, nous nous efforcerons d'inscrire cette étude dans une perspective de sociologie politique et morale. Puis, afin de percevoir et d'analyser comment se discute et s'élabore le fait politique et ce qu'implique l'apparition du minoritaire dans le champ social, nous étudierons des textes choisis parmi certains dialogues, correspondances et essais dans le champ des études postcoloniales (Fanon, Hall) et de la « question juive » (Arendt, Sartre).

ABSTRACT

This article proposes to reflect upon the dialectical tension between minority and majority to the level of theoretical, literary, and microsocial analysis of the "appearance" of the minority— appearance being the "who" in the "who am I?" that declares and signifies itself in social and public space. It aims to grasp the figures of the Jew and the Black as ideal types of the minority in order to elaborate upon a specific political dimension of the minority that is constituted within the individuality, equality and anonymity of a republican citizenship. First of all, we will endeavor to carry out this study from the perspective of political and moral sociology. In order to perceive and analyze how political activity is discussed and elaborated and to see what is implicated in the appearance of the minority in the social field, we will study selected texts among certain dialogues, correspondences and essays in the field of post-colonial studies (Fanon, Hall) and the "Jewish question" (Arendt, Sartre).

RESUMEN

Este artículo propone desarrollar una reflexión acerca de la tensión dialéctica minoritario-mayoritario, en un análisis teórico, literario y microsocial del "mostrarse" del individuo del minoritario, donde mostrarse es el "quien" en el "quién soy yo", quien se declara o se anuncia en el espacio social y público. Se trata de aprehender las figuras del Judío y del Negro como idealtipos del minoritario con el fin de elaborar una dimensión política específica del mismo al interior de una ciudadanía republicana, individual, igualitaria y anónima. Inicialmente nos esforzaremos por enmarcar este estudio en una perspectiva de la sociología política y moral. A continvación el fin de percibir y analizar cómo se discute y se elabora el hecho político y qué implica la aparición del minoritario en el campo social, estudiaremos algunos textos escogidos, entre ellos ciertos diálogos, correspondencias y ensayos en el campo de los estudios postcoloniales (Fanon, Hall) y de la "cuestión judía" (Arendt, Sartre).

BIBLIOGRAPHIE

ALIZART, M., S. HALL, É. MACÉ et É. MAIGRET (2007), *Stuart Hall*, Paris, Amsterdam.

ARENDT, H. (2005), *Responsabilité et jugement,* Paris, Payot.

ARENDT, H. (2001 [1993]), *Qu'est-ce que la politique?,* Paris, Seuil.

ARENDT, H. et K. JASPERS (2006 [1985]) « *La philosophie n'est pas tout à fait innocente* », Paris, Payot & Rivages. Rivages.

ARENDT, H. (2005 [1959]), « Réflexions sur Little Rock », *in Responsabilité et jugement*, Paris, Payot.

ARENDT, H. (1994 [1958]), *Rahel Varnhagen. La vie d'une juive allemande à l'époque du romantisme*, Paris, Calmann-Lévy.

ARENDT, H. (1994 [1958]), *La condition de l'homme moderne*, Paris, Calmann Lévy.

ARENDT, H. (2005 [1954]), *La crise de la culture. Huit exercices de pensée politique*, Paris, Gallimard.

ARENDT, H. (1984 [1951]), *Les Origines du totalitarisme*, I, *Sur l'antisémitisme*, Paris, Seuil.

ARENDT, H. (2002 [1948]), *Les Origines du totalitarisme,* suivi de (1963) *Eichmann à Jérusalem*, Paris, Gallimard.

ARENDT, H. (1993 [1946]), *La tradition cachée. Le Juif comme paria*, Paris, Christian Bourgeois.

BERNSTEIN, R. J. (1996), *Hannah Arendt and the Jewish Question*, Cambridge, Massachusetts, The MIT Press.

BHABHA, H. (2001 [1994]), *The Location of Culture*, New York/Londres, Routledge.

BRODKIN, K. (1999), *How Jews Became White Folks and What That Says About Race in America*, Rutgers, Rutgers University Press.

DIDI-HUBERMAN, G. (1992), *Ce que nous voyons, ce qui nous regarde,* Paris, Les Éditions de Minuit.

DOMENACH, J.-M. (1962), «*Les damnés de la terre* (II)», *in* «Les Antilles avant qu'il soit trop tard», Esprit, avril, n° 4, p. 634-645. <http://www.esprit.presse.fr/review/article.php?code=1982>, consulté le 20 décembre 2009.

ELIAS N. et J. L. SCOTSON (2001 [1965]), *Logiques d'exclusion: enquête sociologique au cœur des problèmes d'une communauté*, Paris, Calmann-Lévy.

FACENDIS, D. de (2003), «Hannah Arendt et le mal», *in* DAGENAIS, D. (dir.). *Hannah Arendt, le totalitarisme et le monde contemporain*, Saint Nicolas, Presses de l'Université Laval, p. 52-102.

FANON, F. (2003 [1961]), *Les damnés de la terre*, Paris, Gallimard, La Découverte.

FANON, F. (1971 [1952]), *Peau noire, masques blancs*, Paris, Seuil.

FOUCAULT, M. (2004 [1976]), *Histoire de la sexualité, I, La volonté de savoir*, Paris, Gallimard.

FOUCAULT, M. (2003 [1971]), *L'ordre du discours*, Paris, Gallimard.

GUILLAUMIN, C. (2002), *L'idéologie raciste. Genèse et langage actuel*, Paris, Gallimard.

HALL, S. (2007), *Identités et cultures. Politiques des cultural studies*, Paris, Amsterdam.

HALL, S. (1997), «The spectacle of the "other"», *in* HALL, S. (dir.). *Representation: Cultural Representations and Signifying Practices*, Sage/Open UP, p. 223-279.

IGNATIEV, N. (1996), *How the Irish Became White*, Londres, Routledge.

LAPIERRE, N. (2009), «Lévi-Strauss: le regard rapproché d'Isac Chiva», *Mediapart*. Mis en ligne le 5 novembre 2009. (Réactions de Pierre Ferron, respectivement le 6 novembre et le 8 novembre 2009), <http://www.mediapart.fr/club/blog/nicole-lapierre/051109/levi-strauss-le-regard-rapproche-d-isac-chiva>, consulté le 20 décembre 2009.

LEIBOVICI, M. (1998), *Hannah Arendt, une Juive — Expérience, politique et histoire*, Paris, Desclée de Brouwer.

LEVINAS, E. (2006 [1963]), *Difficile liberté. Essai sur le judaïsme*, Paris, Albin Michel.

LÉVY, B. (2003), *Être juif. Étude lévinasienne*, Paris, Verdier.

LÉVY, B. (2002), *Le meurtre du Pasteur. Critique de la vision politique du monde,* Paris, Verdier-Grasset.

MAURIN É. (2004), *Le ghetto français. Enquête sur le séparatisme social*, Paris, Seuil.

MORGENSZTERN I. (2008), *Benny Lévy. La révolution impossible (La loi du retour)*, France-Allemagne, coproduction SZ Productions/Arte/Ina.

OUAKNIN, M.-A. (2003 [1992]), *Méditations érotiques. Essai sur Emmanuel Levinas*, Paris, Payot & Rivages.

POLIAKOV L. (1968), *Histoire de l'antisémitisme, tome III, De Voltaire à Wagner,* Paris, Calmann-Lévy.

SARTRE, J.-P. et B. LÉVY (1991), *L'espoir maintenant. Les entretiens de 1980*, Paris, Verdier.

SARTRE, J.-P. (2005 [1946]), *Réflexions sur la question juive*, Paris, Gallimard.

SCHOFIELD, C. (2003), «Itinéraire d'un écrivain engagé. Richard Wright le subversif», *Le Monde diplomatique*, août, n° 593, p. 25, <http://www.monde-diplomatique.fr/2003/08/CORYELL/10358>, consulté le 20 décembre 2009.

SIMMEL, G. (1984 [1908]), «Digression sur l'étranger», *in* GRAFMEYER, Y. et I. JOSEPH (dir.). *École de Chicago. Naissance de l'écologie urbaine,* Paris, Aubier, p. 53-59.

SIMON, P.-J. (2006), *Pour une sociologie des relations interethniques et des minorités,* Rennes, Presses Universitaires de Rennes.

TOCQUEVILLE, A. de (1981 [1840]), *De la démocratie en Amérique II*, Paris, Garnier-Flammarion.

TOCQUEVILLE, A. de (2000 [1835]), *De la démocratie en Amérique I*, Paris, Gallimard.

TRAVERSO, E. (2004), *La pensée dispersée. Figures de l'exil judéo-allemand*, Paris, Léo Scheer.

TRAVERSO, E. (1997), *Les marxistes et la question juive*, Paris, Kimé.

WITTIG, M. (2007 [1992]), *La Pensée straight*, Paris, Amsterdam.

WRIGHT R. (1974 [1945]), *Black Boy*, Paris, Gallimard.

YERUSHALMI, Y. H. (1991 [1982]), *Zakhor — Histoire juive et mémoire juive*, Paris, Gallimard.

YOUNG-BRUEHL, E. (1999 [1982]), *Hannah Arendt. Biographie*, Paris, Calmann-Lévy.

Hors thème

L'ambivalence des relations humain-animal

Une analyse socio-anthropologique du monde contemporain

EMMANUEL GOUABAULT

Haute école de travail social (HETS)
28, rue Prévost-Martin
Case postale 80
1211 Genève 4
Suisse
Courriel : gouabault@bluewin.ch

CLAUDINE BURTON-JEANGROS

Département de sociologie
Université de Genève
40, boulevard du Pont d'Arve
1211 Genève 4
Suisse
Courriel : claudine.jeangros@unige.ch

INTRODUCTION

La définition de la frontière entre l'humain et l'animal est culturelle, variable en fonction des époques et des contextes. La relativité de cette frontière et l'ambivalence des relations anthropozoologiques se déclinent aujourd'hui sous différentes formes qui mettent en scène des relations marquées à la fois par la proximité et par la distance. La question de la «bonne» distance entre humains et animaux est mise à l'épreuve par des situations très contrastées : d'un côté, celles générant des risques pour l'humain, telles les faits divers tragiques liés aux chiens dangereux ou les nouvelles épizooties, de l'autre, celles de la personnification d'animaux devenant des emblèmes, que ce soit Flipper le dauphin ou plus récemment Knut, l'ourson polaire du zoo de Berlin, ou encore l'engouement massif pour les animaux de compagnie.

Nous suggérons que l'analyse de cette frontière et de la variabilité de sa porosité permet d'étudier plus largement les transformations du rapport de l'humain à son environnement social et naturel. Les développements de la société moderne — technique et scientifique — ont renforcé la distanciation et la domination des humains sur la nature en général et sur l'animal en particulier. Mais deux tendances contradictoires ont été plus récemment mises en évidence. D'un côté, la frontière humain-animal semble s'effacer dans des rapports anthropozoologiques inédits avec des animaux socialisés à l'extrême; de l'autre, dans la continuité, dès les années 1970, du développement d'une conscience écologiste, l'émergence de nouveaux risques — parmi lesquels les animaux figurent en tant que vecteurs — tend à réaffirmer le besoin d'une barrière infranchissable entre espèces.

En effet, si l'ordre humain et l'ordre animal ont longtemps été considérés comme distincts, les connaissances scientifiques et les pratiques sociales actuelles incitent à penser que la frontière entre ces deux ordres ne va plus de soi. On peut à cet égard parler d'une ambivalence croissante des représentations liées aux animaux si celle-ci est définie avec Weber (2003 [1919]) sur le principe que tout phénomène, quel qu'il soit, participe de la complexité du monde social en un nécessaire « antagonisme des valeurs ». Pour mieux comprendre ce manque actuel de certitudes quant à la bonne place des animaux, et adoptant une approche théorique de type constructiviste, nous proposons ici une synthèse des écrits de sciences sociales portant sur les relations humains-animaux orientée par une réflexion autour de la frontière entre ces deux ordres.

Dans un premier temps, nous aborderons le passage de rapports anthropocentriques aux animaux à des relations plus zoocentriques dans le monde occidental; tout en montrant comment cette nouvelle proximité est mise en péril par la prise de conscience de différents risques associant humains et animaux, que ce soit en termes de danger représenté par les animaux ou de danger pour les animaux. La variabilité de la frontière sera ensuite abordée dans la pluralité des rapports humain-animal, en déclinant les catégories d'animaux usuellement distinguées (de compagnie, de rente et sauvages). Finalement, nous évoquerons comment la question de la frontière est actuellement soulevée dans différentes sphères (scientifique, éthique, sociale et géographique) autour de la place à accorder ou de la distance à maintenir avec les animaux.

LE RAPPORT OCCIDENTAL À L'ALTÉRITÉ ANIMALE

Plusieurs chercheurs comme Thomas (1983), et après lui Digard (1999) et Franklin (1999) soulignent une rupture importante ayant eu lieu au xixe siècle dans notre relation aux animaux. Ce dernier auteur analyse une remise en question de la frontière humain-animal à travers l'émergence, au sein d'une attitude anthropocentrique dominante, d'une sensibilité zoocentrique. Analysons ces deux notions.

De l'anthropocentrisme...

Philosophiquement, l'anthropocentrisme définit une pensée qui ne se préoccupe véritablement que de l'humain, ou pense l'animal dans l'intérêt qu'il peut avoir pour l'humain, jamais pour lui-même, ce qui renvoie à la tradition philosophique occidentale classique (Fontenay, 1998).

Chez Franklin, l'anthropocentrisme est largement associé aux valeurs de la modernité et correspond à une manière instrumentale de penser la relation à l'animal. Rappelons que cette vision de l'animal s'associe par ailleurs à des mauvais traitements sur la voie publique, sanctionnés en France dès 1850 par la loi Grammont, ou encore à des pratiques violentes et néanmoins très populaires comme les combats d'animaux (chien contre chien, chien contre blaireau, etc.). Au xixᵉ, siècle de l'industrialisation et de l'urbanisation, la nature était pensée, de manière générale, comme une source de richesses à exploiter (l'animal y étant au service de l'humain) ou tout au moins comme un espace à domestiquer (Thomas, 1983), *ie* un espace sous domination humaine.

Dualisme nature-culture

La modernité apparaît bien comme un moment civilisationnel de forte tension entre les notions de culture et de nature. Dans ce débat, la culture relève du propre de l'humain (et démarque le civilisé du sauvage), ce dernier étant pensé alors comme un Prométhée qui s'est arraché à son état de nature, entérinant une rupture forte entre lui et son environnement. L'analyse du processus de civilisation par Norbert Elias (1973) souligne bien ce souci de domestication, par le social, de ce qui est perçu comme relevant de l'animalité. En définitive, ce terme d'animalité vise moins à dire « la diversité des manières d'être animal qu'à formuler les limites de l'humain » (*Problèmes politiques et sociaux* [PPS], 2004 : 4) comme l'a écrit la philosophe Florence Burgat. Les animaux ont ainsi fait l'objet, dès l'Antiquité, d'une « zoologie négative » (Pelosse, 1997 : 203) qui vise à définir le concept « animal » en défaut par rapport à l'humain, restituant de ce fait le propre imaginé, fantasmé, de ce dernier.

Cette vision dualiste du monde occidental — « l'ontologie naturaliste » (Descola, 2005) — plonge ses racines dans l'Antiquité grecque où les écrits d'Aristote mettent en évidence l'altérité d'une nature, *« phusis » (idem)*. Or, d'autres cultures ont favorisé d'autres ontologies, comme l'animisme, le totémisme ou l'analogisme. Ces différentes visions du monde ne sont pas nécessairement exclusives les unes des autres et semblent au contraire complémentaires (qui n'a jamais parlé à sa voiture ou à son ordinateur comme s'il s'adressait à une personne?). Pour penser de manière moins dualiste, Descola propose, ainsi que Latour (1991), de considérer la réalité de catégories mêlant humains et non-humains[1] à l'aide des termes d'« existants », pour le premier chercheur, et d'« hybrides » ou de « collectifs » pour le second.

Catégories dominées

Cependant, et malgré cette volonté de penser les hybrides, les analyses dualistes en terme de domination s'avèrent toujours fructueuses. Il existe tout un courant critique relevant des *Cultural Studies*, qui analyse en ce sens la catégorie des Autres, des « vaincus » (animaux, femmes, classes sociales, groupes minoritaires, etc.)[2]. Différentes stratégies permettent le rappel et/ou le renforcement de leur position d'inférieur, rappel hiérarchique tout autant que soulignement d'une « bonne » distance, d'une frontière à

---

1.   Cette assertion est de plus en plus répandue et admise. Voir l'article de synthèse de Phil Macnaghten (2006).
2.   Voir par exemple l'anthologie de Kalof et Fitzgerald (2007) concernant les animaux.

respecter. L'animal, du fait peut-être de son absence de langage parlé, est inévitablement récupéré pour des raisons plus ou moins avouables par les humains qui vont
mettre dans sa gueule, devenue bouche, leurs propres mots[3]. En ce sens, l'analyse des
discours des éthologues, les chasseurs ou encore les écologistes, pour ne citer qu'eux,
permet de révéler le pouvoir de certaines idéologies. Dalla Bernardina (2006) reprend
en effet quelques passages de Konrad Lorenz, un des fondateurs de l'éthologie, comme
celui de la valorisation du loup par rapport au chacal, révélant clairement un jugement
moral emprunt de préjugés.

On le voit, l'anthropocentrisme peut se compliquer d'autres « centrismes » (ethno,
euro, phallo...) et s'accompagner d'anthropomorphisme. Cependant, pour être complet,
il peut être utile de penser d'une manière moins ethnocentrée, pour le coup, cette
notion d'anthropocentrisme. En effet, les exemples ethnologiques sont nombreux qui
soulignent la problématique de l'altérité dans d'autres cultures. Ceux-ci deviennent
interpellant lorsque les membres d'un même groupe se définissent comme les humains
de référence. Par exemple, « Inuit » signifie « les hommes », « le peuple », « les gens » (Cyr
et Vittecoq, 2008). Claude Lévi-Strauss généralise en écrivant que : « L'humanité cesse
aux frontières de la tribu, du groupe linguistique, parfois même du village » (1987
[1952], 21).

.... au zoocentrisme

Le zoocentrisme est défini par Franklin (1999) comme la reconnaissance partielle ou
entière des animaux comme sujets moraux. Cette notion va dans le sens d'une version
empathique et non plus instrumentale des relations aux animaux. Actuellement, en
tant qu'attitude éthique, le zoocentrisme est porté par Singer (1993) et les mouvements
de libération animale[4], ainsi que par Chapouthier (1990) et Burgat (1997) en France.
Cependant, Franklin utilise cette notion de manière plus globale afin de désigner l'évolution de nos pratiques et représentations liées à l'animal.

C'est bien en ce sens que Digard (1999) souligne, en se basant sur l'étude historique
de Thomas (1983), l'évolution des sensibilités au XIXᵉ siècle. Certains animaux passent
en effet du statut d'animal travailleur, doté d'une fonction bien définie, à un statut
d'animal « inutile ». En réalité, l'animal en question est oisif et donc rendu totalement
disponible pour occuper une nouvelle fonction vouée à se populariser au point que
l'on connaît aujourd'hui : celle de *pet*, selon la terminologie anglo-saxonne, ou « animal
de compagnie ». Par ailleurs, ce siècle est aussi celui de la création des sociétés protec-
trices des animaux, des manifestations contre la vivisection (Lansbury, 1985 ; Milliet,
1995b) et des premières lois de protection des animaux (Pelosse, 1981 et 1982).

---

3.   Les titres de deux ouvrages de référence sont explicites de cet état de fait. De Fontenay étudie la
manière dont *Le silence des bêtes* (1998) est interprété par les philosophes de l'Occident à travers les âges. Dalla
Bernardina analyse les discours humains à travers *L'éloquence des bêtes* (2006).

4.   Les thèses de Singer sont issues de celles du philosophe anglais Jeremy Bentham (1748-1832)
dont la doctrine dite utilitariste proposait de créer une morale sur la base de la capacité à souffrir, incluant
donc les animaux.

Historiquement, c'est aussi, rappelle Freud de manière schématique, l'époque où une troisième blessure narcissique a été infligée à l'humanité à travers l'apport de Darwin[5] : «La recherche biologique [...] a réduit à rien les prétentions de l'homme à une place privilégiée dans l'ordre de la création, en établissant sa descendance du règne animal et en montrant l'indestructibilité de sa nature animale» (Freud, 1916: 33).

Depuis la deuxième moitié du xxᵉ siècle, se développent des pratiques pour les animaux qui se calquent sur celles des humains, comme la consommation de services spécialisés (psychologues pour animaux, hôtels, salons de toilettage, salles de sport, etc.). Prenons l'exemple de la Suisse. Elle est équipée depuis septembre 2008, d'un centre spécialisé dans le traitement des cancers d'animaux[6]. Auparavant, en 1992, la Suisse avait ancré la notion de dignité de l'animal dans sa Constitution avant de faire parler d'elle en Europe, en septembre 2008, pour une révision extrêmement précise de la loi de protection des animaux de 1978.

Ainsi le mouvement zoocentrique, enraciné dans le xixᵉ siècle, se serait largement épanoui dans la seconde moitié du xxᵉ au détriment de l'anthropocentrisme dominant. Cependant, tous les animaux ne bénéficient pas de cette empathie et on peut bien établir une typologie des bénéficiaires, ce qui revient à décrire une hiérarchie, comme ont pu le faire Digard (1999) avec son système domesticatoire occidental, ou Arlucke et Sanders (1996) avec leur échelle sociozoologique. Ce qu'on en retiendra pour l'instant c'est qu'en haut de l'échelle se trouvent d'une part, les animaux de compagnie avec lesquels la frontière humain-animal est quasi nulle, et d'autre part les grandes espèces sauvages et menacées, la *Mediagenic megafauna* (Freeman, 1995), avec lesquelles la frontière est maintenue de fait mais rendue très perméable par la fascination qu'elles suscitent en nous (Campion-Vincent, 2002). En effet, les éléphants, les cétacés et les grands singes sont les animaux sauvages les plus fréquemment convoqués lorsqu'il s'agit de trouver un alter ego à l'être humain. Se trouvent en bas de l'échelle les animaux de rente et de laboratoire, qui semblent gagner depuis une vingtaine d'années un peu plus de visibilité sociale, ainsi que les animaux considérés comme dangereux et/ou nuisibles.

Un anthropocentrisme déguisé ?

Malgré le développement actuel de nombreuses manifestations zoocentriques, on peut légitimement s'interroger sur leur sincérité et se demander s'il ne s'agit pas de satisfaire d'autres besoins par ce biais. S'agit-il donc parfois d'un zoocentrisme de surface? Les travaux de Sergio Dalla Bernardina conduisent à penser qu'une apparence de bons sentiments peut tout à fait dissimuler des pulsions moins louables de domination (un anthropocentrisme déguisé), l'amitié humain-animal pouvant apparaître alors comme un modèle de subordination. L'ethnologue met en parallèle «zoophilie» et «ethnophilie»

---

5.   Les deux autres étant dues, l'une à Copernic, qui démontre que la Terre n'est pas au centre du système solaire, et l'autre à Freud, par ses études de l'inconscient.

6.   «Des particules pour les animaux cancéreux», *Le Temps*, 16 octobre 2008.

(Dalla Bernardina, 2006 : 53-78). Il rend ainsi compte d'une inversion à travers un certain primitivisme et, peut-être, d'une culpabilité, selon lesquels nos « anciens vaincus » (indigènes colonisés, animaux nuisibles) sont pleins d'une sagesse qu'il est bon de louer et de retrouver. Digard (1999) aussi est méfiant devant l'affichage de tant d'amour pour les animaux. Aussi met-il en évidence certaines de ses utilisations économiques ainsi que les dérives misanthropiques.

Animaux dangereux et en danger

Par ailleurs, et depuis bientôt une vingtaine d'années, cette nouvelle proximité que nous recherchons avec les animaux est mise en péril par l'émergence de risques (Franklin et White, 2001). Dans le contexte plus général d'une société du risque (Beck, 2001) anxieuse des nombreux dangers associés à des sphères de la vie quotidienne jusqu'alors considérées comme sûres, des risques sont associés aux animaux domestiques : nos compagnons (chiens mordeurs), aux animaux de rente (zoonoses : vache folle, grippe aviaire), mais aussi aux animaux sauvages protégés : réintroduits (lynx, loups, ours) ou non (dauphins, en liberté ou non). Il semble donc que, consécutivement au développement d'un fort désir de proximité avec la nature et ses représentants, une autre tendance, contradictoire, émerge, qui conçoit la nature comme une source de danger et d'insécurité. Les fortes interactions existant entre monde naturel et monde culturel sont ici mises en évidences ; selon Beck *(idem)*, « [o]n assiste à la fin de l'opposition entre nature et société. Ou encore : il devient impossible d'appréhender la nature indépendamment de la société et impossible d'appréhender la société indépendamment de la nature » (146). Or, la prise de conscience des risques pourrait au contraire encourager la réaffirmation d'une frontière claire, qui protège d'un environnement naturel potentiellement menaçant.

Une autre manière d'associer risques et animaux consiste à souligner que les animaux sont mis en danger par les activités humaines. Certains chercheurs, notamment dans les *Animal Studies*, insistent sur la maltraitance des animaux et sur les risques auxquels ils sont soumis, sollicitant par ailleurs des réflexions éthiques sur nos relations aux animaux. D'autres chercheurs en sciences sociales incluent en ce sens l'animal dans leurs études. C'est le cas, pour les animaux sauvages, de Mauz et Granjou (2009) à propos de la gestion d'une population protégée de marmottes, Roussel et Mougenot (2003) pour les ragondins qui sont largement pensés comme « nuisibles », Gramaglia (2003) pour la gestion des goélands qui constituent une espèce protégée envahissante, ou encore Gouabault (2007c) pour les dauphins en captivité. Quelques chercheurs s'intéressent également aux animaux de rente et à leurs conditions d'existence, comme dans le cas des taureaux de corridas (Hardouin-Fugier, 2005) ou des animaux d'élevage industriel — en particulier les porcs (Porcher, 2002). Les animaux de compagnie sont eux aussi considérés comme sujets à risques avec notamment Tuan (1984) qui souligne la cruauté (tout autant que l'affection) à l'œuvre dans les systèmes domesticatoires créateurs de *pets ;* Yonnet (1985) se situe lui aussi dans une perspective critique à l'encontre de nos relations aux animaux de compagnie. Bien sûr, hors des sciences sociales, d'autres écrits de naturalistes, d'écologistes ou de militants, se focalisent largement sur la thématique des animaux en danger. Cette préoccupation pour l'animal victime rejoint la tendance zoocentrique dans laquelle l'animal n'est plus considéré comme un simple objet dont on peut disposer à sa guise.

Autour de ces trois manières de penser les rapports humain-animal — anthropocentrisme, zoocentrisme, appréhension en termes de risques —, nous pouvons souligner combien les représentations et pratiques liées aux animaux se nourrissent d'un jeu sur la distance (Ravis-Giordani, 1995) qui se transforme en fonction des époques et des contextes. Les nuances de la frontière semblent révélatrices de différentes attitudes humaines envers l'environnement: dominatrice et utilitariste lorsque l'anthropocentrisme prévaut, relativiste et parfois anti-utilitariste lorsque les rapports zoocentriques dominent, enfin réflexive dans le cadre d'une conscience aiguë des risques.

DES RAPPORTS PLURIELS AUX ANIMAUX

Il convient à présent de mettre à l'épreuve ces attitudes anthropozoologiques en les associant aux différentes catégories d'animaux classiquement distinguées par les humains. Il existe une diversité irréductible de situations. Il est cependant possible d'en dresser un panorama général en renvoyant à quelques grandes catégories d'animaux, déterminées suivant une perspective heuristique.

L'animal sauvage: le plus distant, le moins dominé par l'humain

«L'émergence des amis des animaux sauvages qui se polarisent sur des espèces phares est un fait social important de ces dernières années» (Campion-Vincent, 2002: 23). Ces animaux, comme les grands félins, semblent d'autant plus fascinants pour le grand nombre, majoritairement urbain, qu'ils sont éloignés et donc plus aisément idéalisables. Le développement d'une conscience écologique apporte par ailleurs son lot de culpabilité, parfois sublimée par le désir de rectifier les erreurs du passé. C'est ainsi que les nuisibles d'hier deviennent les héros d'aujourd'hui, «emblèmes de ces espaces reconquis sur les hommes pollueurs, de cette nature protégée à nouveau équilibrée» (Campion-Vincent, 2002: 34). Les dauphins en sont une étonnante illustration: massacrés aux XIXe et XXe siècles en raison des destructions des filets de coton des pêcheurs et pour la concurrence qu'ils leur imposaient, ils sont devenus un emblème des amoureux de la nature et des environnementalistes (Gouabault, 2007a et 2007b).

Le rapport aux animaux sauvages se trouve notamment questionné par les contextes de la chasse, des exhibitions et des réintroductions. Les deux premiers d'entre eux rendent compte de relations humain-animal très anciennes tandis que le dernier constitue une thématique plus contemporaine.

La chasse

Le statut de la chasse est ambivalent, les chasseurs se présentant eux-mêmes comme des gestionnaires de la faune, fréquemment en concurrence directe avec les écologistes.

Dalla Bernardina (1996), qui a étudié ces conflits, démonte la charge idéologique impliquée dans les pratiques et représentations de ces deux catégories d'acteur. Il met ainsi à jour, chez les chasseurs et les écologistes, un idéal nettement aristocratique et élitiste.

Le rapport à la proie est par ailleurs révélateur d'une érotisation de l'animal, notamment dans les magazines de chasse, ce qui conduit à entrevoir une certaine porosité des frontières entre humains-chasseurs et animaux-proies. Cette orientation de l'imaginaire cynégétique fait écho aux récits folkloriques des mariages entre humains et animaux. Les mondes païen et chrétien du Moyen Âge étaient coutumiers de ces récits mettant en jeu des êtres hybrides ainsi que des métamorphoses, passages d'un état humain à un état animal et inversement (Sax, 1998). Par ailleurs, les connotations sexuelles de la chasse mettent en évidence la virilité de cette pratique et une vision stéréotypée de la femme (pour une analyse des conservatismes entretenus par cette pratique, voir Kalof *et al.*, 2003 et 2004). On retrouve ici l'idée de catégories dominées, parmi lesquelles femmes et animaux sont placés en situation d'infériorité par rapport aux hommes chasseurs.

Cependant, la chasse, par exemple celle du renard, peut aussi être lue comme une « *cultural performance* » (Marvin, 2003) permettant une connexion profonde, affective, dans la vie quotidienne des participants avec le monde naturel, c'est-à-dire l'animal et la nature environnante.

Il faut encore préciser que le choix de l'animal chassé, ou même pêché, n'est pas anodin. L'histoire de la colonisation australienne montre une ambivalence des discours (et des pratiques qui en découlent) entre d'une part une volonté de « britanniser » la nature à l'arrivée des Anglais et d'autre part celle, plus tardive (dès la fin du xixe siècle), de l'« australianiser » à des fins identitaires (Franklin, 1996). Les espèces animales légitimées et donc favorisées ont varié selon le discours, qu'il s'agisse d'animaux, de poissons voire même de végétaux. Cet exemple montre bien les mécanismes de construction sociale sous-tendant les images de la nature.

Les exhibitions

Sperber (1975), dans son étude des quatre principaux types d'exhibition d'animaux, recense le zoo, la foire, le cirque et le delphinarium, genre à part. Dans le premier lieu sont exhibés des animaux exemplaires, images d'une nature « parfaite », car pensée comme pure dans sa sauvagerie même, et « asociale » en ce sens qu'elle n'a pas été contaminée dans sa pureté par l'humain. De cette catégorie sont exclus les animaux malformés, image d'une « antinature », c'est-à-dire imparfaite dans sa monstruosité, et « asociale », sans contact avec l'humain. Ceux-ci sont plutôt destinés au contexte de la foire. Au cirque, si on exige des animaux qu'ils soient parfaits, ils doivent également pouvoir s'écarter, à la volonté du dompteur, de la norme idéale de leur espèce — lions puissants et sauvages. Le delphinarium, lieu tenant du cirque mais s'en écartant à la fois, fait la démonstration d'un animal, d'un côté puissant et vif — norme du genre *Tursiops* —, et de l'autre d'une intelligence et d'une vivacité troublante — norme idéale de l'espèce *Tursiops truncatus* illustrée par Flipper. Par le cirque, les animaux intègrent la société des humains en faisant valoir leur soumission. Au delphinarium, «les dauphins, eux, doivent avoir l'air rassurant, puisqu'il s'agit au contraire de nous inquiéter — mais pas trop — en évoquant, non une faune soumise et intégrée, mais une société animale indépendante et potentiellement concurrente» (Sperber, 1975: 28; Gouabault, 2007c). Thomas (1988) relève ce motif dans la littérature de science-fiction, soulignant que «l'humanité» de l'animal fait de ce dernier un redoutable intrus dans notre monde. Ici, il est bien question de frontière, de distance à conserver, à rappeler (zoos) ou avec laquelle jouer (cirque et delphinarium). On peut en déduire que ce jeu vise la neutralisation de la sauvagerie afin de pouvoir la consommer en toute quiétude.

Pour ce qui est des jardins zoologiques, leur fréquentation et, surtout, leur création ne sont pas récentes et révèlent le souci de rassembler une collection d'animaux, souvent représentée comme un microcosme, sur laquelle règne en maître tel individu ou tel groupe (Baratay et Hardouin-Fugier, 1998; Malamud, 1998). L'histoire de cette institution en montre de nombreuses formes jusqu'aux plus récentes qui s'apparentent à de véritables safaris et revendiquent des objectifs pédagogiques, tels de modernes Noé (Staszak, 2000). Par ailleurs, nous pouvons rappeler les exhibitions «zooanthropologiques» constituées en tant que genre dès le milieu du xixᵉ siècle (Bancel *et al.*, 2004). Les Zoulous, les Eskimos, les Indiens et ces autres «primitifs» qu'étaient les Bretons ou les Siciliens, sont les successeurs des monstres exposés dans les «*Freak shows*» du début de ce siècle. Les «*ethnic shows*» coïncidaient avec une mise en scène de l'ici civilisé (l'institution et ses visiteurs) et de l'ailleurs barbare (l'exotique, animal ou humain). Dans un contexte postcolonial, cette analyse se complexifie puisque le jugement s'inverse, en accord avec l'émergence d'une conscience écologique, valorisant la primitivité et stigmatisant ce «nouveau barbare» responsable de tant de désastres écologiques (Staszak et Hancock, 2002). Les civilisés deviennent donc les respectables indigènes dont le savoir leur permet de cohabiter en harmonie avec les animaux. Les exhibitions les plus populaires aux États-Unis sont celles qui vont jusqu'à reconstituer de vastes espaces naturels.

Les réintroductions

La recherche de la protection des espèces ainsi que leur réintroduction[7] participent de cette aspiration à un retour à une nature sauvage idéalisée. Cependant, le *modus operandi* de cette aspiration n'est pas consensuel et ne manque pas de susciter de nombreux conflits entre naturalistes et protecteurs de la nature d'une part, chasseurs, éleveurs et gens du lieu d'autre part, c'est-à-dire entre conceptions savantes et vernaculaires. Ces visions du monde contradictoires concernent la définition de ce qui est naturel et la bonne distance à établir avec ce qui relève du sauvage et, par extension, du domestique, puisque le domaine de l'élevage est lui aussi concerné. Il est donc question de «la juste place de l'animal» (Mauz, 2002: 129-146).

---

7.   Parfois il ne s'agit pas de réintroduction mais de retour à l'initiative des animaux eux-mêmes. Il en va ainsi de la réapparition des loups en Suisse.

Les tensions, manifestes dans les discours associés à ces réintroductions, mettent à jour nombre de fantasmes et d'angoisses liés à l'animalité de l'humain, qu'il s'agisse du loup (Campion-Vincent, 2002 ; Duclos, 1994 ; Lits, 2005), du loup et de l'ours en tant que couple symbolique (Bobbé, 2002) ou encore du lynx (Campion-Vincent, 1992).

Si le terme de « réintroduction » suggère plus souvent une gestion de ces animaux prédateurs, il faut évoquer une autre fascination, répandue en Europe, pour ce qu'on peut nommer les « grands herbivores indigènes primitifs, archaïques ou encore "pré-historiques" » (Lizet et Daszkiewicz, 1995 : 63). Cette passion concerne, par exemple, les bisons ou certaines races d'équidés (Franche-Montagne du Jura suisse), ou de capridés (la *Nera Verzaschese* du Tessin suisse). Le sociologue peut y lire, comme pour les prédateurs que nous venons d'évoquer, une quête des origines. En effet, une condition fondamentale pour une réintroduction est celle de l'autochtonie avérée de l'animal considéré. Ainsi, le discours identitaire n'est jamais bien loin, notamment dans les cas de préservation de certaines espèces « indigènes » par rapport à d'autres jugées invasives et/ou exotiques. Le sociologue André Micoud (1993) en arrive même à proposer la notion de « sauvage naturalisé vivant », soulignant ainsi l'artificialité du procédé.

Ces différents cas de protection d'espèces animales sont révélateurs de l'arbitraire des choix qui sont faits et, du même coup, de l'ambivalence des pratiques et représentations qui y sont associées.

La relation aux animaux sauvages apparaît donc imprégnée de différentes visions du monde naturel. Certes, la fascination qu'exercent sur nombre d'entre nous ces animaux peut être comprise comme une sensibilité grandissante pour ce qu'ils sont, et nous irions ainsi dans le sens d'un certain zoocentrisme. Cependant, nous vivons pour la plupart à distance d'une nature rêvée, idéalisée, comme celle à laquelle nous adhérons à travers les documentaires animaliers (c'est-à-dire pure, sans humain ; voir Chris, 2006). Aussi l'anthropocentrisme de ce désir de sauvage apparaît assez vite sous le « vernis » de déclarations, parfois naïves, d'empathie et de sensibilité pour des êtres qui, finalement, nous restent largement inconnus.

L'animal de compagnie : le plus proche de l'humain

L'animal de compagnie est constitué aujourd'hui en phénomène social par son importance, quantitativement, en nombre d'individus résidant chez leur propriétaire — ce qui implique le développement d'un marché économique conséquent. Corrélativement, le vécu de ce phénomène prend toute sa dimension dans l'intensité des relations entre ces animaux et leurs maîtres, ces derniers accordant aux premiers un statut privilégié justifié par des sentiments passionnés.

Ainsi, évoquer l'animal de compagnie c'est s'interroger sur son statut d'animal domestique, classiquement opposé au sauvage, et c'est de nouveau se confronter à une ambivalence forte : la domestication implique une relation de dépendance et donc de pouvoir, celle-ci étant largement contrebalancée par des discours et des situations à travers lesquels l'animal apparaît comme un alter ego. Nous nous arrêterons enfin sur

les inquiétudes très contemporaines qui concernent cette catégorie « sociozoologique »
(Arluke et Sanders, 1996).

La frontière sauvage-domestique

On tend à opposer animaux sauvages et animaux domestiques, mais ces catégories
sont-elles réellement pertinentes ? Milliet (1995a), puis Digard (1999) proposent trois
critères permettant de définir tout système domesticatoire. Celui-ci nécessite d'assurer
l'alimentation de l'animal, sa reproduction ainsi que sa sécurité. Les deux chercheurs
soulignent à juste titre que cet état peut être transitoire. Un bon exemple en est le cas
des animaux en maraude comme ces chiens ensauvagés qui peuvent se livrer à des
déprédations sur les troupeaux (Bobbé, 1999). Ces trois critères ne sont pas tous valorisés de la même façon et permettent d'englober nombre de cas d'animaux à la limite
entre domesticité et sauvagerie, tels que les rennes des Iakoutes (Sibérie) ou les taureaux de combat de Camargue (France). Ainsi, « 1° La frontière sauvage/domestique
passe non pas entre différentes espèces, mais à l'intérieur des espèces ; 2° elle n'est pas
imperméable ni fixée une fois pour toutes ; 3° son tracé et ses déplacements dépendent
finalement de l'action de l'homme » (Digard, 1999 : 161). De même, le statut d'animal
sauvage ne saurait être un absolu dans la mesure où certains animaux développent
une forte familiarité avec les êtres humains. Par exemple, les macaques rhésus de la
ville de New Delhi sont si bien intégrés au milieu urbain qu'ils s'introduisent dans les
habitations et se retrouvent en conflits parfois mortels avec leurs occupants[8].

Un rapport de domination

Parmi les animaux domestiques, ce sont bien les animaux de compagnie (*pets* chez les
Anglo-Saxons) qui ont interpellé le plus les sciences sociales. De fait, nos pratiques et
représentations liées à cet animal, souvent jugées excessives, ne manquent pas de générer des questionnements sur l'ambivalence de nos relations aux animaux en général. Il
est pertinent de faire commencer l'histoire du *petishism*[9] lors des XVIIIe et XIXe siècles
alors que chiens et chats ont conquis une nouvelle place, « oisive », auprès de leurs propriétaires. Au contraire, les animaux « fonctionnels » (chiens de garde ou chiens de berger) pouvaient être tués ou abandonnés une fois leur mission accomplie (Thomas,
1983). Dès lors, Digard (1999) relève l'existence d'un système domesticatoire occidental constitué en particulier autour de deux pôles qui opposent animaux de rente et animaux de compagnie, les premiers étant voués à une chosification teintée d'indifférence,
les seconds étant anthropomorphisés à l'extrême. Deux types de modelage des corps
caractérisent ces deux extrêmes : la maximisation des uns et la miniaturisation (infan-
tilisation) des autres. Ses analyses mettent en évidence le rôle du processus domesticatoire comme générateur de pouvoir de l'humain sur l'animal (voir aussi Tuan, 1984).

---

8.   « Des macaques agressifs vivent dans les rues de New Delhi », *Le Monde*, 23 octobre 2007.
9.   En référence au titre proposé par Kathleen Szasz (1968), *Petishism : pet cults in the western world*,
Londres, Hutchinson.

De plus, il souligne le narcissisme dont font preuve nombre de propriétaires, concep-tualisant ainsi ces compagnons comme des miroirs — fonction narcissique — et des faire-valoir — fonction ostentatoire (voir aussi Dalla Bernardina, 2006 et Héran, 1997). En ce sens, les *pets* subviennent à la satisfaction d'une sécurité ontologique (Giddens, 1990), supposant un sentiment de continuité et d'ordre entre événements, qui a été mise à mal par les changements impliqués par la révolution industrielle (Franklin, 1999).

L'*alter ego*

Sur ce thème, la frontière humain-animal est extrêmement ténue puisque bien sou-vent ces compagnons se révèlent être de véritables substituts d'enfants, pédagogique-ment parlant. Les *pets* vivent en effet dans une forme de dépendance leur vie durant, certains étant expressément choisis pour leurs caractéristiques infantiles (Yonnet, 1985). Cette intimité développée entre des humains et des animaux conduit à les penser comme de véritables doubles culturels, des *alter ego* (Brohm, 1997), le couple formant alors, dans le cas des chiens, une « *dog-person dyade* », véritable unité d'acteurs (Arluke et Sanders, 1996). L'humain prête sa voix au chien, les deux vivant une certaine inter-dépendance. À la fois impliqué avec l'autre et impliquant pour l'autre, le chien devient un médiateur entre les acteurs sociaux mais aussi entre l'animalité en nous et hors de nous (Brohm, 1997). De là l'expression « tel maître, tel chien » joliment illustrée par la publicité pour la nourriture pour chien, César, où des portraits d'humains et de chiens sont mis en vis-à-vis[10].

« *Une vipère dans le berceau* »

Cependant, les animaux de compagnie sont tellement entrés dans nos intimités (au niveau du foyer et/ou au niveau de la cité) que l'idée que certains d'entre eux, les chiens qui mordent, les chats infectés par la maladie de Creutzfeldt-Jakob, puissent se chan-ger en menaces incontrôlables est d'autant plus angoissante. Ainsi, le « phénomène pit-bull », fait d'actualité dans les médias français (Digard, 2004), suisses (Darbellay *et al.*, 2008) ou américains (Arlucke et Sanders, 1996), favorise l'émergence de questionne-ments sur la part d'inné et d'acquis dans l'agressivité de ces animaux. Il ressort cepen-dant que si la responsabilité humaine est jugée indéniable, la naturalisation de la sauvagerie de l'animal est finalement l'élément sur lequel s'appuient les premières mesures prises « à chaud » (Darbellay *et al.*, 2008). Il est vrai que dans les taxinomies populaires, l'animal qui mord pour le plaisir (il est pourtant nourri et choyé) est une aberration, ni vraiment domestiqué ni vraiment réensauvagé, et en ce sens un monstre qui se joue des frontières (Bobbé, 1999). Ici, c'est l'humain qui apparaît comme une vic-time de ce jeu sur la « bonne » distance. À cet égard, l'apparition des NAC (Nouveaux Animaux de Compagnie), tels les mygales et les reptiles exotiques, contribue à l'ambi-valence des rapports humain-animal. Leur appartenance à un bestiaire maléfique (du

---

10.   Visible sur <www.koreus.com/modules/news/article1698.html> (consulté le 10 septembre 2008).

moins en Occident) est encore largement ancrée dans nos représentations, associées à des images de danger et de peur (Thomas, 1983).

C'est dans le phénomène de l'animal de compagnie que peut le plus fortement se ressentir et s'observer le développement du zoocentrisme, lorsque l'animal familier n'est plus un simple *pet*, encore trop objet, mais réellement un compagnon, souvent assimilé à une véritable personne (Franklin, 1999). Ainsi, la notion d'« animal domestique dangereux » semble dès lors incompatible avec les représentations dominantes. Les mesures proposées — concernant les animaux — suscitent souvent d'importantes controverses au sein de la population, notamment parmi les propriétaires d'animaux domestiques qui refusent d'assimiler leur *pet* à une catégorie dangereuse. Bien entendu, les analyses critiques qui passent ce phénomène au crible de la notion de domination soulignent la dimension anthropocentrique du phénomène. Nous retrouvons ici cette idée d'un zoocentrisme affiché qui dissimule un anthropocentrisme sous-jacent.

L'animal utilitaire : rendu invisible, le plus dominé par l'humain

Catégorie éminemment fonctionnaliste, l'animal utilitaire sera ici décliné sous deux aspects d'importance pour la société actuelle : l'animal de rente et l'animal comme objet de science.

L'animal de rente

Parmi les animaux domestiques, beaucoup d'entre eux sont réduits à des choses, invisibles aux yeux du plus grand nombre, dont on dispose sans autre préoccupation sentimentale. Il s'agit bien des animaux de rente dont l'élevage et l'abattage ont été mécanisés et systématisés lors de la révolution industrielle. À présent, et depuis plusieurs décennies (les années 1970-1980 en France, à la suite de l'Angleterre), la question du bien-être des animaux de rente est posée (Porcher, 2005 ; Burgat, 1997)[11]. Celle-ci émerge vraisemblablement en réaction à cette exploitation intensive des animaux de rente et du fait du zoocentrisme grandissant, basé en particulier sur le modèle de nos relations aux *pets* (Larrère et Larrère, 1997).

Il faut cependant rappeler la dimension relationnelle, c'est-à-dire communicationnelle et affective, qui lie les éleveurs et leurs animaux dans une relation de proximité, ces derniers étant bien souvent considérés comme des sujets à part entière (Dalla Bernardina, 1991 ; Despret et Porcher, 2007) ; exception faite, bien entendu, des relations en contexte d'élevage industriel où le modèle de la machine animale domine (Porcher, 2006 ; Larrère et Larrère, 1997).

L'ambiguïté réside, d'un point de vue anthropologique, dans la mise à mort des animaux utilitaires dont l'autorisation morale repose en partie sur l'existence d'un système domesticatoire occidental évoqué précédemment (Digard, 1999). En fait, à la suite de

------

11.   Cette question s'accompagne d'interrogations sur le bien-fondé du concept de dignité de l'animal, particulièrement en Suisse (Müller et Poltier, 2000), ainsi que sur celui de compassion en référence à la « pitié » rousseauiste (Fontenay, 1998 ; Burgat, 1997).

l'intense anthropomorphisation et personnification dont les éleveurs peuvent faire preuve à l'attention de leurs animaux, la procédure peut radicalement s'inverser en une réification lorsqu'il s'agit de tuer ces derniers (Dalla Bernardina, 1991). On le voit, le rapport à la mort de l'animal ne va pas de soi et nécessite l'emploi de certaines stratégies, les modes d'abattage industriels ayant cette particularité de diluer la responsabilité de l'acte final (Vialles, 1988 ; Muller, 2008).

Par ailleurs, notre relation aux animaux de rente a été fortement questionnée par les zoonoses[12] de cette dernière décade. Elles ont été une démonstration en acte de la relativité de la notion de barrière entre espèces et ont permis de dévoiler sur la place publique les procédures de l'élevage industriel. Ces cas ont eu pour effet de rappeler que « nous formons avec les animaux d'élevage, que nous le voulions ou non, une communauté dont nous devons connaître les règles, pour leur bien comme pour le nôtre » (Larrère et Larrère, 1997). En ce sens, le cas de la vache folle, auquel les médias ont assuré un important retentissement, a été exemplaire. Cette crise questionnait les excès de la technique et de la rationalisation dans l'élevage, cette maladie apparaissant notamment comme une conséquence méritée : « Ce qui advient est à prendre comme un châtiment qui viendrait sanctionner des erreurs humaines » (Dubied et Marion, 1997 : 121 ; voir aussi Adam, 2000 ; Burton-Jeangros, 2002 ; Washer, 2006). Ici, l'invisibilité qui affecte habituellement les animaux de rente n'a plus joué, bien au contraire. De plus, l'animal n'était pas un responsable actif, il est plutôt apparu comme la victime de mauvais traitements, donc aussi soumis aux risques des activités humaines. Les images télévisées d'abattage en masse ont fortement évoqué d'autres massacres, plus intolérables encore car humains ceux-là. Finalement, ces zoonoses ont certainement contribué à rendre plus visibles les conditions de vie du bétail en contexte industriel, alimentant les préoccupations relevant du bien-être animal et justifiant, en conséquence, la création de labels attribués à la viande ou aux œufs.

L'animal objet de science

Parmi les animaux utilitaires, il faut rappeler l'existence, certes fort discrète (quoique ponctuellement médiatisée), des animaux utilisés en faveur de la science. Les images d'animaux de laboratoire, étudiées par Arluke (1994), oscillent entre celles où l'animal est à la fois un objet impersonnel voire une information, un symbole sacrificiel dédié à la connaissance scientifique mais aussi un être sensible anthropomorphisé. Ce paradoxe permet une identification tout en conservant une distance et de ce fait justifie l'usage de l'animal. Cette ambivalence se retrouve dans les attitudes des publics anglais concernant l'usage et la création d'animaux génétiquement modifiés (Macnaghten, 2004). Cette étude rend compte de tensions dans les représentations entre instrumentalité et empathie, mais souligne que, au fond, la recherche de la préservation de ce qui est naturel reste un argument fort. Si le traitement médiatique du clonage de la brebis Dolly confirme ce qui vient d'être dit (Rader, 2007), il a également

---

12.   Maladies animales qui se transmettent à l'humain.

été révélateur d'une peur sous-jacente : celle de l'application des procédés de clonage aux humains. On trouve de nouveau cette angoisse devant la possibilité d'un glissement de l'animal à l'humain, la possibilité que la frontière devienne floue et que naissent alors des monstres, au moins taxinomiques.

Mais dans ce cas, les individus ayant bénéficié d'une greffe d'un cœur de porc génétiquement modifié sont-ils « porcinifiés » (Saint-Germain, 2003) ? En effet, qu'en est-il des xénotransplantations[13] ? Ici est effectif le glissement qui concrétise, de manière encore non visible, dans la chair de nos contemporains, les hybrides imaginés par l'espèce humaine depuis ses premiers mythes[14]. Peut-on encore parler de « distance avec l'animal » ? Il semble que oui, sous l'angle du risque. Les praticiens doivent rester très prudents quant aux risques de développement de rétrovirus d'un genre inédit (Leroux, 2005), quand bien même l'intégrité génétique des porcs fournisseurs d'organes est modifiée par l'insertion de gènes humains afin d'éviter toute incompatibilité (Saint-Germain, 2005). Cependant, et malgré ce marquage conceptuel des frontières, une fois le procédé enclenché, il y a bien un emmêlement inextricable qui est effectué, ouvrant ainsi une « brèche entre les espèces, faisant communiquer génétiquement l'animal et l'humain » (*ibid.* : 2). Si l'homogreffe[15] apporte déjà un trouble en ce qu'elle transgresse symboliquement la frontière de l'identité personnelle, on peut comprendre que le trouble soit plus important avec le franchissement de la frontière des espèces (Savard, 2005 ; Murray, 2006).

Par ailleurs, outre les préoccupations concernant la transgression de frontières, d'autres questions se posent à l'égard des fournisseurs d'organes. En effet, si la première xénotransplantation médiatisée a été effectuée avec un cœur de primate (1983), les choix se portent bien plus aujourd'hui, pour des raisons pragmatiques[16], sur les porcs. Or, de nouveau, la dimension symbolique est d'importance au vu de la surdétermination de cet animal dans les imaginaires socioculturels, qu'il soit négatif ou positif. Saint-Germain (2005 : 25) pose ainsi la question : « Comment concilier cet état de fait anthropologique avec la rationalité technoscientifique ? »

Dans le cas de nos relations aux animaux utilitaires, il peut sembler évident que domine la tendance anthropocentrique. L'expression qui vient d'être utilisée pour désigner cette catégorie d'animaux le laisse entendre. C'est dans ce sens que vont les observations de Porcher (2006) qui insiste sur la dimension utilitaire de nos relations aux porcs d'élevage, véhiculée, par exemple, par une insensibilisation croissante des travailleurs à ces animaux avec lesquels ils sont en contact. Cependant, les préoccupations pour le bien-être des animaux de rente ou des animaux de laboratoire montrent de manière très nette une sensibilité à leurs besoins, à leur souffrance, en un mot, à

---

13.   C'est-à-dire, le transfert de cellules, de tissus ou d'organes vivants d'origine animale à l'être humain.

14.   Le vocabulaire scientifique emploie lui-même le terme de « chimère » (Hird, 2004).

15.   C'est-à-dire une greffe d'organe ou tissulaire au sein d'une même espèce.

16.   Taux de fécondité, expérience dans l'élevage et la manipulation génétique, peu de préoccupations éthiques dans le public à l'opposé des primates ; pour plus de détails, voir : Daar, 1997.

leur subjectivité. Cette sensibilité s'ancre notamment dans des affaires médiatiques internationales comme celle de la vache folle ou de la grippe aviaire (Burton-Jeangros *et al.*, 2009; Gorin *et al.*, 2009) qui ont mis en cause les conditions dans lesquelles les animaux de rente sont élevés. La tendance zoocentrique se fait ici plus qu'ailleurs revendicatrice et créatrice de lois et de règlements, proposant une renégociation de la frontière humain-animal par la reconnaissance chez ce dernier de caractéristiques qu'il a en commun avec l'humain.

Cette revue nécessairement non exhaustive des rapports anthropozoologiques, dans notre société, nous a permis d'interroger les grandes catégories animalières. Force est de constater qu'aucune d'entre elles n'est caractérisée par des attitudes univoques vis-à-vis de l'animal : fascination de l'animal sauvage devant la réalité de conflits territoriaux, « pur » amour de l'animal de compagnie vis-à-vis de l'« impureté » du déni de son animalité, tension entre instrumentalité et empathie envers les animaux utilitaires. Ces ambivalences se conjuguent toujours avec la notion de distance qui tend à se réduire, comme le montre le développement des sensibilités zoocentriques. Cependant, la proximité à l'animal peut être source d'angoisses, comme en témoignent les thématisations du risque que nous avons évoquées, que ce soit à l'échelle d'un pays (réintroductions), d'une ville, voire d'un foyer (chiens mordeurs) ou encore à l'échelle du génome (xénotransplantations).

Dans la dernière section de cette synthèse, nous évaluerons encore comment ces questions sont actuellement soulevées dans différentes sphères — scientifique, éthique, sociale et géographique — quant à la proximité ou la distance à maintenir avec les animaux.

ENJEUX DE LA DISTANCE AVEC L'ANIMAL

Ces différentes relations nouées avec les animaux renvoient en effet à plusieurs manières de penser la frontière entre humains et animaux. Pour terminer cette réflexion de synthèse, il nous semble opportun de penser cette frontière en lien avec différents niveaux — interconnectés entre eux — de la société humaine. La distance aux animaux se négocie en effet en termes scientifiques ou épistémologiques, éthiques, sociaux ou encore géographiques. C'est l'objet de cette dernière section.

Sur le plan scientifique et épistémologique

Les observations longues de populations de primates effectuées dès les années 1960-1970 ont été décisives pour l'évolution de l'éthologie. Les éthologues ont progressivement envisagé que leurs objets d'observation pouvaient être de véritables sujets (Despret, 2002 et Lestel, 2001). Ce changement est très important puisqu'il permet d'envisager que l'animal peut être un observateur et chercher lui aussi à interagir dans la situation de recherche. C'est bien le constat que fait Frédéric Joulian (1999), toujours en contexte éthologique, avec des primates. De son côté, l'ethnopsychiatre Georges Devereux (1986) nous interpelle sur le fait que la souris de laboratoire n'est pas seulement observée mais qu'elle observe, elle aussi, l'expérimentateur.

Ainsi, si l'observation réciproque est bien réelle dans ce type de situation, elle nous renvoie également à l'image de l'autre (le primate, la souris blanche) en nous, une image en partie fantasmée. Cet autre devient alors la cible de projections relevant de notre subjectivité propre comme l'ont montré les analyses de Caillois (1973) pour la pieuvre, de Thomas (1994) pour le rat, ou celles de Brohm (1997) dans la relation au chien. Devereux (1986) souligne que certains comportements peuvent découler d'une non-conscience de ces mécanismes (absence de contre-transfert dans le jargon psychanalytique), comme le développement d'une agressivité envers l'animal de laboratoire camouflée par le développement d'un protocole expérimental rationnellement justifié. Autre exemple analogue : la divinisation actuelle des dauphins, dans le *New Age*, justifiée par un discours logique qui va jusqu'à masquer certaines réalités (comme la cruauté avérée de certains dauphins eux-mêmes) afin de s'auto-justifier, développant alors un discours paralogique (Gouabault, 2006). Cette nécessité d'une autoanalyse va donc plus loin que la déconstruction durkheimienne des prénotions puisqu'elle va jusqu'à questionner l'intimité du chercheur. Des exemples de ce type sont donnés de différentes manières dans : *Mes démons* (Morin, 1994), « Un chien en Sorbonne » (Voutsy, 1989) ou encore « Enquête sur le "pouvoir thérapeutique" des dauphins » (Servais, 1999).

Sur le plan éthique

En ce qui concerne les relations humain-animal, on peut distinguer deux grands types d'éthique (Lebouc, 2004). Une éthique de nature anthropocentrée postule que les préoccupations éthiques ne s'appliquent qu'à l'humanité ; il s'agit de fait de la grande majorité des philosophies occidentales. Parmi les autres types d'éthique, on peut distinguer des tendances zoocentrées, biocentrées ou écocentrées. Le zoocentrisme inclut l'animal et est représenté par des philosophes comme Tom Regan, Peter Singer, Georges Chapouthier et Florence Burgat. Le biocentrisme, dont Paul Taylor apparaît comme le pilier actuel, considère tous les êtres vivants (en tant qu'organismes individuels) comme s'ils possédaient une valeur inhérente. Enfin, l'écocentrisme cherche quant à lui à dépasser le précédent en accordant une valeur aux systèmes écologiques plus largement, y intégrant le non-vivant.

Les critiques émises à l'encontre du zoocentrisme sont celles de l'anthropomorphisme (*idem*) : dans l'établissement de droits pour les animaux (communauté dans la capacité de souffrance[17]), l'altérité animale serait finalement réduite à des caractéristiques humaines. La frontière est donc repoussée pour englober plus d'existants mais celle-ci se fonde sur des caractéristiques humaines. Il s'agit d'une première forme de zoocentrisme. Il existe cependant une seconde forme, distincte de la précédente et portée par Regan (1983), qui consiste à reconnaître une valeur intrinsèque aux animaux en

---

17.   Un courant éthique se sert de ce critère comme fondement de sa réflexion : il s'agit du pathocentrisme.

tant qu'ils sont « sujets d'une vie », ce qui revient à leur accorder, par défaut, des droits. Cependant, les animaux concernés ne sont que les animaux dits supérieurs.

Nous l'avons souligné, le XXᵉ siècle a vu l'affirmation de diverses tendances zoocentriques. Cependant, et même si les lois évoluent, elles peinent à définir l'animal autrement que comme un « meuble », même si dans le même temps un plus grand respect pour ses besoins est reconnu. On peut saisir dans cette ambivalence une hésitation à remettre en cause la métaphysique du propre de l'humain qui est seule susceptible de bénéficier de la notion de dignité depuis Pic de la Mirandole et Kant (Burgat, 2002). Rappelons que l'avènement du christianisme est pour beaucoup dans le développement d'un rapport au monde anthropocentré. Pourtant, certaines réalisations comme la Déclaration Universelle des Droits de l'Animal (1978)[18] et plus encore l'inscription de la dignité de la créature dans la Constitution suisse viennent ébranler cette vision du monde.

Les législations évoluent clairement selon une tendance zoocentrique, considérant progressivement les animaux comme des autres qui méritent eux aussi d'être pris en compte pour ce qu'ils sont. La mise en place de réglementations concernant le bien-être animal peut être interprétée en ce sens. La question de savoir si on peut se permettre de tuer des animaux pour les manger pointe à l'horizon de ces évolutions, comme en témoigne cet extrait des réflexions de Claude Lévi-Strauss (2001 : 10) méditant sur la maladie de la vache folle :

> Un jour viendra où l'idée que, pour se nourrir, les hommes du passé élevaient et massacraient des êtres vivants et exposaient complaisamment leur chair en lambeaux dans des vitrines, inspirera sans doute la même répulsion qu'aux voyageurs du XVIᵉ ou du XVIIᵉ siècle, les repas cannibales des sauvages américains, océaniens ou africains.

Sur le plan social

Nos développements autour des liens noués avec différentes catégories d'animaux ont donné un bon aperçu des jeux autour des frontières sociales. Pour différencier quelques grands types de relation humain-animal, on peut évoquer la notion d'« échelle sociozoologique » (Arlucke et Sanders, 1996) selon laquelle les relations aux animaux sont hiérarchisées sur un axe s'échelonnant du négatif (les pitbulls) au positif (les *pets*). Il faudrait encore l'affiner en intégrant les valeurs propres à une perspective évolutionniste (de l'infrahumanité à la surhumanité) et sa vision hiérarchique du monde naturel (Renard, 1984). On peut ainsi dresser une échelle avec un pôle correspondant à la bestialité, le centre étant (bien entendu) l'humain et l'autre pôle le surhumain, le divin (Boia, 1995 ; Gouabault, 2006). Cette échelle, appliquée aux relations humain-animal, nous offre un outil d'analyse du bestiaire contemporain qui met en évidence l'importance de la maîtrise de l'animalité. Cette animalité peut être, aux extrêmes de notre échelle, chassée et détruite, dans le cas de la bestialité, ou admirée et encouragée lorsqu'elle est domestiquée, soit par une intégration à la sphère

---

18.   Proclamée solennellement à Paris, le 15 octobre 1978, à la Maison de l'Unesco.

privée, soit par un éloignement contrôlé, virtuellement (films, etc.) et/ou matérielle-ment (zoos, etc.). Ce type de contrôle apparaît bien dans le cas de Knut, le petit ours polaire du zoo de Berlin. Cet animal est devenu une star internationale le temps d'une année (2007), fictionnalisé, personnifié à l'extrême (Gouabault et Dubied, soumis à *Humanimalia*). Dans des cas comme celui-là, l'animal perd tout de son animalité, si ce n'est celle qui excite l'imaginaire et qui fait de lui un « enfant sauvage inversé[19] ». La preuve en est qu'au bout d'une année de médiatisation, l'ours a grandi, est devenu gris, et ne correspondait plus au « Knut » d'avant. Finalement il est devenu beaucoup plus adulte et animal. L'anthropomorphisation forte des animaux, particulièrement visible autour des animaux de compagnie, se manifeste parfois malheureusement au détri-ment de ceux-ci, ce qu'on pourrait qualifier de « zoocentrisme manqué ».

Sur le plan géographique

Le développement de l'urbanisation, l'exploitation des ressources naturelles et finale-ment l'anthropisation intensive des écosystèmes ont conduit à de nouvelles rencontres entre territoires humains et animaux. Celles-ci ne provoquent pas nécessairement de conflits mais parfois une simple superposition des deux espaces. Cependant, cette ren-contre nécessite des adaptations, notamment au niveau de l'imaginaire qui doit assi-miler des transgressions de catégories structurelles comme celles de sauvage et domestique. Il existe un ordre des choses spontanément pensé comme immuable, comme le prouve l'idée de l'existence d'une « juste place de l'animal » (Mauz, 2002). Ainsi, pour les naturalistes interrogés, les loups, connus pour pouvoir vivre dans des milieux anthropisés, voire urbanisés, sont malgré tout pensés comme des animaux des grands espaces sauvages. Autre exemple : confrontés à des bouquetins paissant au fond de la vallée, des éleveurs et des chasseurs affirment que ces animaux ne sont pas à leur place.

Cependant, l'animal peut être perçu, dans son milieu d'adoption, comme vecteur de requalification des espaces (Blanc et Cohen, 2002), notamment en milieu urbain. En ce sens, il est une métonymie de la nature et apporte un ajout de vivant dans un espace perçu comme trop artificiel, générant parfois des pratiques sociales comme le nour-rissage des chats errants de Lyon *(idem)* ou ceux du cimetière du Père-Lachaise à Paris (Delaporte, 1988). D'une manière sans doute moins empathique, la présence de ragon-dins en France crée des liens sociaux et spatiaux, notamment entre agriculteurs, chasseurs et naturalistes, pour des raisons bien différentes. Les premiers cherchent activement à s'en débarrasser tandis que les derniers s'en servent comme un moyen d'affirmer leur mode de gestion de l'espace (Roussel et Mougenot, 2002).

Par ailleurs, cette rencontre des territoires peut conduire le chercheur vers des notions telles que celles d'espèces indigènes et espèces invasives. Nous avons évoqué l'utilisation de l'autochtonie (animaux protégés) et de l'exotisme (animaux chassés)

---

19.   Sur ce thème, voir Brydon (2006) dont l'analyse porte sur l'orque Keiko des films *Free Willy*.

de certaines espèces animales dans l'histoire de l'Australie à des fins identitaires (Franklin, 1996). À l'inverse, la chasse d'animaux indigènes peut devenir la marque d'une revendication identitaire nationale comme l'illustre la chasse à la baleine (et le fait de consommer sa viande) chez les Norvégiens (Kalland, 1994 ; Gouabault, 2007b). Les espèces invasives ou les individus vecteurs de dangers sont souvent affublés d'une nationalité. Cette identification (paradoxale dans une ère de globalisation) offre une maîtrise symbolique du « danger » qu'ils représentent. Ils peuvent donc servir de figures « repoussoirs », voire de boucs émissaires, en accord avec le principe d'externalisation du danger (Joffe, 1999). Dans le même temps, l'identification de l'autre permet l'identification de soi, le regroupement identitaire, comme analysé dans le cas de la menace représentée par les loups norvégiens (Skogen et Krange, 2003). Dans le cas des grandes crises sanitaires, nous avons montré qu'en dépit de la globalisation des menaces, les frontières nationales sont fréquemment sollicitées dans la construction d'un sentiment de sécurité (Gerber *et al.*, à paraître).

Les réflexions associées à ces quatre plans renforcent le sentiment d'une instabilité de la frontière humain-animal et plus encore de l'ambivalence contemporaine des rapports aux animaux. On devrait donc plutôt parler « des » frontières « humains-animaux », sachant que ces deux dernières notions sont, elles aussi, tributaires de variations socioculturelles et temporelles.

CONCLUSION

L'analyse des pratiques et représentations humaines concernant les animaux montre bien que, s'ils sont des éléments de l'environnement naturel, ils sont, tout autant sinon plus, des éléments de l'environnement social. Bien entendu, ce constat n'est plus vraiment nouveau depuis que les sciences de la société interrogent cette interpénétration du naturel et du social. La tendance actuelle est plutôt à la recherche de notions reflétant une certaine hybridité. Nous avons vu Descola (2005) avec ses « existants » et Latour (1997) avec les « hybrides » et surtout les « collectifs », citons encore Deleuze et Guattari (1980) avec leur « devenir-animal » ou Brohm (1997), Yonnet (1985), Thomas (1994) et Gouabault (2006) avec leurs variations sur le thème de l'animalisation de l'humain et de l'humanisation de l'animal. Ainsi, notre réflexion a bien montré que les notions de nature et de culture, de naturel et de social, ne sont jamais instituées une fois pour toutes mais sont toujours renégociées par différents acteurs. L'enjeu est d'importance puisqu'il s'agit d'établir la part de l'un ou de l'autre, et finalement la place de l'humain dans son propre univers.

Dans un premier temps, nous avons interrogé le passage progressif d'une sensibilité anthropocentrique à une sensibilité zoocentrique, tout en incluant un versant plus problématique des relations humains-animaux autour de la notion de risque, où l'animal est à la fois cause de danger et victime de l'humain. Ce passage est apparu de manière plus complexe, dans un second temps, où l'ambivalence de nos relations aux grandes catégories usuelles d'animaux a été surtout révélatrice d'enjeux de pouvoir (sur le monde naturel, sur les animaux, entre humains) et d'enjeux identitaires (définition de soi et de l'autre). Ainsi le jeu entre tendances anthropocentrique et zoocentrique montre ses nuances et les processus qui le sous-tendent. Enfin, nos interrogations sur la notion de frontière ont permis de souligner comment, dans différentes sphères de la vie humaine, la bonne distance est (re)pensée. Le domaine des sciences et de l'épisté-mologie incite une réflexivité poussée du chercheur. Le domaine de l'éthique met en évidence le développement de droits pour les animaux. Sur le plan du social on voit essentiellement se maintenir un modèle hiérarchique des êtres. Enfin, le domaine de la géographie insiste sur la « juste place » de l'animal et sur des notions identitaires. On a ainsi pu voir que les interrogations ne se limitent pas à un débat entre initiés, mais au contraire, interpellent aujourd'hui le rapport des humains aux animaux à différents niveaux de la société, avec des réponses qui restent d'ailleurs souvent peu tranchées.

Il en ressort clairement que, malgré l'important développement d'une sensibilité zoocentrique, l'anthropocentrisme est toujours bien présent. L'ambivalence, présente dans toute relation anthropozoologique, se renforce à travers cette tension entre les deux sensibilités et montre des négociations plus fréquentes et plus présentes dans les représentations sociales relatives aux animaux. Ainsi la « bonne » distance dans notre rapport aux animaux reste éminemment dépendante de son contexte de questionnement et reste, nous l'avons vu, porteuse d'enjeux politiques importants.

RÉSUMÉ

Alors que l'ordre humain et l'ordre animal ont longtemps été considérés comme distincts, les connaissances scientifiques et les pratiques sociales actuelles incitent à penser que la frontière entre ces deux ordres ne va plus de soi. Cependant, si l'interrogation sur l'interpénétration du naturel et du social n'est pas nouvelle, l'enjeu reste d'importance puisqu'il s'agit d'établir la part de l'un et de l'autre, et finalement la place de l'humain dans son propre univers. Nous analysons d'abord ces enjeux à travers le passage de rapports anthropocentriques à des relations aux animaux plus zoocentriques, tout en montrant comment cette nouvelle proximité est mise en péril par la prise de conscience de différents risques associant humains et animaux. La variabilité de la frontière est ensuite abordée dans la pluralité des rapports anthropozoologiques. Finalement, nous évoquons les questions actuellement soulevées dans différentes sphères de la société humaine autour de la place à accorder ou de la distance à maintenir avec les animaux.

ABSTRACT

While the human and animal orders have for a long time been considered as distinct, scientific discoveries and current social practices lead us to consider that the boundary between these two orders is no longer self-evident. However, if the interrogation on the interpenetration of the natural and the social is nothing new, the issue remains important insofar as it establishes the respective share of each and finally the place of the human in its own universe. First, we analyze these questions both in anthropocentric connections and more zoocentric relations to animals, in order to show how this new proximity is put in danger by the awareness of different risks which associate humans and animals. The variability of the frontier between "us" and "them" is then approached within a plurality of anthropo-zoological relations. Finally, we raise questions currently asked in different spheres of human society concerning the place to be given to, or the distance maintained from, animals.

RESUMEN

Mientras que durante mucho tiempo se ha considerado que el orden humano y el orden animal son distintos, los conocimientos científicos y las prácticas sociales actuales incitan a pensar que la frontera entre estos dos órdenes ya no es evidente. A pesar de que la interrogación acerca de la interpenetración de lo natural y lo social no es nueva, la cuestión sigue siendo relevante puesto que se trata de establecer las fronteras entre uno y otro y, en últimas, el lugar de lo humano en su propio universo. Inicialmente analizamos estos elementos a través del paso de relaciones antropocéntricas a relaciones más zoocéntricas con los animales, demostrando a la vez cómo esta nueva proximidad es cuestionada por la toma de conciencia de los diferentes riesgos de asociar humanos y animales. Luego se plantea la variabilidad de la frontera en la pluralidad de las relaciones antropozoológicas. Finalmente, evocamos las cuestiones actualmente señaladas en diferentes esferas de la sociedad humana alrededor del lugar que debe darse o la distancia que debe mantenerse con los animales.

BIBLIOGRAPHIE

Adam, B. (2000), « The media timescapes of BSE news », *in* Allan S. , C. Carter et B. Adam (dir.), *Environmental risks and the media*, Londres, Routledge, p. 117-129.

Arluke, A. (1994), « We build a better beagle : fantastic creatures in lab animal ads », *Qualitative Sociology*, vol. 17, n º 2, p. 143-158.

Arluke, A. et C. R. Sanders (1996), *Regarding Animals*, Philadelphia, Temple University Press.

Bancel, N., P. Blanchard, G. Boëtsch et E. Deroo (dir.) (2004), *Zoos humains*, Paris, La Découverte.

Baratay, E. et É. Hardouin-Fugier (1998), *Zoos. Histoire des jardins zoologiques en Occident (xvie-xxe siècles)*, Paris, La Découverte.

Beck, U. (2001), *La société du risque. Sur la voie d'une autre modernité*, Paris, Éditions Aubier.

Blanc, N. et M. Cohen (2002), « L'animal, une figure de la géographie contemporaine », *Espaces et sociétés*, vol. 110-11, p. 25-40.

Bobbé, S. (1999), « Entre domestique et sauvage : le cas du chien errant. Une liminalité bien dérangeante », *Ruralia*, vol. 5, disponible sur <ruralia.revues.org/ document113.html>, consulté le 10 septembre 2008.

Bobbé, S. (2002), *L'ours et le loup. Essai d'anthropologie symbolique*, Paris, Fondation de la Maison des sciences de l'homme et INRA.

Boia, L. (1995), *Entre l'ange et la bête. Le mythe de l'homme différent de l'Antiquité à nos jours*, Paris, Plon.

Brohm, J.-M. (1997), « Le chien et son double », *Panoramiques*, vol. 31, p. 33-42.

Brydon, A. (2006), « The Predicament of Nature : Keiko the Whale and The Cultural Politics of Whaling in Iceland, Anthropological Quarterly », vol. 79, nº 2, p. 225-260.

Burgat, F. (1997), *Animal, mon prochain*, Paris, Odile Jacob.

Burgat, F. (2002), « La dignité de l'animal, une intrusion dans la métaphysique du propre de l'homme », *L'Homme*, vol. 161, p. 197-204.

Burgat, F. (2004), « L'animal dans vos sociétés » nº spécial de *Problèmes politiques et sociaux*, vol. 896.

Burton-Jeangros, C. (2002), « Risques et incertitude : Stratégies de familles suisses face à la crise de la vache folle », *Revue Suisse de Sociologie*, vol. 28, nº 3, p. 403-423.

Burton-Jeangros, C., A. Dubied, E. Gouabault, D. Gerber, K. Darbellay et V. Gorin (2009), *Les représentations des animaux dans les médias suisses d'information, 1978-2007. De la « brave bête » à « l'altérité menaçante »*, rapport final, Genève, Département de Sociologie, en ligne : <www.news.admin. ch/message/?lang=fr&msg-id=27095>, consulté le 28 juin 2009.

Caillois, R. (1973), *La pieuvre. Essai sur la logique de l'imaginaire*, Paris, La Table ronde.

Campion-Vincent, V. (1992), « Apparitions de fauves et de félins-mystères en France », *in* Campion-Vincent, V. (dir.), *Des fauves dans nos campagnes*, Paris, Imago, p. 13-54.

CAMPION-VINCENT, V. (2002), « Les réactions au retour du loup en France. Une tentative d'analyse prenant "les rumeurs" au sérieux », *Le monde alpin et rhodanien*, vol. 1-3, p. 11-52.

CHAPOUTHIER, G. (1990), *Au bon vouloir de l'homme, l'animal*, Paris, Denoël.

CHRIS, C. (2006), *Watching Wildlife*, Minneapolis, University of Minnesota Press.

CYR, D. et F. VITTECOQ (2008), « *Inuit*, un mot qui ne fait plus exception », *L'actualité langagière*, vol. 5, n° 2, www.bureaudelatraduction.gc.ca/

index.php?lang=francais&cont=1210, consulté le 10 septembre 2008.

DAAR, A. S. (1997), « Ethics of Xenotransplantation : Animal Issues, Consent, and Likely Transformation of Transplant Ethics », *World Journal of Surgery*, vol. 2, p. 975-982.

DALLA BERNARDINA, S. (1991), « Une personne pas tout à fait comme les autres. L'animal et son statut », *L'Homme*, vol. 120, p. 33-50.

DALLA BERNARDINA, S. (1996), *L'utopie de la nature. Chasseurs, écologistes et touristes*, Paris, Imago.

DALLA BERNARDINA, S. (2006), *L'éloquence des bêtes. Quand l'homme parle des animaux*, Paris, Métailié.

DARBELLAY, K., D. GERBER, C. BURTON-JEANGROS et A. DUBIED (2008), « Les chiens méchants, une nouvelle figure de dangerosité », *Ethnozootechnie*, vol. 84, p. 131-140.

DELAPORTE, Y. (1988), « Les chats du Père-Lachaise. Contribution à l'ethnozoologie urbaine », *Terrain*, vol. 10, p. 37-50.

DELEUZE, G. et F. GUATTARI (1980), *Mille Plateaux - Capitalisme et schizophrénie 2*, Paris, Éditions de Minuit.

DESCOLA, P. (2005), *Par-delà nature et culture*, Paris, Gallimard.

DESPRET, V. (2002), *Quand le loup habitera avec l'agneau*, Paris, Les empêcheurs de penser en rond.

DESPRET, V. et J. PORCHER (2007), *Être bête*, Paris, Actes Sud.

DEVEREUX, G. (1986), *De l'angoisse à la méthode dans les sciences du comportement*, Paris, Flammarion.

DIGARD, J.-P. (1999), *Les Français et leurs animaux : ethnologie d'un phénomène de société*, Paris, Fayard.

DIGARD, J.-P. (2004), « La construction sociale d'un animal domestique : le pitbull », *Anthropozoologica*, vol. 39, n° 1, p. 17-26.

DUBIED, A. et P. MARION (1997), « La crise de la "vache folle", Entrecôte et peurs ancestrales », *in* MARION, P. (dir.), *L'année des médias 1996*, Louvain-la-Neuve, Academia-Bruylant, p. 117-125.

DUCLOS, D. (1994), *Le complexe du loup-garou : La fascination de la violence dans la culture américaine*, Paris, La Découverte.

ELIAS, N. (1973), *La civilisation des mœurs*, Paris, Calmann-Lévy.

FONTENAY, E. de (1998), *Le silence des bêtes*, Paris, Fayard.

FRANKLIN, A. (1996), « Australian hunting and angling sports and the changing nature of human-animal relations in Australia », *Australian & New Zealand Journal of Statistics (ANZJS)*, vol. 32, n° 3, p. 39-56.

FRANKLIN, A. (1999), *Animals and modern cultures. A sociology of Human-Animal in Modernity*, London-California-New Delhi, Sage Publications.

FRANKLIN, A. et R. WHITE (2001), « Animals and modernity : changing human-animal relations, 1949-1998 », *Journal of sociology*, vol. 37, n° 3, p. 219-238.

FREEMAN, M. (1995), *Elephants and Whales : Resources for Whom ?*, Oxford, Taylor & Francis.

FREUD, S. (1916), *Introduction à la psychanalyse*, 3ᵉ partie, version numérique, <classiques.uqac.ca/classiques/freud_sigmund/intro_a_la_psychanalyse/intro_psychanalyse.html>, consulté le 10 septembre 2008.

GERBER, D., C. BURTON-JEANGROS et A. DUBIED, (2010, à paraître), « Animals in the media : new boundaries of risk ? », *Health Risk & Society*.

GIDDENS A. (1991), *The Consequences of Modernity*, Cambridge, Polity Press.

GORIN, V., A. DUBIED et C. BURTON-JEANGROS (2009), « Une redéfinition de la frontière Humain-Animal à travers les images des médias d'information suisse », *Studies in Communication Sciences*, vol. 9, n° 2, p. 191-220.

GOUABAULT, E. (2006), *La résurgence contemporaine du symbole du dauphin. Approche socio-anthropologique*, doctorat de sociologie, sous la direction du professeur J.-B. RENARD, Université Paul-Valéry, Montpellier III ; disponible sur <www.anrtheses.com.fr>.

GOUABAULT, E. (2007a), « Le dauphin, symbole contemporain d'une remythologisation de la cité. Étude de l'imaginaire dans les sciences sociales », in VIALA L., S. VILLEPONTOUX et J.-P. VOLLE (dir.), *Imaginaire, territoires, sociétés*, Université Paul-Valéry, Montpellier III, p. 357-366.

GOUABAULT, E. (2007b), « Le dauphin. Stéréotype, contre-stéréotype, symbole », in BOYER H. (dir.), *Stéréotypage, Stéréotypes*, vol. 2, Paris, L'Harmattan, p. 109-118.

GOUABAULT, E. (2007c), « Petite mythologie du delphinarium. Antibes et ses dauphins », *Le Sociographe*, vol. 23, p. 71-81.

GOUABAULT, E. et A. DUBIED et C. BURTON-JEANGROS (2010 ; soumis), « Animals As (Super) Individuals. The process of personification in the medias », *Humanimalia*.

GRAMAGLIA, C. (2003), « Humains et goélands : interactions et conflits de proximité en Languedoc-Roussillon », *Espaces et sociétés*, vol. 110-11, p. 167-188.

HARDOUIN-FUGIER, E. (2005), *Histoire de la corrida en Europe du XVIIIe au XXIe siècle*, Paris, Connaissances et Savoirs.

HIRD, M. J. (2004), « Chimerism, Mosaicism and the Cultural Construction of Kinship », *Sexualities*, vol. 7, n° 2, p. 217-232.

JOFFE, H. (1999), *Risk and "the Other"*, Cambridge, Cambridge University Press.

JOULIAN, F. (1999), « Observer les primates dans la nature. Réflexions anthropologiques autour de l'habituation », *Gradhiva*, vol. 25, p. 79-91.

KALLAND, A. (1994), « Super Whale : The Use of Myths and Symbols in Environmentalism », in The High North Alliance, *11 Essays on Whales and Man*, Reine, Georg Blichfeldt.

KALOF, L. et A. FITZGERALD (2003), « Reading the trophy : exploring the display of dead animals in hunting magazines », *Visual Studies*, vol. 18, n° 2, p. 112-122.

KALOF, L., A. FITZGERALD et L. BARALT (2004), « Animals, Women and Weapons : Blurred Sexual Boundaries in the Discourse of Sport Hunting », *Society & Animals*, vol. 12, n° 3, <www.psyeta.org/sa/sa12.3/kalof.shtml>, consulté le 11 septembre 2008.

LANSBURY, C. (1985), *The old brown dog : Women, Workers, and Vivisection in Edwardian England*, Madison, University of Wisconsin Press.

LARRÈRE, C. et R. LARRÈRE (1997), « Le contrat domestique », *Le Courrier de l'environnement*, vol. 30 , <www.inra.fr/dpenv/larrec30.htm>, consulté le 11 septembre 2008.

LATOUR, B. (1997), *Nous n'avons jamais été modernes. Essai d'anthropologie symétrique*, Paris, La Découverte.

LEBOUC, M.-F. (2004), *La construction de l'altérité en contexte marchand : le cas de l'animal*, Doctorat en sciences de l'administration, sous la direction du professeur M. AUDET, Université Laval (Canada).

LEROUX Thérèse (2005), « Si la xénotransplantation m'était contée... », *Lex Electronica*, vol. 10, n° 2, <http://www.lex-electronica.org/articles/v10-2/leroux.pdf>, consulté le 30 juin 2009.

LESTEL, D. (2001), *Les origines animales de la culture*, Paris, Flammarion.

MACNAGHTEN, C. (1987 [1952]), *Race et Histoire*, Paris, UNESCO.

LÉVI-STRAUSS, C. (2001 [1996]), « La leçon de sagesse des vaches folles », *Études rurales*, vol. 157-158, p. 9-14.

LITS, M. (2005), « Le retour du loup dans les médias... », *Les cahiers du journalisme*, vol. 14, p. 230-239.

LIZET, B. et P. DASZKIEWICZ (1995), « Tarpan ou Konik polski ? Mythe contemporain et outil de gestion écologique », *Anthropozoologica*, vol. 21, p. 63-71.

MACNAGHTEN, P. (2004), « Animals in their Nature. A Case Study on Public Attitudes to Animals, Genetic Modification and "Nature" », *Sociology*, vol. 38, n° 3, p. 533-551.

MACNAGHTEN, P. (2006), « Nature », *Theory, Culture & Society*, vol. 23, n° 2-3, p. 347-349.

MALAMUD, R. (1998), *Reading zoos : representations of animals and captivity*, New York, New York University Press.

MARVIN, G. (2003), « A passionate pursuit : foxhunting as performance », *The Sociological Review*, vol. 51, n° 2, p. 46-60.

MAUZ, I. (2002), « Les conceptions de la juste place des animaux dans les Alpes françaises », *Espaces et sociétés*, vol. 110-11, p. 129-146.

Mauz, I. (2005), *Gens, cornes et crocs*, Paris, INRA.

Mauz, I. et C. Granjou (2009), « Une expérimentation contestée de contraception de marmottes », *Natures Sciences Société*.

Micoud, A. (1993), « Vers un nouvel animal sauvage : le sauvage naturalisé vivant ? », *Natures, Sciences & Sociétés*, vol. 1, n° 3, p. 202-210.

Milliet, J. (1995a), « Manger du chien ? C'est bon pour les sauvages ! », *L'Homme*, vol. 136, p. 75-94.

Milliet, J. (1995b), « Le statut aléatoire de l'animal familier : les exemples du bouledogue et des animaux de laboratoire », *in* Lizet B. et G. Ravis-Giordani (dir.), *Des bêtes et des hommes*, Paris, CTHS, p. 119-132.

Morin, E. (1994), *Mes démons*, Paris, Stock.

Müller, D. et H. Poltier (dir.) (2000), *La dignité de l'animal. Quel statut pour les animaux à l'heure des technosciences ?*, Genève, Labor et Fides.

Muller, S. (2008), *À l'abattoir, Travail et relations professionnelles face au risque sanitaire*. Éditions de la Maison des sciences de l'homme, Éditions Quae.

Murray, M. (2006), « Lazarus, liminality, and animality : Xenotransplantation, zoonosis, and the space and place of humans and animals in late modern society », *Mortality*, vol. 11, n° 1, p. 45-56.

Pelosse, V. (1981 et 1982), « Imaginaire social et protection de l'animal. Des amis des bêtes de l'an X au législateur de 1850 », parties 1 et 2, *L'Homme*, vol. 21, n ° 4, et vol. 22, n° 1, p. 5-33 et p. 33-51.

Pelosse, V. (1997), « L'animal comme ailleurs », *L'Homme*, vol. 37, n ° 143, p. 199-206.

Porcher, J. (2002), *Éleveurs et animaux, réinventer le lien*, Paris, PUF.

Porcher, J. (2005), « Le "bien-être animal" existe-t-il ? », *Économie rurale*, vol. 285, p. 87-93.

Porcher, J. (2006), « Construire de l'insensibilité dans le travail des productions animales », *in* Peroni, M. et J. Roux, *Sensibiliser. La sociologie dans le vif du monde*, La Tour d'Aigues, Éditions de l'Aube, p. 78-89.

Rader, K. A. (2007), « Scientific animals. Reflections on the laboratory and its human-animal relations, from *Dba* to Dolly and beyond », *in* Malamud R., *A cultural history of animals in the Modern Age*, vol. 6, Oxford-New York, Berg, p. 119-137.

Ravis-Giordani, G. (1995), « La relation à l'animal : un jeu sur la distance », *in* Lizet B. et G. Ravis-Giordani (dir.), *Des bêtes et des hommes*, Pau, section anthropologie et ethnologie françaises.

Regan, T. (1983), *The Case for Animal Rights*, University of California Press.

Renard, J.-B. (1984), « L'homme sauvage et l'extraterrestre : deux figures de l'imaginaire évolutionniste », *Diogène*, vol. 127, p. 70-88.

Roussel, L. et C. Mougenot (2002), « À qui appartient le ragondin ? », *Espaces et sociétés*, vol. 110-11, p. 225-246.

Saint-Germain, C. (2003), « La "porcinification" de la personne humaine. L'effacement médical de la frontière des espèces : le cas de la xénogreffe », *in* Lasvergnas I. (dir.), *Le vivant et la rationalité instrumentale*, Montréal, Éditions Liber, p. 99-118.

Saint-Germain, C. (2005), « La vie revue et corrigée : le cas des xénogreffes », *Lex Electronica*, vol. 10, n° 2, <http://www.lex-electronica.org/articles/v10-2/saint-germain.pdf>, consulté le 30 juin 2009.

Savard, N. (2005), « Artificialisation de la nature et manipulations génétiques du vivant », *Lex Electronica*, vol. 10, n° 2, <http://www.lex-electronica.org/articles/v10-2/savard(2).pdf>, consulté le 30 juin 2009.

Sax, B. (1998), *The serpent and the swan. The animal bride in folklore and literature*, Blacksburg (Virginia), McDonald & Woodward.

Servais, V. (1999), « Enquête sur le "pouvoir thérapeutique" des dauphins. Ethnographie d'une recherche », *Gradhiva*, vol. 25, p. 93-105.

Singer, P. (1993), *Libération animale*, Paris, Grasset.

Skogen, K. et O. Krange (2003), « A Wolf at the Gate : The Anti-Carnivore Alliance and the Symbolic Construction of Community », *Sociologia Ruralis*, vol. 43, n° 3, p. 309-325.

Sperber, D. (1975), « Pourquoi les animaux parfaits, les hybrides et les monstres sont-ils bons à penser symboliquement ? », *L'Homme*, vol. 15, n° 2, p. 5-34.

Szasz, K. (1968), *Petishism : pet cults in the Western World*, Londres, Hutchinson.

Staszak, J.-F. (2000), « À quoi servent les zoos ? », *Sciences Humaines*, vol. 108, dossier : « Homme/animal : des frontières incertaines », p. 42-45.

Staszak, J.-F. et C. Hancock (2002), « L'animal au zoo, enjeu de géographie politique. Le zoo de Mexico, de Moctezuma à l'écologie », *Espaces et sociétés*, vol. 110-11, p. 87-110.

Thomas, K. (1983), *Man and the natural world : changing attitudes in England 1500-1800*, Londres, Allen Lane.

Thomas, L.-V. (1988), *Anthropologie des obsessions*, Paris, L'Harmattan.

Thomas, L.-V. (1994), « L'homme et le rat. Vers une anthropologie de l'animal », *Prétentaine*, vol. 1, p. 109-119.

Tuan, Y.-F. (1984), *Dominance and affection : the mankind of pets*, New Haven-Londres, Yale University Press.

Vialles, N. (1988), « L'âme de la chair : le sang des abattoirs », *in* Farge A. (dir.), *Affaires de sang*, Paris, Imago, p. 141-156.

Voutsy, M. (*alias* J.-M. Brohm) (1989), « Un chien en Sorbonne (vers une anthropologie du chien) », *Quel Corps?*, vol. 38-39, p. 353-385.

Washer, P. (2006), « Representations of mad cow disease », *Social Science & Medicine*, vol. 62, p. 457-466.

Weber, M. (2003 [1919]), *Le savant et le politique. Une nouvelle traduction*, Paris, La Découverte.

Yonnet, P. (1985), « Chiens et chats. Défaire la bête, c'est défaire l'homme », *in* Yonnet P., *Jeux, modes et masses. 1945-1985*, Paris, Gallimard, p. 205-242.

« Le pire est passé.
Maintenant la guerre arrive »

Ethnographie d'une commémoration fasciste en Italie

LORENZO MIGLIORATI

Département d'art, archéologie, histoire et société
Université de Vérone
Via San Francesco, 22
37129 Verona
Courriel : lorenzo.migliorati@univr.it

INTRODUCTION

Fin avril 1945, dans un petit village de l'Italie septentrionale, une colonne de plus de 40 militaires de la Légion Tagliamento, une formation de l'armée de la République Sociale Italienne (RSI), se rendit au Comité de Libération Nationale (CLN) local. Selon les dispositions données, ils auraient dû bénéficier du traitement prévu pour les prisonniers de guerre. Dans des circonstances controversées et pas vraiment encore éclaircies jusqu'à ce jour, les soldats, tous âgés entre 15 et 22 ans, furent fusillés à l'extérieur du cimetière du village par quelques partisans appartenant aux brigades de la région. Le procès, commencé après quelques années, s'arrêta à la phase d'instruction par une déclaration de non-lieu en faveur des accusés, ces faits étant considérés comme des actes de guerre. Or, si l'histoire est écrite, la mémoire s'avère être conflictuelle, tendue vers l'affirmation de la vérité des faits.

Pendant longtemps, on n'a pratiquement pas parlé de cette histoire. Seul un petit groupe de survivants fascistes nostalgiques s'est rendu ponctuellement tous les ans sur les lieux de l'événement pour commémorer d'une manière informelle les soldats morts. Depuis quelques années, toutefois, cet événement est de nouveau un sujet d'actualité grâce au renouvellement du débat à propos de la responsabilité de celui qui ordonna l'exécution. Il y a plusieurs années, un comité informel a été constitué par la claire volonté des anciens combattants de la *Legione Tagliamento* d'honorer la mémoire des militaires fusillés dans le village. En 2009[1], ce comité a été renouvelé avec la participation, à côté des parents et des vieux militaires, de jeunes qui organisent la manifestation annuelle[2].

Les membres du comité sont des gens qui proviennent des pays proches du lieu de la commémoration ainsi que des personnes originaires d'autres parties d'Italie. Les anciens combattants de la *Legione Tagliamento* proviennent pour la plupart du centre de l'Italie, vu que les armées de la RSI étaient composées surtout par des soldats de ces régions. La manifestation est ouverte à tous ceux qui le désirent et les participants se retrouvent tous les ans pour célébrer le «rassemblement des survivants de la Tagliamento et la commémoration du massacre».

Dans les pages qui suivent, nous essayerons de tracer les caractéristiques culturelles de cette commémoration controversée et ambiguë: le rassemblement des survivants de la Tagliamento sur les lieux de l'événement et la célébration de la messe en mémoire des victimes. Avant de procéder à la description de la commémoration, il est toutefois utile de s'arrêter quelque peu sur le contexte politique, civil et culturel dans lequel elle s'insère.

LA MÉMOIRE DE LA RÉSISTANCE DANS LE DÉBAT POLITIQUE ITALIEN

En tant que pratique d'institutionnalisation, c'est-à-dire une «concrétisation» de l'horizon de sens symbolique de la mémoire dans un cours d'action (Berger et Luckmann, 1966), un rituel commémoratif n'est jamais fortuit, s'affirmant plutôt comme le produit d'impulsions sociales qui dépendent grandement du contexte des communautés de mémoire qui le produisent. En ce sens, il s'avère indispensable d'aborder brièvement le thème de la mémoire publique du passé récent en Italie. D'autant plus que l'horizon de sens où la commémoration s'insère est étroitement connexe avec l'affirmation et les modifications des significations que la Résistance a prises au sein du débat public et politique italien, de l'après-guerre jusqu'à nos jours.

À partir de la fin de la guerre, la mémoire publique de la Résistance en Italie a mis en évidence au moins deux traits reconnaissables: d'un côté, son usage comme ressource symbolique pour la construction de l'oubli autour du fascisme qui l'a précédée

---

1.   De l'acte constitutif: «Le Comité est une organisation bénévole, sans profit, d'orientation historico-culturelle complètement indépendante de tout parti politique, qui rassemble les Combattants de la RSI, les familles des Légionnaires tués à *** le 28 avril 1945 et tous les représentants des jeunes générations qui partagent les Valeurs morales du choix républicain opéré après la terrible trahison du 8 septembre 1943 et qui s'engagent volontairement à défendre et à diffuser la vérité historique de ces faits».

2.   L'ensemble commémoratif de l'événement dont traite cet article est composé du «Rassemblement des Vétérans de la Tagliamento et commémoration de l'exécution» à l'endroit où les faits se sont produits (cet article traite de ce sujet); une deuxième commémoration est célébrée dans un village à deux pas du lieu où, après la fin de la guerre, deux militaires de la RSI ont été tués par quelques ex-partisans. Une troisième, à la fin, consiste à faire la «Visite à la tombe des Morts pour la patrie» dans un des cimetières de Rome où, depuis 1947, les restes des militaires fusillés sont enterrés. Pour une analyse des deux autres aspects, je renvoie à une étude systématique de cet ensemble commémoratif.

(Cavalli, 1996 ; Focardi, 2005) ; de l'autre côté, sa structure de « mémoire monumentalisée » et monolithique (Dei, 2007) valorisée par la connotation d'avoir joué un rôle fondateur par rapport à la renaissance démocratique du pays après la dictature. Une mémoire, celle-ci, enracinée surtout dans la valeur sociale et civile des témoignages des partisans. Sur la base de ces prémisses, il est possible d'observer les processus de construction et de modification de la mémoire publique des années 1943-1945, à partir du débat politique et public de l'après-guerre. En général, on peut distinguer trois phases de cette mémoire. Une première, qui concerne la décennie allant de la fin de la guerre jusqu'à la moitié des années 1950 et qui correspond à la première formation d'une mémoire du passé récent. Une deuxième, concernant les années 1960 et 1970, où la politisation du débat sur la valeur et les significations de la Résistance passe en premier plan. Une troisième, qui commence pendant les années 1980 et qui persiste encore de nos jours, où la mémoire publique de la Résistance est mise en crise par une revanche révisionniste qui descend des bouleversements politiques arrivés en Italie au début des années 1990.

À propos de la variété et de la multiplicité des mémoires que l'expérience de la Deuxième Guerre a produites en Italie et chez les Italiens, F. Focardi a utilisé la notion de « mémoire brisée », « qui exprime très bien la pluralité et la différence des souvenirs des Italiens impliqués sous différentes formes dans la guerre » (Focardi, 2005 : 3, je traduis). Il ne s'agit pas seulement de l'opposition classique entre mémoire fasciste et mémoire antifasciste, mais aussi des mémoires liées aux guerres fascistes en Afrique, en Grèce, en Albanie, en Russie et en Yougoslavie, des mémoires des prisonniers en Allemagne, des déportations, des lois raciales, des représailles nazi-fascistes et de la période du fascisme républicain[3]. Toutefois, le sujet le plus intéressant pour ce qui concerne ce travail réside dans l'opposition entre une mémoire génériquement antifasciste et une mémoire fasciste et néofasciste.

La mémoire antifasciste s'impose sous la forme d'un « récit hégémonique » mis en place pour mettre en évidence les différences entre l'Allemagne nazie, impitoyable et atroce, et l'Italie fasciste qui, tout compte fait, n'avait pas commis de crimes aussi graves que ceux des Allemands pendant la guerre. Il s'agit d'une mémoire autoabsolutoire et réticente qui minimise, en effet, les événements des guerres fascistes (1940-1943) en valorisant, au contraire, les années de la Guerre de Libération « au cours de laquelle le peuple italien a pu montrer son authentique volonté dans l'effort contre les fascistes et les Allemands, autant détestés les uns que les autres » (*idem*, p. 13, je traduis).

Contre cette mémoire se distingue, à partir de la fin de la guerre, une mémoire antagoniste d'origine néofasciste selon laquelle la Résistance, loin d'être le moment de la renaissance démocratique qu'on avait voulu présenter, avait été au contraire une impitoyable guerre fratricide : une guerre civile. Ce processus révisionniste avait pour but de « viser à la substitution de l'antifascisme par l'anticommunisme en tant que

---

3.   Egalement appelée « République de Salò », la République Sociale Italienne fut fondée par Benito Mussolini dans l' Italie du Centre et du Nord en 1943 après la chute du fascisme et l'armistice avec les alliés du 8 septembre 1943.

source de légitimation de la République, dans la perspective d'être pleinement reconnu comme force de gouvernement pour la croisade anticommuniste» (*idem*, p. 31, je traduis).

L'effort unitaire des institutions et des partis du gouvernement a assuré, toutefois, que la mémoire des valeurs antifascistes soit sauvegardée et que la Résistance reste légitimée en tant que mythe de fondation de l'Italie républicaine.

C'est à partir des années 1970 qu'émergent clairement les conséquences de l'usage politique de la mémoire de la Résistance. Ce sont les années des contestations syndicales et estudiantines, qui débouchent dans l'«automne chaud» de 1969, mais ce sont aussi les années de la «stratégie de la tension» et du terrorisme. Des événements qui ont mis en danger les institutions républicaines, en produisant un renforcement de l'affrontement entre les instances fascistes et antifascistes. C'est en ces termes qu'il faut lire la convergence entre catholiques et communistes — précédemment interrompue au début de la Guerre froide en 1947 — sur la mémoire de la Résistance en tant qu'élément de fondation de la démocratie à opposer au terrorisme. Il s'agit là de la célèbre politique de «solidarité nationale» qui culmine, en 1978, dans la réponse unitaire de l'État au défi lancé par les *Brigate Rosse* à l'occasion de l'enlèvement et du meurtre d'Aldo Moro, président de la Démocratie chrétienne.

Au cours des années 1990 la mémoire de la Résistance est de nouveau mise en cause par l'avancée des forces politiques de la droite postfasciste qui, après la disparition des partis traditionnels (Parti socialiste, Démocratie chrétienne, Parti communiste) balayés par les enquêtes judiciaires sur la corruption dans la politique, bien connues comme «Tangentopoli», et après la chute du mur de Berlin, ont atteint le gouvernement du pays dans une coalition de centre-droite dirigée par le magnat des médias Silvio Berlusconi.

C'est dans ce contexte qu'on assiste à la multiplication des tentatives d'imposer une autre mémoire de la Résistance et du fascisme, à côté de, où — pour mieux dire — contre la mémoire institutionnalisée antifasciste. Une mémoire qui réhabilite ceux qui ont combattu du côté du fascisme et, en particulier, du fascisme de la RSI, ainsi qu'une mémoire qui passe à travers la culture: on ne doit pas oublier que le parti postfasciste *Alleanza Nazionale* a proposé, en 2000, de réviser et de récrire l'histoire récente de l'Italie dans les livres d'écoles. Une partie des attaques contre la Résistance concerne l'emploi instrumental des atrocités accomplies par les partisans à la fin de la guerre contre les vaincus[4]. Il s'agit d'une tentative finalisée à discréditer la valeur politique de la Résistance dans le but de soutenir des narrations mémorielles et des légitimations politiques différentes.

Dans les derniers temps, donc, à côté de la mémoire antifasciste de la Résistance ont fleuri d'autres mémoires, politiquement opposées, en compétition et en conflit avec la

---

4.   La commémoration dont je parlerai concerne précisément un de ces faits. Au cours des derniers temps, beaucoup de rituels similaires ont fleuri, surtout dans l'Italie du Nord. Il s'agit d'un phénomène que plusieurs témoins de cette recherche ont confirmé.

première. Il s'agit d'une dynamique culturelle qui ouvre un profond conflit de mémoire. On peut le voir dans les célébrations de la fête du 25 avril qui, loin d'être une occasion de recomposition des contrastes grâce à un moment rituel partagé, est devenue la fête de l'opposition de centre-gauche, qui célèbre ainsi des pratiques sociales de plus en plus « fatiguées » et privées de significations partagées.

Dans ce cadre politique et culturel s'insère la commémoration dont nous allons parler. Elle représente un conflit politique qui utilise la mémoire de la violence en tant que ressource symbolique pour, d'un côté, discréditer la narration hégémonique anti-fasciste de la Résistance et délégitimer l'adversaire politique; de l'autre côté, elle accrédite et légitime, au contraire, une reconstruction du passé à partir d'une lecture ouvertement néofasciste, exclue auparavant et jusqu'à ces jours de l'espace politique et public.

Une telle vision génère cependant le risque de perdre le vrai sens des fondements de la mémoire de la Résistance, qui cesse d'être une occasion pour la construction d'une identité nationale à travers un processus de reconnaissance réciproque, pour se retrouver inversée dans l'articulation d'un conflit entre « amis » et « ennemis » sur la base de simplifications historiques soulignées aussi par les pratiques sociales de la mémoire dont la commémoration que nous allons analyser représente un exemple.

LA PERFORMANCE DE LA MÉMOIRE[5]

Le « rassemblement des survivants de la Tagliamento et la commémoration du massacre » constituent l'étape la plus importante et la plus partagée de l'ensemble commémoratif dont ils font partie. La rencontre a lieu tous les ans au printemps, sans une date fixe, au cimetière du village, à l'endroit où les légionnaires furent fusillés. Les promoteurs de l'événement diffusent la communication de la date choisie à travers des invitations personnalisées pour les membres importants du Comité, par Internet et par le bouche-à-oreille informel[6]. À certaines occasions, on a même accroché sur un pont un drap blanc avec l'indication du jour de la commémoration et l'épigraphe : « Les camarades n'oublient pas », le long de la route qui amène de la ville au lieu de la commémoration.

---

5.   Comme on l'a déjà dit, ces notes se réfèrent aux premiers résultats d'une recherche actuellement en cours. Les considérations présentées concernent l'observation ethnographique d'une partie de l'ensemble commémoratif et certains entretiens recueillis auprès de quelques-uns des promoteurs des initiatives. La description présentée dans ces pages concerne les rassemblements de 2007 et de 2008, ainsi que l'analyse de différents matériels iconographiques et vidéo des rassemblements. Certains des événements décrits ont eu lieu seulement en une occasion mais, par souci d'économie narrative, ils sont décrits comme faisant partie d'un seul moment. En particulier, les épisodes de Riccardo et le dialogue entre le curé du village et certains participants ont eu lieu en 2007, alors que la destruction des pierres tombales a eu lieu pendant la nuit qui a suivi la commémoration en 2008. Par respect de la vie privée des témoins, les noms des personnes citées sont inventés.

6.   J'ai trouvé dans le courriel, le 25 avril à 00:31, l'invitation à une des commémorations. Je ne suis pas en mesure de dire s'il s'agit d'un curieux hasard ou non, il reste que le 25 avril, en Italie, on célèbre la Fête nationale de la Libération du nazi-fascisme. Il me semble, pour ce qu'il vaut, un fait intéressant.

La commémoration se déroule selon un ordre structurel bien établi qui est fixé par des multiples répétitions annuelles. Il faut toutefois dire que, malgré le fait que l'ordre rituel de la cérémonie se soit essentiellement stabilisé, l'ensemble commémoratif reste tout de même ouvert à l'introduction de nouveautés et de modifications possibles proposées parfois par les promoteurs[7] : parmi les plus récentes, on compte une marche nocturne aux flambeaux en direction du cimetière et un défilé dans les rues du village comprenant le même nombre de jeunes hommes que les militaires fusillés en 1945. Toutefois, les organisateurs ont préféré remettre à une date ultérieure la réalisation de cette dernière idée parce que «beaucoup étaient d'accord mais beaucoup ne l'étaient pas. Cela avait créé une grande confusion et à la fin on n'a plus rien fait. Et puis, il est même difficile de trouver autant de jeunes. Après tout, tant que la commémoration se fait là-bas d'une certaine façon, c'est faisable, mais après si on dépasse certaines limites, il pourrait y avoir des représailles[8]».

Pendant le rassemblement annuel, le comité organise plusieurs activités : on commence par des interventions sur des thèmes relatifs à la mémoire de l'exécution des jeunes militaires de la RSI, puis on passe à l'attribution du prix annuel «à la personne qui, pendant l'année, s'est le plus distinguée dans l'activité en faveur de ces victimes[9]». Enfin, c'est le repas dominical des participants.

La phase essentielle de la commémoration réside toutefois dans la cérémonie du dimanche matin qui commence avec l'arrivée des participants. Le rite se déroule en deux temps : un premier temps à l'extérieur du cimetière pour la commémoration civile, et un deuxième moment à l'intérieur pour la célébration de la messe en souvenir des morts. Le cérémoniaire de ces deux parties est le père Gianni, un prêtre lefebvrien bien connu dans le milieu de la droite extrême pour son idéologie ouvertement fasciste et pour ses nombreuses participations à différentes activités promues par

---

7.   Depuis quelques années le Comité promoteur a été fondé de nouveau sur la base du comité préexistant formé essentiellement de vétérans de guerre devenus vieux. La modalité avec laquelle le nouveau comité a été constitué et la façon dont on a redonné un nouvel élan à la commémoration sont intéressantes. Luigi, parent d'une des victimes, et faisant partie des promoteurs de la commémoration mais aussi un des principaux animateurs du Comité, me les a décrites : «j'ai reçu de la part de ***, *** est le président du groupe des vétérans de la Légion d'assaut M. Tagliamento qui est vraiment vieux maintenant et il n'arrive plus à organiser les choses. J'ai reçu une lettre, signée par lui, dans laquelle il me chargeait, sans me le demander, il me l'ordonnait... Il m'ordonnait de prendre en main la situation de *** pour faire en sorte que tous les ans cette manifestation ait lieu. [...] Pourquoi ? Moi j'ai compris la raison. Parce qu'à *** peut-être tout le monde est très capable mais tous ne s'entendent pas très bien et alors il a jugé opportun d'attribuer au frère d'une des victimes, auquel il accordait une grande confiance, le rôle d'organisateur qui pourrait unifier tout le monde sous sa direction» (entretien réalisé le 21 juin 2008).

8.   Entretien avec Francesco, un des entrepreneurs moraux de la mémoire de l'événement qui a eu lieu le 5 mars 2009.

9.   Entretien du 21 juin 2008 avec Luigi.

diverses associations politiques ou non, d'inspiration fasciste et néofasciste[10]. C'est lui qui, invité pour la célébration de la messe, se charge aussi d'animer la cérémonie laïque. Il commence en donnant des dispositions sur la formation du cortège et sur l'ordre dans lequel doivent défiler les participants, en partant de la place à côté de l'entrée du cimetière pour aller vers un des murs extérieurs contre lequel les militaires furent fusillés et où on a posé quelques pierres tombales[11].

Le cortège est donc ouvert par le père Gianni qui porte une tunique noire où il a accroché une des médailles de la Légion Tagliamento et une étole mauve. Ensuite défile une couronne de laurier offerte par les survivants et portée par deux jeunes gens du mouvement *Forza Nuova*; elle sera déposée sur la tombe dans le cimetière. Suivent des gonfalons et des fanions de plusieurs formations armées de l'époque fasciste (des combattants et survivants de la RSI, de la Légion « M » Tagliamento, des Arditi d'Italie, d'un étendard noir encadré par les drapeaux de la RSI et du troisième Reich, et d'autres trophées encore). Viennent ensuite tous les participants. De nombreuses personnes exhibent des symboles et des emblèmes fascistes: broches accrochées aux vestes ou aux chapeaux militaires, béret fasciste, chemises noires, chemises avec des inscriptions élogieuses pour la période fasciste. Certains portent même un uniforme militaire complet: bottes militaires, pantalon à la zouave, chemise noire et fez; certains se couvrent les épaules d'un drapeau de combat des forces armées de la RSI (le drapeau tricolore avec l'effigie de l'aigle noir qui serre entre ses griffes un faisceau républicain). Il y a aussi quelqu'un qui exhibe un béret des SS italiennes.

---

10.   Le jugement de quelques-uns des participants au sujet du père Gianni est controversé et je crois que les raisons seront clarifiées dans les pages suivantes. À son propos, Antonio m'a dit: « Son attitude fasciste sans raison me choque peut-être plus que [...] les discours anti-islamiques. C'est un intolérant... Je suis mal placé pour dire que c'est un crétin, mais quelqu'un qui se conduit comme ça doit bien l'être [...]. Il tient ces discours bizarres, il parle de choses auxquelles plus personne d'entre nous n'est attaché » (entretien du 15 mars 2009). Luca, un des promoteurs de la manifestation actuelle, qui n'est pas de la génération des vétérans, par contre, a cette opinion: « C'est une personne qui est très connue dans notre milieu, sûrement... Il croit en ce qu'il fait, puis on peut être d'accord ou pas avec son intégrisme catholique; à juste titre, il défend son opinion. Mais d'autres prêtres...ils ne sont pas si nombreux à être disposés à venir à ces cérémonies [...]. Et puis c'est aussi un ami désormais... » (entretiens du 19 mars 2009).

11.   Après une des commémorations annuelles, les pierres tombales ont été détruites par des inconnus. La mairie qui a accueilli la manifestation s'est chargée de les reconstruire à ses propres frais. Ce geste a été commenté par deux participants à la commémoration. À propos de ce geste Riccardo dit: « Je considère que ce geste incivil et honteux a été accompli seulement à cause d'une haine idéologique stupide de la part des dignes héritiers de ceux qui, notamment, tiraient et disparaissaient » (Témoignage du 31 mars 2009). Selon Antonio cela représente « un geste très vil d'aller casser les pierres tombales. Un geste vil que je désapprouve. Mais, je veux dire: nous aussi on doit se comporter ou faire en sorte que ces choses n'arrivent pas. Parce que quand nous avons tué Matteotti, nous ne lui avons pas fait une pierre tombale; parce que si quelqu'un l'avait fait on serait allé l'enlever par la force, avec une disposition de caractère public. Je veux dire: nous avons même eu la joie qu'ils soient commémorés grâce à un petit morceau de marbre, et après nous nous comportons d'une certaine manière qui fait qu'ils viennent avec un marteau pour la casser ... » (entretien du 15 mars 2009). Luca affirme: « Ça me semble une connerie parce qu'on peut être de droite, de gauche, fasciste ou communiste, mais toucher les morts... [...] Ça a été vraiment, encore plus qu'une lâcheté, une bêtise qui s'est retournée contre eux-mêmes [...]. Une pure connerie qui n'a aucune motivation » (entretien du 19 mars 2009).

Le cortège, formé généralement de 150 personnes, anciens combattants, parents, sympathisants de la RSI, jeunes des mouvements sociaux de la droite extrême et simples participants, se regroupe à côté des pierres tombales. Près de ces dernières, « à l'endroit où ils ont été massacrés par ces criminels[12] », madame Antonia a planté un rosier. Quand elle m'en a parlé, elle m'a avoué que beaucoup de membres du comité lui sont reconnaissants pour ce geste. Elle m'a dit qu'elle y tenait vraiment : « Imaginez-vous que la première année où je l'ai planté, il a fleuri et il y a eu 43 roses. Dites-moi si ce n'est pas une chose extraordinaire ? » Elle tient beaucoup à souligner la curieuse coïncidence entre le nombre de soldats morts et celui des roses qui ont fleuri.

À côté des pierres tombales, après un court moment de silence et après quelques brefs discours de circonstance, on assiste à un des moments les plus importants de la cérémonie : l'appel nominal des morts. C'est toujours le père Gianni qui s'en charge et il invite les participants à répondre à chaque nom, scandé d'une voix tonitruante et rythmée, par un vigoureux « Présent ! ». De nombreux participants accompagnent chaque cri d'un bras tendu, geste du salut romain. L'appel se termine par la mention « Pour Benito Mussolini » et « Pour les combattants de la République Sociale Italienne » suivi par le cri « Présent ! » le plus convaincu de la part de l'assistance. Il s'agit d'actes interdits par la loi, mais il est bien clair que ce détail semble négligeable aux participants. La lecture de la liste prend peu de temps, cinq minutes environ, mais c'est un moment central : on entend le chœur unanime des « Présent ! » dans la rue piétonne voisine où certains passants s'arrêtent pour regarder de loin la scène tandis que des journalistes de quelques télévisions locales filment l'événement qui sera diffusé dans les éditions des journaux télévisés sur Internet.

Après l'appel, le père Gianni enlève ses habits symboliques de militaire et remet ceux du ministre du culte pour bénir les pierres tombales qu'il asperge d'eau bénite, avant de donner le signe de départ au trompettiste pour qu'il commence à jouer le *Silenzio*. C'est à ce moment que, dans une des commémorations que j'ai observées, quelque chose d'imprévu a eu lieu. Sans être invité par le maître de cérémonie, un des participants qui jusque-là était à l'écart, debout derrière le père Gianni, prend la parole. Il attire l'attention des présents et entame un discours. Il s'agit de Riccardo, un survivant de la Légion Tagliamento qui a échappé à l'exécution qu'il est en train de commémorer grâce à un heureux hasard. Il commence avec un accent du Latium bien marqué : « Je devais dire que messieurs les partisans, ceux qui nous ont fait ce qu'ils nous ont fait devaient nous remercier pour avoir rendu les armes sans combattre, parce que nous, nous étions tous voués à la mort. [...] À la différence de ces messieurs, moi ici, quand j'ai célébré ma première commémoration, il y a bien longtemps [...] j'ai dit que cette pierre tombale-là est un point de référence, outre que constituer une mémoire pour nos morts pour la patrie. C'est un point de référence pour tous les Italiens de bonne foi, même ceux qui sont de l'autre côté, même s'ils sont une minorité infime, qui ont combattu en croyant eux aussi, disons, à un idéal... en croyant servir la patrie comme

---

12.   Les propos d'Antonia, cités dans le texte, proviennent d'une conversation téléphonique qui a eu lieu en février 2009.

nous. Même si c'est une minorité, comme je le répète... Mais nous, nous les avons respectés, je ne sais pas si vous voyez ce que je veux dire ! J'ai cité [il cite le nom d'un partisan local bien connu], je ne sais pas si vous vous rappelez la commémoration... »

Entendant le nom du partisan, le père Gianni se trouble, regarde autour de lui, comme s'il cherchait quelque chose qu'il ne trouvait pas, puis il adresse quelques mots à Luigi qui est à côté de lui. Riccardo, entre-temps, continue : « Il y a un chef partisan qui s'est offert, vous comprenez bien, de venir à un éventuel... disant que ses collègues ont fait une saloperie. Il a quitté l'association et tout cela... Et là moi j'ai senti que je devais le faire, vu qu'il m'avait tendu la perche... c'est lui qui est venu sinon... » À ce point-là, le ton de Riccardo devient véhément, il agite vigoureusement l'index, en alternant avec des coups sur la poitrine quand il parle de lui : « Je tiens à préciser une chose : ces idiots qui sont également parmi nous se sont même permis de critiquer mon comportement comme quoi j'étais un de... ceux qui sont de l'autre côté... Les idées des autres aussi doivent être respectées quand elles sont avancées de la même façon que nous l'avons fait... ! » Pour le père Gianni, c'en est vraiment trop : il secoue la tête en signe de désapprobation à l'adresse de Riccardo en accompagnant son geste de laconiques « non, non ». On entend des « non, non » chuchotés s'élever de l'assemblée tandis qu'une autre partie des participants applaudit timidement. Le célébrant résout cette situation qui est en train de devenir une impasse en adressant un geste péremptoire et théâtral au trompettiste pour qu'il reprenne la musique, ce que le musicien fait en couvrant petit à petit la voix de Riccardo qui se tait, après avoir glosé, faisant allusion à un livre dont il a précédemment parlé et qu'il va publier : « Vous retrouverez ces vérités sur notre mouvement ! J'ai fini ! »

Avec les notes de la trompette qui joue le *Silenzio fuori ordinanza* pendant que les drapeaux et les gonfalons sont hissés, tout rentre dans l'ordre. Après la musique, le cortège se remet en marche en parcourant à rebours le chemin d'où il est venu et se dirige dans le cimetière pour la célébration de la messe. La première partie de la commémoration est terminée. Parmi les valeurs traditionnelles de la période fasciste, « Dieu, patrie et famille qui sont comme des commandements[13] », l'une d'elles — la patrie — a été honorée. Cette partie de la commémoration a concerné expressément la commémoration civile et « laïque » des militaires. Maintenant c'est au tour de la partie religieuse de la cérémonie.

En entrant dans le cimetière, le plus frappant est le nombre de drapeaux de la RSI. Il y en a partout : le long de l'allée d'accès, sur les piliers qui soutiennent le prothyron devant l'entrée, sur les épaules de quelques participants, sur la tombe des militaires. Il y en a autour des pierres tombales, de différentes formes et dimensions (en papier, enroulés autour de bâtons enfoncés dans le terrain, d'autres couvrant les pierres tombales et bien sûr d'autres portés dans le cortège). La redondance de l'élément symbolique du drapeau est obsédante.

La messe est célébrée, naturellement, par le père Gianni et chose moins naturelle, en latin, le rite précédant la réforme liturgique du Concile Vatican II. Plusieurs participants,

---

13.   Entretien du 21 juin 2008 avec Luigi.

surtout les plus âgés, répondent en latin aux formules rituelles de la célébration, tandis que ceux qui ne les connaissent pas se recueillent en silence respectant ainsi les consignes explicites formulées par le père Gianni avant de commencer la cérémonie. La petite chapelle où se trouve le célébrant est surmontée d'un énorme drapeau de la RSI, on l'aperçoit également depuis la rue qui longe le cimetière. Sur les côtés de la chapelle, par contre, se trouve un piquet formé de deux personnes. Le premier tient un le drapeau de la Légion « M » Tagliamento et le deuxième, le drapeau de la RSI bordé des effigies de la Légion. À côté de l'autel se trouvent tous les porte-drapeaux qui ont ouvert le cortège auparavant. Les fidèles, par contre, se disposent parmi les tombes, le long des allées du cimetière. Devant la chapelle, un peu plus loin à droite, se trouve la tombe, aujourd'hui vide, des militaires. Il s'agit d'une pierre tombale noire surmontée d'une croix en métal sur laquelle sont gravés les noms des militaires fusillés et où sont reproduites les photos de Benito Mussolini, celles du drapeau de combat de la RSI, et le « M » rouge, symbole de la Légion Tagliamento avec un faisceau. À part les quelques allusions rapides et plutôt génériques de la part du père Gianni, la tombe ne fait l'objet d'aucun geste ou rite durant la cérémonie. Quelqu'un y a déposé un drapeau de la RSI et la couronne de laurier, mais d'une manière très informelle.

Pendant la célébration, le père Gianni prononce un sermon, en italien, adressé à la foule de fidèles. Il s'agit d'une invective féroce contre le « laïcisme des libéraux » « qui sont faibles ; ce sont des marchands ; ils cherchent seulement leurs intérêts jusqu'au bout et ils ne sont pas capables de défendre notre civilisation. Et Mussolini les avait vus, il les avait jugés[14] », contre l'« athéisme marxiste » qui « est vieux et démodé ». Mais le leitmotiv du sermon est une attaque directe aux islamistes qui « nous envahissent grâce à nos lois et nous soumettent à cause des leurs[15] ».

Avec une grande habilité oratoire qui, à des questions rhétoriques, répond avec des banalités de pédagogie fasciste, le père Gianni attaque :

> Qui étaient ces légionnaires ? Ce n'étaient pas des mercenaires. C'étaient des hommes, de jeunes hommes qui avaient librement choisi de rester avec Benito Mussolini et avec tous les Italiens qui voulaient défendre la civilisation, les fondements Dieu, Patrie et Famille. Et pourquoi ces Italiens se sont levés pour suivre Mussolini en 1922 ? Qu'est-ce qui se passait en 1922 ? Les communistes, désormais gagnants en Russie, étaient en train de prendre le pouvoir en Italie. Ils enlevaient les croix dans les écoles comme le font aujourd'hui les libéraux parce qu'il y a un musulman [16].

Après la référence au régime fasciste, l'orateur se concentre sur le présent :

> Et aujourd'hui, qu'est-ce qui est en train d'arriver ? La même chose ! Au lieu des communistes, on a les musulmans. Dans 5, 10, 20 ans... Le futur s'assombrit, les gens n'y

14.   Sermon, 2007.

15.   Adaptation du sermon de la commémoration de 2007.

16.   Le père Gianni se réfère à la querelle en cours en Italie depuis quelques années sur la possibilité d'enlever les croix de tous les bureaux publics sur la base du principe constitutionnel de la laïcité de l'État. Il s'agit d'une proposition contestée par les forces politiques de droite qui opposent à ce principe la centralité des racines chrétiennes de l'Europe et de l'Italie en particulier, où est le Vatican.

pensent pas, ils continuent à regarder la télévision [...] Et qu'est-ce qu'il se passe aujourd'hui en Italie, en Europe? Face à l'invasion musulmane, ils sont en train de nous faire perdre! Les libéraux sont en train de nous faire perdre militairement. Regardez en Iraq: maintenant ils doivent s'enfuir. » C'est un monde sombre celui que le père Gianni décrit, mais «peut-être le pire, dans un certain sens est passé. Maintenant la guerre arrive.

L'appel à la croisade anti-islamique marque le sabbat du sermon:

> Dans 5, 10 ou 20 ans de toute façon, la situation nous tombera dessus. Nous n'avons pas d'alternatives: ou la trahison et aller sous les bottes islamiques, et quand ils prendront le dessus, vous n'imaginez pas ce qu'ils vous feront, ou combattre! Ô esclaves, o militants! [...] Nous voulons défendre l'Italie, nous voulons défendre la civilisation. Et alors, s'il y a des hommes, comme les camarades, comme les légionnaires de la Tagliamento, alors le soleil continuera à se lever [17].

Il poursuit en expliquant aux fidèles pourquoi ils doivent puiser leur force des soldats morts pour qu'ils puissent combattre cette guerre, et en disant que cette messe est offerte à la Madone «pour qu'elle nous concède la grâce pour les années à venir de faire partie de cette croisade». Sur ce, il conclut.

La célébration poursuit selon le rite traditionnel et, au moment de la consécration du pain et du vin, les drapeaux et les gonfalons sont de nouveau hissés comme tout à l'heure, quand on jouait le *Silenzio*.

Le rite arrive presque à sa conclusion. Les derniers détails dignes d'intérêt sont le chant de la prière du légionnaire[18], une chanson fasciste célébrant le *Duce*, la patrie et la «belle mort», qui est entonnée par le père Gianni et que beaucoup connaissent et chantent, et la distribution des couronnes de chapelet à ceux qui le désirent. De nombreuses personnes s'attroupent autour du prêtre pour retirer le petit objet, et après cela, petit à petit, l'assemblée se dissout et la cérémonie finit. Durant une des commémorations, en sortant du cimetière, je suis passé à côté d'un groupe qui discutait d'une manière plutôt animée. Parmi eux, il y a un prêtre que j'ai découvert être le curé du village où nous nous trouvions. Un monsieur, s'adressant au prêtre, commente les mots du sermon du père Gianni: «D'ailleurs, les gens qui viennent veulent entendre ces choses-là...» «C'est faux, ce n'est pas une bonne chose!», répond le curé. Et l'autre d'ajouter: «Il ne doit pas le faire ici, il doit le faire...» Le curé l'interrompt et sur un ton irrité répond: «Et alors! L'homélie, l'homélie est le commentaire de l'Évangile sur la parole de Dieu. Ceci doit être clair! Eh ben oui... Laissons tomber. » Il s'en va, et je fais

---

17. Sermon, 2007.

18. «Mon Dieu, toi qui allume chaque flamme et arrête chaque cœur. / renouvelle chaque jour ma passion pour l'Italie. / Rends-moi toujours plus digne de nos morts, afin que / eux, les plus forts, répondent aux vivants: / "Présent"! / Nourris mon esprit de ta sagesse / et mon mousqueton de ta volonté / Rends mon regard plus perçant et mon pied plus sûr / sur les frontières sacrées de la Patrie / sur les routes, sur les côtes, dans les forêts / et sur la quatrième berge, qui déjà fut de Rome / Quand le futur soldat marche à côté de moi dans les rangs, / que je sente battre son cœur fidèle./ Quand les fanions et les drapeaux passent,/ que tous les visages se reconnaissent dans celui de la Patrie,/ la Patrie que nous rendrons plus grande / en apportant chacun sa pierre au chantier. / Oh Seigneur! Fais de la croix l'étendard qui précède/ la bannière de ma région. / Et sauve l'Italie, l'Italie du Duce, / toujours et à l'heure de notre belle mort. / Et sauve l'Italie, l'Italie du Duce, / toujours et à l'heure de notre belle mort. / Ainsi soit-il. Ainsi soit-il. »

de même. Une partie des commémorants se retrouveront tout à l'heure pour le déjeuner, puis ils rendront visite à un village qui n'est pas très loin. Là-bas aura lieu une brève commémoration d'un autre événement douloureux de la guerre : l'exécution de deux militaires de la Tagliamento par certains ex-partisans après les avoir sortis de l'hôpital où ils soignaient leurs blessures de guerre.

FORME ET CONTENU DE LA MÉMOIRE COLLECTIVE : SIGNIFICATIONS DES PRATIQUES COMMÉMORATIVES

La célèbre constatation de M. Halbwachs selon laquelle « on n'est pas encore habitué à parler de la mémoire d'un groupe, même par métaphore » (Halbwachs, 1997 : 97) a accompagné l'entrée du thème de la mémoire[19] dans le domaine de la sociologie. Le même Halbwachs a été très clair en ce qui concerne l'objet de sa recherche déjà dans cette phrase : « Il semble qu'une telle faculté ne puisse exister et durer que dans la mesure où elle est liée à un corps ou à un cerveau individuel » (Halbwachs, *idem*). La mémoire n'est pas seulement un dépôt de notions et d'informations prises du passé et proposées dans le présent, c'est plutôt un processus de reconstruction dans le présent des événements passés, selon la possibilité de sélection et de communication du passé que les cadres sociaux de signification permettent aux individus de partager. Tout souvenir, même le plus personnel, est filtré par des catégories de valeur et normatives qui le rendent plausiblement compatible avec les structures du souvenir collectif (Jedlowski, 2002). Selon Halbwachs, héritier direct de la tradition durkheimienne, la mémoire collective est donc une fonction de la société qui, rapprochant les individus autour des mêmes souvenirs partageables de leur passé, permet de produire et de reproduire la cohésion sociale.

Maintenant, posée en ces termes, la question concerne essentiellement la structure de la mémoire collective, mais fait abstraction, en quelque sorte, de celle des contenus. C'est M. Bloch, collègue de Halbwachs à Strasbourg, le premier à promouvoir la critique : « [...] pour qu'un groupe social dont la durée dépasse une vie d'homme se souvienne, il ne suffit pas que les divers membres qui le composent à un moment donné conservent dans leurs esprits les représentations qui concernent le passé du groupe ; il faut aussi que les membres les plus âgés ne négligent pas de transmettre ces représentations aux plus jeunes » (Bloch, 1925 : 79). C'est comme si on disait que jusqu'à ce qu'on prête attention à la dimension formelle de la mémoire collective, la médiation des cadres semble escomptée et fonctionnelle, mais la question de connaître *quel* est ce passé dont on construit les représentations à transmettre la mémoire collective ouvre de sérieux problèmes de focalisation. Et ces problèmes passent nécessairement à travers les pratiques sociales. Comme le remarque Paolo Jedlowski, « si la mémoire d'une société ne s'identifie plus par le "cadre" qui soutient les mémoires des individus, et est comprise comme un ensemble de représentations qui se transmettent, sont

---

19. La légère exagération chronologique n'échappera pas au lecteur. En effet *La mémoire collective* est la dernière grande œuvre que Halbwachs consacre au thème de la mémoire dans le domaine de la recherche sociologique. En effet, *Les cadres sociaux de la mémoire*, paru en 1924, représente la première œuvre dans laquelle, pour la première fois, Halbwachs systématise une modalité sociologique du sujet.

conservées ou niées et qui entrent en conflit entre elles, il s'agit alors de pratiques sociales » (Jedlowski, 2002 : 50, je traduis).

Sur cet aspect, la tradition durkheimienne a mis en relief comment les rituels commémoratifs reproduisent dans le « théâtre d'une cérémonie » les croyances communes à un groupe et ravivent les éléments essentiels de la conscience collective. La commémoration n'a d'autre finalité que la commémoration même de la mythologie du groupe et dans ce sens permet de mettre en relation l'individu à la communauté et le présent au passé, produisant et reproduisant, à la fin, la cohésion sociale du groupe même.

Toutefois, si nous concentrons l'analyse sur les contenus des mémoires communes[20], sur ce que Bloch définissait « l'histoire vivante » opposée à « l'histoire écrite », il est facile de remarquer comment, non seulement les représentations du passé fournies par les différents groupes sociaux sont souvent divisées — quand elles ne sont pas carrément conflictuelles — mais aussi comment l'espace et le récit public de la mémoire deviennent souvent des arènes où l'ambivalence de la mémoire et le conflit entre des narrations différentes du passé prennent forme. Et c'est précisément dans les pratiques sociales, comme les rituels commémoratifs, qu'une telle ambiguïté se manifeste.

Le cas de la commémoration fasciste que nous avons essayé de décrire dans les pages précédentes nous semble représenter un exemple utile de cette ambiguïté, pour nous aider à comprendre comment les processus de construction de la mémoire collective du passé, surtout s'il s'agit d'un passé controversé et clairement exclu des exigences démocratiques de la société italienne contemporaine[21], passent souvent à travers des dimensions représentatives profondément ambivalentes et ouvertement conflictuelles. Comme l'a puissamment souligné P. Jedlowski, une commémoration, étant un procès d'institutionnalisation d'un souvenir, consiste essentiellement dans la volonté d'un groupe social qui commémore le fait, de ne pas oublier, de "donner un nom au passé" : « Le choix de qui commémorer, quand, avec quels mots, est un choix contenant beaucoup d'implications : il exprime une *évaluation* » (Jedlowski, 2002 : 99, je traduis). Dans ce processus, des aspects de conflit sont implicites et impliqués puisque « qui veut se rappeler d'un mort, d'habitude, entre en conflit avec la volonté de celui qui a tué. Ce

---

20.   J'utilise exprès la notion de mémoire commune parce que, comme l'a justement noté Marie-Claire Lavabre, celle de mémoire collective est largement métaphorique puisqu'elle concerne un domaine sémantique trop vaste (Lavabre, 2000, 2001). En me référant aux processus culturels qui concernent la mémoire collective comme étant un produit de pratiques sociales spécifiques, je crois que le concept le plus adéquat est bien celui de mémoire commune vu qu' « une mémoire collective est un travail d'homogénéisation des représentations du passé, lié à la capacité d'intégration du groupe considéré. La notion de mémoire commune désigne dans cette perspective l'ensemble de ce qui, ayant été vécu par les individus et déjà interprété en fonction des diverses appartenances de groupe des individus, peut être partiellement ou quasi totalement élaboré et réinterprété par une mémoire collective particulière » (Lavabre, 2001 : 246). La commémoration dont je m'occuperai dans ces pages représente un cas de mémoire commune qui se heurte dans le travail d'homogénéisation à tout ce qui passe pour être mémoire collective de la Résistance dans la société italienne. Pour cette raison, émergent le conflit et les dimensions ambivalentes que cet ensemble commémoratif met en évidence.

21.   Je crois que le fait qu'un grand nombre d'actes qui ont lieu pendant cette commémoration et qui constituent, selon la loi italienne, des crimes, n'échappera pas au lecteur. Ils sont contraires à la Constitution républicaine elle-même.

dernier essayera de faire oublier son crime ou, s'il s'en rappelle, il s'en rappellera en lui donnant un nom différent» (*ibid.*: 100).

Comment se déploie, donc, la signification ambivalente de la commémoration fasciste de cet événement dramatique de la Résistance italienne? Quel message ses promoteurs ont-ils l'intention de transmettre dans l'espace public?

C'est bien notre intention d'essayer de répondre, au moins en partie, à ces questions à travers la description et l'analyse de certains traits culturels sous-jacents aux cérémonies célébrées dans le contexte du rituel.

CONSIDÉRATIONS ANALYTIQUES: AMBIGUÏTÉS COMMÉMORATIVES

S. Tambiah a écrit que «le rituel est un système de communication symbolique construit culturellement [...] ce qui équivaut à dire que son contenu culturel est enraciné dans des constructions cosmologiques ou idéologiques particulières [et qu'il] représente certaines caractéristiques de formes et de structures» (Tambiah, 1995: 130-131, je traduis). L'idée est que «les constructions cosmologiques sont insérées [...] dans les rites et que les rites eux-mêmes mettent en scène et incarnent les conceptions cosmologiques» (*ibid.*: 133). Entre la structure du rituel et son contenu, il y a, donc, une telle réciprocité qui fait que le rituel, dans ce cas-là la commémoration, met en évidence des constructions idéologiques spécifiques sous-jacentes aux actes produits lors de la commémoration. Vice-versa. Dans cette réciprocité, on trouve la capacité performative du rituel, c'est-à-dire sa capacité de produire et de communiquer des significations dans l'espace public, à travers l'expression de pratiques rituelles. Selon Tambiah, le rituel compris dans ce sens codifie des «simulations d'intentions[22]» (*ibid.*: 137), c'est-à-dire des actions, d'une certaine façon, métaphoriques, qui signifient plus et autre chose que ce qu'elles montrent. Quelles intentions sont, donc, simulées — et communiquées — dans la commémoration que j'ai décrite ci-dessus?

Il nous semble que dans cette commémoration fasciste, on peut définir deux plans communicationnels principaux: un plan *privé* qui exprime un ensemble de significations qu'on peut réduire à la transmission du souvenir des soldats tués dans le contexte d'un groupe social partageant un traumatisme subi ou la nostalgie du fascisme; et un plan *public* qui concerne, au contraire, un récit précis du passé mis en scène publiquement et qui a des objectifs précis.

Sur le plan «privé», je crois que cette commémoration se configure comme une «pratique d'engagement» (*practices of commitment*) selon la définition qu'en a donnée Robert Bellah, c'est-à-dire comme un ensemble de «pratiques — rituelles, esthétiques, éthiques — qui définissent la communauté comme un modèle de vie» (Bellah, 1996: 154, je traduis). Dans ce sens, la commémoration représente une espèce de «recherche thérapeutique de la communauté» qui trouve une clé d'interprétation dans ce que les

---

22. «Dans les actes normaux on "exprime" directement des attitudes et sentiments [...]. Dans le comportement ritualisé, conventionnel, stéréotypé, par contre, on exprime et on communique d'une façon directe; il est construit publiquement pour exprimer et communiquer certaines attitudes adaptées pour la mise en place des rapports institutionnels» (Tambiah, 1995: 137).

participants considèrent être une mémoire blessée curable seulement à travers sa propre présence, son propre témoignage et son propre engagement. La commémoration permet aux participants de revendiquer leur propre appartenance idéologique fasciste qui, exclue de l'espace public, a quand même la possibilité d'être mise en scène, et donc d'exister, à travers son propre engagement et son témoignage personnel dans la représentation de la mort idéalisée des soldats. La mémoire des soldats tués représente, dans ce sens, le modèle idéal vers lequel tendre. Tout comme ceux qui ont témoigné leur propre attachement à l'« Idée » en mourant pour elle, ainsi les participants font la même chose en participant au rite. L'ambivalence entre la mémoire des soldats et la mémoire — qui signifie représentation-reproduction — de la cause pour laquelle ils moururent est bien exemplifiée par les mots de Luigi :

> Mussolini a tellement enthousiasmé ces jeunes qu'il les a aveuglés à tel point qu'ils ont donné leur vie pour un idéal qui, au fond, était un idéal qui aurait pu s'accomplir même sans perdre sa visée. [...] Cet énorme enthousiasme, pendant le régime fasciste, a été peut-être la joie de ces jeunes qui ont vécu un moment épique jusqu'à la mort mais en même temps ça a été aussi leur ruine. Beaucoup de vies gâchées qui peut-être auraient pu d'une façon beaucoup plus fructueuse travailler pour la mémoire des morts et pour la conservation, la continuation, en restant vivants, d'une idée qui, au contraire, quand ils sont morts est devenue de plus en plus stérile et qui grâce aux vétérans et à beaucoup de personnes [...] qui sont en train de reconstruire, ne s'interrompt pas[23].

D'un autre côté, dans l'espace et le temps mis en scène par les participants à la cérémonie, la cérémonie représente bien le type de rituels commémoratifs décrits par Durkheim : cet « ensemble de cérémonies qui se proposent uniquement de réveiller certaines idées et certains sentiments, de rattacher le présent au passé, l'individu à la collectivité » (Durkheim, 1912 : 541) en produisant et en reproduisant le lien social à l'intérieur du groupe. Dans ce sens, l'événement historique fournit le prétexte pour célébrer des commémorations qui « font oublier aux hommes le monde réel, pour les transporter dans un autre où leur imagination se trouve plus à l'aise ; elles distraient » (Durkheim, *ibid. :* 543). La performance théâtrale de l'appel, accompagné des bras tendus comme pour le geste du salut romain, de la réponse criée « Présent ! » et des mentions finales « Pour Benito Mussolini » et « Pour les morts de la RSI » le témoignent clairement. De ce point de vue, on retrouve également le thème de la nostalgie que la recherche de M. Chauliac à propos de la RDA avait mis en évidence et qui, même en relation avec cette commémoration, semble émerger.

Les dimensions thérapeutique, récréative et nostalgique se développent, essentiellement, à travers deux aspects. En premier lieu, les participants renouvellent l'appartenance à un groupe social qui a une histoire et une mémoire à partager, et marquent une différence avec ce qui est extérieur à ce groupe : l'antifascisme et la démocratie républicaine. Le traumatisme de l'exécution de *leurs* morts constitue, dans ce sens, la ressource symbolique de construction sociale de l'oubli (Tota, 2001[24]) autour de ce qui

---

23. Entretien du 21 juin 2008.
24. On peut voir, en particulier, l'intéressant entretien que Tota a réalisé avec A. Cavalli.

est externe et contraire à la vision du monde que les participants à la commémoration représentent dans la cérémonie. Il s'agit d'un thème bien exemplifié à travers la demande de justice faite et réitérée — parfois anachronique — par rapport au traumatisme subi. Ainsi Riccardo ajoute :

> la commémoration représente, en priorité, une façon pour rendre les honneurs aux Légionnaires Morts pour l'Honneur de l'Italie (sic), en se souvenant d'eux, avec leurs familles, et de perpétuer, dans leur sillon, la continuité idéale commune [...]. La mémoire (de cet événement) est et restera conflictuelle jusqu'au moment où les responsables, les mandataires et les exécuteurs de l'assassinat de masse des prisonniers de guerre inermes, quels qu'ils soient, ne seront pas condamnés juridiquement et, de toute façon, reconnus publiquement coupables par les institutions publiques. On pourrait arriver à une pacification des mémoires seulement après que la justice sera rendue publiquement et pas avec un *volemose bene* (aimons-nous) hypocrite, à tous les Morts de la guerre civile, de tous les bords, injustement tués[25].

Ce n'est pas un hasard, probablement, si pendant la cérémonie et dans les témoignages rassemblés on répète souvent en insistant des expressions telles que « *nos* morts », « *nos* jeunes », « *nos* soldats tués » opposées à « ceux de l'autre côté », aux « délinquants assassins », aux « communistes », à « ceux qui ont fait ces saloperies ».

En deuxième lieu, la commémoration montre un aspect ambivalent : le fait de se remémorer un deuil constitue l'occasion pour mettre en scène les contours de ce que les commémorants entendent par le monde idéal, le monde du fascisme. Il s'agit d'un thème bien décrit par Luigi :

> Nous voulons seulement commémorer nos morts pour la patrie, prier Dieu pour eux et nous revoir de temps en temps. Et peut-être enseigner à nos petits-enfants, à nos enfants... en somme, leur apprendre le fascisme ou au moins cette partie du fascisme qui existait sous la République de Salò [...]. À cette partie du fascisme qui est la partie la plus jeune qui a vécu durant la RSI, nous lui apprenons à propos du fascisme seulement une chose : les valeurs essentielles, les valeurs fondamentales[26] !

Il s'agit d'un point important : la commémoration transcende et va au-delà du souvenir des soldats et reconstruit un monde idéalisé dans la représentation du passé fasciste, un monde qui n'existe pas et qui, pour ça, est en plein conflit avec le monde réel. Il s'agit d'une dimension clairement observable lors du moment central de la première partie de la cérémonie : le rituel de l'appel des morts pour la patrie. Si nous suivons l'hypothèse suggestive de A. Margalit selon laquelle, « si le nom survit, alors, d'une façon ou d'une autre, l'essence aussi survivra » (Margalit, 2006 : 33), alors nous pouvons tracer les contours d'un aspect intéressant. Rappeler le nom permet non seulement de rappeler la mémoire de la personne, mais aussi de perpétuer l'essence de la personne, ou plutôt, de ce que la personne symbolise dans le présent par rapport à la représentation du passé qu'ont ceux qui commémorent ce nom. Ce que je veux dire c'est que la redon-

25. Témoignage du 31 mars 2009.
26. Entretien du 21 juin 2008.

dance[27] avec laquelle les participants se réfèrent aux noms des morts peut être interprétée comme la volonté de remémorer ce que le nom représente : les soldats tués, l'idée qu'ils ont été fusillés à tort et pour des raisons qui apparaissent inexplicables et insensées aux participants. Mais surtout cela représente pour eux les idéaux que ces personnes incarnent, leur essence c'est-à-dire le fascisme, la logique de l'honneur et de l'héroïsme qui sous-tend un fort sens de communauté, la belle mort, la patrie, le choix, représenté comme « conscient », de combattre pour une cause considérée juste. Cela ne me semble pas un hasard, en effet, que ces dimensions conceptuelles reviennent d'une manière constante tout au long de la commémoration. Ils reviennent dans le sermon du père Gianni quand il affirme que « ce n'étaient pas des mercenaires, [...] c'étaient de jeunes hommes qui avaient *librement* choisi de rester avec Benito Mussolini et avec tous les Italiens qui voulaient défendre la civilisation, les bases : Dieu, Patrie et Famille » ; ou quand il dit que « Mussolini a préféré mourir plutôt que de trahir, de céder. Et il en va de même pour les soldats que nous sommes en train de commémorer aujourd'hui : s'ils avaient accepté le libéralisme, s'ils avaient accepté le marxisme, ils ne seraient pas morts, ils ne les auraient pas tués[28] ». On les retrouve aussi dans l'acte de conclusion de la commémoration : le chant de la prière du légionnaire cite précisément les dimensions idéalisées des valeurs fascistes.

À l'occasion de leurs recherches sur le *Vietnam Veterans Memorial*, Wagner Pacifici et Schwartz ont mis en évidence comment la commémoration de la guerre du Vietnam passe aussi, et surtout, dans la récursivité du thème des noms qui ont pour fonction de redonner une unité à l'ambiguïté sémantique de l'ensemble mémoriel et de la mémoire partagée de l'événement : on rappelle les noms, ne pouvant pas rappeler la cause pour laquelle ils combattirent (Tota, 2001). En ce qui concerne cette commémoration fasciste, les noms semblent, par contre, remplir la fonction de déterminer l'ambivalence en représentant le passé controversé des commémorants. Le facteur discriminant entre ces deux fonctions attribuées aux noms passe précisément à travers la finalité implicite des deux ensembles commémoratifs : d'un côté, on a la tentative, à travers des compromis, de rassembler les mémoires divisées autour d'un objet partagé par la mémoire, comme le *Memorial* ; et de l'autre côté, on a la volonté de provoquer un conflit en mesure de remettre en question le récit public d'un passé considéré dominant, mais injuste. L'événement historique objet de la commémoration représente une sorte de prétexte pour recréer, au moins le temps de la cérémonie, l'atmosphère, le monde et le temps idéalisés des années de la RSI que le souvenir personnel de ceux qui étaient présents, célébré à travers un geste militaire classique — l'appel — et le plus traditionnel des gestes fascistes — le salut romain, semble mettre clairement en évidence.

Si on suppose qu'une commémoration fait en sorte qu'une mémoire, à travers le théâtre de la cérémonie, devienne un récit public, une interprétation et justement pour

---

27. Pendant la commémoration les noms sont directement prononcés durant l'appel, ils apparaissent sur les affiches annonçant la cérémonie, qui se trouvent à l'extérieur du cimetière et sur la tombe vide des soldats aménagée dans le cimetière.

28. Extraits du sermon de la commémoration en 2007. J'ai écrit les parties en italique.

cela, attribue une valeur au passé, il me semble alors que cette commémoration détermine substantiellement une forme d'ambivalence qui se joue entre la dimension interne propre au groupe des participants et celle de la communication publique vers l'extérieur. Sur ce, j'en arrive à formuler quelques rapides considérations sur le deuxième aspect qui me semble constituer, en plus de la communauté de mémoire, un point central de l'entière commémoration : la signification publique de la cérémonie.

Ici, il faut observer la commémoration dans sa dimension structurelle. Elle est clairement séparée en deux parties : la première à l'extérieur du cimetière et la deuxième à l'intérieur ; la première est à tendance laïque, alors que la deuxième a un caractère religieux bien marqué. La dichotomie intérieur/extérieur me semble essentielle. L'extérieur est le lieu symbolique de la mémoire où les faits ont eu lieu et où retournent ceux qui commémorent pour rendre hommage aux soldats morts en mettant en scène une performance théâtrale de la mémoire qui rappelle, d'un côté le travail de deuil par rapport au traumatisme des soldats tués, symbolisé par l'appel nominal des victimes, les pierres tombales, le rosier et par le *Silenzio* joué par la trompette soliste, et de l'autre, la mythologie du fascisme comme idéal politique et social dont la fin peu glorieuse est symboliquement réparée à travers la célébration de la mémoire de ceux qui ont combattu et sont morts pour cette cause.

À l'intérieur du cimetière se trouve l'endroit de la première sépulture des soldats fusillés mais, durant la célébration de la messe, la tombe vide est ignorée : aucun rite n'y est célébré et elle n'est même pas mentionnée (du moins les fois où j'étais présent) si ce n'est que très vaguement. Cet aspect ne me semble nullement secondaire puisqu'il semble indiquer une nette démarcation entre la commémoration laïque des morts, objet de la première partie de la célébration, et la commémoration religieuse. La seconde partie est construite sur la structure fixe et déterminée de la célébration de la messe, alors que la première partie semble, tout en ayant la rigidité d'une séquence extrêmement formalisée et relevant des genres commémoratifs belliqueux classiques (cortège, drapeaux militaires, discours de circonstance, appel nominal, musique militaire), ouverte à de possibles modifications et parfois même à des infractions éventuelles du code rituel.

L'intervention de Riccardo que j'ai décrite précédemment me paraît exemplaire. La chose qui frappe dans cette situation n'est pas tant l'infraction de l'ordre rituel de la cérémonie que le contenu de l'infraction. Lors du déroulement de la célébration, ce qui a suscité les réactions les plus vives de la part du célébrant et des participants a été non pas tellement la demande de prendre la parole venant de Riccardo (infraction à la forme) mais plutôt ce qu'il a dit (infraction au concept idéologique). Il s'agit d'un fait inattendu qui a pu être ramené au domaine de la « normalité » en réintroduisant l'ordre rituel de la cérémonie d'une manière autoritaire, et à travers lequel on voit à quel point forme et fond sont réciproques.

On ne doit pas oublier que ces événements se déroulent à l'extérieur du cimetière, dans l'espace public et « profane » où il est possible d'évoquer des contenus idéologiques. Cela semble même avoir une signification bien précise : celle de communiquer un message public, celle d'être un langage performatif (Connerton, 1989).

À l'intérieur du cimetière, dans l'espace «sacré», la structure du rituel ne permet pas de bavures, étant rigidement prédéterminée par l'ordre de la célébration eucharistique. À ce sujet, l'invitation du célébrant à suivre la messe en silence et l'épisode du curé du village à la fin de la cérémonie me semblent des éléments éclairants. C'est sur cette double tension entre la contingence du souvenir des morts pour la patrie et l'idéalisation du fascisme républicain, entre le particulier et le général, que se joue une partie de toute la signification de la cérémonie.

Toutefois, même dans la rigidité protocolaire de la célébration eucharistique, il y a un nouvel espace pour l'articulation d'un conflit ouvert qui utilise la mémoire comme recours symbolique. Je me réfère à la violence des mots du prêtre durant son sermon. Dans celui-ci, l'ambiguïté de la finalité de la commémoration émerge encore plus clairement : ses mots oscillent entre le (vague) souvenir des morts et la célébration du monde idéal du fascisme, entre la contingence politique et sociale du fascisme et la situation politique actuelle. Ces éléments, en se fondant sur des lectures évidement partielles, unidirectionnelles et ambiguës du passé, créent les conditions favorables pour provoquer un nouveau conflit en mesure de restaurer, au moins le temps de la commémoration, les idéaux du fascisme.

CONCLUSION

Nous allons conclure cet article en synthétisant les problèmes les plus importants que l'analyse du rituel met en évidence. Ensuite, nous signalons un thème qui, en général, nous semble tout à fait central pour l'avenir de la mémoire publique du passé récent en Italie.

La signification de la commémoration semble résider, d'abord, dans la détermination d'un conflit avec la représentation institutionnalisée et dominante du passé qui est commémoré : une représentation que les commémorants refusent et un conflit ayant pour but de réclamer la reconnaissance (Honneth, 1992) d'une mémoire qui, jusqu'à aujourd'hui, est exclue de l'espace public, et aspire à y entrer. Étendre (et, symboliquement, le faire à l'extérieur du cimetière) de manière implicite, la signification de la commémoration de la mémoire «familiale» des morts à la célébration du monde idéal du fascisme[29], surtout du fascisme de la République Sociale et des mouvements

---

29.   Il y a au moins un autre aspect qui mérite une particulière attention dans ce sens-là et qui concerne la représentation de la signification de la commémoration chez les différents groupes générationnels participant. En général on peut en relever trois : les vétérans, la deuxième génération et le groupe de jeunes, ayant pour la plupart comme référence des mouvements politiques comme Forza Nuova («Nouvelle Force») et les centre sociaux d'extrême droite (comme Casa Pound). La grille d'interprétation proposée par Marie-Claire Lavabre est utile, dans ce sens là, parce qu'elle fait, dans le vaste domaine de la mémoire, la distinction entre mémoire historique, «une manière d'histoire finalisée, portée par un "intérêt" qui n'est pas celui de la connaissance mais de l'exemple, de la légitimité, de la polémique, de la commémoration, de l'identité» (Lavabre, 2001 : 244) et mémoire commune à laquelle j'ai déjà fait allusion au début. En plus de cela, il sera intéressant, dans les limites du possible, à tracer le profil de la mémoire, pour la façon dont elle émerge à partir des significations attribuées à la commémoration, de la part des différents groupes générationnels. Dans ce sens, l'étude de Christian Giordano apporte un soutien important à propos des mémoires générationnelles congruentes et contrastantes (Giordano : 2005). Il s'agit, toutefois, d'un thème pour lequel la recherche est toujours en cours ; pour son analyse, je renvoie à une étude plus systématique de l'ensemble commémoratif.

politiques néofascistes de l'après-guerre comme le Mouvement Sociale Italien, signifie clairement remettre en question les fondements sur lesquels repose l'Italie contemporaine, c'est-à-dire les valeurs mêmes de l'antifascisme. Dans un certain sens, cette commémoration semble renouveler constamment le traumatisme qui l'a générée (l'exécution des soldats) en s'en servant comme d'une ressource symbolique pour invoquer l'oubli du monde que l'on considère être né à partir de cet événement, et d'un autre côté, exalter et renouveler le retour du monde dont ce même événement a constitué la fin, au moins dans l'horizon symbolique de la commémoration dont nous parlons[30].

En définitive, les horizons symboliques qui semblent émerger, du moins dans un premier temps, de l'analyse de cette commémoration fasciste, fondent une dualité : d'un côté, la construction d'une communauté de mémoire qui marque très clairement — et cela semble un élément ultérieur d'ambivalence — une appartenance et une distance par rapport à d'autres récits de ce passé ; de l'autre, l'articulation d'un conflit vers l'extérieur, c'est-à-dire vers la mémoire publique de la Résistance et les instances antifascistes.

De ce point de vue, cette commémoration impose aussi une réflexion sur le thème de la mémoire critique et autocritique. Dans le complexe de cette histoire s'entrelacent violences subies et perpétrées que chacun des protagonistes revendique, et sur lesquelles beaucoup de gens invoquent encore vengeance. Ce qui est évident, c'est le manque d'une dimension critique et autocritique qui soit en mesure de déterminer la possibilité d'une reconnaissance réciproque autour d'un univers symbolique partagé. Tout cela est bien évident dans la commémoration : je pense au sermon du père Gianni et aux salutations romaines. Si, comme le dit P. Jedlowski, « la forme de la mémoire publique, qui reconsidère le passé à la lumière de la reconnaissance des torts infligés à autrui, est la seule grâce à laquelle il soit possible de donner un sens à la conviction qu'on est civil » (Jedlowsli, 2009 : 233, je traduis), alors le complexe de cette commémoration met en évidence la nécessité d'un complexe travail d'élaboration de la mémoire publique qui attend le futur. Il s'agit d'un thème qui concerne toutes les narrations mémorielles sur les dernières années du fascisme : la mémoire antifasciste qui nécessite une « déconstruction » pour dépasser sa dimension hégémonique et être capable de saisir aussi les implicites contradictions et les « non-dits », mais surtout la mémoire fasciste qui actuellement semble se présenter seulement en tant que forme de provocation rancunière et violente. Il s'agit d'un parcours qui ne doit passer seulement à travers les simplistes requêtes de mettre au même niveau la valeur des idéaux pour lesquels

---

30.   C'est un passage important pour lequel un éclaircissement ultérieur est nécessaire. En ce qui me concerne, il me semble que les soldats morts qui sont commémorés représentent idéalement les valeurs du fascisme et, en particulier, de ce fascisme qui a cru jusqu'à la fin dans ce que quelques témoins appellent « l'Idée » et qui a trouvé, selon eux, sa réalisation la plus explicite dans la RSI. La RSI représente, pour les participants, le fascisme pur, celui qui a été capable de réagir « avec dignité » à la « trahison » du 8 septembre 1943 et à l'armistice. Les morts qui sont commémorés ici sont représentés comme ceux qui ont défendu jusqu'au bout l'honneur de la patrie. Ici réside la dimension inconciliable de cette commémoration avec les valeurs de l'antifascisme qui, justement après le 8 septembre, a fait naître la Résistance.

on a combattu, mais précisément à travers le travail de la mémoire qui décompose, recompose et reconstruit le passé sur la base des instances du présent et des projets pour le futur.

Je cite les propos d'un témoin en guise de commentaire à cette conclusion.

> La commémoration est faite probablement plus pour provoquer. Ce sont les plus exaltés parmi nous. Il s'agit de ceux qui maintenant sont aussi les jeunes de Forza Nuova. Ce sont les sujets de la provocation. Ils viennent avec leurs têtes de mort, avec les chemises noires, des choses de ce genre... [...] Je suis convaincu que nous sommes les provocateurs, pas ceux qui ont les mêmes idées que moi, mais moi aussi qui suis là-bas avec eux... les provocateurs, contre ce monde, contre substantiellement la Résistance que beaucoup, en ce qui nous concerne, on n'arrive pas encore à partager[31].

Dans l'espace public, à travers cette commémoration, le potentiel conflictuel de la mémoire et de la représentation du passé qu'on peut en faire dans l'utilisation politique apparaît bien clairement. Comme j'ai essayé de le montrer, il s'agit d'une dimension profondément ambivalente qui oscille entre les extrêmes dichotomiques représentés par la mémoire privée et par la mémoire publique, entre la mémoire contre-culturelle fasciste et la mémoire institutionnalisée antifasciste. Plus que tout, il me semble qu'il y a un acte qui met en évidence cette opposition : le geste de la destruction des pierres tombales. Ces dernières représentent la communication de la mémoire fasciste dans l'espace public (je rappelle qu'elles sont à l'extérieur du cimetière). Leur destruction, qui a lieu depuis longtemps, met en lumière d'une manière claire le conflit entre les mémoires opposées, qui est aussi le conflit produit par l'histoire même à laquelle il se réfère. Comme le relève P. Pezzino, en effet, « aujourd'hui encore la Résistance, tout en ayant contribué de manière décisive à la renaissance démocratique de l'Italie, ne représente pas le mythe fondateur d'une nouvelle identité [...], mais plutôt un signe de division parmi les Italiens » (Pezzino, 1997 : 229, je traduis). Et c'est dans les pratiques de représentation des mémoires que de tels propos trouvent aujourd'hui un sens particulier.

RÉSUMÉ

Se fondant sur la récolte de témoignages et l'analyse des médias, notre article aborde le thème des pratiques sociales de construction de la mémoire du passé entre mémoire commune/historique et usage/mésusage politique du passé. À partir de l'observation ethnographique d'un cas particulier, une commémoration fasciste dans le nord de l'Italie, sur un des lieux de la guerre civile et de la Résistance italienne (1943-1945), l'article essaie de tracer les caractéristiques culturelles de ce rituel commémoratif par rapport à la mémoire collective du fascisme et de la Résistance en Italie. Il s'attarde particulièrement sur la violence symbolique inscrite dans les pratiques et sur la mythologie politique en tant que ressource symbolique de construction du conflit social sur la mémoire et sur le présent.

---

31. Entretien du 15 mars 2010.

ABSTRACT

Based on a collection of testimonies and media analysis, our article broaches the theme of social practices for the construction of the memory of the past between communal-historical memory and the political use and abuse of the past. Starting from the ethnographic observation of a particular case, that of a fascist commemoration in the north of Italy on one of the sites of the civil ware and the Italian Resistance (1943-45), the article attempts to trace the cultural characteristics of this commemorative ritual in relation to the collective memory of fascism and the Resistance in Italy. It focuses particularly on the symbolic violence inscribed in these practices and on political mythology as a symbolic resource for the construction of social conflict within memory and the present.

RESUMEN

A partir de una serie de testimonios y del análisis de los medios, nuestro artículo plantea el tema de las prácticas sociales de construcción de la memoria del pasado, entre la memoria común y la memoria histórica, y el uso y el abuso político del pasado. Partiendo de la observación etnográfica de un caso particular, una conmemoración fascista en el norte de Italia en uno de los lugares de la guerra civil de la Resistencia italiana (1943-1945), el artículo trata de esbozar las características culturales de este ritual conmemorativo con relación a la memoria colectiva del fascismo y de la Resistencia en Italia. El artículo se detiene particularmente en la violencia simbólica inscrita en las prácticas y en la mitología política como recurso simbólico de construcción del conflicto social en la memoria y en el presente.

BIBLIOGRAPHIE

ASSMANN, J. (1992), *Das kulturelle Gedachtnis: Schrift, Erinnerung und politische identität in frühen Hochkulturen*, C.H. Beck, Munich.

ASSMANN, J. (2007), « Memoria e mitologia politica », *in* AGAZZI E., V. FORTUNATI (dir.), *Memoria e saperi. Percorsi transdisciplinari*, Meltemi, Roma, p. 695-712.

BELLAH, R. (1996), *Habits of the Heart: Individualism and Commitment in American Life*, University of California Press, Berkeley.

BERGER, P. et T. LUCKMANN, (1966), *The Social Construction of Reality*, Garden City, New York.

BLOCH, M. (1925), « Mémoire collective, tradition et costume », *Revue de Synthèse Historique*, n° 40, p. 73-83.

CAVALLI, A. (1996), *I giovani e la memoria del fascismo e della Resistenza*, *in* Il Mulino, n° 1, p. 51-57.

CONNERTON, P. (1989), *How Societies Remember*, Cambridge University Press, Cambridge.

DEI, F. (2007), « Storia, memoria e ricerca antropologica », *in* SATTA G. et C. GALLINI (dir.), *Incontri etnografici. Processi cognitivi e relazionali nella ricerca sul campo*, Meltemi, Rome, p. 40-67.

DURKHEIM, E. (1912), *Les formes élémentaires de la vie religieuse: le système totémique en Australie*, Alcan, Paris.

FOCARDI, F. (2005), *La guerra della memoria. La Resistenza nel dibattito politico italiano dal 1945 ad oggi*, Laterza, Rom, Bari.

GIORDANO, C. (2005), « Ricordare e dimenticare nei rapporti intergenerazionali. Alcune osservazioni sulle memorie congruenti e su quelle contrastanti », *in* CALVI G. (dir.), *Generazioni a confronto. Materiali per uno studio*, Marsilio, Venezia, p. 97-114.

GRANDE, T. (2007), « Memoria, storia e pratiche sociali », *in* AGAZZI E. e V. FORTUNATI (dir.), *Memoria e saperi. Percorsi transdisciplinari*, Meltemi, Rome, p. 49-66.

HALBWACHS, M. (1952), *Les cadres sociaux de la mémoire*, Presses universitaires de France, Paris.

HALBWACHS, M. (1971), *La topographie légendaire des Évangiles en Terre Sainte : étude de mémoire collective*, Presses universitaires de France, Paris.

HALBWACHS, M. (1997), *La mémoire collective*, Albin Michel, Paris.

HONNETH, A. (1992), *Kampf um Anerkennung. Grammatik sozialer Konflikte*, Suhrkamp, Francfort-sur-le-Main.

JEDLOWSKI, P. (2009), « Passato coloniale e memoria autocritica », *in* Il Mulino, n° 2, p. 226-234.

JEDLOWSKI, P. (2002), *Memoria, esperienza e modernità. Memorie e società nel XX secolo*, Franco Angeli, Milan.

LAVABRE, M. C. (2001), « De la notion de mémoire à la production des mémoires collectives », *in* Cefaï D. (dir.), *Cultures politiques*, Presses universitaires de France, Paris, p. 233-247.

LAVABRE, M. C. (2000), « Usages et mésusages de la notion de mémoire », *in* Critique Internationale, n° 7, p. 48-57.

MARGALIT, A. (2006), *L'éthique du souvenir*, Climats, Paris.

PEZZINO, P. (1997), *Anatomia di un massacro. Controversia sopra una strage tedesca*, Il Mulino, Bologne.

TAMBIAH, S. (1995), *Rituali e cultura*, Il Mulino, Bologne.

TODOROV, T. (1998), *Les abus de la mémoire*, Arléa-poche, Paris.

TOTA, A. (dir.) (2001), *La memoria contesa. Studi sulla comunicazione sociale del passato*, Franco Angeli, Milan.

TOTA, A. (1999), « Memorie in conflitto : i narratives della commemorazione », *in* Comunicazioni Sociali, n° 3, p. 336-350.

TRAVERSO, E. (2005), *Le passé, modes d'emploi : histoire, mémoire, politique*, La Fabrique éditions, Paris.

SOCIOLOGIE ET SOCIÉTÉS

Revue semestrielle thématique de sociologie générale de langue française ouverte à l'interdisciplinarité. Présente des analyses de problèmes sociologiques actuels.

Directeur : Pierre Hamel

DÉJÀ PARUS :

- ❑ Les mouvements sociaux au-delà de l'État (22 $)
- ❑ Sociologies et société des individus (22 $)
- ❑ L'archive personnelle, la grande oubliée (22 $)
- ❑ Les nouvelles politiques d'éducation et de formation (22 $)
- ❑ Sociétés africaines en mutation (22 $)
- ❑ Risque en santé (22 $)
- ❑ Michel Foucault : Sociologue ? (22 $)
- ❑ Religion et politique dans les sociétés contemporaines (22 $)
- ❑ Le Québec et l'internationalisation des sciences sociales (22 $)
- ❑ Le spectacle des villes (22 $)
- ❑ Présences de Marcel Mauss (22 $)
- ❑ Goût, pratiques culturelles et inégalités sociales : branchés et exclus (22 $)
- ❑ De l'intimité (22 $)
- ❑ Les chiffres pour le dire (22 $)
- ❑ Les territoires de l'art (22 $)
- ❑ La théorie du choix rationnel contre les sciences sociales (22 $)
- ❑ L'exclusion : changement de cap (22 $)
- ❑ Les formes de la pénalité contemporaine : enjeux sociaux et politiques (22 $)
- ❑ Les promesses du cyberespace (22 $)
- ❑ La Science : nouvel environnement, nouvelles pratiques ? (22 $)
- ❑ Citoyenneté et identité sociale (22 $)
- ❑ L'interdisciplinarité ordinaire. Le problème des disciplines en sciences sociales (22 $)
- ❑ Un syndicalisme en crise d'identité (22 $)
- ❑ Le second souffle de la sociologie (22 $)
- ❑ La mémoire sociale (22 $)
- ❑ Homosexualités : enjeux scientifiques et militants (22 $)
- ❑ Technologies médicales et changement de valeurs (20 $)
- ❑ Les Jeunes (20 $)
- ❑ Nouvelle morphologie sociale (18 $)
- ❑ Le sport (18 $)
- ❑ Québec fin de siècle (14,50 $)
- ❑ Les Francophonies nord-américaines (15 $)
- ❑ La construction des données (16,25 $)
- ❑ La gestion du social : ambiguïtés et paradoxes (15 $)
- ❑ Racisme, ethnicité, nation (14,50 $)

BULLETIN D'ABONNEMENT

L'abonnement annuel commence avec le premier numéro de chaque volume.

- ❑ Je désire m'abonner à la revue *Sociologie et Sociétés* pour l'année _____.
- ❑ Veuillez m'expédier les titres cochés.
- ❑ Ci-joint (chèque ou mandat) de _____ $.
  Plus 5 % de TPS (non applicable à l'extérieur du Canada)
- ❑ Visa   ❑ MasterCard

N° _____

Date d'expiration _____

ABONNEMENT ANNUEL 2010 (VOLUME 42)

Individus
- ❑ Canada : 42 $ ❑ Étranger : 47 $ US
- ❑ Étudiants avec n° de carte : 28 $

Institutions
- ❑ Canada : 80 $ ❑ Étranger : 85 $ US

Le numéro
- ❑ Canada : 22 $ ❑ Étranger : 24 $ US

NOM : _____

ADRESSE : _____

_____

_____

CODE POSTAL : _____

LES PRESSES DE L'UNIVERSITÉ DE MONTRÉAL

PUM   C. P. 6128, succursale Centre-ville,
Montréal (Québec) H3C 3J7
Tél.: 514-343-6933 • Téléc.: 514-343-2232
Courriel : pum@umontreal.ca

FIDES
Service des abonnements
306, rue Saint-Zotique Est
Montréal (Québec)
Canada H2S 1L6
Tél. : 514-745-4290
Téléc. : 514-745-4299
Courriel : andres@fides.qc.ca

Pour la vente au numéro, voyez votre libraire.

POLITIQUE ÉDITORIALE ET DIRECTIVES AUX AUTEURS

Fondée en 1969 au Département de sociologie de l'Université de Montréal et publiée par les Presses de cette même université, *Sociologie et sociétés* est une revue de sociologie générale ouverte à l'interdisciplinarité.

Depuis sa création, la revue n'a jamais dérogé aux objectifs de son fondateur, Jacques Dofny : d'une part, la diffusion des connaissances produites par les sociologues québécois et canadiens de langue française et, d'autre part, la rencontre et la confrontation entre cette production et la recherche réalisée au Canada anglais et à l'étranger. Au fil du temps, il s'est forgé en son sein une véritable tradition caractérisée tant par la rigueur scientifique et l'ouverture sur le plan théorique et méthodologique que par une sensibilité renouvelée aux débats de société.

Sociologie et sociétés publie deux numéros thématiques par année. Ces numéros explorent et analysent des thèmes reflétant l'évolution des sociétés contemporaines. Ils visent à contribuer aux débats qui animent la sociologie comme discipline spécialisée, mais aussi les sciences sociales et humaines. En général, la revue propose des thèmes théoriques ou méthodologiques et des thèmes axés sur la présentation et l'analyse d'objets empiriques ou de problèmes sociaux. La direction ou la codirection de numéros est confiée à des chercheurs québécois et étrangers. Au fil des années, des chercheurs de tous horizons ont ainsi fait de la revue un des moyens privilégiés de diffusion de leurs travaux.

Articles hors thème

Parallèlement aux numéros thématiques, la revue publie également un nombre limité d'articles hors thème. Comme nous recevons un grand nombre de textes, seuls peuvent être publiés ceux ayant une portée générale pour l'avancement de la discipline et qui répondent à des exigences élevées au plan méthodologique, théorique et analytique.

La revue *Sociologie et sociétés* publie des textes originaux et inédits. Chaque texte est l'objet d'une évaluation de la part de spécialistes anonymes, du ou des responsables d'un numéro et de la direction de la revue. Les textes publiés n'engagent que leurs auteurs. Par ailleurs, la direction de la revue ne garantit pas la publication des textes qui ne respectent pas les normes de présentation exigées pour la soumission des manuscrits.

La revue est indexée dans les répertoires suivants : Bibliographie internationale de sociologie, Documentation politique internationale, FRANCIS, Geographical Abstracts : Human Geography et Geobase, IBR, IBZ, PAIS, Persée, Repère, Science et culture, SocIndex et Sociological Abstracts. Elle est également indexée sur Google Scholar et est accessible en ligne par l'intermédiaire d'Érudit, le portail québécois des revues savantes.

Consultez la revue en ligne sur les sites des PUM et d'Érudit :
http://www.pum.umontreal.ca/ca/socsoc.htm
http://www.erudit.org/revue/socsoc/2007/v39/n1/index.ht

Soumission des manuscrits

- Envoyer le texte par courriel à l'adresse suivante : resocsoc@socio.umontreal.ca.

- Inscrire les informations suivantes sur la page-titre du manuscrit : titre, auteur(s), affiliation, adresse(s) postale et électronique.

- Joindre un résumé ne dépassant pas 150 mots.

- Le manuscrit doit comporter entre 50 000 et 80 000 caractères (espaces compris), notes et bibliographie comprises.

Présentation des manuscrits

- Rédiger le texte à double interligne à l'aide d'une police standard (12 points), avec un alignement justifié et des marges de 3 cm.

- Rendre claire la hiérarchie des sous-titres et les démarquer typographiquement du texte. Réserver les caractères gras aux titres et aux sous-titres.

- Mettre en italique les titres de livres ou de revues, ainsi que les mots de langue étrangère :
  - titres d'ouvrages : en capitales au premier mot seulement (*Les langues du roman*) ;
  - titres de périodiques : en capitales au premier substantif et à l'adjectif qui le précède (*Le Devoir* ; *La Nouvelle Revue française*) ;
  - mots étrangers : en italique (la notion d'*empowerment*).

- À sa première mention, placer un sigle ou un acronyme entre parenthèses à la suite de sa signification, sans ponctuation. Par exemple, ministère de l'Éducation du Québec (MEQ).

- Les tableaux sont insérés dans le texte à la suite du premier paragraphe où on s'y réfère. Ils sont identifiés par un court titre et numérotés en chiffres arabes. Dans le texte, toujours faire référence à un tableau par son numéro, par exemple, voir tableau 3 et non voir tableau suivant (car la mise en pages risque de changer la disposition des tableaux).

- Les figures doivent être dans un document distinct, de format TIFF ou EPS, avec une excellente résolution (de 300 dpi pour les photographies à 1200 dpi pour les dessins au trait line art ou comportant des trames). Les références aux figures se font entre parenthèses à la fin de la phrase (figure 1).

- Ne pas faire suivre un point de deux espaces, un seul suffit. Mettre les accents sur les capitales et la cédille sous le C majuscule. Le trait d'union ne peut remplacer le tiret. Pour figurer un tiret, mettre deux traits d'union côte à côte. Employer les abréviations suivantes dans les notes et la bibliographie : n° (numéro), p. (page, pages).

POLITIQUE ÉDITORIALE ET DIRECTIVES AUX AUTEURS (SUITE)

Notes

- Lier les notes de bas de page avec les appels de notes dans le texte en utilisant la fonction appropriée du traitement de texte. L'appel de note précède toujours le signe de ponctuation. Placer les notes à chaque page et non en fin d'article.

Citations

- Encadrer les citations de guillemets français (« citation », avec espace insécable après le guillemet ouvrant et avant le guillemet fermant). À l'intérieur de ceux-ci, utiliser les guillemets anglais "citation dans la citation" (sans espace). Placer les citations de plus de quatre lignes en retrait, sans guillemets.

- La référence bibliographique suit la citation, avant le point qui marque la fin de la phrase. On y indique le nom de l'auteur, l'année de publication et la page. Exemples : Un champ peut être défini « comme un réseau, ou une configuration de relations objectives entre des positions » (Bourdieu, 1992 : 72).
Autres exemples : (Langlois, 2002 ; Mercier, 2004), (Collin *et al.*, 2005), (Martuccelli, 2005 : 53-54).

- Utiliser les lettres minuscules pour distinguer les différentes publications d'un même auteur dans la même année. Exemple : (Habermas, 1987a), (Habermas, 1987b).

- Traduire en français les citations en d'autres langues et les faire suivre du mot traduction entre parenthèses. Le texte cité peut être fourni dans la langue originale en note de bas de page.

Bibliographie

- Classer les documents par ordre alphabétique de nom d'auteur. L'initiale du prénom (en grandes capitales) suffit. Le nom de l'auteur à sa première lettre en grandes capitales, suivie de petites capitales. Ordonner plusieurs références du même auteur du plus récent au moins récent. La notice bibliographique doit être complète : ne pas oublier le numéro de volume du périodique, les pages du texte cité, etc. Exemples :

Monographie

GAUCHET, M. (1998), *La religion dans la démocratie*, Paris, Gallimard.

ZIZEK, S. (2001), *Did Somebody Say Totalitarianism ? Five Interventions in the (Mis)Use of a Notion*, London/New York, Verso.

Collection

BERNIER, N. F. (2003), *Le désengagement de l'État providence*, Montréal, Presses de l'Université de Montréal, coll. « Politique et économie ».

Ouvrages collectifs
Le livre lui-même

JENSON, J., B. MARQUES-PEREIRA et É. REMACLE (dir.) (2007), *L'état des citoyennetés en Europe et dans les Amériques*, Montréal, Presses de l'Université de Montréal.

COLLIN, J. et al. (2005), *Le médicament comme objet social et culturel : Recension des écrits et propositions sur les perspectives et les objets de travail à prioriser*, Gouvernement du Québec, Conseil du bien-être et de la santé.

Un article faisant partie de l'ouvrage

BERLIVET, L. (2001), « Déchiffrer la maladie », in DOZON J.-P. et D. FASSIN (dir.), *Critique de la santé publique*, Paris, Balland, p. 75-102.

SHUE, V. (2002), « Global Imaginings : The State's Quest for Hegemony and the Pursuit of Phantom Freedom in China », in KINNVALL, C. et K. JONSSON (dir.), *Globalisation and Democratisation in Asia*, London, Routledge, p. 210-229.

Article de périodique

LANKAUSKAS, G. (2006), « Souvenirs sensoriels du socialisme », *Anthropologie et Sociétés*, vol. 30, n° 3, p. 45-69.

Nouvelle édition

GRAND'MAISON, J. (2000), *Quand le jugement fout le camp. Essai sur la déculturation*, 2e éd., Saint-Laurent, Fides.

Coédition

DURAND, G. (1999), *Introduction générale à la bioéthique : histoire, concepts et outils*, Montréal/Paris, Fides/Cerf.

Année de la première parution d'un ouvrage

EMERSON, R.W. (2000 [1844]), « Dons et présents », in *La confiance en soi*, Paris, Rivages poche, p. 129-135.

Site Web

Ministère de l'Immigration et des Communautés culturelles, Rapport du Groupe de travail sur la participation à la société québécoise des communautés noires, <http://www.micc.gouv.qc.ca/fr/dossiers/communautes-noires.html>, consulté le 23 mai 2007.

LA REVUE
NOUVELLES PRATIQUES SOCIALES
Volume 22, numéro 1

Dans le dernier numéro
de *Nouvelles pratiques sociales*

Numéro spécial
NPS : LE COLLOQUE

Enjeux urbains, institutionnels et politico-juridiques
Le renouvellement démocratique des pratiques sociales : enjeux et défis pratiques pour le travail social dans la ville et le quartier • L'institutionnalisation nécessaire du renouvellement démocratique des pratiques d'intervention et d'action sociales • Needs, Rights and Democratic Renewal

Pratiques spécifiques d'intervention
La démocratie à l'épreuve de l'implication des personnes en difficulté : illustrations en Belgique francophone • L'analyse de la construction culturelle du travail de rue : un éclairage démocratique sur le renouvellement des pratiques ? • Une pratique réflexive collective de production de connaissances dans la lutte communautaire contre le VIH/sida au Québec • Image Construction as a Strategy of Resistance by Progressive Community Organizations • L'individualisation de l'intervention dans les organismes communautaires : levier ou barrière à la prise en charge démocratique ? • L'analyse de l'activité comme espace démocratique de développement : approche clinique d'une

situation professionnelle en travail social • Democratic Social Practice and the Emergence of Social Work in China : A Call for Dialogical Engagement • Des tentatives de dépasser les relations de pouvoir. Chercheurs et travailleurs sociaux : même combat ?

Propositions réflexives
Le renouvellement démocratique des pratiques : témoignage, pari, métaphore

Que penser de ces réflexions ?
Réactions de Gilles Tardif (Bureau de consultation jeunesse) et d'Yves Couturier (Université de Sherbrooke)

Pour vous abonner ou pour commander un
numéro de la revue NPS, adressez-vous à :
 Presses de l'Université du Québec
www.puq.ca
Tél. : (418) 657-4075 (poste 226) • Téléc. : (418) 657-2096